Friedrich Heyer

Kirchengeschichte
des
Heiligen Landes

Verlag W. Kohlhammer
Stuttgart Berlin Köln Mainz

Umschlagbild: Einzug Christi in Jerusalem;
Kyatya-Kachel aus der Etschmiadzin-Kapelle des
armenischen St. Jakobusklosters, Anfang 18. Jahrhundert

BR
1110
.H49
1984

CIP-Kurztitelaufnahme der Deutschen Bibliothek

Heyer, Friedrich:
Kirchengeschichte des Heiligen Landes / Friedrich Heyer.
Stuttgart ; Berlin ; Köln ; Mainz : Kohlhammer, 1984.
  (Urban-Taschenbücher ; Bd. 357)
  ISBN 3-17-007959-X
NE: GT

Kohlhammer
Urban-
Taschenbücher

Band 357

Inhalt

I. Die Urgemeinde, ihre Mission in Palästina, die palästinensischen Märtyrer der pharisäischen und römischen Verfolgung

Durch die Selbstbezeugung des Auferstandenen bewegt, hatte sich der Zwölferkreis der Jünger, der auseinandergestoben war, wieder in Jerusalem gesammelt. Heiliger Geist ergoß sich über Menschen, die aus Galiläa herbeigeeilt waren, auch über Bürger Jerusalems, darunter Hellenisten. Lukas stilisierte das Geschehende später zu einem literarischen Bericht über ein »Pfingsten«. Man empfand eine Zäsur: In Jerusalem war die Christengemeinde in ihr geschichtliches Dasein getreten. In ihr war eingeebnet, was es sonst an diskriminierenden Unterscheidungen in der Gesellschaft gab, ganz der Weissagung Joel 3 entsprechend:

Es soll geschehen in den letzten Tagen, spricht Gott.

Eure Söhne und Eure Töchter sollen weissagen,

Eure Jünglinge und eure Ältesten sollen Träume haben.

Auf meine Knechte und auf meine Mägde will ich von meinem Geist ausgießen.

Das heißt: Wenn der Geist empfangen wird, spielt der Unterschied des Geschlechts zwischen Söhnen und Töchtern keine Rolle, ebensowenig der Generationsunterschied. Der Standesunterschied zwischen Herr und Sklave wird in der Weise aufgehoben, daß die Empfänger des göttlichen Pneumas sämtlich zu Knechten Gottes, das heißt zu Propheten werden.

Um weiteren Beitrittswilligen ihre volle Teilhabe am Heil zuzusichern, griff man auf einen alttestamentlichen Brauch zurück, der durch Johannes den Täufer am Jordan erneuert worden war und dessen lebensverwandelnde Kraft nicht wenige im Jüngerkreis an sich erfahren hatten: Man spendete ihnen die Taufe – eine wirksame Bezeichnung mit Wasser, das man aus der Gihon-Quelle oder dem Siloah-Teich holte, vollmächtige Mitteilung des Heiligen Geistes.

Die auf die Vollendung der Zeiten bei der Rückkehr Jesu Hoffenden versammelten sich täglich im Tempel. Aber auch die Tischgemeinschaft, die sich um Jesus gruppiert hatte, setzte sich fort, und das Brot brach man in den Häusern. Im Gestus der Austeilung von Brot und Wein, in dem man Jesu Handlungsweise wiederholte, war Christus gegenwärtig.

In der Mitte der Gemeinde mußte eine Leitungsfunktion institutionalisiert werden. Ein Dreierkreis konstituierte sich aus Petrus und den beiden Zebedaiden. Traten schwerer zu lösende Probleme auf, z.B. die Frage des Dispenses hinzukommender Heiden von der

Beschneidung, so traten die Apostel zum Konzil zusammen – Ansatz des Synodalismus als Element kanonischer Kirchenverfassung.

Die Aufgliederung der Urgemeinde in eine zweiteilige Gemeinschaft von Christen aus der hellenistischen Judenschaft einerseits und aramäisch sprechenden »Hebräern« andererseits folgte den unterschiedlichen Sprachgewohnheiten. Zu den hellenistischen Juden, aus denen sich die hellenistischen Christusjünger rekrutierten, zählten nicht nur Festgäste aus den im Pfingstbericht des Lukas aufgeführten siebzehn Volksgruppen aus der Diaspora, die aus religiösen Gründen in Jerusalem anwesend waren und das Sprachenwunder als Erfüllung ihrer Einheitshoffnung erlebten. Es gab auch in Jerusalem ansässige Hellenisten, z. B. Rückwanderer, die schon drei Generationen lang in der Heiligen Stadt lebten, ihre eigene Synagoge gegründet hatten und dabei auch ein Fremdenheim unterhielten zur Beherbergung von Festgästen aus ihrem Herkunftsland.

Außer der trennenden Sprachbarriere muß auch eine geistliche Differenz zwischen den Hebräern und Hellenisten aufgekommen sein. Wie sollte es sonst erklärt werden können, daß die Pharisäer nur die Hellenisten, nicht den von den Aposteln geführten hebräischen Gemeindeteil verfolgten?

War es dies, daß die Hellenisten – oder doch eine hellenistische Teilgruppe – der griechischen Weltkultur zugehörig, die Thora-Verschärfung nicht mitvollziehen konnten, die damals im Synhedrion, der Führungsinstanz der Juden, ebenso aber auch bei den hebräischen Christen durchschlug? Die damalige politische Konstellation spielte dabei auch eine Rolle. Prokurator Pontius Pilatus war im Jahre 36 nach Rom beordert und durch den syrischen Legaten Vitelius abgelöst worden. Dieser brauchte, um einen Ostfeldzug riskieren zu können, Ruhe im jüdischen Land. Er schätzte die Lage richtig ein, daß er die gewünschte Ruhe durch Begünstigung der pharisäischen Partei mit ihrer Forderung strikter Gesetzesbeachtung erreichen könne. Die hebräischen Christen, von diesem Klimawechsel beeinflußt, wollten allen Ansprüchen genügen. Sie blieben denn auch von der Verfolgung verschont.

Wenn die Urgemeinde die Hellenisten ursprünglich in ihre einheitliche Tisch- und Wirtschaftsgemeinschaft hatte einbeziehen können, so war das im Klima buchstäblicher Gesetzlichkeit nicht länger aufrechtzuerhalten. Gerade bei Tisch waren pharisäische Reinheitsvorschriften zu beachten. Als die hellenistischen Witwen – damals noch nicht eine Art Nonnenkongregation, wie in späteren Gemeinden, eher eine Gruppe von Frauen, die für den Empfang der Nahrungsmittelrationen und die Zubereitung des Essens für ihre

Charismatiker zuständig waren – ungenügend versorgt wurden, drängten die Apostel selbst dazu, daß sich die Hellenisten als Tischgemeinschaft – das bedeutete zugleich als Sakramentsgemeinschaft – verselbständigten. Das führte zur Konstituierung einer eigenen hellenistischen Führungsinstanz der Sieben. In deren Listen findet sich nicht nur der Erzmärtyrer Stephanus, sondern auch ein Charismatiker wie Philippus.

Erstes Opfer der Verfolgung, in der Paulus inquisitorisch aktiv war, wurde der Hellenist Stephanus. Die von ihm vertretene Tendenz charakterisiert Lukas in der von seiner Hand komponierten Stephanusrede. Gegründet auf Prophetenworte, in denen sich prophetische Kultfeindschaft ausspricht, polemisiert Stephanus hier gegen den Tempelkult – für das in Palästina lebende Judentum seit den Tagen des hellenistischen Reformversuchs unter Antiochus IV. ein neuralgischer Punkt. Für die hellenistischen Christen war die Sühnefunktion des Tempeldienstes durch Christi Sühnetat erloschen. So konnten sie die Tradition prophetischer Frömmigkeit erneuern. Stephanus qualifiziert pharisäisch orientierte Fromme, denen die Beschneidung als heilsnotwendig galt, als »Unbeschnittene an Herzen und Ohren«. Damit wird die Beschneidung am Leibe für irrelevant erklärt.

Die hellenistischen Judenchristen hatten sich an die Glieder hellenistischer Synagogen gewendet. Unter ihnen fanden sich Juden, die nicht weniger als die aramäisch sprechenden Juden auf Gesetz und Tempelkult fixiert waren. Sonst wären sie oder ihre Väter ja nicht aus der Diaspora nach Jerusalem zurückgewandert. Sie brachten den Prozeß gegen Stephanus in Gang und lösten die Verfolgung aus.

Von ihrer Position aus werden die »Hellenisten« sich alsbald fähig zur Mission an den mit den Diasporasynagogen verbundenen »Gottesfürchtigen« zeigen, womöglich auch an den Samaritanern. Die pharisäische Verfolgung trieb die hellenistischen Christen zur Flucht nach Judäa und Samaria. Dort gründeten sie Gemeinden. Die Pharisäer, die ihr Gesetzesverständnis in ganz Palästina durchsetzen wollten, sandten Rabbinen hinter ihnen her, so auch den Rabbinenschüler Paulus. Die Apostel, die mit den hebräischen Christen in Jerusalem geblieben waren, hielten das Glaubensband aufrecht und ordneten Petrus und Johannes zur Visitation ab und zur Handauflegung auf die Häupter der Neuaufgenommenen.

Die Phase pharisäischer Machtausübung fand durch den Tod des Kaisers Tiberius ihr Ende (Apg 9, 31). Den hellenistisch beeinflußten Gemeinden in Judäa, Samaria und Galiläa war eine friedliche Entwicklung gegönnt – etwa 5 Jahre lang.

In eine der Hauptstädte Samariens – Sichem oder Sebaste, wie der

Name sagt, von Augustus gegründet, mit griechischer Bevölkerungsmehrheit – kam Philippus und bewirkte durch seine Predigt Dämonenaustreibungen und Krankenheilungen – Zeichen des Anbruchs des Gottesreichs. Hier suchte Simon Magus (ein Prophet, für eine »Kraft Gottes« gehalten, womöglich der samaritanischen Gnosis zuzurechnen, über dessen religiöse Strahlung auch sein Landsmann Justin informiert) Anschluß an die Gemeinde Christi – unter Vermögenshingabe, wie es Bedingung für die Aufnahme in die Wirtschaftsgemeinschaft der Urgemeinde war. Simons Eingliederung in die Kirche scheiterte nicht an Philippus, der ihm bereits die Taufe gespendet hatte, vielmehr an Petrus. Sprach bei ihm die Rücksicht auf die pharisäisch orientierten Behörden in Jerusalem mit? Später galt Simon als Stammvater aller Häresien.

Die aus Jerusalem Vertriebenen brachten das Evangelium auch nach Ägypten. Die ägyptischen Gnostiker führten ihre Überlieferung auf zwei Evangelisten des Siebenerkreises zurück: Nikolaos und Prochoros. Erst auf Zypern und in Antiochien wandte sich die Verkündigung unmittelbar an die Heiden (Apg 11, 20).

Auch die palästinensisch-hebräische Urgemeinde in Jerusalem unter Führung der Apostel lebte im Glauben, daß die Endzeit, die man erwartete, mit einer Bekehrung der Heiden zum Gott Israels verbunden sei. Da sie sich aber für die pharisäische Auslegung der Thora engagiert hatte und unter dem Druck des pharisäisch orientierten Synhedrions stand, evangelisierte sie weder außerhalb der Grenzen Palästinas, noch bewog sie Heiden zum Anschluß. Daß als Folge von Kaiser Caligulas Judenfeindschaft die pharisäische Dominanz im Synhedrion gebrochen wurde, erlaubte der Urgemeinde, sich ihrerseits in die Heidenmission einzuschalten. Petrus bereitete die Bahn.

Die Neubekehrten, die er auf seinen apostolischen Reisen in Lydda und in der Saron-Ebene zum Anschluß an die Urgemeinde gewann, waren noch Juden. Von sich aus wäre Petrus nicht nach Jaffa (Joppe) weitergefahren – eine Stadt, die trotz jüdischer Majorität eine Stadtverfassung nach griechischem Muster besaß. Doch Petrus wollte den dortigen von den Hellenisten gewonnenen Jüngern im Leid um den Tod der Tabitha Beistand leisten. Entscheidender war des Apostels nächster Schritt. In einer Vision wurde ihm vom Himmel der Tisch mit Speisen gedeckt, die nach pharisäischen Reinheitsvorstellungen unerlaubt waren. Das zwang Petrus über die Schwelle, die zu überschreiten er sich bisher gescheut hatte. In der heidnischen Stadt Cäsarea am Meer, für die nächsten rund 4 Jahrhunderte als römisches Verwaltungszentrum Palästinas bestimmend für die Kirchengeschichte des Heiligen Landes, nahm er den römischen Militär

Kornelius mit seinem ganzen Anhang in die christliche Gemeinschaft auf. Der Centurio Kornelius war Heide, freilich schon den Gottesfürchtigen zuzurechnen. »Wer war ich, daß ich konnte Gott wehren?« (Apg 11, 17).

In einer Provinzstadt wie Cäsarea war ein Centurio ein mächtiger Mann. Die italische Kohorte, der er zugehörte, hieß nur so, weil sie in Italien aus syrischen Freigelassenen aufgebaut war. War Kornelius einer der Erstrekrutierten, so war die syrisch-aramäische Sprache das Verständigungsmedium beim Kontakt mit dem Apostel.

Dieser Übergang der Hebraisten von Jerusalem zur Heidenmission kann nicht lange nach dem Vorpreschen der aus Jerusalem vertriebenen Hellenisten geschehen sein. Kaiser Claudius hatte die Stadt Cäsarea etwa um das Jahr 42 an König Agrippa ausgehändigt; von da ab gab es lange Zeit keine römische Garnison in Cäsarea. Außerdem war ja nur während Calligulas Herrschaft, also bis 41, der pharisäische Einfluß so abgeschwächt, daß ein Apostel sich eher davon freimachen konnte.

Die Legende von der Gründung der Gemeinde von Cäsarea durch einen Apostel wurde später oft hervorgekehrt, um die jurisdiktionelle Unterordnung Jerusalems unter Cäsarea im 4. und 5. Jh. zu legitimieren. Aber womöglich war die evangelische Verkündigung doch vorher schon in Cäsarea durch die Aktivität der Hellenisten, etwa durch Philippus, laut geworden und bis zu den der Synagoge affiliierten »Gottesfürchtigen« gedrungen, die nun die Chance wahrnahmen, angesichts der günstigen Gelegenheit eine apostolische Autorität heranzuholen.

Die Brüder in des Petrus Begleitung erkannten an, daß der Apostel bei diesem Schritt sich von Gott hatte führen lassen. Doch bei der Rückkehr nach Jerusalem fiel es dem Apostel nicht leicht, sich zu rechtfertigen. Petrus hatte den bisher gültigen Prinzipien stracks entgegengehandelt. Doch die Heidenmission blieb nun im Zentrum Jerusalem anerkannt. Das wurde auch der antiochenischen heidenchristlichen Gemeinde durch Entsendung des Barnabas mitgeteilt. Die neuen Gemeinden sahen sich nur verpflichtet, der Wirtschaftseinheit der Jerusalemer Gemeinde durch Kollektensammlung das Überdauern zu ermöglichen.

Freilich waren die Judenchristen nicht bereit, den im heidenchristlichen Milieu aufgekommenen Christennamen für sich zu übernehmen. Noch im 4. Jh. muß Kyrill von Jerusalem für diese Selbstbezeichnung Apologie treiben. »Man sagt euch vielleicht« – so wendet sich der Bischof an seine Katechumenen –, »der Name ›Christen‹ sei eine Neuerfindung und bisher habe man ihn nicht benutzt. Da läßt sich mit einem Jesaja-Text (65, 15) antworten:

Den Gläubigen wird ein neuer Name gegeben werden. Und dieser neue Name ist genau der Christenname.« Epiphanius kannte die Leidenschaftlichkeit der Gläubigen jüdischer Herkunft, sich weder »Christen« noch »Juden«, sondern nur »Nazarener« nennen zu lassen.

Nach Kaiser Caligulas Tod im Dezember 41 gewannen die pharisäischen Normen in Jerusalem ihre frühere Geltung zurück. Das lag daran, daß sich die politische Lage verschoben hatte. Agrippa I., den Caligula aus der Kerkerhaft befreit hatte und der sich nach Caligulas Ermordung Verdienste um dessen Nachfolger Claudius erwarb – jetzt Herr über das Reich Herodes' des Großen –, wollte sich den Juden als vertrauenswürdiger Herrscher präsentieren und stützte darum die pharisäische Volkspartei. Außerhalb Palästinas trat König Agrippa freilich als hellenistischer Herrscher auf. Wenn er zur Einweihung des in Beirut errichteten Amphitheaters zwei Kohorten von »Verbrechern« gegeneinander kämpfen ließ, waren womöglich schon Häftlinge um Christi willen in die Arena geschickt worden. In Jerusalem ließ Agrippa die Apostel die bittere Rechnung dafür bezahlen, daß sie in die hellenistische Mission eingewilligt, ja selbst in ihrer Heidenmission Kontakt mit Unreinen aufgenommen hatten. Vor dem Passahfest 42 wurde der Zebedaide Jakobus enthauptet, während des Festes Petrus gefangengesetzt, der damals dem Martyrium nur durch eine wunderbare Befreiung entkam. Warum der Dritte im Dreierkreis, der Apostel Johannes, nicht in die Schußlinie kam, wissen wir nicht.

Der palästinensische Kirchenhistoriker Euseb übermittelt eine Überlieferung, der zufolge jener Jude, der den Jakobus vor das Synhedrion schleppte, von der Art, in welcher der Apostel sein Bekenntnis vertrat, sehr betroffen war. Er bekannte daher, jetzt sei er selber auch ein Gläubiger. So wurden die beiden zusammen zum Gerichtsplatz abgeführt. Auf dem langen Weg dorthin bat dieser Mann den Apostel um Vergebung. Nach kurzer Überlegung soll Jakobus ihm den Bruderkuß gegeben haben mit den Worten: Der Friede sei mit dir.

Der Zebedaide Jakobus wurde durch den Herrenbruder Jakobus ersetzt, der in so strenger Beachtung der Thora lebte, daß ihm der Beiname »der Gerechte« gegeben wurde. So wurde der Herrenbruder damals nicht angetastet.

Der Herrenbruder zählt unter die Zeugen, die den Auferstandenen gesehen hatten. Die judenchristliche Tradition hielt dies im Hebräer-Evangelium fest: »Jakobus hatte ein Gelübde abgelegt, er werde kein Brot essen von jener Stunde an, da er den Kelch des Herrn getrunken hatte, bis er ihn von den Schlafenden auferstehen sähe.

Kurz darauf sagte der Herr: Bringet einen Tisch und Brot herein! Er nahm das Brot, sprach das Dankgebet, brach es und gab's dem Jakobus, dem Gerechten, und sagte zu ihm: ›Mein Bruder, iß das Brot, denn der Menschensohn ist von den Schlafenden auferstanden.‹«

Die Verfolgung fand mit Agrippas Tod sofort ihr Ende. Historiker wie Josephus und Lukas deuteten des Königs plötzlichen Tod als Gotteszeichen: Agrippa hatte sich im Theater die Akklamation des Volks als Gott gefallen lassen. 5 Tage darauf war er tot. Die Römer unterstellten Palästina jetzt lieber wieder ihrer eigenen Verwaltung.

Von der Heidenmission kommend, hatte Paulus drei Jahre nach seiner Bekehrung mit den Häuptern der Urgemeinde – Petrus und Jakobus, dem Herrenbruder – seine Probleme besprochen, 14 Jahre darauf ein weiteres Mal; damals brachte er den unbeschnittenen Titus zur Demonstration seiner Missionserfolge mit in die Heilige Stadt. Das »Apostelkonzil«, das jetzt (48) zusammentrat, wollte den Heidenmissionaren zunächst keine andere Auflage machen, als daß sie für die materielle Unterstützung der Urgemeinde zu sorgen hätten. Petrus sprach sich im Fall von Heidenbekehrung für Verzicht auf Gesetz und Beschneidung aus. Der Herrenbruder unterbreitete jedoch (womöglich erst später als das Konzil) einen Kompromißvorschlag, daß die Heiden wenigstens auf die noachitischen Gebote festzulegen seien. Das sind die in Lev 17 f. aufgestellten Forderungen. Deren Einhaltung würde den Heiden den Aufenthalt in Palästina möglich machen, ohne daß sie durch ihre Anwesenheit die Juden verunreinigten. In manchen Gemeinden, wo man Tischgemeinschaft zwischen Judenchristen und Heidenchristen realisieren wollte, vertrat man diese Lesart. Lokal begrenzt auf Antiochien, Syrien und Kilikien setzten die Autoritäten Jerusalems ein entsprechendes »Dekret« in Kraft. Paulus hat dies nie anerkannt.

In seiner rigorosen Gesetzlichkeit veranlaßte Jakobus den Petrus und Barnabas, die Tischgemeinschaft mit Heidenchristen in Antiochia aufzugeben (Gal 2,11). Oder waren andere, von Paulus als »falsche Brüder« eingestufte Judenchristen im Spiel? Da Petrus sich zurückzog, konnte Paulus dem Petrus vorwerfen, er handele hier gegen seine eigene Überzeugung. Gewiß, das tat der Apostel, doch vielleicht mit Rücksicht auf die Urgemeinde, zu der er die Rückbindung für unentbehrlich halten mußte.

Beim letzten Aufenthalt des Paulus in Jerusalem, der zu seiner Verhaftung führte, leitete der Herrenbruder allein die Urgemeinde. Petrus und Johannes waren zur Mission ausgezogen. So konnte die Tradition in Jakobus den ersten Inhaber des Jerusalemer monarchischen Episkopats sehen. Als der Prokurator Festus, der den Paulus nach Rom überstellte, im Jahre 62 starb und es einige Monate dauerte, bis ein neuer Prokurator anreiste, übte der Hohe Priester Anatos einige Monate lang eine Willkürherrschaft aus. Er berief, wie Euseb berichtet, »den Hohen Rat ein, ließ den Bruder Jesu, der Jakobus hieß, und noch einige Männer vorführen, beschuldigte sie der Gesetzesübertretung und lieferte sie zur Steinigung aus«. Nach Hegesipp, der sich im 2. Jh. bemühte, gegen die Häretiker die apostolische Überlieferung zusammenzuordnen, wurde Jakobus (gelegentlich eines Passahfestes zwischen den Jahren 62 und 66) von Pharisäern und Schriftgelehrten von der Tempelzinne herabgestürzt, gesteinigt und schließlich von einem Walker mit dem Walkerholz erschlagen. Hegesipp schildert den Herrenbruder als einen Mann, der »von Mutterleib an heilig war. Wein und geistige Getränke nahm er nicht zu sich, aß auch kein Fleisch. Eine Schere berührte nie sein Haupt, noch salbte er sich mit Öl oder nahm ein Bad. Jakobus allein war es gestattet, das Heiligtum zu betreten; denn er trug kein wollenes, sondern ein leinenes Gewand. Allein pflegte er in den Tempel zu gehen und man fand ihn auf den Knien liegend und für das Volk um Verzeihung flehend. Seine Knie wurden hart wie die eines Kamels, da er ständig auf den Knien lag.«

Die Urgemeinde hatte sich in Jerusalem festgesetzt, weil die Apostel die Offenbarung des Gottesreichs auf dem Sion erwarteten. Zu ihrem inneren Leben gehörte, was der Apologet Quadratus berichtet: »Ständig waren die Werke unseres Erlösers in ihrer realen Tatsächlichkeit gegenwärtig: nämlich die Geheilten und die von den Toten Auferstandenen. Nicht nur hatte man sie im Augenblicke ihrer Heilung und ihrer Auferstehung geschaut, sondern immer waren sie zu sehen, nicht nur solange der Erlöser hinieden weilte, sondern noch geraume Zeit, nachdem er von der Erde gegangen. Sogar in unserer Zeit leben noch einige von ihnen.« In der Urgemeinde wurde der evangelische Erzählstoff zu den synoptischen Evangelien geformt.

Die judenchristliche Gemeinde von Jerusalem schuf sich im Essenerviertel, in dem sie angesiedelt war, ihre eigenen Synagogen. Eine Ermahnung des Jakobus fängt damit an, daß er sagt: »Stellt euch vor, daß in euere Synagoge ein Mann mit einem Goldring tritt und ebenso ein Armer in schmutzigem Kittel ...«. Das erweist, daß es solche Synagogen gab, mit Sitzen versehen, so daß die Vorsteher Plätze anweisen konnten, wie sie es für richtig hielten. Das Hyperoon, also jenes Gebäude, in dem die Urgemeinde ihre entscheidenden Erfahrungen gemacht hatte – die Begegnung mit dem Auferstandenen, die geglückte Hinzuwahl des Apostels Matthias, die Herabkunft des Heiligen Geistes –, wurde als Synagoge genutzt. Mit herodianischen Quadern, die hier ihre Zweitverwendung fanden, wurde das »Coenaculum« (wie Hieronymus den Bau nennt) – vermutlich bei der Rückkehr in das im Jahre 70 zerstörte Jerusalem – an diesem Ort errichtet. Erst die Kreuzfahrer deuteten den Bau als »Davids Grab«.

In der zweiten Hälfte des 4. Jhs. hat dann Bischof Johannes eine größere heidenchristliche Kirche auf dem Sionsberg neben dem Gebetsort der Judenchristen gebaut. Das Fußbodenmosaik von Madeba zeigt beide Gebäude nebeneinander. Wie in Jerusalem wurden auch anderswo Häuser, in denen sich Heilsgeschichte ereignet hatte, zu judenchristlichen Gebetsstätten: in Nazareth das Haus Mariens, in Kapernaum das des Petrus, in Cäsarea das des Hauptmanns Kornelius. Solche judenchristlichen Synagogen sind von den Archäologen ausgegraben worden; man weiß, daß Lampen und Rauchfässer, wie im Tempel verwandt, im Gebrauch blieben. Man blieb auch beim jüdischen Brauch, in der Synagoge Almosen zu sammeln.

Wahrscheinlich haben auch Judenchristen Maria zu Grabe getragen und im 2./3. Jh. das Mariengrab in Gethsemane angelegt. Die Jünger mögen den Platz gewählt haben, um die Mutter nahe dem Ort ruhen zu lassen, an dem Jesus oft geweilt hatte. Der Grabraum entspricht ganz den topographischen Angaben, die in den legendären Berichten vom Entschlafen der Gottesmutter zu finden sind (Dormitio-Literatur). Maria wird von den Aposteln umringt gedacht; ihre Seele ist zur Himmelfahrt auf Christi Armen. Bis zum 4. Jh. hielten hier die Judenchristen Wacht. Die Heidenchristen zerstörten dann die umliegenden Gräber, die keine kultische Verehrung finden sollten. Später meinte man, Konstantin oder doch wenigstens Theodosius I. habe das Mariengrab gebaut. Kaiserin Pulcheria (5. Jh.) bat den Patriarchen Juvenal um Marienreliquien von dort. Das erweist, daß sie eine Lehre von einer assumptio Mariae ebensowenig kannte wie die Judenchristen, die das Grab bewahrt hatten.

Als der jüdische Krieg heraufzog und die jüdischen Morde an den Heiden sich häuften, die man der eigenen Reinheit wegen vertreiben zu müssen meinte, gab die Urgemeinde die Hoffnung auf Christi Wiederkunft in Sion auf. Ehe die Römer im Jahre 66 Jerusalem einschlossen, brach man in einem kollektiven Exodus auf. Euseb berichtet, die Gemeinde habe »in einer Offenbarung, die ihren Führern geworden war, die Weisung erhalten, noch vor dem Krieg die Stadt zu verlassen«. »Weil damit gleichsam die heiligen Männer die königliche Hauptstadt der Juden und ganz Judäa völlig geräumt hatten, brach das Strafgericht Gottes über die Juden wegen der vielen Freveltaten, die sie an Christus und seinen Aposteln begangen hatten, herein.«

Irgendeine Wüste oder ein Berg muß das Ziel der Auswanderer gewesen sein, jedenfalls wollte man dem Herrn entgegengehen. Wenn die Historiker die Griechenstadt Pella nennen, zu der hin sich der Zug bewegt habe, so muß das vielleicht nur als Richtungsangabe verstanden werden. Vielleicht aber wählte man Pella im Kampfgebiet zwischen hellenistischem Heidentum und jüdischer Defensive, in das auch Christus selbst vorgedrungen war, weil sich dort schon Erfolge judenchristlicher Mission abzeichneten, so daß man auf brüderliche Hospitalität rechnen konnte.

Die Wegwanderung aus dem bedrohten Jerusalem spiegelt sich in der Weisung Lk 21,20, die Christus selbst den Gläubigen gibt: »Wenn Ihr Jerusalem von Armeen eingeschlossen seht, so wißt, daß die Zerstörung nahe ist ... Dann soll, wer in der Stadt ist, herausgehen.« Auch die apokryphe Schrift »Himmelfahrt des Jesaja« bietet einen auf die Wegwanderung hindeutenden Text (IV 13): »Viele der Gläubigen und Heiligen, die den, auf den sie hofften, gesehen hatten – Jesus Christus –, und dazu eine kleine Zahl solcher, die an ihn glauben werden, ohne ihn gesehen zu haben, werden seine Diener bleiben während dieser Tage, von Einöde zu Einöde fliehend, in Erwartung seines Kommens.« Der Apokalypsetext 12,6 (der besagt, daß das Weib, das Jesus gebiert, in die Wüste entflieht, wo sie einen Zufluchtsort hat für 1260 Tage) wurde von den Kirchenvätern auf die Wegwanderer nach Pella gedeutet.

Josephus und Euseb berichten vom Flüchtlingsstrom der aufständischen Juden nach Jerusalem, daß sie hier, wie in einem Gefängnis eingeschlossen, vom Untergang ereilt wurden. Der Tempel wurde durch Feuer vernichtet, die Stadt zerstört. An den Verlust des Jerusalemer Tempels als Kultzentrum und der bisher von den Römern anerkannten Selbstverwaltung wurde jeder Jude ständig durch die Umwandlung der Tempelsteuer in eine Abgabe für den Capitolinischen Jupiter in Rom erinnert. Doch dadurch, daß Rabbi Jochanan ben Zakkai, der einzige Überlebende des Jerusalemer Synhedrions, in Jabne (einem Städtchen bei Jaffa) ein neues Synhedrion organisierte, konnte das Gefüge der jüdischen Volksgemeinde wieder aufgebaut werden. Alle nicht-pharisäischen Richtungen innerhalb des Judentums wurden jetzt aus den Synagogen verdrängt. In das Achtzehnbittengebet wurde nicht nur eine Fluchformel über die Minim, d. h. alle jüdischen Sonderrichtungen aufgenommen, sondern auch über die Nazarener. Damit waren die Judenchristen Palästinas aus den Synagogen ausgewiesen.

Doch die judenchristliche Gemeinde kehrte nach Jerusalem zurück.

Epiphanius berichtet davon. Ihre Gemeinde wurde allerdings von einem inneren Zwist heimgesucht: Theboutis strebte die Bischofswürde an. Die »Himmelfahrt des Jesaja« qualifiziert seine Anhänger dahin, daß »die Jünger des Antichrist die Lehre der 12 Apostel verleugneten, ihren Glauben, ihre Liebe und Reinheit«. Doch die Gemeinde wandte sich der Familie des Erlösers zu und wählte Symeon, Sohn des Klopas, einen Vetter des Heilands, zum Oberhaupt. Der erlitt hochbetagt (120 Jahre alt) unter Trajan 107 das Martyrium, »mehrere Tage lang gequält«. Dieser Bischof habe ein Zeugnis abgelegt, geeignet, alle Welt in Erstaunen zu versetzen. Für Symeon wurde die Kreuzesstrafe gewählt.

Nach Euseb verwaiste das Bischofsamt der Hebraisten in der Heiligen Stadt nicht. Vom Herrenbruder Jakobus an bis zu einem gewissen Bischof Judas in der Zeit des Bar Kochba-Aufstandes zählt Eusebs Jerusalemer Bischofsliste 15 Namen. »Sämtliche waren aus der Beschneidung.«

Als Kaiser Hadrian 134/5 den Bar Kochba-Aufstand niederschlug, verfiel Jerusalem der völligen Zerstörung. Irenäus meinte jetzt, Jerusalem habe als heiliger Ort ausgedient. »Wenn das Stroh sein Korn hergegeben hat, ist es wertlos.« So sei es mit Jerusalem. »Nachdem nämlich seine Frucht über die ganze Welt ausgestreut war, wurde es mit vollem Recht aufgegeben und beiseite getan – diese Stadt, die doch einst so hervorragende Frucht gebracht hatte ... Aber jetzt ist die Stadt unfähig zur Fruchterzeugung.«

Die Christen, die beim Bar Kochba-Aufstand vermutlich mit der Legio Fretensis vor Besetzung der Stadt durch die Aufständischen abgezogen waren, kehrten in die von Hadrian an Jerusalems Statt gegründete Siedlung Aelia Capitolina zurück. »Da nun die Kirche in Jerusalem aus Heiden sich zusammensetzte, wurde dort als erster nach den Bischöfen aus der Beschneidung Markus mit dem Dienst an den dort Zugewanderten betraut.« (Euseb)

Juden war das Betreten von Aelia Capitolina verboten. Euseb berichtet, gestützt auf Ariston von Pella, daß Juden sich nicht einmal in der Umgebung von Jerusalem blicken lassen durften. Justin sieht die prophetische Ankündigung des Jesaja verwirklicht: »Kein einziger von ihnen wird ihre Stadt bewohnen.« Für Judenchristen war die Rückkehr schwieriger, da die Machthaber sie schlecht von den Juden unterscheiden konnten. Dennoch kamen sie, aber gelangten nicht mehr aus ihrer Minderheitsposition heraus.

Die triumphierenden Römer entwarfen die neue Siedlung Aelia Capitolina nach völlig neuem Plan: mit einem Cardo Maximus, der die Stadt durchzog. Die Kirche behauptete sich auch jetzt im traditionellen Quartier auf dem Sionsberg.

Etwa 60 Jahre nach Hadrians Zerstörung zeigte sich unter den hellenistischen Bischöfen Narziss und Alexander ein verschärfter Gegensatz zu den judenchristlichen Gläubigen, verursacht dadurch, daß Narziss 196 am Konzil von Cäsarea teilgenommen hatte, welches den Ostertermin auf den Sonntag fixierte anstelle des 14. Nisan des jüdischen Kalenders. Als der Bischof die Konzilsbeschlüsse durchzusetzen suchte, opponierten die Judenchristen, die (wie Epiphanius bemerkt) nun keinen eigenen Bischof mehr in der Stadt hatten. Die judenchristliche Opposition war immerhin so hartnäckig, daß sich Narziss eine Zeitlang als Asket in der Wüste verbarg und Alexander von Jerusalem gleich zu Beginn seines Episkopats den Klemens von Alexandrien um ein stützendes Gutachten ersuchen mußte, das die neue Terminierung rechtfertigte.

Zu Beginn der Konstantinschen Ära war die Trennung der judenchristlichen Gemeinde von den Heidenchristen, die jetzt in Massen in die Heilige Stadt strebten, so vollständig, daß beide Gruppen nur noch in der Berufung auf den ersten Bischof Jerusalems, den Herrenbruder, einig waren. Doch die Pilgerin Ätheria bemerkte noch, daß in der Grabeskirche nicht nur für die Heidenchristen Griechisch gepredigt wurde, sondern auch Syrisch (Aramäisch), »damit das Volk sich unterrichten kann«. Hier macht sich die judenchristliche Gemeinde mit ihrer eigenen Sprachkultur geltend. Oder sollte die Übersetzungsarbeit Missionsgewinnen aus dem heidnischen Aramäertum dienen?

Mittlerweile war das Zentrum der christlichen Bewegung Palästinas längst in die römische Verwaltungshauptstadt des Landes, zum Sitz des römischen Prokurators, nach Cäsarea am Meer abgewandert. Diese Stadt, von Herodes dem Großen seit ca. 30 v. Chr. zu einem bedeutenden Hafen ausgebaut und schnell auf eine Bevölkerungszahl von 100000 angewachsen, hatte in ihren Mauern die Mission des Philippus aus dem Siebenerkreis erfahren. Dessen vier Töchter hatten aus religiösen Motiven die Virginität gewählt und Kraft zur Weissagung gezeigt. Das Haus des Philippus war der Treffpunkt, an dem sich der judäische Prophet Agabus ebenso einfand wie die Reisegruppe des Paulus (Apg 8,40 u. 21,8). Aus der Sippschaft des Centurio Kornelius hatte sich eine heidenchristliche Gruppe gebildet. Zwei Jahre lang lag Paulus als römischer Gefangener in den Häftlingszellen der ehemaligen Residenz Herodes' des Großen, keineswegs isoliert, sondern im Dialog mit Prokuratoren wie Festus und mit König Agrippa II. und ihrem Gefolge. In der ersten Hälfte des 3. Jhs. wurde Cäsarea neben der Katechetenschule von Alexandria Heimstatt der bedeutendsten theologischen Schule der Christenheit.

Origenes, der Begründer der Theologie als Wissenschaft (basierend auf einer Unterscheidung von Glauben und Wissen) kam 211 als Flüchtling nach Cäsarea. Damals wurde unter Caracalla in Alexandria, wo er als Lehrer der Katechetenschule gewirkt hatte, ein Blutbad angerichtet. Die Bischöfe Palästinas ermächtigten den großen Gelehrten zur Predigt. Den Tadel des alexandrinischen Patriarchen Demetrios, der sie deshalb traf, wiesen sie zurück. Als Origenes 230 erneut auf einer Durchreise nach Cäsarea kam, wurde er hier zum Presbyter geweiht. Patriarch Demetrios, der im Blick auf die Selbstverstümmelung des Origenes einen kanonischen Grund für seinen Widerspruch besaß, verbannte den Gelehrten daraufhin endgültig aus Alexandria. Jetzt auf Dauer in Cäsarea ansässig, verteidigte sich Origenes in Zirkularbriefen gegen die Vorwürfe aus Alexandria.

Wie Origenes als Schulhaupt von Cäsarea seine Schüler erzog, wird aus der Lobrede des Gregor Thaumatourgos erkennbar. Seine Exegese der biblischen Bücher setzte Origenes in Cäsarea fort, indem er Kommentare zu Jesaja, Hesekiel, zum Hohen Lied, zum Matthäusevangelium und zu den »zwölf Propheten« ausarbeitete – immer unter Verwendung der allegorischen Erklärungsweise, die er nach dem Vorbild der alexandrinischen Homerauslegung auf die biblischen Schriften anwandte. In Cäsarea verfaßte Origenes auch sein Werk gegen den heidnischen Kirchenkritiker Celsus. Nicht wenige seiner Briefe wurden in Cäsarea verfaßt, z. B. an Julius Africanus, Bischof Fabian von Rom und an Kaiser Philippus. Origenes zeichnete eine innige Liebe zu den Märtyrern aus. Sein Vater Leonidas war als Märtyrer im Jahre 202 gestorben. 235 schrieb Origenes in Cäsarea seine Exhortatio ad martyrium, die in reifer Form die Gedanken wiederholte, die er als 17jähriger seinem Vater ins Gefängnis geschrieben hatte. Als er in der von Kaiser Decius ausgelösten Verfolgung im Jahre 249 selbst in den Kerker geworfen wurde, erlitt er standhaft alle Martyrien. Seit 246 ließ Origenes Stenographen auch zu seinen Predigten zu. Nach vollendetem 69. Lebensjahr starb er auf einer Reise in Tyrus. Doch die von ihm begründete Schule gedieh in Cäsarea weiter.

Es war der Presbyter Pamphilos in Cäsarea, der Origenes' Werke sammelte, größtenteils in Form der Handexemplare des Autors. Einige Werke des Meisters schrieb Pamphilos selbst ab und stellte einen Katalog aller Origenesschriften zusammen, der, von Hieronymus ins Lateinische übersetzt, erhalten blieb. Als Origenes unberechtigten Anfeindungen ausgesetzt war, schrieb Pamphilos eine Apologia pro Origene; Pamphilos' Schüler Euseb, der in Cäsarea zum Bischof aufstieg und zum Begründer der Kirchenhistorie heranreifte, fügte diesem Werk ein 6. Buch hinzu. Die Apologie ging zwar verloren, doch das zusammengetragene Material verwandte Euseb aufs neue im Buch VI seiner Kirchengeschichte.

Die volle Wucht imperialer Verfolgung traf die palästinensischen Bekenner Christi mit dem späten Versuch Kaiser Diocletians, die Verehrung der Götter zu festigen, eingeleitet mit einem Edikt, das auch in Palästina in der Passionszeit 303 allenthalben angeschlagen wurde. Dieses Edikt verordnete, die Kirchen seien dem Erdboden gleichzumachen, die Heiligen Schriften dem Feuer zu übergeben. Beamte, welche beim christlichen Bekenntnis verharrten, sollten ihre Würde verlieren, Militärpersonen ihre Freiheit. Ende April wurde diese Anordnung dahin ergänzt, alle Kirchenvorsteher seien zu verhaften und mit allen Mitteln zum Opfern zu zwingen.

Keine andere Stadt Palästinas sah so häufige und so grausige Martyrien wie Cäsarea am Meer, Sitz der römischen Verwaltung. Die Statthalter, die hier residierten (Flavian, danach Urbanus und Firmilian), griffen immer wieder in die Verfahren ein, ja, auch der Teilkaiser Maximin Daja, der sich öfters in Cäsarea aufhielt. Euseb, Augenzeuge der achtjährigen Verfolgung, hat in seinem Buch »Über die Märtyrer in Palästina« die siegreich bestandenen Martyrien in allen Einzelheiten geschildert.

Keinen Einblick scheint Euseb jedoch in die römischen Militärverhältnisse gehabt zu haben. Jedenfalls berichtet er nicht über das Martyrium des römischen Offiziers, der schon vor Beginn der kaiserlichen Christenverfolgung bei der im Jahre 300 von Diocletian durchgesetzten Säuberung der Armee seinen Christenglauben mit dem Märtyrertod besiegelte: des hl. Georg. Dieser Offizier – Vorbild christlichen Kämpfertums durch die Jahrhunderte, in stets angereicherten Legenden verherrlicht – erlitt den Tod auch nicht in Cäsarea am zentralen Sitz der römischen Verwaltung, sondern in Lydda, damals Diospolis genannt. Eine noch im 5. Jh. errichtete byzantinische Kirche bezeugt die frühe Verehrung des Heiligen; um 530 schrieb ein abendländischer Pilger, der Archidiakon Theodosius seine Eindrücke vom Besuch des Georgsgrabes in Diospolis und von den dortigen Wundern nieder.

Bischöfe benachbarter Sitze wurden am Gerichtsort Cäsarea verurteilt. Zu den Instrumentarien der Folterung, die die Märtyrer bereitmachen sollten, in die Götzenopfer einzuwilligen, gehörte Auspeitschen, Schließen der Beine in den Stock, Aufreißen der Flanken mit Krallen. Die Verurteilten mußten mit den wilden Tieren kämpfen, wurden enthauptet oder dem Feuer übergeben, oft so, daß das Holz ringsum in einer gewissen Entfernung von dem an den Pfahl gebundenen Christuszeugen aufgeschichtet war.

Euseb versteht die strahlend bestandenen Qualen der Blutzeugen als Siege Christi über die brutal agierende antichristliche Ablehnungsfront. Dafür Beispiele:

Erstes Opfer der Verfolgung war ein Lektor und Exorzist aus Skythopolis mit Namen Prokopius, der sich in der Übersetzung biblischer Bücher ins Aramäische hervorgetan hatte. Am Stadttor von Cäsarea war er aufgegriffen worden und hatte, als man ihn zum Trankopfer nötigen wollte, mit einem Ilias-Zitat (»Nicht ist von Segen die Herrschaft von vielen, nur einer soll Herr sein«) seine Polemik gegen das System der »Vier-Kaiser-Herrschaft« ausgedrückt und Homer als Hinweis auf die Herrschaft des *einen* Königs, Christus, benutzt. »Kaum hatte er das Wort gesprochen, das ihnen nicht gefiel, ward er enthauptet« (7. Juni 303).

Bei der anschließenden Massenverhaftung der Gemeindeleiter Palästinas und dem Versuch, diese zur Opferung zu zwingen, zeigte es sich, daß die Gesellschaft von Cäsarea schon so mit Sympathisanten der Christen durchwachsen war, daß sich – selbst bei den Exekutivorganen – solche Männer fanden, die die christlichen Opferverweigerer nach der Prozedur einer Scheinopferung entschlüpfen ließen. »Da ergriffen mehrere einen an beiden Händen, führten ihn zum Altar und ließen das verruchte und fluchwürdige Opfer von seiner rechten Hand herabgleiten. Er wurde entlassen, wie wenn er geopfert hätte. Ein anderer hatte das Opfer nicht im geringsten berührt, konnte aber dennoch ruhig von dannen gehen, da einige erklärten, er habe geopfert. Wieder ein anderer wurde halbtot aufgehoben, sodann aber, wie wenn er schon ganz tot wäre, hingeworfen und von seinen Fesseln befreit, da er als einer von denjenigen betrachtet wurde, die geopfert hatten. Einer versicherte laut, er werde nicht gehorchen. Allein, man schlug ihn auf den Mund, und die dazu Beauftragten boten alles auf, um ihn zum Schweigen zu bringen. Er wurde gewaltsam hinausgestoßen, obwohl er nicht geopfert hatte. So galt ihnen durchweg schon der Schein viel, ihren Willen durchgesetzt zu haben.« Es kam bei dieser Massenaktion doch nur zu zwei Enthauptungen.

Am 17. November 303 erlitten der Lektor der Stadt Cäsarea Alpheus und der Diakon Zachäus von der Kirche in Gadara, der seiner kleinen Gestalt wegen den Zachäus-Namen trug, den Märtyrertod, nachdem ihre Füße über vier Löcher des Strafholzes gespannt waren. Alpheus hatte Christen, die entmutigt im Begriff standen, das heidnische Opfer dazubringen, davon abzuhalten gesucht.

Zufällig am gleichen Tag bezeugte der Palästinenser Romanus, Diakon und Exorzist in der Kirche von Cäsarea, seinen Glauben mit dem Tod. Man hatte ihn vor den gerade anwesenden Kaiser gebracht, ihm die Zunge herausgeschnitten, ihn dann im Gefängnis mit einem Strick erdrosselt. Auch er war gefangengesetzt worden, weil er das Gedränge von Männern, Frauen und Kindern nicht ertragen konnte, die sich befehlsgemäß zur Opferung drängten, und hatte sie zurechtgewiesen.

Ein Edikt des Frühjahrs 304 dehnte die Opferverpflichtung auf alle Einwohner aus. In Gaza wurde Timotheus, der seinen Widerstand aufrechterhielt, »einem kleinen und langsam brennenden Feuer übergeben«. In Cäsarea wurden Agapius und Thekla dazu verurteilt, bei Schaustellungen auf einem Volksfest den Tieren vorgeworfen zu werden. Auf das Gerücht hiervon »banden sich sechs Jünglinge, um ihre Bereitwilligkeit zum Martyrium auszudrücken, selbst die Hände, traten in raschem Schritte vor Urbanus, der eben zur Tierhetze gehen wollte, und bekannten sich vor ihm als Christen.« Ihre Namen: Timolaus aus dem Pontus, Dionysios aus Tripolis, Subdiakon Romulus von der Kirche in Lydda, zwei Ägypter, Paesis und Alexander, und ein gleichnamiger Alexander von Gaza. Der Christ Dionysios, der ihnen das zum Lebensunterhalt Nötige ins Gefängnis brachte, wurde mitergriffen. Die Enthauptung fand am 24. März 305 statt.

Als unter Maximinus Daja ein neuer Verfolgungssturm gegen die Christen losbrach, unternahm der junge Apphianus, der im Haus Eusebs untergekommen war, ein beispielloses Wagnis. Der Jurastudent, in der berühmten Rechtsschule von Beirut gebildet, hatte sich nicht mehr in den Lebensstil seiner vermögenden, in Lykien ansässigen Familie hineinfinden können. Als die Chiliarchen listenmäßig jeden einzelnen Einwohner von Cäsarea zum Götzenopfer aufriefen, trat Apphianus, ohne daß jemand von seinem Vorhaben etwas ahnte – nicht einmal die Mitbewohnerschaft des Hauses –, zum Statthalter Urbanus, der eben sein Trankopfer darbringen wollte. Apphianus »faßte ihn unerschrocken bei der rechten Hand und hinderte ihn am Opfer ... und dringend mahnte er ihn mit göttlichem Ernste, doch von seinem Wahn abzulassen«. Von der Umgebung des Statthalters »wie ein wildes Tier gepackt und geschlagen« wurde Apphianus ins Gefängnis eingeliefert. Am nächsten Tag wurden ihm mit Eisenkrallen die Flanken »bis auf die Knochen, ja bis auf die Eingeweide« aufgerissen. Von den Schlägen schwoll sein Angesicht so, daß ihn niemand mehr zu erkennen vermochte. Die Folterknechte wickelten seine Füße in ölgetränkte Leinentücher und zündeten dieselben an. »Drei Tage später wurde er, schon halb tot, im Meer versenkt.« Euseb stellt triumphierend fest, daß sich die Gegner von seiner übermenschlichen Standhaftigkeit besiegt erklären mußten. Aber bei der Versenkung ins Meer ereignete sich ein Wunder, das alle Einwohner Cäsareas bewegte: ein Erdbeben, das auch das Meer und die Luft in Wallung brachte, spülte den Leichnam des Märtyrers vor die Tore der Stadt.

Des Apphianus Halbbruder Ädesius, der allezeit im ärmlichen Philosophenmantel ein Asketenleben geführt, in der wissenschaftlichen Bildung seinem Bruder noch überlegen (Mitschüler des Euseb in der Schule von Cäsarea), wagte in Alexandria ähnliches wie sein Bruder. Als er sah, wie der dortige Richter angesehene Männer, weil sie Christen waren, mißhandelte und Jungfrauen Bordellhaltern übergab, trat er an den Richter heran, schlug ihn mit beiden Händen ins Gesicht, überhäufte ihn mit Schimpfworten und warf ihn zu Boden. Auch er wurde ertränkt. In Tyrus wurde in der gleichen Zeit der junge Ulpianus nach fürchterlichen Geißelungen mit einem Hund und einer Giftschlange in rohe Rindshaut eingenäht und ins Meer geworfen.

Als Kaiser Maximin Daja am 20. November 306 in Cäsarea zur Feier seines Geburtstages Festspiele veranstaltete, bei denen Verbrecher in der Arena mit Tieren aus Indien oder Äthiopien kämpfen sollten, holte man den Agapius zusammen mit einem Sklaven, der seinen Herrn ermordet hatte, heran. Agapius war schon drei- oder viermal zum Tierkampf ins Stadion geführt, aber immer wieder zurückgestellt worden. Das Theater hallte von Beifallsbezeugungen wider, als der Kaiser dem Mörder Leben und Freiheit schenkte. »Den Kämpfer für das Christentum ließ der Tyrann vor sich rufen, verlangte von ihm die Verleugnung des Glaubens, wofür er ihm die Freiheit anbot.« Agapius schritt lieber der losgelassenen Bärin entgegen. Noch atmend brachte man ihn ins Gefängnis, wo er noch einen Tag lebte. Mit Steinen an den Füßen wurde er ins Meer versenkt.

Es hatte sich der Brauch eingebürgert, daß Christen die dem Martyrium Entgegeneilenden – ähnlich wie der Schächer zur Linken den Herrn – baten, man möge ihrer gedenken bei der Einkehr in das Gottesreich. Nichts anderes tat das achtzehnjährige Mädchen aus Cäsarea, Theodosia, als sie vor dem Gerichtsgebäude christliche Gefangene sitzen sah. Die Wachsoldaten ergriffen sie, »als ob sie ein schweres Verbrechen begangen hätte«, und führten sie zum Statthalter. Der ließ ihr die Brüste bis auf die Knochen zerfleischen und, »als sie kaum noch lebte, aber gleichwohl alles mit freudestrahlendem Antlitz ertrug, in die Fluten des Meeres werfen«.

Wurde nicht auf Todesstrafe erkannt, so wurden die Bekenner in Massentransporten zur Zwangsarbeit in den Bergwerken Palästinas – etwa in Phaeno – oder Kilikiens abgeschoben. Vor dem Abtransport wurde ihnen ein Auge herausgeschält, und mit glühenden

Schneidwerkzeugen wurden die Sehnen einer ihrer Kniekehlen durchschnitten.

Einer dieser verstümmelten Bekenner – Maximos – wurde später zum Bischof von Jerusalem erhoben. Er war es, der den großen Kyrill von Jerusalem, als dieser noch ein junger Mensch war, an sich zog und zum Nachfolger auf dem Bischofsthron bildete.

Wenn Zwangsarbeitskolonnen von bekennenden Christen aus Ägypten in diese Bergwerke zu überführen waren, so diente Cäsarea als Umschlagplatz. Im Jahre 308 wurde dem Statthalter von Palästina ein Transport aus den Porphyr-Bergwerken der Thebais überstellt. Eine Christengruppe, die in Gaza bei der Lektüre der Heiligen Schrift angetroffen worden war, wurde zur Verstümmelung und zur Zwangsarbeit verurteilt. Im Spätsommer 308 kam ein neuer Transport von 130 zum Bergwerk Verurteilten aus Ägypten an. Im Februar 310 griff die Torwache von Cäsarea eine Gruppe von Christen auf, die einen für die kilikischen Bergwerke bestimmten Gefangenentransport fürsorglich begleitet hatten und nun auf dem Rückwege waren. Als sie ehrlich die Fragen nach dem Woher und Wohin beantworteten, war ihr Schicksal besiegelt.

Als unmenschlich empfanden auch die Heiden Cäsareas eine Anordnung des Statthalters, die Leichen der entseelten Christen unter freiem Himmel den wilden Tieren zum Fraß zu überlassen. Es fanden sich genug Aufpasser, daß die Leichname nicht von den Christen gestohlen würden. Aber Hunde und Raubvögel verschleppten die menschlichen Gebeine dahin und dorthin, so daß die ganze Umgebung der Stadt mit menschlichen Eingeweiden und Knochen übersät war.

Auch Frauen fanden sich unter den palästinensischen Bekennern, insbesondere solche, »die das Gelübde der Jungfräulichkeit« auf sich genommen hatten. Als eine, die aus Gaza stammte, in Cäsarea gefoltert wurde, rief mitten aus der Menge heraus eine solche »Jungfräuliche« aus Cäsarea den Richter an: »Wie lange marterst Du so grausam meine Schwester?« Vor den Altar geschleppt, an dem sie zum Opfer gezwungen werden sollte, stieß sie mit dem Fuß den Altar um, so daß das darauf brennende Feuer hell aufloderte. Beide Jungfrauen wurden, aneinandergebunden, dem Feuertod überantwortet. Am 13. November 309 erlitt eine Christin aus Skythopolis, Ennathas, gleichfalls »mit der Binde der Jungfrau geschmückt«, den Feuertod. Willkürlich hatte sie der Chiliarch fast nackt durch die ganze Stadt Cäsarea unter Peitschenschlägen herumgeführt.

Wie bewegend die Hinrichtungsszenen für die umherstehende Menge sein konnten, zeigt der Bericht von der Enthauptung eines Märtyrers mit Namen Paulus vom 25. Juli 308. Er bat den Henker, der schon zum Schlag ausholte, um eine kurze Frist und begann – mit klarer Stimme – zu beten: für die Glaubensgenossen, daß ihnen Freiheit geschenkt werde, für die Juden, daß sie sich durch Christus bekehren ließen, für die Samariter im gleichen Sinne, für die Heiden, daß sie nicht länger in Unwissenheit dahinleben möchten, für den zusammengewürfelten Volkshaufen rundum, für den Richter, für alle gesetzten Herrscher, für den Henker. Dann bot Paulus den entblößten Nacken dem Schwert dar.

Schon im Jahre 307 war die bischöfliche Führung des palästinensischen Christentums mit dem Martyrium des Bischofs Silvanus angetastet worden. Als 309 die Verfolgung sich schon abschwächte und Entlassungen unter den Zwangsarbeitern der Bergwerke eingeleitet waren, flammte – ganz unerwartet – der Christenhaß noch ein letztes Mal auf. Ein Edikt Maximins wies dazu an, die verfallenen Göttertempel aufzubauen und auf dem Markt alle Waren mit Opferwein zu besprengen. Da wurde auch der Traditionsträger der von Origenes gestifteten Theologischen Schule in Cäsarea, Pamphilos, den Euseb so sehr liebte, daß er dessen Namen anstelle des Vaternamens annahm, von der römischen Behörde belangt. Schon der frühere Statthalter Urbanus hatte ihn zum heidnischen Opfer gedrängt und ihm angesichts einer Verweigerung mit Krallen die Flanken aufgerissen. Damals war Pamphilos nur deshalb dem Tod entronnen, weil Kaiser Maximin die Verbrechen des Urbanus bloßgestellt und ihn zum Tod verurteilt hatte. Als »unmännlicher Feigling« hatte Urbanus »wie ein Weib um Gnade gebettelt«. Zu den zwölf Mitduldern des Pamphilos gehörte jetzt der Diakon Valens, der einzige Märtyrer jener Periode, der aus Jerusalem stammte, damals schon ein verehrungswürdiger Greis. »Die göttlichen Schriften kannte er wie kaum ein anderer.« Er hatte sich soviel von ihnen im Gedächtnis eingeprägt, daß er die Handschriften nicht einzusehen brauchte.

Zu den Opfern gehörte auch ein Christ aus Jamnia mit dem jetzt auffällig häufigen Namen Paulus, »ein kühner Feuergeist, der schon früher seines Bekenntniseifers wegen mit glühendem Eisen gebrannt worden war«. Auch der Fall jener Ägypter, die den Bergwerkstransport begleitet hatten, wurde im selben Verfahren behandelt. Bei ihrem Verhör ergab sich das eigentümliche Mißverständnis, daß die Märtyrer die Frage nach ihrer Heimat mit »Jerusalem« beantworteten. Sie meinten das himmlische Jerusalem, der Richter aber vermutete, die Christen hätten irgendwo eine den Römern feindliche Stadt gegründet und suchte den Ort im Osten ausfindig zu machen. Als ein junger Mann aus der häuslichen Dienerschaft des Pamphilos, der bei dem großen Mann seine Erziehung genossen hatte, aus der Volksmenge heraus bat, die Leichen der Erde zu übergeben, fuhr der Richter »wie von einem Pfeil getroffen« auf und befahl den Folterknechten, »ihre ganze Kraft an ihm zu gebrauchen«. So wurde der junge Porphyrius in das Verfahren verwickelt.

Der Seleukus, ein christlicher Soldat, der dem Pamphilos die Nachricht vom Martyrium des Porphyrius übermittelte und dabei einen der Märtyrer mit einem Kuß begrüßte, wurde allein deswegen ergriffen. Der Zwölfte, der in dieser Aktion mit erfaßt wurde, war Julianus, ein Kappadozier, der »eben von einer Reise heimgekehrt die Stadt noch nicht betreten hatte«. Als er von den Vorgängen Kunde erhielt und hineilte, um die Märtyrer zu sehen, und die Leiber der Heiligen auf der Erde liegen sah, umfaßte er voll Freude jeden und küßte sie alle. Dabei ergriffen ihn die Henker.

Die religionspolitische Wende, die Galerius 311 und Kaiser Konstantin im Römischen Reich herbeiführten, machte der blutigen Verfolgung der Christenheit Palästinas ein Ende.

II. Unter byzantinischer Herrschaft

Die Errichtung von Kirchen im Heiligen Land

Die führende Gemeinde, die sich innerhalb der Stadt Aelia Capitolina gesammelt hatte, war eine heidenchristliche, und wenn sie auch zur Zeit der Konstantinischen Wende einen Bischof besaß (Makarios), so war dieser doch dem Metropoliten von Cäsarea, der damals führenden Stadt Palästinas, untergeordnet. Mit dem Jahre 326 änderte sich die Lage Jerusalems. Kaiserinmutter Helena räumte unter Mithilfe des Bischofs Makarios den Trümmerschutt vom Golgatha-Hügel und entdeckte das lebenspendende Kreuz, fortan die kostbarste Reliquie. Über den heiligen Stätten wurden die Konstantinischen Kirchen errichtet: Über dem Grab Christi die Anastasis – ein Rundbau, über der Stätte der Kreuzauffindung eine Basilika.

Nach der Auffindung des Kreuzes schrieb Kaiser Konstantin an Bischof Makarios, er habe dem Vizepräfekten des Praetoriums Dracilianus den Auftrag erteilt, Kunsthandwerker herbeizuholen und ausgesuchtes Baumaterial heranzuschaffen. Zwei konstantinopler Architekten, Zenobios und Eusthatios, seien mit der Ausführung des Baues beauftragt.

Als am 13. September 335 die Anastasis in Anwesenheit Konstantins und vieler Bischöfe, die von einer Synode aus Tyrus herübergekommen waren, eingeweiht wurde, war der »Weihgedächtnistag« der byzantinischen Kirche entstanden. Zum Morgengottesdienst wird gesungen:

> Freue dich und frohlocke, aus den Völkern gerufene Kirche,
> du Braut des großen Königs,
> weithin strahlendes Spiegelbild von deines Bräutigams Schönheit.
> Kommt, laßt uns gläubig das Jahrgedächtnis feiern!
> Denn heute macht Christus, der zweite Adam,
> das neue Zelt zum geistigen Paradies.

Die Kirchen, die im Heiligen Land an den durch die Heilsgeschichte bezeichneten Stätten wuchsen, mußten in gleicher Weise funktional der liturgischen Darstellung der Heilsgeschichte dienen als auch in der Schönheit ihrer Gestaltung den Kosmos in seiner Verklärung zeigen. Die ganze topographisch darstellbare Heilsgeschichte wurde in der Mosaikkarte von Madeba des 6. Jhs. zusammengefaßt. Das Jerusalem des Mosaiks ist im gesamten Kirchenraum die Mitte, die Grabeskirche, die als Nabel der Welt galt, die Mitte des Mosaiks. Eine Apsiskuppel darüber muß als Überwölbung des auf Erden Geschehenden postuliert werden.

Die Vorstellung von Jerusalem als der Mitte der Welt verfestigte sich, da Hieronymus in diesem Sinne in der Auslegung von Hesekiel 5,5 lehrte. Der aus Jerusalem heimkehrende gallische Bischof Arkulf erzählte um 680 dem Abt von Iona, Adomnanus, daß die in der Stadtmitte errichtete Säule, die daran erinnern soll, daß hier ein toter Jüngling durch Auflegung des Christuskreuzes ins Leben zurückgerufen sei, in der Sommer-Sonnenwende keinen Schatten werfe. Daß diese Säule »von oben her umstrahlt, auf jeder Seite von Licht umgeben« sei, beweist ihm, »daß das Gebiet von Jerusalem in der Mitte der Welt gelegen ist«.

Bethlehem, geliebt als Geburtsort Davids, war bereits von Justin (155–160) als Ort der Christusgeburt angesprochen worden. Der in Sichem, dem heutigen Nablus geborene und herangebildete Apologet war als wandernder Schüler an einem Küstenort (womöglich auch in Palästina) einem Christen begegnet, der ihm den Rat gab: Bete, daß sich dir die Pforten des Lichts öffnen! So war er Christ geworden. Ihm als einem Palästinenser mußte Bethlehem vertraut sein. Kaiser Konstantin errichtete hier die Geburtskirche. Das Weihnachtsfest des 25. Dezember wurde freilich erst von Patriarch Juvenal eingeführt.

Ursprünglich wurde im Heiligen Land am Tag der Taufe Jesu

(Epiphanias) auch seine Geburt gefeiert, die Taufe bei jenem Bethanien von Jo 1,28 am Ostufer des Jordan (Wadi el-Charar). Der Taufort wurde ans Westufer verlegt, weil (wie Kyrill von Jerusalem beklagt) es zu schwer war, an beiden Orten – Taufstelle und Geburtsort zu feiern. Hieronymus tadelte, daß in Jesu Geburtsland noch keine eigene Geburtsfeier eingerichtet war. Die Geburts- und Epiphaniefeier wurde in einem Nachtgottesdienst in der Nacht vom 5. zum 6. Januar in Bethlehem begonnen. Dann zog man zum Taufort am Jordan. Das Fest währte insgesamt acht Tage lang.

Im Samariteraufstand von 529 wurde die Kirche Bethlehems beschädigt. Justinian stellte sie in der jetzigen Gestalt wieder her. Die Geburtskirche ist die älteste noch im Gebrauch befindliche Kirche der Welt.

Noch immer hielten sich abergläubische Kultbräuche bei der Abrahamseiche in Hebron. Als sich die Schwiegermutter des Kaisers, Eutropia, zur Erfüllung eines Gelübdes dorthin begab und das »Eichenfest« erlebte, wies Konstantin den Gouverneur des Hl. Landes Akakios an, die Idole zu verbrennen und den Altar umzustürzen. Die Bischöfe wurden zum Bau einer Basilika an dieser Stätte angeregt. Dem wurde so schnell Folge geleistet, daß der sogenannte ›Pilger von Bordeaux‹ 333 den schönen Bau bereits fertiggestellt sah.

Die Eleona-Kirche auf der Höhe des Ölbergs vermehrte bald die Zahl der byzantinischen Bauten. Euseb lobte Konstantin, daß er die »mystische Grotte nahe dem Ort, da Christus zum Himmel auffuhr«, mit reichen Bauten geschmückt habe. Sei es, daß das Gedenken der Himmelfahrt eines eigenen Gebäudes wert schien oder daß die vorhandenen Bauten die Vorstellungskraft der Gläubigen nicht beflügeln konnten – jedenfalls entstand bald ein neuer Bau, der auch die Fußspur des zum Himmel fahrenden Herrn einschloß. In einem Brief des Paulinus von Nola von 403 findet sich der Felseindruck zuerst erwähnt. Legenden berichten, die Steine zum Bodenbelag seien zurückgeschleudert worden, als man sie an der Stelle der Fußspur Christi verlegen wollte. Eine Heiligenvita (die des Iberers) bemerkt, daß man diese Kirche einer gewissen Poimenia zu danken habe. Das Kreuz, das Hieronymus 385 auf dem Ölberg errichtet sah, überragte die Kirche noch. Als es um 450 einem Brand zum Opfer fiel, ersetzte es Kaiserin Eudokia mit einem bronzenen. Die Pilgerin Ätheria, die Ende des 4. Jhs. in Jerusalem anlangte, benennt das Heiligtum mit dem Namen Imbomon, was so viel heißt wie »eine Estrade«. Melanie die jüngere legte rund um den Kirchbau Mönchs- und Nonnensiedlungen an. Ihr Archimandrit Gerontios leitete die Asketen. Nach einem Bericht der Ätheria sammelte sich die Gemeinde am

Palmsonntag, Gründonnerstag, in der Osteroktav und an Pfingsten jeweils im Imbomon, um von dort zur Grabeskirche zurückzukehren. Eine Beschreibung, in welcher Gestalt das Imbomon nach der Perserzerstörung wiederhergestellt war, lieferte 670 der Pilger Arkulf.

Keimzelle des Jakobusklosters war jene kleine byzantinische Kapelle, die um 420 als Jakobusmemoria errichtet wurde, jetzt in den Kathedralbau einbezogen, aber nur einmal im Jahr geöffnet (mit Sarkis- und Menasaltar).

An dem Ort, da Jesus die 5000 speiste (Heptapegai), wurde um 350 ein erster Bau errichtet, um 480 durch Patriarch Martyrios eine größere Kirche. Dank der Beziehungen des Patriarchen nach Ägypten ließ sich ein ägyptischer Mosaikkünstler herbeiholen. Dessen Werk wurde von einem Einheimischen fortgesetzt, der in das Fußbodenmosaik ein Gebet für die Seelenruhe des Martyrios einfügte. Die Mosaiken wurden 1932 beim Herausziehen der Zeltpflöcke eines Beduinenzeltes entdeckt. Um den geheiligten Boden zu ehren, durfte das Land niemals gepflügt werden.

Auch auf dem Nebo wurde eine Kirche errichtet. Ätheria, die sich von Mönchen (die sie unterwegs bei der Quelle traf, die Mose aus dem Felsen geschlagen haben soll) auf den Berg geleiten ließ, berichtet davon. Bald erstand auf dem Gipfel ein großes Koinobion, Mittelpunkt für die ganze Gegend. Zweimal war es von einem jungen Mönch besucht, später als Petrus der Iberer berühmt, der hier einem hellsichtigen Sketioten begegnete, der 40 Jahre lang seine Zelle nicht verlassen hatte. Bei Ausgrabungen wurden drei Abtsnamen entdeckt, darunter der Name des Abtes Martyrios, des Zeitgenossen der großen Bischöfe Sergios und Leontios von Madeba Ende des 6. Jhs. Damals – 597 – wurde die Basilika fertiggestellt. Das großartige griechische Kloster auf dem Nebo, von dem der Kreuzfahrer Thietmar noch 1217 berichten konnte, wurde vermutlich von Sultan Baibars zerstört, der den Moseskult auf dem Nebi Musa westlich des Jordans förderte und darum die konkurrierende Niederlassung des Nebo vernichten mußte.

Als dem frommen Lukianus am 3. Dezember 415 in Kafr Gamala (dem Landhaus des Gamaliel) in der Ekstase die Gräber des Stephanus, des Nikodemus und des Gamaliel gezeigt wurden, befahl ihm ein Greis, der ihn mit dem Kreuz berührte (das war Gamaliel), dem Patriarchen Johannes seine Entdeckung kund zu machen. Der Patriarch, der gerade in Lydda einer Synode präsidierte, nahm die Bischöfe Eleutherios von Sebaste und Eleutherios von Jericho mit sich; als sie den Sarkophag des Stephanus öffneten, zitterte die Erde. Kaiserin Eudokia errichtete im Norden Jerusalems, wo die Erde das Blut des Stephanus getrunken hatte, eine Kirche zu seinen Ehren, die bis zur Zerstörung durch die Perser bestehen blieb. Die Stätte der Stephanus-Kirche wurde 1882 vom Dominikaner Lecomte entdeckt, der sich entschied, den Stephanuskult zu erneuern. Er trug seinen Plan zur Übernahme des Grundstücks am 27. 1. 1883 Papst Leo XIII. vor. Lagrange deutete den Stephanusbau als Reueakt der Eudokia bei ihrer Bekehrung zum Chalcedonense.

Nachdem auf dem III. Ökumenischen Konzil von Ephesus 431 der Marientitel Theotokos (Gottesgebärerin) durchgesetzt und damit die Verehrung Mariens belebt worden war, hatte Patriarch Elias den Bau der Hagia Maria Nea im südlichen Teil des Osthangs mit gewaltigen Substrukturen begonnen. Der greise Sabas setzte bei seiner Reise zu Justinian durch, daß die Kirche vollendet werde. Abt Konstantin, der das mit der Marienkirche verbundene Stadtkloster leitete, hatte die Bauarbeiten zu beaufsichtigen. Am 20. Nov. 543 konnte die Kirche geweiht werden.

Im Kidron-Tal, damals Tal des Josaphat genannt, wurde um 450 eine Kirche über das Mariengrab errichtet. Beim Jakobsbrunnen nahe von Sichem wurde das Brunnenwasser zur Anlage eines Taufbads benutzt, und von den Platanen, die dabeistanden, wurde tradiert, sie seien von Jakob gepflanzt worden. In Nazareth wurde die Quelle, aus der Maria das Wasser schöpfte, von einer Kirche überwölbt. Beim Mönchskloster auf dem Tabor hatte man drei Hütten errichtet, um das Verlangen der den Herrn zur Verklärung begleitenden Apostel lebendig zu erhalten. Hatte Petrus doch gerufen: »Herr! Laß uns drei Hütten bauen, Dir eine, Mose eine und Elia eine«.

Daß die Religionsgemeinschaft der Samariter noch eine streitbare Kraft war, zeigten die drei Samariterrevolten. 484 wurden die Christen, die in der Kathedrale von Nablus versammelt waren, von den Samaritern niedergemetzelt. Kaiser Zenon sprach den Christen daraufhin den Heiligen Berg der Samariter, den Garizim, zu und ließ dort eine Marienkirche erbauen. Eine zweite Revolte brach unter Kaiser Anastasios (491–518) aus, und eine letzte 529 unter Justinian. Nach der osmanischen Eroberung erstarkten die Samariter wieder: In Ramleh und in Holon bei Jaffa besaßen sie ihre Kolonien.

Die Entwicklung der Hierarchie

Jerusalem hatte das Glück, daß einer der großen Bischöfe der Alten Kirche den Bischofsthron der Heiligen Stadt innehatte: Kyrill von Jerusalem (347–386), Begründer der katechetischen Literatur der

Kirche. Seine Katechesen dienen der griechischen Orthodoxie noch heute als Katechismus. Als Patriarch Kyrillos Lukaris als Ersatz den ins Griechische übertragenen Heidelberger Katechismus herausgeben wollte, beschlagnahmten die osmanischen Behörden 1628 die für den Druck aus England herbeigeschaffte Presse. Auch der bei den slawischen Völkern eingeführte, 1823 verfaßte Katechismus des Moskauer Metropoliten Filaret Drozdov ist mit Zitaten des Kyrill von Jerusalem gespickt.

Kyrill war Lieblingsschüler des Jerusalemer Bischofs Maximos II. gewesen und von diesem selbst zum Priester geweiht worden. In der Heiligen Stadt war er als Prediger beliebt. Als Maximos 347 starb, folgte er ihm im Bischofsamt. Im Jahr 351 wurde eine wunderbare Kreuzeserscheinung am nächtlichen Himmel von Jerusalem beobachtet, von der der Historiker Sozomenos berichtet und über die Bischof Kyrill an Kaiser Konstantius schrieb: »Um die Zeit des Heiligen Pfingstfestes, am 7. Mai, erschien um die dritte Stunde ein sehr großes Lichtkreuz am Himmel über dem Heiligen Golgotha und bis zum Heiligen Ölberg ausgespannt. Es wurde nicht nur von dem einen oder andern, sondern von der ganzen Bevölkerung der Stadt gesehen ... Mehrere Stunden lang war es sichtbar. Es sandte Blitzstrahlen aus und übertraf den Glanz der Sonne ... Die ganze Stadt, von Furcht und von Freude zugleich ergriffen, strömte in die Kirche, Jünglinge und Greise, Männer und Weiber, Einheimische und Fremdlinge, Christen und Heiden. Und alle brachen einmütig in das Lob Jesu aus.«

Daß Kaiser Konstantius II. (†361) und später Valens (364–378) den auf dem I. Ökumenischen Konzil von Nicäa verworfenen Arianismus durchsetzten, der Christus zum geschöpflichen Zwischenwesen herabstufte, brachte Kyrill in eine kritische Lage. War doch der bischöfliche Ratgeber des Kaisers ausgerechnet der Metropolit von Cäsarea, Akakios, dem der Bischof von Jerusalem hierarchisch untergeordnet war. Kyrill aber wollte sich der Irrlehre nicht anpassen. Damit begann seine Leidenszeit. Akakios setzte 357 Bischof Kyrill ab und vertrieb ihn aus Jerusalem. Der Verbannte wandte sich zu Bischof Silvanus von Tarsus. Auch dort blieb er nicht müßig. Als Prediger fand er solchen Widerhall, daß der aufgeschreckte Akakios den Silvanus ersuchte, solche Predigten zu unterbinden. Aus Furcht vor dem Volk freilich wagte es Silvanus nicht, dem nachzukommen. An der Synode von Seleucia 359, die den Akakios absetzte, nahm Kyrill persönlich teil. Ein Jahr lang hielt er sich nun in seinem Jerusalemer Amt, bis Akakios die Gunst des Kaisers Konstantius fand, der Kyrill wieder enthob. An seiner Statt wurde Herenius als Bischof von Jerusalem eingesetzt.

Die heidnische Reaktion unter Julian Apostata 361–363 wirkte sich im Heiligen Land in exemplarischer Härte aus. In Skythopolis rissen religiös engagierte Heiden die Gebeine des Bischofs Patrophilos aus dem Grabe und hingen seinen Schädel wie eine Laterne auf. Andere Reliquien wurden mit Tierknochen vermengt und verbrannt. Die als Christusbild mißverstandene Äskulap-Szene (die Konstantins Schwester angeregt hatte, sich von Euseb ein ähnliches Christusbild zu wünschen) wurde in Cäsarea Philippi (Baneas) auf unmittelbare Anordnung Julians vom Sockel gerissen, mit einem Strick um den Hals durch die Straßen geschleift und dann in Stücke geschlagen. Die Quelle in Emmaus, von der tradiert wurde, daß sich Jesus hier die Füße gewaschen habe, und der man Heilkraft zusprach, ließ der Kaiser zupfropfen. Die idolatrische Stadt Gaza zerstörte das Hilarion-Kloster und verbrannte drei seiner Mönche auf Esel- und Kamelmist.

Doch Kaiser Julian Apostata gab 361 allen unter seinen Vorgängern exilierten Bischöfen Erlaubnis, in ihre Ämter zurückzukehren. Obwohl dem Kaiser daher zu Dank verpflichtet, leistete Kyrill Widerstand, als Julian beim Aufbruch zum Krieg gegen die Perser Befehl zum Wiederaufbau des Jerusalemer Tempels auf Kosten des Staatsschatzes gab. Als schon die Fundamente gegraben und das Baumaterial herangeschafft war, sprach Kyrill am Vorabend des Baubeginns zur Menge und verwies auf Christi Wort, daß am Tempel kein Stein auf dem andern bleiben solle. In der Tat, ein Erdbeben zerstörte das kaum begonnene Werk und tötete viele Juden. Feuer verzehrte die Werkzeuge der Bauarbeiter.

Ins Jahr 367 fiel die dritte Verbannung Kyrills – Folge eines Edikts des Kaisers Valens, in welchem die Präfekten aufgefordert waren, die unter Julian wieder an ihren Sitz zurückgekehrten Bischöfe erneut zu vertreiben. Erst unter Gratian 378 durfte der Bischof nach Jerusalem zurückkehren. Ihm waren noch 8 Jahre des Wirkens für die Christenheit des Heiligen Landes vergönnt.

Am II. Ökumenischen Konzil 381 in Konstantinopel (welches das trinitarische Bekenntnis von Nicäa insofern zu ergänzen hatte, daß auch dem Hl. Geist Wesensgleichheit mit Vater und Sohn zugesprochen wurde) nahm Kyrill teil. Der Historiker Sozomenos rechnet ihn unter die Vorsitzenden des Konzils. Die griechische und lateinische Kirche feiert Kyrill als einen Heiligen.

In dem Bildungszentrum Gaza blieb lange die heidnische Dominanz spürbar. Anfangs des 5. Jhs. zählte die christliche Gemeinde noch nicht mehr als 280 Seelen. Dennoch kannte die Bischofsliste der Stadt bereits vier Namen: Asklep, Irenion, Äneas und Porphyrios. Das Wechselspiel zwischen Mönchtum und Hierarchie war auch hier erkennbar: Porphyrios, ein Sohn Thessalonikis, war ein Anachoret in der Sketis gewesen. Er hatte dann in einer Höhle im Jordangraben gehaust, bis ihn Bischof Praylios von Jerusalem als Wächter der Kreuzreliquie an die Anastasis holte und zum Priester weihte. Da sich die Gemeinde von Gaza bei der Bischofswahl gespalten zeigte, fiel die Einsetzung eines Hierarchen an den Metropoliten von Cäsarea, Johannes, der Porphyrios zu weihen beschloß. In einer Vision bei Nacht erschien der Herr dem Porphyrios und kündigte ihm an: »Ich will dich mit einer niedrigen Braut vermählen. Nimm sie an und schmücke sie!« Das nötigte ihn zur Annahme der Hierarchenaufgabe, deren vordringliches Moment war, die »Götzendiener mit der Predigt anzugreifen«. Porphyrios zog in das kleine Bischofshaus, das Irenion bei seiner Kirche in Gaza errichtet hatte, und lebte auch hier in mönchischer Askese. Ein Hierarch wie Porphyrios konnte dem Mönchtum neue Menschen zuführen. Eindrückliches Beispiel dafür ist die 14jährige heidnische Waise Salaphtha. Ihr begegnete Porphyrios in dem Augenblick, da er vor dem Sturm des heidnischen Pöbels über das Dach seines Hauses floh und in ihrer armseligen Bleibe Unterschlupf fand. Der Bischof gewann das Mädchen nicht nur für die Taufe, sondern führte sie dahin, daß sie sagte: Christus, der Heiland unserer Seelen, ist mein wahrer Bräutigam, von dem ich mich in Ewigkeit nicht trennen werde.

Vom Bischof von Gaza, der in harter Auseinandersetzung mit dem machtbewußten Heidentum stand, ging die Initiative zur Schließung der Heidentempel aus. Seinen Metropoliten Johannes überredete Porphyrios dazu, trotz drohender Winterstürme mit ihm nach Konstantinopel zu segeln, wo es gelang, über den Eunuchen Amantius Zugang zur Kaiserin zu finden. Diese gewann ihren Gemahl für den Erlaß einer (zunächst regionalen) Verfügung zur Tempelschließung.

Unaufhaltsam war Jerusalems Aufstieg zum Patriarchat. Schon auf dem Konzil von Nicäa 325 hatte der Bischof von Jerusalem, damals noch Suffragan von Cäsarea, einen Ehrenrang erlangt, indem er die Teilnehmerliste anführen durfte, nicht anders auf dem II. Ökumenischen Konzil 381 in Konstantinopel auch.

Auf dem III. Ökumenischen Konzil 431 in Ephesus übernahm der Jerusalemer Bischof Juvenal eine führende Rolle in der siegreichen antinestorianischen Partei, die als Titel Marias das »Theotokos« durchsetzte, und dies gegen den anders orientierten Patriarchen von Antiochien, den Juvenal zum Gehorsam gegenüber Jerusalem aufforderte. Der Vorgang war ungeheuerlich: Entsprechend der Gliederung der politischen Administration war Juvenal kirchenrechtlich noch nicht einmal Haupt einer Metropolie und erhob den Anspruch auf die Unterwerfung seines Patriarchen. Auf dem IV. Ökumenischen Konzil in Chalcedon 451 wurden dann Juvenal die Metropolien Cäsarea, Skythopolis und Petra unterstellt. Die Heilige Stadt war Sitz eines Patriarchats geworden.

Die Patriarchen von Jerusalem trugen weiße Gewandung. Der mit charismatischer Hellsicht begabte Mönchsvater Euthymios sah den als Besucher eintreffenden Kirchenschatzverwalter Anastasios visionär in weiß gekleidet, obwohl dieser in farbigem Kleid kam. In der Tat: Anastasios stieg zum Patriarchen auf (458–478).

Als Patriarch der Jahrhundertwende zum 7. Jh. regierte der aus Konstantinopel entsandte Amos (594–601). Als charakteristisch für seine Persönlichkeit erzählt Johannes Moschos in seinem Leimonarion, was Amos, als alle Äbte zur Huldigung kamen, zu den Besuchern sagte: Er fürchte sich über die Maßen vor dem Patriarchengeschäft. Dem Petrus, Paulus und Moses sei es gelungen, die Seelen zu weiden, er selbst aber sei damit überfordert. Mehr als alles andere fürchte er die Verantwortung, Weihen erteilen zu müssen. Offensichtlich war die Moral und Würde des Klerus das wichtigste Anliegen des Patriarchen. Übergroße Härte scheint ihn zu extremen Maßnahmen gegen Kleriker verleitet zu haben, die Papst Gregor der Große, dem in ungüstigem Sinn berichtet war, rückgängig zu machen verlangte. Das belegt auch folgende Geschichte, die über Amos im Umlauf war:

Einem Mönch an der Stephanuskirche, der sich versündigt hatte, hatte Patriarch Amos sein Mönchsgewand wegnehmen lassen und es einem Schwein umgehängt, das er durch die Stadt trieb. Den Mönch hatte er geißeln lassen. Daß der Täufer, gewiß ein strenger Richter über Sünden, dem Amos erschien und dieser Art von Bestrafung widersprach, veranlaßte den Hierarchen, gegenüber der Stephanuskirche eine Täuferkirche zu erbauen. Da erschien ihm der Täufer ein zweites Mal und gab ihm zu wissen: Selbst wenn du mir fünf Kirchen und noch größere erbauen würdest, würde dir diese Sünde nicht vergeben. Im Blick darauf wurde der Name Amos' von den Diptychen (zusammenklappbare Paare von Täfelchen, innen mit der Namensliste derer beschrieben, die in die gottesdienstliche Fürbitte aufgenommen sind) gestrichen.

Das Pilgerwesen

Kaum hatte sich die Kunde von der Auffindung des Heiligen Kreuzes verbreitet, so wanderten Pilger herbei, um die Stätten der heilschaffenden Ereignisse zu berühren und sich damit des Heils zu vergewissern. Die Inkarnation Gottes in der Geschichte war nicht nur zu einer bestimmten Zeit, sondern auch an bestimmten Orten geschehen.

Hieronymus, selbst Pilger, der sich in Palästina ansässig machte, sagte zwar in einer theologischen Reflexion über das Wallfahrtswesen: »Ich wage nicht, die Allmacht Gottes in enge Grenzen einzuschließen und den auf einen kleinen Landstrich zu beschränken, den der Himmel nicht faßt ... Sowohl von Jerusalem wie von Britannien aus steht der Himmel gleichermaßen offen ... Der selige Hilarion, obwohl er aus Palästina stammte und in Palästina lebte, hat Jerusalem nur während eines einzigen Tages gesehen. Dies, damit es nicht schiene, als verachte er, der doch so nahebei wohnte, die heiligen Orte, damit er aber andererseits Gott nicht an einem Ort einschlösse.« Damit wollte Hieronymus bloß bekunden, daß es nicht einfach darauf ankomme, in Jerusalem gewesen zu sein – einer Stadt, in der es wie in anderen Städten auch – unerträglich! – »einen Magistrat, eine Militärgarnison, Huren, Schauspieler und Possenreißer und überhaupt alles gibt, was in Städten vorzukommen pflegt«, sondern daß es darauf ankomme, »in Jerusalem auf rechte Weise gelebt zu haben«. Gregor von Nyssa schrieb seinem Briefpartner: »Erteile, mein Lieber, den Brüdern den Rat, sie sollen ihren Leib verlassen und so zum Herrn pilgern und nicht von Kappadozien nach Palästina.«

Der Rechtsschutz des römischen Reiches bot den Wallfahrern aus dem Abendland (wie dem Pilger von Bordeaux, der 333 ins Heilige Land kam) Sicherheit und schuf die Möglichkeit, die Post, den cursus publicus, zu benutzen. Auch fromme Frauen brachen zur Wallfahrt auf. Einige kennt man mit Namen. Im Jahre 372 kam Melania die Ältere, der 383 ihre Enkelin Melania die Jüngere folgte. 385 zog die römische Aristokratin Paula mit ihrer Tochter Eustachium (vom Stamm der Gracchen) ins Heilige Land. Sie wurde von ihrem geistlichen Freund Hieronymus begleitet, der mit dem Tode des Papstes Damasus im Dezember 384 seinen Gönner verloren hatte und das Gerede über den von ihm geistlich geleiteten Konventikel vornehmer römischer Damen nicht länger ertragen wollte.

Paula, die mit ansehnlichem Gefolge reiste, suchte zunächst in Zypern den Bischof Epiphanius auf, dem sie bei seinem Aufenthalt in Rom aus Anlaß einer Synode ihre Gastfreundschaft erzeigt hatte. Dann zog sie mit Hieronymus nach Palästina. Mit ihrem Vermögen errichtete Paula ausgedehnte Klosteranlagen bei Christi Geburtshöhle und lebte selbst hier noch achtzehn Jahre als Nonne. Mit Briefen suchte sie römische Freundinnen nach Bethlehem nachzuziehen. Noch im Todesjahr Paulas 404 schrieb Hieronymus das Epitaphium Sanctae

Paulae, diktiert vom Schmerz über den Verlust der Freundin und als Trostbrief an Eustachium adressiert. Die Tochter verwaltete Paulas Erbe noch bis zu ihrem eigenen Hinscheiden 419. Der Trostbrief des Hieronymus ist das Werk eines Autors, der die Rolle eines Reiseführers der Frauen gespielt und die Wallfahrt als theologische Bildungsreise angelegt hatte. Ende des 4. Jhs. erreichte die Nonne Ätheria, vermutlich eine Aquitanierin, das Heilige Land. Sie verfaßte einen eigenhändigen Bericht.

Der Pilger von Bordeaux ließ sich auf eine Reiseroute weisen, die vom Jakobsbrunnen bei Sichem über Bethel nach Jerusalem führte. Von dort gelangte er über Jericho zur Taufstelle am Jordan, auf einer nächsten Stichfahrt über Bethlehem nach Hebron. Die späteren Pilger gingen ungefähr die gleichen Wege, doch das Programm wurde reicher. »Wo immer ein Berg von biblischer Bedeutung am Horizont auftauchte, mußte die Nonne Ätheria ihn besteigen«: den Sinai, den Nebo, den Tell von Salumias, nicht weit von Skythopolis, wo man Grundmauern des Melchisedek-Palastes zeigte, womöglich den Tabor, den Hermon, den Berg der Seligpreisungen, den Karmel und den Dschebel Qarantal bei Jericho.

Der Archidiakon Theodosius, der Anfang des 6. Jhs. ins Heilige Land pilgerte, besuchte den Ort des Speisungswunders Jesu bei den sieben Quellen (Heptapegai – Tabgha) und kannte eine Tradition, nach welcher hier der Herr die Apostel taufte. Er wanderte nach Baneas (Cäsarea Philippi) und sah das Standbild des Herrn, von dem er wußte, daß das blutflüssige Weib (mit Namen Mariosa) es aus Dankbarkeit aus Bernstein gefertigt hatte. Karanim (zwischen Damaskus und Amman gelegen) wurde aufgesucht, weil man dort die Hiobsgeschichte lokalisierte.

In Cäsarea besuchten die Pilger das Haus des Hauptmanns Kornelius, bei dem sie jetzt einen Taufbrunnen erblickten, und das Haus des Philippus und seiner vier weissagenden Töchter. Auch das Tal, in dem Elia in Hungersnot sich von den Raben speisen ließ, wurde aufgesucht. Zu den Orten, an denen die Erinnerung biblischer Geschehnisse haftete, kamen die Stätten, die durch Märtyrer geheiligt worden waren.

Oft wurde Jerusalem als Standquartier gewählt. Hier fand man auf dem Marmorfußboden des Haram noch das Blut des Zacharias. Man eilte zum Teich Bethesda oder besuchte das Lazarus-Grab in Bethanien. Die Säule, an welche der Herr gefesselt war, war zu sehen, und die Steine, mit denen Stephanus gesteinigt wurde.

Gräber von Märtyrern, die Eusebs Bericht nicht erwähnt, wurden verehrt. Das zeigen Pilgerbesuche beim Grab des hl. Georg in Lydda und auf dem Ölberg beim Grab der hl. Pelagia, die – einst

Schauspielerin und Dirne – in ihrer Zelle nahe beim Imbomon ihr Leben als Büßerin beschloß.

Die Gräber von Kirchenvätern kamen hinzu. In Jerusalem lag außerhalb der Tore das verehrte Grab des hl. »Isicius«, an dem zu bestimmten Stunden Brot an Arme verteilt wurde. Gewiß handelt es sich hier um den Presbyter Hesychios, durch seine Bibelkommentare und Predigten berühmt, der nach 450 starb.

Das Grab des Hieronymus, 419 bei seinem Tod angelegt, ist unbekannt. Doch ist anzunehmen, daß er nicht weit von der vornehmen Frau, die ihn aus Rom begleitet hatte, der hl. Paula, neben der Geburtsgrotte begraben wurde. Der Pilger von Piacenza sah noch um 570 sein Grab.

Auch kostbare Reliquien wurden ins Heilige Land übertragen. So bewahrte man in einem Frauenkloster bei der Sionsbasilika den in Gold gefaßten Schädel der hl. Theodota auf, einer 13jährigen Märtyrerin, die in Alexandria in der diocletianischen Verfolgung umkam. Die Pilger pflegten aus der Schädeldecke zu trinken. – Zwei Meilen außerhalb von Gaza gedachte man des hl. Hilarion, der in den Jahren 291–361 hier als Eremit gelebt hatte.

Der von den orthodoxen Christen noch heute geübte Brauch, an Bischofsorten sogleich um einen Empfang beim Bischof nachzusuchen, wurde schon von den Pilgern geübt. Eine so gebildete Frau wie Ätheria beherrschte die griechische Sprache und konnte so ihre Gewährsleute, Bischöfe, Mönche, Kleriker, befragen. Oft waren die Pilger so von der Atmosphäre des Heiligen Landes fasziniert, daß sie sich zum Bleiben entschlossen. Paula rief in Bethlehem aus: »Ja, das soll mein Ruheplatz sein, denn es ist die Heimat meines Herrn!« Die heimkehrenden Pilger berichteten von ihren Erfahrungen im Heiligen Land: der Pilger von Bordeaux um 333, die Nonne Ätheria um 400, der Pilger von Piacenza um 570. Auch schilderte Hieronymus die Wallfahrten, die er mit seinen geistlichen Freundinnen 384 unternommen hatte. Reiseführer für Pilger verfaßten der Bischof Eucherius (um 444), der Archidiakon Theodosius (um 520); ebenso enstand ein Jerusalem-Brevier (um 550).

Die Pilger schlossen sich gern zu Gruppen zusammen oder ließen sich von den Mönchen, die sie an den heiligen Orten trafen, zur nächsten Pilgerstätte geleiten. Am heiligen Ort angelangt, vollzogen sie einen festgelegten Ritus. In der Pilgergruppe der Ätheria wurde stets ein Bibel-Codex mitgeführt; an den Gedenkorten wurde, nachdem zuerst ein Gebet gesprochen war, der bezügliche Text verlesen. Ein Psalm im Sprechchor und ein Gebet beendeten den Besuchsritus. »Das war immer unsere Gewohnheit, wo immer wir zu ersehnten Örtlichkeiten kamen.«

Von der hl. Paula berichtete Hieronymus:»Sie besuchte alle Stätten immer wieder mit solcher Begeisterung, daß sie sich nur dadurch von den einen losreißen konnte, daß sie zu den andern eilte. Vor dem Kreuze warf sie sich nieder und betete an, wie wenn sie den Herrn noch daran hängen sähe. Im Grabe küßte sie den Auferstehungsstein, den der Engel vom Eingang des Grabes weggewälzt hatte, und drückte ihre Lippen voller Glaubensdurst nach erwünschter Labung auf die Stelle, an der der Leichnam des Herrn geruht hatte. Wieviele Tränen sie dort vergossen, wieviele Schmerzensseufzer sie ausgestoßen hat, das weiß ganz Jerusalem, und das weiß auch der Herr selber.« In der Geburtshöhle meinte die Pilgerin, »sie sähe mit den Augen des Glaubens das Kind in Windeln gewickelt und in der Krippe schreien, die Gott anbetenden Weisen, den glänzenden Stern in der Höhe, die jungfräuliche Mutter, den fleißigen Nährvater, die Hirten, die in der Nacht kamen ... Sie sähe auch die getöteten Knäblein«. Mit Freudentränen rief sie aus:»Sei gegrüßt, Bethlehem, Brothaus, in dem das Brot geboren wurde, das vom Himmel herabkam!«

Die Priester und Mönche, die an den heiligen Orten die Pilger empfingen, reichten Eulogien dar; so erfuhr es Ätheria bei den Mönchen, die auf dem Nebo siedelten, und bei den Priestern, die den Obstgarten Johannes des Täufers bewachten.

Die Blüte des palästinensischen Mönchtums

In Gaza – stets Brückenkopf ägyptischen Einflusses im Heiligen Lande – kam mönchisches Leben zuerst auf. In diesem hellenistischen Zentrum, das dem Gott Marnas opferte, war Hilarion geboren, der sich als 15jähriger im Anblick der Märtyrer der diocletianischen Verfolgung zu Christus bekehrt hatte. Nach der Vita, die Hieronymus um 390 verfaßte, ging Hilarion nach Ägypten, weilte monatelang beim hl. Antonius und kehrte dann in seine Heimat zurück, begleitet von einigen ägyptischen Mönchen. Nach dem Tode seiner Eltern verteilte er sein Vermögen und zog sich an einen Wüstenort (7 Meilen von Maiuma, dem Hafen von Gaza, entfernt) zum asketischen Kampf und zum Schriftstudium zurück. »Die Hl. Schrift wußte er auswendig: Nach den Gebeten und Psalmen pflegte er sie herzusagen, gleich als ob Gott selbst zugegen wäre.« Erst nach 22 Jahren begann er Schüler anzunehmen: 330 – Ausgangsjahr mönchischer Expansion im Heiligen Land.

Der Sieg, den Hilarion über sich selbst errang, förderte die Bekehrung des heidnischen Gaza. Die Gemeinde, die sich um den Priester

Silvanus scharte, der später bischöflicher Nachfolger Eusebs in Cäsarea werden sollte, war freilich nur klein. Beim religionspolitischen Rückschlag, den Julian Apostata 361 in Szene setzte, wurde das Kloster des Hilarion zerstört und nach ihm selbst gefahndet. Auch als Porphyrius 395 Bischof von Gaza wurde, zählte die Gemeinde erst wenige Glieder. Unter den von Hilarion Bekehrten aber fand sich der Großvater des späteren Kirchenhistorikers Sozomenos.

Dem Hilarion war auch die Missionierung der Städte des ehemaligen Nabatäer-Reiches zu danken. Hieronymus berichtet, daß, als der Heilige mit seinen Jüngern in Elusa anlangte, das Volk im Venustempel versammelt war. Eine Stimme war zu hören: »barech – er ist gesegnet«. Hilarion war der nabatäischen Bevölkerung nicht unbekannt. Bald »diente der Priester des Lucifer (in einer neugebauten Kirche) dem Gekreuzigten«. Auf dem Konzil von Ephesus 431 war bereits ein Bischof von Elusa anwesend, Abdallah-Theodoulos, in Chalcedon ein Bischof Aretas.

Hieronymus schildert das Leben des Hilarion als periodenweisen Aufstieg zu immer vollkommenerer Askese. Diese Askese stand im Dienst der Dämonenbesiegung; so befähigte sie den Mönch auch zu Wunderheilungen, z. B. an einer unfruchtbaren Frau aus Eleutheropolis. Der Ruhm, den er dabei gewann, ließ Hilarion um sein Heil bangen. So floh er in ein Wanderleben. Hieronymus schreibt: »Nachdem Hilarion überall bekannt geworden war, sollte ihn wenigstens das Meer vor den Menschen schützen.« Die Reise bezahlte Hilarion mit dem Erlös aus einem verkauften Evangelienkodex, den er in jungen Jahren abgeschrieben hatte. Bei der Nachricht vom Tode des Mönchsvaters Antonius 357 verließ er Palästina zum ersten Male, um zum Antoniusgrab zu pilgern. Die »Xeniteia« führte den Asketen später nach Sizilien, Dalmatien, zuletzt nach Zypern. Dort traf er seinen Landsmann Epiphanius als Bischof der Insel an.

Hilarions Schüler Hesychios suchte seinen Meister in der weiten Welt. In Sizilien traf er ihn. Doch dieser schickte den Hesychios zurück ins Heilige Land – um Gaza nicht verwaisen zu lassen. Hesychios war es dann, der den unversehrten Leib des Hilarion 371 nach Maiuma brachte.

Hieronymus schließt seine Vita mit einer Erinnerung an den Streit zwischen den Kirchen von Gaza und von Zypern: »Hier behauptet man seinen Geist, dort seinen Leib zu besitzen. Und doch geschehen an beiden Orten täglich große Wunder. Die größere Anzahl freilich ereignet sich in dem Garten auf Zypern, vielleicht weil dieser Ort des Hilarion Lieblingsaufenthalt gewesen war.«

Daß sich die Wüste Judas im 4. und 5. Jh. mit Asketen bevölkerte, nahm seinen Anfang, als Chariton als Pilger aus Ikonium 275 nach Jerusalem reiste, von Räubern überfallen und in ihre Höhle bei En Pharah, 14 km nordöstlich der Heiligen Stadt, verschleppt wurde. Die Räuber tranken vergifteten Wein und kamen ums Leben, Chariton aber blieb als Einsiedler in der Höhle. Als er 330 – also im gleichen Jahr, da sich das Mönchtum von Gaza entfaltete – Schüler annahm, bildete sich die erste Lavra im Heiligen Land – seither eine typische Struktur mönchischen Zusammenlebens: Einsiedler, die in den Höhlen auf beiden Talseiten des Wadi En Farah hausten, bauten sich als Mittelpunkt ein Kirchlein. Bischof Makarios von Jerusalem kam zu ihnen, um es zu weihen. Lavra bedeutet so viel wie Markt. Ins Syrische übersetzt heißt eine solche Mönchssiedlung Souka (Suq). Die Körbe, die die Mönche flochten und verkauften, um ihren Lebensunterhalt zu bestreiten, wie auch andere Produkte brachten sie am Sonnabend zum Kirchplatz.

Judenchristliche und heidenchristliche Brüder suchten Chariton in Scharen auf, um seinen Rat zu hören: Da – um 340 – entschloss sich der Asket, einen anderen Winkel in der Wüste für sich zu suchen. Er wanderte zum Wadi Qelt, dann die römische Straße entlang bis zu dem Berg oberhalb Altjerichos, an dem die Überlieferung hängt, hier habe Christus 40 Tage gefastet und sei vom Teufel versucht worden. Hier gründete Chariton die »Lavra der 40 Tage« (Qarantal), auch Douka genannt (nach der Festung Dok auf dem Gipfel).

Nicht lange danach zog der Asket weiter und gründete ostwärts von Tekoa die Lavra Souka: die sogenannte Alte Lavra. Chariton wählte sich eine Grotte, die nur mit einer Leiter erreichbar war und darum Kremastos genannt wurde. Schüler folgten ihm auch dorthin. Die Art, wie Chariton die Askese vorlebte, war die einzige »Regel«, der die Schüler folgten. Seine letzten Lebenstage verbrachte der Heilige wieder in En Pharah und fand dort sein Grab. Sein Gedenktag ist der 28. September.

Das Andenken des Begründers des palästinensischen Mönchtums, des heiligen Chariton, wird eifrig gepflegt. Ihm singt man an seinem Fest zu:

> Erst hast Du Dich in geistlichen Kämpfen geübt,
> Dann bist Du in Askese den göttlichen Weg zuende gegangen.
> So bist Du zu den Himmeln aufgestiegen
> und lebst in Christi Gegenwart,
> oh heiliger Vater Chariton!
> Tritt für uns ein, die wir Dich mit Wärme loben!

Ein anderer Hymnus liebt ein Wortspiel mit dem Namen des Chariton, in dem der griechische Ausdruck für »Gnade«, »charis«, steckt:

Das Charisma der Heilung hast Du, oh Chariton,
aus göttlicher Charis verdientermaßen empfangen.
Daher wird von Dir Verwirrung durch böse Geister ausgetrieben
und die Unreinigkeit schwertragbarer Krankheiten von Dir
gesäubert.
Denn wie Quellwasser entspringen die Ströme Deiner Gnadengaben (Charismen).
Davon bewässert preisen auch wir Dein Gedächtnis.

In den siebziger und achtziger Jahren des 4. Jhs. wurde Internationalität zum besonderen Kennzeichen des Mönchslebens in Palästina. 373 kam die mit 21 Jahren frühverwitwete vornehme Römerin Melania (die Ältere) »mit zuverlässigen Knechten und Mägden« und reicher Habe unter Geheimhaltung ihres Vorhabens nach Alexandria gesegelt, um die Asketen des Wadi Natrun zu besuchen. Als der Arianer Lucius den alexandrinischen Patriarchenthron einnahm und durch den Statthalter Ägyptens eine Gruppe von Bischöfen und Mönchen, die am nicänischen Glauben festhielten, nach Diocäsarea in Palästina verbannte, begleitete Melania die Exilierten und unterhielt sie mit ihrem Vermögen. Doch die Asketen wollten den Besuch einer Dame in vornehmer Kleidung nicht tolerieren. Da zog Melania Sklavenkleider an, um ihnen abends Nahrung bringen zu dürfen. Als der Statthalter Palästinas zugriff und Melania in den Kerker warf, spielte sie ihm gegenüber durchaus wieder ihre vornehme Herkunft und ihre mächtigen Beziehungen aus. Als Melania beim Umschwung der kaiserlichen Religionspolitik auf die nicänische Linie ihrer Sorgepflicht für die Verbannten ledig wurde, gründete sie ihr Ölbergkloster, in dem sich bald annähernd 50 Nonnen sammelten. 27 Jahre stand die Römerin ihrem Kloster vor, hier in enger Gemeinschaft mit Rufin. »Beide nahmen die Jerusalempilger auf.«

Die Kunde von der Ankunft seines Studienfreundes Rufin lockte 386 auch den Hieronymus ins Heilige Land. In einer Höhle bei der Geburtskirche in Bethlehem widmete er sich exegetischen und historischen Studien, auch Übersetzungen ins Lateinische. Das bedeutendste Werk, das ihm gelang – die lateinische Übersetzung des AT unmittelbar aus dem Hebräischen –, konnte Hieronymus deshalb vollenden, weil ihm im Heiligen Land die Konsultation mit jüdischen Gelehrten möglich war: ad hebraeos igitur revertendum est. Wenn Hieronymus auch die ecclesia Domini der synagoga diaboli gegenüberstellt und, was die Textauslegung anlangt, der letzteren »verrückte Phantasien« unterstellt, so scheute er sich doch nicht, berühmte jüdische Lehrer zu besuchen.

Zu den Nonnen eines von Hieronymus geleiteten Frauenkonvents in Bethlehem zählte Fabiola aus dem berühmten römischen Geschlecht der Fabier. Aus ihrer Ehe mit einem lasterhaften Mann war sie ausgebrochen. Das hatte im Gegensatz zum geltenden Kirchenrecht gestanden. Als ihr zweiter Gatte starb, erkannte Fabiola dies als göttliche Strafe, erschien in Rom als öffentliche Büßerin in den Kirchen und wandte sich dem asketischen Ideal zu. In Bethlehem war sie die Ungeduldigste unter den Hörerinnen des Hieronymus; sie drängte darauf, auch die weniger ergiebigen Textstellen der Bibel erklärt zu bekommen.

Als die unermeßlich reiche Römerin Melania die Jüngere den Nonnenstand wählen und ihre Landgüter in Spanien und Afrika verkaufen wollte, um damit Klöster zu gründen, kam es auf den Gütern zur Sklavenempörung. Die Sklaven wollten sich nicht verkaufen lassen. Erst durch Vermittlung der Kaiserin Serena konnte durch eine Anordnung des Kaisers Honorius der Güterverkauf durchgesetzt werden.

Nach 7 afrikanischen Jahren langte Melania mit ihrer Mutter in Jerusalem an und nahm Wohnung im Hospiz bei der Anastasis. Was sie noch an Vermögenswerten besaß, übergab sie zur Verteilung den Armenfürsorgern. »Sie wollten nicht einmal gesehen werden, wenn sie Gutes taten.« Dem Gerontios vertraute Melania an, daß sie »zu Beginn des Aufenthaltes in Jerusalem den Entschluß gefaßt habe, unseren Namen auf die Armenliste setzen zu lassen und gleich den Bettlern von Almosen zu leben«.

Nach einer Reise nach Italien und Spanien (wo sie ihre restlichen, nach Alarichs Einfall im Wert freilich verfallenen Güter verkauft hatte) ließ Melania sich in einer engen Zelle auf dem Ölberg nieder, die ihr die Mutter hatte bauen lassen. Nach Epiphanias schloß sie sich darin ein, »saß daselbst in Sack und Asche, ohne mit jemandem zu sprechen, ausgenommen ihre hochheilige Mutter und ihr geistlicher Bruder, und sogar mit diesen nur an bestimmten Tagen«. Hier entstand eine Gemeinschaft von 90 Jungfrauen. Innerhalb der Anlage wurde eine Zisterne angelegt, damit keine Schwester nach draußen gehen mußte. Allen war die Unterhaltung mit einem Mann verboten. Auch Frauen aus dem anrüchigen Quartier der Stadt holte Melania in die Schwesternschaft herein. Sie selbst weigerte sich, die Funktion der Oberin zu übernehmen. Allen diente sie mit »unendlich zartem Mitgefühl«. Oft mahnte sie die Schwestern zum Gehorsam gegenüber dem Gotteswillen. »Nimmt man den Gehorsam hinweg, das kostbarste Gut, dann ist es auch um die Ordnung geschehen; und wenn die Ordnung fehlt, wankt auch der Frieden.« Stets war Melania in Furcht, eine aus dem Schwesternkreis könne auf ihr Übermaß an

Selbstabtötung stolz werden. Um zu verdeutlichen, wie wichtig ihr außer Askese auch andere Tugenden waren, wählte sie das Bild der geschmückten Braut, »die allen Schmuckes bar einhergeht und einzig schöne Schuhe trägt«.

Anläßlich einer seelsorgerlich motivierten Reise nach Konstantinopel erbat Melania von Kaiser Theodosios II. Urlaub für seine Gattin, Kaiserin Eudokia. Als die Nachricht in Jerusalem eintraf, Eudokia sei schon bis nach Antiochia gelangt, reiste Melania ihr bis Sidon entgegen. Bei der denkwürdigen Begegnung der beiden Frauen soll die fromme Kaiserin gesagt haben: »Zwei Dinge dank ich dem Herrn, daß ich die heiligen Orte verehren darf und daß ich meine Mutter sehe. Denn ich sehnte mich, solange du noch dem Herrn im Fleische dienst, deiner heiligen Nähe gewürdigt zu werden.« Eudokia begab sich ganz in innige Gemeinschaft mit der Schwesternschaft des Ölbergs. Die hier entwickelte Zuneigung zu den Mönchen sollte ihre Auswirkung haben, als der Kaiserin nach ihrem Bruch mit dem Hofe von Byzanz in den Jahren 444 bis 460 das Regiment über das Heilige Land anvertraut wurde.

Unter den Nationen, die jetzt einen Platz im Leben des Heiligen Landes fanden, ist auch das georgische Volk zu erwähnen. Um 395 traf der lateinische Mönch Rufin, der im Kloster der Melania auf dem Ölberg lebte, mit dem georgischen Prinzen Bakur zusammen, der in der byzantinischen Armee zur palästinensischen Grenzsicherung Dienst tat. Durch Rufins Historia ecclesiastica, auf dem Ölberg geschrieben, ist die Bekehrung des georgischen Volkes durch eine kriegsgefangene Frau, die hl. Nino, bekannt geworden, die mit ihrem Gebet Kranke heilte. Das georgische Volk empfand seine Verbindung mit Jerusalem so stark, daß in späterer Legendenbildung Nino als eine Nichte des Jerusalemer Patriarchen Juvenal geschildert wurde, die in der Heiligen Stadt aufwuchs und durch eine Marienvision zu ihrem Missionswerk geführt wurde.

Die eigentlichen Anfänge des georgischen Mönchtums im Heiligen Land liegen um das Jahr 430. Damals kam der georgische Prinz Nabarnugios auf der Flucht von Konstantinopel nach Jerusalem. Er war 12jährig als Geisel in den Kaiserpalast von Konstantinopel gebracht worden, wodurch verbürgt werden sollte, daß das georgische Königreich nicht zu den Persern abschwenkte. In Konstantinopel war er der Jerusalemer Asketin Melania der Jüngeren begegnet, die dort einer seelsorgerischen Pflicht nachkam. Unter dem Eindruck ihres Vorbildes verlangte er nach einem mönchischen Leben im Heiligen Land. Der strengen Bewachung am Kaiserhof von Konstantinopel war Nabarnugios unter Mithilfe eines Kammerherrn entkommen, des Eunuchen Johannes, mit dem er sich bei

dem Schrein persischer Märtyrerreliquien in seiner Kammer ver-
schwor. In der Fluchtnacht waren die Märtyrer aus dem Schreine
gestiegen und als Feuersäulen vor den Flüchtlingen mit dem Hymnus
»Suche Christum und schaue das Licht vom Lichte« hergezogen und
hatten sie sicher durch die Kette der Wachtposten geleitet. Der
Prinz vergaß nie die Melodie, die er dabei zu hören bekam. Bei der
Ankunft im Heiligen Land »ließen sie in der Fülle der in ihnen entzündeten Liebe nicht ab, auf ihren Knien zu rutschen und häufig
mit ihren Lippen und Augen jenen heiligen Boden zu begrüßen,
bis sie innerhalb der heiligen Mauern waren«. Melania nahm die
im Sklavengewand Anreisenden als gute Gastfreundin in dem Männerkloster auf, das sie beim Imbomon auf dem Ölberg gestiftet
hatte. Der Vorsteher dieses Klosters Gerontios kleidete die Neulinge
ein. Der Prinz empfing den Mönchsnamen »Petrus der Iberer«.
Der Verfasser der Vita des Iberers berichtet, daß es im damaligen
Jerusalem nur wenig Häuser und Einwohner gegeben habe. »Da
nun die Erzpriester wünschten, daß eine Menge von Bewohnern in
der Stadt wohne und eine Menge von Gebäuden gebaut würde,
gaben sie jedem, der wollte und konnte, Erlaubnis, in jedem beliebigen Teile der Stadt jeden Ort, welcher ihm gefiele, ohne Kaufpreis
zu nehmen.« So baute Petrus ein Kloster beim Davidsturm, das
noch lange das Kloster der Iberer hieß.
Als Kaiserin Eudokia nach Jerusalem kam, die den jungen Prinzen
in der Konstantinopler Zeit wie ein eigenes Kind versorgt hatte und
nun ihren Pflegesohn häufiger zu sprechen verlangte, empfand
Petrus es als Verstoß gegen seine Regel, auf diese Wünsche einzu-
gehen. Auf den Rat seines Seelsorgers, des hl. Zeno – der ihm den
Bescheid gab »rette dich!« –, verließ der Iberer die Heilige Stadt
und schloß sich einer Mönchsgemeinschaft in Maiuma, dem Hafen
von Gaza, an.
Im Brief des Hieronymus an Marcella (386) preist der Schreiber die
Chöre der Mönche, die Vielzahl der Nationen, die sich in Jerusalem
einfanden: »Der Bretone, der Gallier stößt sich mit dem Ellenbogen
an die Gläubigen, die aus dem Orient gekommen sind, aus Armenien, Persien, Indien, Äthiopien, Ägypten, aus dem Pontus und aus
Kappadozien, Cölesyrien und Mesopotamien. Das Heilandswort ist
erfüllt: Wo der Leib liegt, da sammeln sich die Adler.«
Während des 5. und 6. Jhs. gelangte das Mönchtum Palästinas in
drei Generationen zur vollen Blüte. Es gewann beispielhafte Bedeutung für den ganzen kirchlichen Osten, besonders durch den hl.
Euthymios, den hl. Sabas und den hl. Sophronios. Jedem war ein
enger Freund beigestellt. Dem palästinensischen Mönchtum blieb
diese Verbindung von je zwei Mönchen zu einer Dyade eigentümlich.

Dem Euthymios war der Mönchsbruder Theoktist verbunden. Der Biograph Kyrill erzählt, wie Euthymios in En Pharah anlangte: »Dort hatte er als Nachbarn einen von Gott inspirierten Menschen namens Theoktist und, von Zuneigung zu ihm erfaßt, vereinigte er sich mit ihm so vollkommen in spiritueller Wahlverwandtschaft, daß der eine wie der andere nur noch den gleichen Gedanken dachte und nach der gleichen Lebensart lebte. Sie erschienen sozusagen als eine Seele in zwei Körpern.« Beide erfüllten später ganz unterschiedliche Mandate: Theoktist leitete eine disziplinierte Lebensgemeinschaft von Mönchen, ein Koinobion, Euthymios lebte als Rekluse. Ähnlich gingen später der hl. Sabas und der hl. Theodosios miteinander und doch auseinander. Sophronios und Johannes Moschos bildeten eine strukturverwandte mönchische Dyade.

Die Lebensgeschichte des Euthymios und des Sabas hat ein in ihren Klöstern heimischer palästinensischer Mönch niedergeschrieben: Kyrill von Skythopolis. Vom 90jährigen Sabas war er als sechsjähriger Knabe bei einem Besuch des Heiligen in seinem Elternhaus zum Mönchsleben vorbestimmt worden. Er befolgte schließlich einen Rat des Hesychasten Johannes aus der Lavra des Sabas, dem er zunächst zuwidergehandelt hatte, und trat 543 ins Euthymioskloster ein. Später fand er sich in den Klostergründungen des Sabas. Als Kyrill Not mit der Abfassung seiner hagiographischen Schilderungen hatte, erschienen ihm Euthymios und Sabas in einer Vision. Euthymios zog eine silberne Salbdose aus seiner Brust und träufelte dem Schreiber Honig in den Mund. – Kyrill fügte die Viten des Hesychasten Johannes und des Kyriakos dem Werke als notwendige Ergänzung bei, waren die beiden Mönche doch Kyrills wichtigste Gewährsmänner. Ihre Erinnerungen an die großen Inspiratoren des Mönchtums hatte Kyrill ausgeschöpft.

Auch läßt sich feststellen: Kyrill von Skythopolis war als Autor in die mönchische Schriftstellerei seiner Zeit eingewoben: Die Antonius-Vita des Athanasios diente ihm als literarisches Modell. Ferner finden sich Berührungen mit der Historia Lausiaca, Gregor von Nazianz und Theodoret.

In der byzantinischen Liturgie nimmt der hl. Euthymios den zweiten Platz unter allen Mönchsheiligen ein – nach dem hl. Antonius, dem Urmönch der ägyptischen Wüste. Euthymios' Ankunft in Jerusalem im Jahre 405 war das Datum, das die Blüte des palästinensischen Mönchtums einleitete. Viele wanderten aus Kappadokien herbei.

Euthymios hatte in Melitene bereits als Klostervorsteher gewirkt. Doch er sehnte sich nach »geistlicher Ruhe« (Hesychia). Dem Ruhm, der ihn umgab, wollte er entfliehen. Im Heiligen Land fügte er sich in die älteste Lavra, En Pharah, ein. Mit Theoktist zog sich Euthymios in jeder Passionszeit in die Wüste zurück. Dort verblieb er fünf Jahre, und gerade dadurch wurde er Gründer einer neuen Lavra, da sich Einsiedler in seiner Nähe einfanden, die er nicht wegschicken konnte. Hirten versorgten sie. Diese erste Gruppe von Brüdern war gleichsam der Same, aus dem die Wüste quasi zu blühen begann. – Ein Araberstamm ließ sich in der Umgebung nieder. Als Euthymios den Sohn des Scheichs heilte, bekannten sich die Araber zu Christus. Den Scheich ließ Euthymios zum Priester weihen, später zum »Bischof der Zelte«. So wurde der Bischofssitz Parembolai gegründet.

Wieder von der Sehnsucht nach Ruhe erfaßt, zog sich Euthymios mit dem jungen Domitian in die Einsamkeit von Ruba nahe dem Toten Meer zurück, dann in die Wüste Zif südlich von Hebron. Doch schließlich kehrte er in die Lavra des Theoktist zurück. Seine Araber halfen ihm, eine Zisterne anzulegen. Aus dem halben Hundert Mönche, die sich um ihn scharten und die er sorgfältig heranbildete, gingen ein antiochenischer Patriarch, fünf Bischöfe des Heiligen Landes und zahlreiche Klosteräbte hervor. Im Unterschied zu allen sonstigen mönchischen Ordnungen ging jeder für sich allein während der Fastenzeit in die Wüste. Auf dem Totenbett (475) rief Euthymios den Diakon Fidus herbei und vertraute ihm den Wunsch an, daß die Lavra nach seinem Tod in ein Koinobion umgewandelt werde. So geschah es. Rund um das Grab, welches der Patriarch dem Mönchsvater errichtete, baute Martyrios das Koinobion. Die Zellen der Lavra wurden zerstört.

Wenn am 20. Januar des hl. Euthymios zu gedenken ist, dann singt die Gemeinde:

Vater Euthymie! Du bist als Frucht der Unfruchtbarkeit er-
zeugt.
Doch Du hast Dich als wahrhaft fruchtbar erwiesen,
denn von Deinem geistlichen Samen wurde die Wüste,
die früher nicht zu durchwandern war,
dicht mit Mönchen bevölkert.
Und jetzt bitte, daß unseren Seelen der Friede
und das große Erbarmen geschenkt werde!

Vom Leibe der Mutter her Gott zugewandt,
wie Samuel bist Du, wie Dein Name sagt, Vater Euthymie,
Fröhlichkeit der Gläubigen, Stab und Rückhalt der Mönche,
reiner Wohnsitz des Heiligen Geistes.
Erbitte uns, die wir Dich ehren, daß große Erbarmen.

Wie sich in der Wüste unter der Inspiration der großen charismatischen Väter die Asketensiedlungen mehrten, sei an Beispielen gezeigt. Kalamon, das Schilfrohrkloster, scheint schon als Zufluchtsort von Christen zur Zeit der imperialen Verfolgung gedient zu haben. Nicht weit davon schuf Gerasimos (475) ein Modell mönchischen Lebens, das von dem sonst anzutreffenden Bild abweicht. Ein ganzes Koinobion war Mittelpunkt einer Lavra von 70 Anachoreten, die über eine weite Ebene hin verstreut lebten. Die Neuankömmlinge wurden im Koinobion vorgebildet, bis sie zum Anachoretenleben fähig waren. Von Montag bis Freitag lebten die Anachoreten in ihren Zellen allein von Brot, Datteln und Wasser, ohne Licht und Heizung. An den Sonnabenden und Sonntagen aber versammelten sie sich im Koinobion, verkauften ihre geflochtenen Körbe und empfingen die Eucharistie. Die Zellen mußten stets unverschlossen bleiben; jeder bedürftige Bruder durfte eintreten und sich nehmen, was er gerade brauchte. Von Gerasimos selbst erzählte man, in der Passionszeit habe er keine andere Nahrung zu sich genommen als die wöchentliche Eucharistie.

Von Euthymios, dem Gerasimos seine Mönchserziehung zu danken hatte, wurde berichtet: Gott habe ihm die Gnadengabe gewährt, daß ihn wilde oder giftige Tiere, mit denen er täglich zusammenlebte, keinen Schaden erleiden ließen. Seinem Meister nachfolgend, zog Gerasimos einem Löwen den Splitter aus der Pfote. Der blieb bei ihm. Als Gerasimos starb, wich der Löwe nicht von seinem Grab, bis er verhungerte.

Als Euthymios in der Nacht zum 20. Januar 473 dahinschied, sah Gerasimos fern am Jordan die Seele seines geistlichen Vaters in einer Vision wie eine Lichtsäule zum Himmel steigen. Sofort brach er mit Bruder Kyriakos auf, um am Begräbnis des Euthymios teilzunehmen. Wenn ein Rechtsstreit zu schlichten war, liebte man es, zur Eidesleistung zum Euthymiosgrab zu ziehen. Später sperrten sich die Mönche gegen diesen Brauch, da sich die Folgen für Meineidige als gar zu schrecklich erwiesen.

An den Ort im Wadi Qelt, an dem Joachim um Mariens Geburt gebetet hatte, an dem auch – nach einer späteren Tradition – Elia sich hatte von den Raben nähren lassen, sollen um 420 fünf syrische Anachoreten gelangt sein. Ein halbes Jahrhundert später gründete ein Pilger aus Ägypten hier die Lavra von Khoziba. Zu »Johannes von Khoziba« soll Markian (ein ehedem leidenschaftlicher Antichalcedonenser, der aus dem Kloster des Passarion ausgewiesen war, sich dann aber von Theodosios wieder für den chalcedonensischen Glauben gewinnen ließ) zum ersehnten Zwiegespräch gelangt sein, indem er sich von einem Engel am Haarschopf nach Khoziba schleppen ließ. 501 weihte Patriarch Elia die Lavra-Kirche, ein alsbald vielbesuchtes Marien-Heiligtum.

In Khoziba lebten auch Mönche, die aus Thessaloniki stammten. Daher finden sich dort auch Darstellungen des hl. Demetrios, des Stadtheiligen von Thessaloniki, die sonst in Palästina selten sind. Im 6. Jh. kam der Zypriote Georg vor die Pforte von Khoziba, das sich inzwischen zum Koinobion entwickelt hatte. Er hatte eigentlich ins Kalamon-Kloster eintreten wollen, wo sein Bruder Heraklides ein asketisches Leben führte, war aber, da ihm noch kein Bart gewachsen war, abgewiesen worden. Von ihm erzählt Johannes Moschos, daß er sich an den Weg hockte, um den Pilgern die Lasten zu tragen und die Schuhe zu flicken. Sein Schüler und Biograph Antonios preist Georgs grenzenlose Nächstenliebe. Georgs Lehrmeinung war: »Kein Grieche, kein Jude, kein Samariter, hat er echte Frömmigkeit und Milde, der nicht von Gott und den Menschen geliebt ist.«

So wird der hl. Georg von Khoziba am Vorabend des 7. Januar gepriesen:

> Nicht die Länge des Weges noch die Nöte an seinen Stationen
> konnten, oh Heiliger, Deinen feurigen Aufbruch zu Gott hindern.
> Denn dort verweilend und an den Orten sich erfreuend,
> wo die Füße unseres Gottes gewandert waren,
> hast Du die Kasteiungen und Leiden nicht vernachlässigt,
> die nötig sind, um im himmlischen Zion anzukommen.
>
> Die Liebe, die in Deinem Herzen wohnt, in Tränen hervorbrechen lassend,
> hast Du, oh Gerühmter, die Erde benetzt.
> Und mit den Haaren hast Du Christi Fußspuren berührt,
> immer dessen, den Du ersehntest, gewärtig.
> Du lebtest in der Vorstellung, daß seine Blicke sich auf Dich richten.
> Und indem Du, was Dein Verstand Dir sagte, befolgtest,
> hast Du Deine Seele mit göttlichen Schauungen erleuchtet.
>
> Der Herr, der vom Himmel zu uns herabsteigt,
> findet in Zion einen wahrhaft göttlichen Wohnsitz.
> Zion, wo Du mit Sehnsucht gezeltet hast, als Stiege nutzend,
> bist Du nach Oben hinaufgestiegen.

Khoziba wurde von den Persern 614 zerstört. Zu den Mönchen, die zu alt und gebrechlich waren, um sich über den Jordan zu retten, und sich in den Höhlen von Douka versteckten, sollen die Perser von Juden geführt worden sein. Viele kamen ums Leben. Georg wurde verschont und machte einen neuen Anfang, so daß das Kloster schließlich auch unter arabischer Herrschaft weiterbestand.

Mit Abba Isaiah kam um 435 ein begnadeter Mönchserzieher aus Ägypten in die Wüste bei Eleutheropolis, der selbst zu den Füßen des hochbetagten Paul von Theben gesessen hatte und von ihm in das asketische Leben eingeführt worden war. Später wechselte er nach Beit Daltha bei Gaza. In den drei Jahren von 485–488 stand der Geron in engem Austausch mit Petrus dem Iberer, der damals nur in einer Entfernung von fünf Meilen in Thawata weilte. In den 40 Jahren, die Abba Isaiah im Gaza-Gebiet wirkte, widmete er sich der geistlichen Führung der Mönche eines Koinobions, das er selbst nicht leitete, sondern seinem Schüler, dem Priester Petrus, anvertraute. Als Recluse in seine Zelle eingeschlossen, ließ der Abba alle Verbindung zu den Menschen draußen durch diesen vermitteln. Ratsuchende kamen von weither; der Verkehr mit dem Greis spielte sich in der Form von Fragen und Antworten ab. Wenn Isaiah die nächtlichen Horen und das Morgenlob gebetet hatte, war er bis zur neunten Stunde ansprechbar, nie später. Waren Menschen zu ihm unterwegs, die später ankamen, so hatte der Asket in übernatürlicher Hellsicht diese kommen sehen, ihre Fragen vorausgesehen und dem Priester Petrus bereits die Antworten und Geschenke für die Verspäteten gegeben.

Die Aussprüche des Greises wurden von dem Schüler Petrus gesammelt. So entstand das Asketikon – eine verbreitete Mönchslektüre. Man spürt dem Werk an, daß Abba Isaiah durch die Übersiedlung nach Gaza Kontakt mit einer der besten philosophischen und literarischen Schulen dieser Periode gefunden hatte. Isaiah galt als ein Weiser, der ohne akademisches Studium, vermöge seiner asketischen Lebenserfahrung, mit den philosophischen Lehrmeinungen das Gespräch aufnehmen konnte.

Das Asketikon des Isaiah lenkt seine Leser auf Praxis hin. Ein Advokat vom Gerichtshof von Gaza fragte den Geron, wie die biblische These, daß der Mensch nach Gottes Bild geschaffen sei, interpretiert werden müsse. Die Antwort bestand in der Aufforderung, die Barmherzigkeitsübung Christi gegenüber den leidenden Menschen nachzuahmen. Tue man das, so frage man nach der »Natur Christi«. In diesem Gebrauch des zwischen zeitgenössischen Chalcedonensern und Antichalcedonensern umkämpften Begriffs der »Natur Christi« zeigt sich, daß Isaiah vom dogmatischen Streit wegstreben und in die Praxis einweisen wollte.

Das »Asketikon« umfaßt 29 Logoi von unterschiedlicher Länge, Elemente ohne Zusammenhang, mitunter in Form von Briefen an

den Schüler Petrus. Alles ist in der didaktischen Absicht niederge-
schrieben, an diejenigen, die sich auf die anachoretische Lebensform
einlassen, das von den großen Vätern Empfangene weiterzugeben.
Die Ratschläge an die Neulinge gehen ganz ins Konkrete: »Wenn
Du vom Wege ermüdet bist und wünschst, daß man Dich mit ein
wenig Öl massiere, dann laß nur zu, daß man Dir die Füße reibe – aus
Scham, Dich weiter zu entblößen ... Wenn Du mit Brüdern zu
Tisch sitzt, dann nimm es Dir nicht heraus, jemandem Guten
Appetit zu wünschen, gedenke aber Deiner Sünden, damit Dir
selber die Lust am Essen vergeht. Strecke die Hand nur grade zu
dem aus, was vor Dir steht, nicht zu etwas, was vor einem anderen
steht ... Trinkst Du Wasser, so lasse Deine Kehle nicht glucksen,
wie man es bei den Weltmenschen wahrnimmt. Sitzt Du mit Brüdern
zusammen und siehst Dich genötigt auszuspucken, so spucke nicht
vor sie hin, sondern erhebe Dich und spucke draußen.« Die feine
innere Bildung des Mönchs sollte sich in der äußersten Diskretion
auswirken, mit der den menschlichen Bedürfnissen nachzukommen
ist.

Wenn Abba Isaiah sich der Führung der Neuankömmlinge widmete,
bedachte er deren geistliche Wachstumsmöglichkeiten: »Denn, wie
man einen Baum wachsen sieht, den man regelmäßig alle Tage be-
gießt, so sieht man einen Neuling wachsen, den man zur Demut zu
führen bemüht ist ... Die Neulinge, die sich leicht unter das Joch
des Gehorsams beugen, sind wie die noch zarten Zweige eines jungen
Baumes, die man biegen kann, wie man will.« Im Blick auf diejenigen,
die von einem Kloster zum andern wechseln, meint der Abba, sie
seien einem Tier vergleichbar, »dem man einen Maulkorb angelegt
hat« und das sich nun, ohne zum wirklichen Fressen zu gelangen,
hierhin und dorthin bewegt.

Die geistliche Leitung des Isaiah wollte bei den Neuankömmlingen
zweierlei erreichen: Buße, damit sie Vergebung erlangten, dann
aber ein konsequentes Leben nach Gottes Willen, damit sie sich in
dem erlangten Gnadenstand hielten. Darum findet sich unter den
aufgezählten Ratschlägen an die Neulinge die Weisung: »Entdeckt
die geistlichen Krankheiten eurer Seele euren Oberen, damit ihr in
ihren heilbringenden Ratschlägen die geeigneten Heilmittel findet...
Hütet euch wohl, die Wahrheit je zu vertuschen, denn die innere
Lüge paßt nicht zur Furcht Gottes in unserem Herzen, und redet
nie groß von dem Guten, das ihr getan hättet, aus Angst, daß euch
der Dämon der Selbstgefälligkeit verzaubern könnte.«

Seinen Seelsorgekindern machte Abba Isaiah klar, welche Folgen
es hätte, wenn sie nicht treu im Dienst Gottes blieben. So trat er
in ihrer Anwesenheit an einen Bauern mit der Aufforderung heran,

ihm seinen Anteil an Korn auszuhändigen. »Aber, mein Vater«, entgegnete dieser Mann, »habt ihr denn auch an der Erntearbeit teilgenommen?« – »Nein«, mußte Isaiah antworten. – »Wie könnt ihr denn einen Anteil von meinem Korn beanspruchen, wo ihr doch an der Erntearbeit nicht teilgenommen habt!« – »Stimmt es also«, fragte der Abba, »daß, wer nicht arbeitet, auch nichts herausbekommt?« – Der Abba erklärte seinen Schülern, daß Gott in gleicher Weise die nicht belohnen kann, die nichts in seinem Dienst getan haben.

Die Existenzweise des Abba Isaiah wurde im Gaza-Gebiet in der anschließenden Generation von dem gleichfalls aus Ägypten eingewanderten Mönch Barsanuph und seinem Partner, Johannes dem Propheten, fortgeführt. In Barsanuphs »Fragen und Antworten« ist das Asketikon des Isaiah denn auch dreimal zitiert. Nur durch Briefe lenkten diese Väter Mönche anderer Niederlassungen. Besonders vertrauten sich die Asketen des Seridos-Klosters in Thawata den beiden Geronten an.

Dem Dorotheos, einem jungen klassisch gebildeten Antiochener, der sich für die monastische Lebensweise entschieden hatte, wurde durch Vermittlung des Abtes Seridos gestattet, Johannes dem Propheten zu dienen; medizinisch gebildet, durfte er gar für die kranken Väter eine Pflegestation bauen. Abt Seridos übermittelte ihm auch die geistlichen Weisungen Barsanuphs.

Wie sich das Verhältnis zwischen einem Beichtkind und seinem Geron einspielte, ist einem Bericht des Dorotheos über die Zeit zu entnehmen, während der er dem kranken Propheten Johannes zu dienen hatte. »Ich küßte schon seine Zellentür von außen, ganz wie man das verehrungswürdige Kreuz anbetet ... Jeden Tag, wenn ich nach Ende meines Dienstes mit einer Prosternation um Entlassung bat, gab er mir ein Wort mit auf den Weg. Vier Sprüche (aus den Apophtegmata und dem NT) hatte er zur Wahl, von denen er mir immer einen mitteilte. Vor dem eigentlichen Spruch sagte er gewöhnlich: »Hauptsache, Bruder, daß Gott die Liebe wachhält.« Dann kam: »Die Väter haben gesagt: Das Gewissen des Nächsten respektieren, hilft Selbsterniedrigung zu erlangen.« Am andern Abend: »Die Väter haben gesagt: Nie habe ich meinem Willen Vorrang vor dem meines Bruders gegeben.« Ein andermal: »Nimm Abstand von dem, was im Menschen steckt, und du wirst gerettet sein.« Schließlich: »Einer trage des andern Last, so werdet ihr das Gesetz Christi erfüllen.« »Der Geron gab mir also immer einen der vier Sprüche als Eiserne Ration auf den Weg.«

Wiederholung inhaltsgewichtiger Sätze half die Mönche immer wieder auf das Heil auszurichten. Besonders, wenn einen Mönch

Resignation befiel, wie es Dorotheos im Seridos-Kloster erging, konnte er damit Erfahrungen machen, die ihn wieder aufrichteten. Dorotheos erzählt, wie er – völlig entmutigt im Klosterhof stehend – bei einem Blick ins Kircheninnere eine Bischofsgestalt sah, die eucharistische Gaben trug. Sich dem Dorotheos zuwendend und mit den Fingern seine Brust anrührend, wiederholte der Fremde divinatorisch dreimal die Verse aus Psalm 40:

> »Ich härrte des Herrn und er neigte sich zu mir und hörte
>   mein Schreien
> und zog mich aus der grausamen Grube und aus dem Schlamm
> und stellte meine Füße auf einen Fels, daß ich gewiß treten
>   kann,
> und hat mir ein neues Lied in meinen Mund gegeben, zu loben
>   unseren Gott.«

Dorotheos berichtet: »Alsbald wurde mein Herz mit Licht, Freude, Trost und Süßigkeit erfüllt. Ich war nicht mehr derselbe Mensch.«

Wie ein noch junger Mönch genötigt werden kann, die Seelenführung eines Neuankömmlings zu übernehmen, und wie eine Mönchserziehung dann verlief, läßt sich am Fall des Dorotheos ablesen. Ihm wurde ein von seinem Feldherrn zur Pilgerfahrt beurlaubter Soldat – Dositheos mit Namen – zugewiesen, der sich für den monastischen Weg entschloß. Dositheos war in Gethsemane auf eine Darstellung der Höllenqualen gestoßen. Davon betroffen, hatte die Gottesmutter ihn in einer Vision auf Askese verwiesen. Freunde des Abtes Seridos hatten den Unerfahrenen ins Kloster bei Gaza geleitet.

Der Abt wies nun den Dorotheos an: »Tue mir die Liebe, ihn um seines Heiles willen zu dir zu nehmen.« Des Dorotheos Widerstand war nur durch eine Intervention Barsanuphs zu überwinden. Der Geron ließ hören: »Nimm ihn an, denn nur durch dich wird ihn Gott retten.«

Nun begann die Fastenerziehung. Zur ersten Mahlzeit ließ Dorotheos den Neuankömmling so viel Brot essen, als er mochte. Dann aber erfolgte von Mal zu Mal die Halbierung der Zuteilung. »Hast du Hunger, Dositheos?«, fragte der Seelenführer. »Ja, Herr, ein wenig«, lautete anfangs noch die Antwort. Aber als Dorotheos einige Tage später fragte: »Wie geht es dir, Dositheos, hast du noch immer Hunger?«, lautete die Antwort schon: »Nein, Herr, dank deiner Gebete geht es gut.« So wurde die Portion Schritt für Schritt auf 8 Unzen (218 Gramm) heruntergesetzt.

Dositheos half auf der Krankenstation. Alle waren mit seinem Dienst zufrieden. Wenn es ihm aber unterlief, daß er mit einem der Kranken die Geduld verlor, ließ er prompt alles stehen und liegen und eilte weinend in seine Zelle, ganz untröstlich. Dorotheos, herbeigerufen, sparte nicht an Vorhaltungen: »Weißt du denn nicht, daß es Christus ist, dem du Leid zufügtest?« Als das Maß der Tränen voll war, ließ sich Dorotheos vernehmen: »Gott verzeiht dir. Richte dich auf!« Jubelnd eilte Dositheos wieder zu seinem Dienst. Der Fall wiederholte sich.

Nie ließ Dorotheos den Anbefohlenen sich an irgendein Objekt hängen. Brauchte er einen Mantel, so empfing er ihn von Dorotheos und war geschickt, ihn sich herzurichten. Wenn Dorotheos das sah, konnte er sagen: »Auf, gib ihn diesem oder jenem Bruder oder Kranken!« Eilfertig folgte Dositheos, ganz ungezwungen.

Als ein Händler ein prächtiges Messer anbot, nahm Dositheos es für die Pflegestation. Obwohl auch Dorotheos einsah, daß dies Messer nützlich für das Aufschneiden der Verbände sei, ließ er nicht zu, daß Dositheos es behalte. »Willst du Sklave dieses Messers sein und nicht mehr Sklave Gottes? ... Auf, lege das Messer hin und rühre es nicht mehr an!« Andere Helfer durften das Messer verwenden, und doch fragte Dositheos niemals: »Warum ich nicht?«

Als Dositheos Blut spuckte und sagen hörte, für solche Kranke seien weiche Eier gesund, kam es zu einem Dialog mit seinem Meister, der den völligen Verzicht auf Eigenwillen kennzeichnete: »Herr, ich möchte dir sagen, daß ich von etwas habe reden hören, was mir wohl täte, aber ich will nicht, daß du's mir gewährst, denn meine Gedanken haften sonst an diesem Thema.« – »Sage mir ruhig, Dositheos, worum es sich handelt!« – »Gib mir dein Wort, daß du's mir nicht gewähren wirst.« Das Ergebnis war: keine Eier.

Dorotheos lehrte seine Schüler nach Mönchsbrauch beten, nämlich ohne Unterlaß: »Herr Jesus Christus, erbarme dich meiner«, nur unterbrochen von dem Satz: »Sohn Gottes, eile mir zu helfen!« Als Dositheos schwer erkrankt war, ermahnte ihn sein Meister: »Wache, daß dir dies Gebet nicht entschlüpft!« Als Dositheos schon ganz geschwächt war: »Wie steht's mit dem Beten?« – »Verzeihung, Herr, ich habe nicht mehr die Kraft zum Durchhalten.« Darauf Dorotheos: »Laß das Gebet! Denke nur, daß Gott vor dir ist.«

Als Dositheos sterbend von Barsanuph die Botschaft erhielt: »Geh' in Frieden! Nimm deinen Platz bei der heiligen Trinität ein und tritt für uns ein!«, entrüsteten sich die Brüder, hatten sie doch den Dositheos weder ein über den anderen Tag fasten sehen, wie sie es selbst übten, noch vorzeitig wachen vor der nächtlichen Vigil. Eher hatten sie bemerkt, daß er gelegentlich ein wenig von der Kraftbrühe für die Kranken genascht oder den übrig gebliebenen Kopf eines Fisches gegessen hatte. Dem Berichterstatter kam es darauf an, darzutun, daß die Heiligung eines Mönchs nach außen verdeckt bleibt.

Dorotheos blieb nur 5 Jahre im Kloster des Seridos. Dann gründete er sein eigenes Kloster. Hier lehrte er nicht nur die eigenen Mönche, sondern auch die Gläubigen von Gaza, die ihn besuchen kamen. In seinem literarischen Werk, den »Seelennützlichen Belehrungen«, wird wie bei Barsanuph dauernde Bibel- und Väterlektüre empfohlen. Die ägyptische Mönchsweisheit der Apophtegmata und die Schriften der Kappadozier sind verarbeitet. Aber alles, was Dorotheos schrieb, ist von eigener Erfahrung gesättigt, ist praxisnah. In Betrachtung des Heilsdramas wird die Konsequenz dringlich: Selbsterniedrigung, Verzicht auf eigenen Willen, Dienst unter dem Willen eines Seelenführers und auf diese Weise Teilhabe am Mysterium von Christi Kreuz und Auferstehung. »Oh, mein Bruder, was richtet doch die Selbstüberschätzung alles Böse an! Und welche Potenz ist doch der Selbsterniedrigung eigen! So ist es, meine Brüder: Solange ein Mensch sich nicht daran macht, sich selbst des Unrechts zu zeihen, so lange ist er frech genug, Gott Schuld zu geben ... Weder Adam noch Eva ließen sich herbei, sich selbst Schuld zu geben ... In welch vielerlei Unglück hat uns der Wahnwitz, uns selbst rechtfertigen zu wollen, gebracht ... Alle Heiligen wußten das. So suchten sie durch ein Leben ganzer Erniedrigung sich mit Gott zu einen.« Dorotheos richtet den Blick auf das Vorbild der monastischen Anfänge: »Die Väter begriffen, daß sie in der Welt nicht so leicht zur Tugend gelangen könnten. So entwarfen sie für sich selbst eine abgesonderte Existenz, einen eigenen Lebensstil, ich meine das monastische Leben, und begannen, der Welt zu entfliehen, um in den Einöden zu wohnen, Fastenregeln zu halten, auf hartem Boden zu schlafen, nachtsüber zu wachen und sich mit noch anderen Kasteiungen in einem völligen Verzicht auf Heimat, Eltern, Wohlstand und Wohlleben zu üben. In einem Wort: Sie kreuzigten die Welt an sich selber, sie hielten nicht nur die Gebote, sondern boten Gott darüber hinaus so etwas wie Geschenke an. Damit ist folgendes gemeint: Die Gebote Christi gelten allen Christen ... Sie sind, könnte man vergleichsweise sagen, die Steuern, die man einem König schuldet. Wer dem König Steuerzahlung verweigert, wird kaum der Bestrafung entschlüpfen. Aber es gibt in der Welt auch die ›Großen‹, die es nicht dabei bewenden lassen, dem Basileus die Steuern zu entrichten, sondern ihm auch noch Geschenke darbringen und sich dadurch Ehrung, Begünstigungen und Würdestellungen einhandeln. Und so boten die Väter Gott Geschenke an: Jungfräulichkeit und Armut. Das sind ja keine Gebote.«

Im Vergleich mit der monastischen Theorie anderer Landstriche sind es für die Mönche von Gaza weniger die Dämonen, die sie in ihrem Kampf zum Gegner haben, als die eigenen Leidenschaften – Krankheiten einer Seele, der die natürliche Gesundheit fehlt. Versuchungen sind als Chance zu nutzen, einen geistlichen Fortschritt zu gewinnen. Sogenannte vernünftige Gedanken – logismoi – gelten als Fehlrechnungen, die entstehen, wo sich der Mensch von einer Passion in die Irre leiten läßt. Da erwächst der Eigenwille (die thelemata). Der Eigenwille spiegelt dem Menschen, der ihm folgt, noch vor, daß er einen Tugendakt vollziehe. Diese Sicht, die von Barsanuph und dem Propheten Johannes stammt, ist von Dorotheos voll übernommen.

Wiewohl sonst bei den Zeitgenossen die Unterscheidungskraft zwischen gut und böse – die diakrisis, die dem Christen eignet – als Charisma hoch geschätzt wurde, hielt man es in Gaza besonders für die Anfänger auf dem geistlichen Weg für gefährlich, sich selbst zur Anwendung der diakrisis zu autorisieren. Während seines Aufenthalts im Seridos-Kloster war Dorotheos gewohnt, alle seine Gedanken in der Beichte Johannes anzuvertrauen. Doch er wurde von der Zweifelsfrage heimgesucht, warum er den Geron so belästigen solle. Da machte er sich klar: du mußt dazu gelangen, dich selbst, deine eigene scheinbar charismatische Unterscheidungskraft, deine Wissenschaft zu anathematisieren. Was du weißt, weißt du von den Dämonen. Was du von dir selber hast, kann nicht gut sein.

Dorotheos' »Seelennützliche Belehrungen« übten ihren Einfluß in der ganzen Geschichte des Mönchtums aus. Im Sinai-Kloster wurden sie im 9. Jh. ins Arabische übersetzt. Theodor Studites verschaffte ihnen von Konstantinopel aus weite Verbreitung. Auf dem Berg Athos wurden sie im Refektorium verlesen, von Nil Sorskij zitiert. Im Heiligen Land gewannen sie neues Ansehen, als der antiochenische Patriarch der Kreuzzugszeit, Johannes Oxeites, diese Belehrungen in seinem Buch über die Mönchsdisziplin aufgriff. Im Abendland haben die beiden Antipoden des französischen Mönchtums des 17. Jhs., der Mauriner Mabillon und der Trappist Rancé, sich dem Dorotheos verpflichtet gewußt.

Der heilige Sabas, der 18jährig in Palästina anlangte, hatte sich schon zuvor in einem kappadozischen Kloster in das asketische Leben eingeübt. Der Ruhm des Euthymios hatte ihn ins Heilige Land gezogen. Der aber wies ihn zunächst ab: Sabas möge in ein Koinobion eintreten! Die Bartlosen nehme man in einer Lavra nicht an. Sabas hat dies später in seine eigene Regel aufgenommen. Sabas' Mönchssiedlung nutzte die Höhlen an den Steilufern des Kidrontales als Unterschlupf. In einer dieser Höhlen sollte im 8. Jh.

Johannes Damascenus drei Jahrzehnte hausen. Die größte Höhle hatte als Kirche zu dienen. Am Pfingsttag 487 drangen Samariter in die Kirche ein, mißhandelten den zelebrierenden Bischof Therebinthos und verstümmelten seine Hände.

Auch im Leben des Sabas zeigte sich, daß ohne Kampf mit den Dämonen niemand als Mönch reifen kann. Auf dem Hügel von Castellion mußte sich Sabas so lange von Dämonen quälen lassen, bis eine Christusvision ihn stärkte.

Sabas hat in Palästina nicht weniger als sieben Klöster gegründet. Besonders folgenreich war die Entstehung der »Neuen Lavra« im Jahre 507. Damals zogen im Konflikt mit dem Geron 60 Mönche von Mar Saba ins Wadi Charitons in der Hoffnung, in Souka aufgenommen zu werden. Doch Abt Aquilinos wies sie ab. Als sie in Richtung Tekoa weiterwanderten, fanden sie verlassene Mönchshöhlen und eine mit Wasser gefüllte Zisterne. Die Lavra, die sie hier gründeten, wurde unter dem Namen Neue Lavra berühmt. Der hl. Sabas ging in seiner Güte den Rebellen nach, erbaute ihnen unter Billigung des Patriarchen Elia eine Kirche und eine Brotbäckerei und gab ihnen mit dem Anachoreten Johannes einen Abt. Doch die Mönche der Neuen Lavra taten sich als Vorkämpfer des Origenismus hervor. Nachdem 553 im Konstantinopler Konzil diese »Häresie« verurteilt war, und die Überzeugungsversuche des Patriarchen Eustachios keinen Erfolg brachten, wurden die Mönche verjagt. Die Neue Lavra wurde (555) mit 120 orthodox gesonnenen Mönchen neu besiedelt.

Kyrill von Skythopolis – selbst Mönch des Sabasklosters – rühmt den Sabas so: »Dieser irdische Engel, dieser himmlische Mensch Sabas, der weise und wissende Meister, Verteidiger der Orthodoxie und Zerstörer des Irrtums, war zu einem treuen und klugen Haushalter herangebildet. Er hat die Talente Gottes vervielfältigt.«

Theodosios, wie der hl. Sabas Kappadozier von Herkunft, war im Kathisma-Kloster in Jerusalem vom Kantor zum Abt aufgerückt; er sehnte sich jedoch, in die Lebensart der Wüstenväter eingewiesen zu werden. Dort, wo er schließlich als Eremit hauste, entstand sein Koinobion. Theodosios' erster Schüler bekam die ganze Strenge des Meisters zu spüren, als ihm selbst ein kleiner Kochtopf zur Zubereitung warmer Speisen verweigert wurde. Schenkungen des byzantinischen Hofbeamten Akakios ermöglichten dem Theodosios den Aufbau von Kloster und Hospiz. Heime für verwahrloste Bettler, für hilflose, greise Mönche und für geisteskranke Mitbrüder entstanden hier: »Diese Mönche waren mehr als alle anderen die Freude des Theodosios, insofern er ihnen gegenüber ein zartes Mitgefühl empfand.« Den Geisteskranken errichtete Theodosios eine eigene

Kirche. Als der byzantinische Feldherr Kerykos gegen die Perser ausrückte, zog er ein härenes Hemd des Theodosios an. Man war überzeugt, daß ihm dies den Sieg in der Schlacht eintrug.

Im Jahre 494, als Sabas bereits 55 Jahre alt war, wurden er und sein Freund Theodosios auf Verlangen des ganzen palästinischen Mönchtums zu »Archimandriten«, d. h. zu Vorstehern ernannt: Theodosios für alle Klöster zönobitischen Lebens, Sabas für das gesamte Eremitentum, also auch für die Lavren. Ihr Wirken wurde dadurch erleichtert, daß die damaligen Jerusalemer Patriarchen Euthymios-Schüler waren.

Das erste, was die neuen Archimandriten taten, war die Einberufung einer Abtsversammlung. Hier wurde eine Petition an Kaiser Anastasios aufgesetzt des Inhalts, die Gewerbesteuer (Chrysargyron) aufzuheben, die alle fünf Jahre von den Handwerksbetrieben und dem Handel eingezogen wurde und die Betriebe ausbluten ließ – ein sozialer Akt. Der Dichter Timotheus von Gaza schuf auf Betreiben der Archimandriten eine Tragödie, die das Elend der Betroffenen dartat. Dies Theaterstück wurde vor dem Kaiser gespielt und verfehlte nicht die Wirkung auf ihn.

Bei einem Versuch der Samaritaner, die Christen im Land zu unterdrücken, schlug der Erfolg um; die Christen wußten sich zu sichern. Der Sohn des übelsten Anstifters der samaritanischen Massaker gewann jedoch das Ohr des Kaisers Justinian, der sich, falsch informiert, gegen die christliche Partei wandte. Jetzt richteten sich aller Augen auf Sabas, daß er helfe. Der 90jährige machte sich auf die schwierige Reise nach Konstantinopel. Der Ökumenische Patriarch und die Bischöfe von Ephesus und Zyzikus führten den gebrechlichen Greis zum Hof. Als Justinian ihn sah, warf er sich vor dem Starzen nieder. Jetzt besser informiert, ließ Justinian die Samaritanerführer köpfen und zerstörte ihre Synagogen. Er entzog ihnen die Beamtenfähigkeit, auch die Erb- und Zeugenfähigkeit.

Am 4. und 5. Dezember werden im Sabaskloster die Feste der beiden großen Heiligen dieses gesegneten Ortes, des Johannes Damascenus und des heiligen Sabas unmittelbar hintereinander gefeiert. Am Tag des Damasceners singt die Gemeinde:

> Wie sollen wir Dich, oh Heiliger, nennen?
> Etwa Johannes den Theologen? oder David den Liedersänger?
> oder geistträchtige Lyra? oder Flöte des Erzhirten?
> Du füllst das Ohr mit süßem Klang, zugleich auch den Verstand mit süßer Wahrheit.
> Der Kirche Gliederungen erfreust Du
> und mit Deinen musischen Lauten belebst Du alle Horizonte.
> Erflehe unseren Seelen die Rettung!

Mit Deiner Weisheit hast Du, Allseliger, die Häresien nieder-
    geworfen, oh Johannes Du Allweiser,
und hast der Kirche das orthodoxe Dogma gegeben,
damit sie richtig lehre und die Dreieinigkeit verherrliche,
eine Monas in drei Hypostasen, eines Wesens.

Zum Sabas-Gedenken wird gesungen:
    Dankesworte ruft Dir Deine große ehrenreiche Lavra zu,
    indem sie Dich, ihren Erbauer und Stifter und himmlischen
        Patron,
    oh Weiser, sich vor Augen stellt.

    Stolz auf Dich ruft sie zum Herrn:
    Gelobt sei der Gott unserer Väter!

    In der Wüste sprudelte Wasser hervor,
    und die Erde, die durstige, wurde in saftige Wiesen verwan-
        delt.
    Durch Deine Gebete oh Vater!
    Kolonnen von Asketen bewohnen sie jetzt,
    als ob da eine Uferlandschaft wäre.
    Das Land am Jordan fing zu blühen an – lilienhaft,
    getränkt von Deinen Tränen.

Am Vorabend des 11. Januar wird des Archimandriten der palästinensischen Koinobien, des hl. Theodosios gedacht. Da heißt es:
    In der Menge der Mönche verehren wir Dich, ihren Lehrer,
    unser Vater Theodosios!
    Denn durch Dich haben wir den wahrhaft richtigen Weg zu
        wandern gelernt.
    Selig bist Du, der Du mit den Engeln umgehst
    und mit den Gerechten und Heiligen zusammenwohnst.
    Denn Du hast für Christus gearbeitet
    und die Kraft des Feindes niedergeschlagen.
    Mit den Engeln und Heiligen bitten wir den Herrn,
    sich unserer Seelen zu erbarmen.

    Aus der Wüste Aavoutis war der Vorläufer Christi,
    der Sproß Elisabeths (Johannes der Täufer) hergekommen.
    Im Taufbecken wurde Theodosios vom Geist geboren,
    Bürger der Wüste – Jesus so nahekommend.

Mit Enthaltsamkeit, Leiden und Gebeten Deine Seele
  schmückend
und damit Gott angepaßt,
hast Du, oh Unvergeßlicher, an der Gemeinschaft mit den
  Heiligen teilgenommen.
Und hast die Gabe des Wunderwirkens empfangen,
die Krankheiten derer zu heilen, die Dich im Glauben verehren.
Dadurch und die Scharen der Dämonen verjagend
vermittelst Du das Heil den Menschen durch Gnaden-
  gewährung.
Bitte den Christus unseren Gott,
denen die Sünde zu vergeben,
die mit Sehnsucht Deine heilige Erinnerung feiern.

An der Wende vom 6. zum 7. Jh. fand sich im Theodosioskloster
erneut eine Mönchsdyade zusammen: Sophronios, um 550 in
Damaskus geboren, Syrer von Herkunft, aber von hellenistischer
Bildung, zum »Sophisten«, also zum Meister der Rhetorik promo-
viert (in Damaskus war die syrische Hymnographie lebendig, die
dem Sophronios Anstöße gab), und sein Jugendfreund Johannes
Moschos, Verfasser des Paradiesgärtleins, dem Sophronios bis zu
dessen Tod 619 eng verbunden blieb. Beide zogen 578 nach Ägypten, um vor allem bei Abt Theodor dem Philosophen hinzuzulernen.
Um diesen hatte sich ein größerer Kreis entschiedener Christen, in
Armut lebend, gesammelt, der doch die profane Bildung nicht
abwies. Bei einem geistlichen Vater, der 18 Meilen von Alexandria
hauste, ließen sich die Freunde endgültig zum Mönchtum bestimmen. »Laßt uns die Flucht ergreifen, meine Kinder, der Kairos ist
nahe«. lautete das charismatische Wort des theophoren Mannes.
Das friedliche Zusammenleben im palästinensischen Kloster wurde
noch einmal durch ein Jahrzehnt im Katharinenkloster des Sinai
unterbrochen, das in voller Blüte stand, war es doch Ort des Wirkens
des Johannes Climacus. Beim Einrücken des persischen Heeres
flohen die beiden Freunde wieder nach Ägypten, wo vor dem völligen Erlöschen der hellenisierten chalcedonensischen Orthodoxie
für das Jahrzehnt 610–620 der heilige Zypriote Johannes Eleemon
als Patriarch herrschte. Dem halfen die beiden eifrigen Mönche zu
seinem erfolgreichen Wirken. Sie besuchten die damals noch halb-
wegs dyophysitisch orientierten Klöster Ägyptens zu Streitgesprä-
chen gegen die »monophysitische Häresie«. Sophronios schrieb sein
Werk über die beiden Heiligen des unweit von Alexandria gelegenen
Klosters des Johannes und Cyrus. Später hat er dann auch eine Vita
des Johannes Eleemon verfaßt. Daß sich die Ägypter mehr und

mehr auf die monophysitische Doktrin festlegten, beklagte Sophronios: »Die Ägypter sind ein Volk, das sich nur sehr schwer herbeiläßt, seine Position zu ändern, und was sie sich einmal zu tun entschieden haben, sei es gut oder böse, davon sind sie nicht leicht wieder abzubringen. Und so sind sie alle.«

614 hallte es wie ein Donnerschlag durch Ägypten: Jerusalem, die Heilige Stadt, ist in die Hände der Perser gefallen. Die ehrwürdigen Basiliken sind niedergebrannt, unter den Gläubigen ist ein Massaker angerichtet. Johannes Moschos entschloß sich zur sofortigen Abreise nach Rom. Die Byzantiner schienen ihm zu feige. Sophronios begleitete ihn. In Rom fühlte Johannes Moschos sein Ende nahen. So vertraute er sein Werk, das ›Paradiesgärtlein‹ (Leimonarion), im palästinensischen Theodosioskloster angefangen und in Rom vollendet, seinem Schüler und Freund Sophronios an. Er befahl ihm auch, seine Leiche zum Sinai zu bringen. Doch im Theodosioskloster angelangt, sah Sophronios den Weg zum Sinai durch Araber versperrt und setzte die Moschosreliquie in der Höhle des Theodosiosklosters bei.

Seit dem Jahre 579 hatte Johannes Moschos auf Exkursionen zu anderen Klöstern Mönchsgeschichten gesammelt. Das Werk umfaßt 219 kurzgefaßte Anekdoten, die wegen ihres Erzählgehaltes zum liebsten Erbauungsbuch der Ostkirche wurden. Der Leser lernt die Fülle mönchischen Lebens an der Wende vom 6. zum 7. Jh. längs des Jordangrabens und am Wüstenstreifen des Toten Meeres kennen.

Das Leimonarion läßt den Anschauungsbestand der Mönche erkennen: Wer sich auf das neue Leben in Christus einläßt, steht unter Gottes besonderem Schutz. Räubern und Feinden, die schon die tödliche Keule über dem Haupte schwingen, bleibt die Hand starr in der Luft stehen. Sind die Mönche innerlich gefährdet, weil sie die geschlechtliche Enthaltsamkeit nicht durchhalten, so sagt ihnen eine Stimme: Willst du 17 Jahre der Mühe zum Aufbau einer monastischen Persönlichkeit in einer vorüberfliegenden Stunde der Lust zunicht machen? – Von einer ägyptischen Nonne, die sich ganz dem Fasten und Almosengeben hingab, erzählt Johannes Moschos, sie habe sich, als sie ein junger, vom Teufel inspirierter Mann mit seiner Liebe bestürmte und die bezwingende Schönheit ihrer Augen pries, die Stricknadeln, die sie in der Hand hielt, in die Augen gestoßen. Der junge Mensch sei davon so betroffen gewesen, daß er als Mönch in die sketische Wüste zog.

Johannes Moschos weiß Mönchswunder zu berichten, die das Leben von Mitmenschen retten: Der Anachoret Theodor, der im Jordangraben hauste, mußte nach Konstantinopel reisen und schiffte sich ein. Als sich die Fahrt verschiedener Widrigkeiten wegen länger hinzog als vorgesehen, mangelte es schließlich an Bord an Trinkwasser. Seeleute und Passagiere hatten schwer zu leiden und waren wegen der schlechten Aussichten verängstigt. Da erhob sich der Anachoret, streckte die Hände zum Himmel, zu dem Gott, der uns vom Tod errettet. Und nachdem er das Meer mit dem Kreuz bezeichnet hatte, wies er die Seeleute an: Schöpft so viel Wasser aus dem Meer wie ihr braucht. Sie füllten alle Gefäße, die sie an Bord hatten – mit Süßwasser, das sie aus dem Meere hochzogen. Jetzt verherrlichten sie Gott.

Ähnliches erlebte Vater Gregorios, als er auf der Rückreise von Byzanz ein Schiff bestieg, dessen Mitpassagiere – ein Sekretär mit seiner Frau – zur Anbetung der Heiligen Stätten Jerusalem besuchen wollten. Deren Bedienstete gingen so verschwenderisch mit dem Wasser um, daß das köstliche Naß auf hoher See plötzlich zur Neige ging. Das war eine Schreckensszene, die Frauen und die Kinder zu sehen, wie sie vor Durst beinahe umkamen und wie die Sterbenden röchelten. Drei Tage waren so vergangen, und »wir hatten keine Hoffnung mehr zu überleben«. Da hielt es der Sekretär nicht länger aus, zog seinen Degen und stürzte sich auf den Schiffseigner und die Matrosen, um sie niederzustoßen. Denn er sagte sich: Die sind schuld an unserem Untergang, denn sie haben uns nicht hinreichend mit Wasser versorgt. »Ich bat den Schreiber«, so erzählte Vater Gregorios dem Johannes Moschos, »Halt ein! Wichtiger wäre, unseren Herrn Christus anzurufen. Denn er tut Wunder ohne Zahl. Der Schiffseigner könnte dir ein Vorbild sein. Denn seit drei Tagen gibt er sich dem Fasten und Beten hin.« Der Schreiber ließ sich beschwichtigen. Aber am vierten Tage um die sechste Stunde schrie der Schiffseigner plötzlich: »Ehre sei dir, oh Gott!« Wir waren darüber nicht wenig erstaunt. Er aber wies die Matrosen an: »Breitet schnell auf Deck alle verfügbaren Häute und Felle aus!« Da segelte schon eine Wolke am Himmel und schüttete ihren Regen aus – »soviel Wasser, wie wir gerade nötig hatten. Besonders auffallend war dabei, daß das Schiff bei starkem Wind schnelle Fahrt machte, die Wolke uns aber so genau begleitete, daß kein einziger Regentropfen außerhalb des Schiffsbords ins Meer fiel«.

Die Wartehaltung der Mönche, was das Kommen des Heiligen Geistes anlangt, wird durch die Berichte des Johannes Moschos verdeutlicht. Ein Priestermönch begann die Liturgie nicht pünktlich, weil er, am Altar hockend, erst ein Zeichen der Anwesenheit des Heiligen Geistes erwartete: seinen Schatten.

Auch außerhalb der kirchlichen Regel konnten sich Mönche bewegen, wenn sich eine Situation ergab, in der man mit der Befolgung der gewöhnlichen kanonischen Ordnung das Heil eines Menschen nicht mehr sichern konnte. Vater Andreas erzählte dem Johannes Moschos seine Jugendgeschichte: »Ohne rechte Zucht verbrachte ich meine jungen Tage. Krieg, der durchs Land zog, und politische Wirren spielten dabei ihre Rolle. Mit neun Gefährten machte ich mich nach Palästina auf, einer davon ein Jude. Als wir die Wüste durchmaßen, verließen den Juden alle seine Kräfte. Es sah so aus, als ob er sterben würde. Das entmutigte uns alle. Wir wußten gar nicht, was wir mit ihm anfangen sollten. Ihn einfach liegen lassen, wollten wir nicht. So trugen wir ihn abwechselnd auf dem Rücken im Gedanken, ihn wenigstens noch bis zu einer Wegstation zu schleppen. Aber ohne Nahrung, bei dem hitzigen Fieber und dem Durst, wie er sich in der heißen Wüste einstellt, war unser Jude bald so am Ende, daß er es selbst nicht mehr aushalten konnte, sich tragen zu lassen. Da entschlossen wir uns unter Tränen, ihn in der Wüste liegen zu lassen. Denn wir hatten nicht ohne Grund Angst, selber vor Durst umzukommen. Als der Jude merkte, daß wir Anstalten trafen, uns davon zu machen, beschwor er uns: ›Bei dem Gott, der Richter ist über Lebende und Tote, laßt mich wenigstens nicht als Jude sterben, sondern doch als Christ! Erbarmt euch und tauft mich, damit ich als Christ dieses Leben verlasse und mit dem Herrn vereint sei!‹ Wir entgegneten ihm: ›Wie sollen wir denn? Wir sind doch Laien und besitzen nicht die Vollmacht von Priestern und Bischöfen. Außerdem: Wasser gibt es hier gar nicht.‹ Aber er hörte nicht auf, uns zu beschwören. Da ergriff einer von uns die Initiative, wies die andern an: ›Stellt ihn aufrecht! Entblößt ihn!‹ Und er füllte seine Hände mit Wüstensand und schüttete dreimal den Sand über sein Haupt und sprach: ›Theodor, sei getauft im Namen des Vaters und des Sohnes und des Heiligen Geistes!‹ Wir respondierten nach Nennung jedes Namens der heiligen Trinität mit Amen. Und siehe da, Christus, der Sohn des lebendigen Gottes, heilte den eben Getauften und gab ihm soviel Kraft, daß nicht die geringste Spur seiner Krankheit noch zu merken war. Gesund und kräftig, mit ganzem Eifer, marschierte er den Rest des Wüstenwegs vor uns her. Als wir in Askalon anlangten, begaben wir uns zum örtlichen Bischof Dionysios und berichteten ihm das Erlebnis von unterwegs. Der staunte über das Wunder, berief aber vorsichtshalber eine Klerusversammlung ein, die entscheiden sollte, ob die Sandtaufe gültig sei. Die Meinung war gespalten. Den Ausschlag gab, daß in einer Aufzählung aller möglichen Taufarten (Wassertaufe, Johannestaufe, Bluttaufe) doch eine Sandtaufe nicht mitaufgezählt war. ›Ich wüßte‹ – so sagte der Mönch – ›auch noch eine Tränentaufe hinzuzuzählen.‹ Nun gut: Jedenfalls ordnete der heilige Dionysios an, daß der Sandgetaufte noch im Jordanwasser unterzutauchen sei.«

Nicht nur um das Heil von Menschen mühten sich die Mönche. Nach dem Bericht des Johannes Moschos war der eschatologische Friede, der zwischen Lamm und Löwe einkehren soll, in der Präsenz der Mönche schon vorweggenommen. Löwen lagerten sich friedlich vor der Mönchshöhle des Sapsas und holten sich ihren Fraß von den Knien des Asketen. Ein anderer Anachoret schlief am Jordan auf der Lagerstadt von Löwen und nahm zwei Junglöwen mit sich in die Kirche. Vater Poimen nahm in seiner Grotte den vorbeiwandernden Abt eines von Sabas gegründeten Klosters, den Vater Agathonikos, zur Nacht auf. Der Gast fror ganz jämmerlich. Aber Poimen erklärte fröhlich am Morgen: »Ich hatte es nicht kalt.« – »Aber wieso denn, du bist ja noch dürftiger bekleidet?« – Poimen antwortete: »Ein Löwe kam, kuschelte sich an meine Seite und wärmte mich.« Aber dieser Poimen wußte dennoch, einmal würde er von wilden Tieren zerrissen werden. »Warum?« Poimen erzählte: »Als ich noch als Hirte in meiner Heimat Galatien Schafe hütete, habe ich eines vorbeiwandernden Fremden nicht geachtet und nicht gehindert, daß ihn meine Hunde zerfleischten. Ich hätte ihn retten können. Und so muß ich auf die gleiche Weise sterben.« Drei Jahre später, so berichtete Johannes Moschos, erfüllte sich die Vorahnung des Vaters Poimen.

Wurden solche Mönche zum Patriarchen von Jerusalem erhoben, so blieben sie bei ihrer asketischen Lebensweise. Vater Elias, der als Mönch keinen Wein trank, blieb dabei auch als Patriarch.

Auf ihren Tod waren diese Mönche wie auf ein Gottesgericht orientiert. Als Kaiser Anastasios starb, der den christologischen Beschlüssen des Konzils von Chalcedon untreu geworden war und die beiden chalcedonensisch orientierten Patriarchen von Jerusalem und Antiochia exiliert hatte, da verständigten sich die beiden Patriarchen – der Jerusalemer Elias und der Antiochener Flavian –, daß es Zeit sei, auch ihrerseits zu sterben, um zusammen mit dem Kaiser vor dem göttlichen Gericht zu erscheinen. Und siehe da: Sie starben zwei Tage später.

In Sophronios besitzt die orthodoxe Kirche den Dichter ihres weihnachtlichen Mysterienspiels, das in den großen Horen des 24. Dezember gesungen wird. Im Theodosioskloster, also nahe beim Hirtenfeld, schuf er das seitdem tradierte Lob der Inkarnation. Zur Prim des orthodoxen Weihnachtsfestes heißt es:

Bethlehem, sei gerüstet! Vorbereitet werde die Krippe!

Der Ankunft harre die Grotte!

Gekommen ist die Wahrheit,

versunken das Schattenreich – und Gott selbst,
aus einer Jungfrau geboren, ist den Menschen erschienen:
Verwandelt, an Gestalt wie wir,
doch die angenommene Gestalt vergottend.
Wieder und neu wird Adam mit Eva gemeinsam geschaffen,
da beide ausrufen:
»Auf Erden erschien das Wohlgefallen, zu retten unser
Geschlecht.«

In der Terz macht Sophronios die paradoxe Wirklichkeit bewußt,
die auch Luther in seinen Weihnachtsliedern ausgedrückt hat, wenn
er singt: »Den aller Weltkreis nie beschloß, der liegt in Marien
Schoß; er ist ein Kindlein worden klein, der alle Ding erhält allein.«

In einer ärmlichen Krippe wird der eingeborene Sohn gesehen,
als ein Sterblicher und in Windeln gewickelt:

Er – der Herr der Herrlichkeiten …

Sophronios hat in einem Zyklus von 12 Anakreonteen – Vierzeilern
nach vorgegebenem Versmaß – schließlich die ganze Heilsgeschichte
von Gabriels Verkündigung an Maria bis zum Martyrium des
Stephanus für die Gemeinde singbar gemacht. Zum Zeichen, daß
die heilige Geschichte damit nicht abgeschlossen sei, schloß er ein
Lied auf die Märtyrerin Thekla an. Bei diesen Dichtungen zeigt sich,
daß Sophronios nie die Verbindung zum syrischsprechenden Christentum, das ihm von seiner Heimatstadt Damaskus her nahe war,
verloren hat. Denn die in der syrischen Kirchenpoesie tradierte
hohe Kunst der alphabetischen Akrostichis hat Sophronios für seine
Dichtungen übernommen.

Die asketische Einübung ermöglichte den Mönchen der judäischen
Wüste, bis an eine äußerste Grenze zu gehen. Von Abba Kyriakos
(einem Griechen aus Korinth, der lange im Koinobion des Euthymios als Grundstückwalter und Kanonarch gedient hatte) erzählt
Kyrill von Skythopolis, daß er sich als 77jähriger mit einem Schüler
in die Wüste Natufa zurückgezogen habe; da keine andere Nahrung
zu finden war, nährten sich die beiden von länglichen Zwiebelchen,
die sie sammelten und durch Einweichen im Toten Meer von ihrem
beißenden Geschmack befreiten. Eines Tages kam der Dorfvor-
steher von Tekoa mit einer Last frischgebackener Brote, und sie
aßen davon. Der Schüler jedoch naschte ohne Wissen des Geron
von den Zwiebeln. Von deren Bittergeschmack erschreckt, blieb
er stumm. Der Greis, der die Ursache der Stummheit erkannte,
heilte den Schüler mit der Eucharistie. Als der Schüler nun Angst
zeigte, wieder bei den Zwiebeln zuzugreifen, schlug der Alte das
Kreuz darüber und aß davon als erster. Dem Hilarion dienten
anfangs 15 nach Sonnenuntergang verzehrte Feigen als einzige

Nahrung. Vom Elpidios-Schüler Eusthatios wird erzählt, »sein Leib wurde durch Kasteiung so abgezehrt, daß ihm die Sonne durch die Knochen schien«.

Die Ratschläge des Abba Isaiah gaben dem Fasten einen Platz in einer ganzheitlichen Askese. In Logos 27 ermahnt der Geron: »Paß auf dich selber aufs Genaueste auf, damit du immer im Blick behältst, daß du dich vor Gott befindest. So wirst du nicht auch das Geringste ohne seine Wegweisung tun, sei es, daß du etwas sagen oder in Gang setzen willst, jemanden besuchen, essen, trinken oder schlafen willst.« In Logos 16 legt Isaiah genauer dar: »Askese der Seele bedeutet, die Zerstreuung hassen, Leibesaskese bedeutet, in der Entbehrung leben ... Hasse die Gier aufs Essen.«

Zum Fasten kamen weitere Übungen hinzu. Elpidios in Douka betete ohne Unterbrechung stehend in seiner Zelle, das Angesicht nach Osten gewandt. Nie wandte er während der Dauer von 25 Jahren sein Gesicht nach Westen.

Die palästinensischen Asketen trugen schon damals Mönchstracht, nicht ohne die Teile der Gewandung symbolisch zu deuten. »Warum keine Ärmel an der Tunika?«, fragt Dorotheos. »Ärmel repräsentieren Hände, und Hände dienen einer Praktik. Wir merken auf unsere Gewandung und erkennen, daß wir keine Ärmel haben, das heißt, wir haben keine Hände, um das, was den alten Menschen kennzeichnet, zu tun.« Weiter: »Unsere Tunika trägt ein Purpurabzeichen. Was bedeutet dieses Abzeichen? Alle Soldaten in kaiserlichem Dienst tragen Purpur auf dem Umhang – das kaiserliche Insignium, dazu bestimmt, darzutun ..., daß sie für den Kaiser Krieg führen. Wir unseres Teils tragen das Purpurabzeichen auf unserer Tunika, um anzuzeigen, daß wir Christi Soldaten sind und daß wir alle Leiden tragen müssen, die er für uns erduldet hat. Denn während seiner Passion trug unser Meister den Purpurmantel. – Der Gürtel, den wir tragen, ist vor allem ein Zeichen, daß wir arbeitsbereit sind. In der Tat, jeder der arbeiten will, beginnt damit, sich zu umgürten. Der Gürtel ist aus Leder, das heißt aus toter Haut gefertigt. Das zeigt an, daß wir unser Glücksstreben ertöten. Der Gürtel ist um die Lenden plaziert, wo die Versuchung ihren Sitz hat. – In gleicher Weise haben wir ein Skapulier. Es ist über die Schultern in Art eines Kreuzes gelegt ... gemäß dem Wort: Nimm dein Kreuz auf dich und folge mir. Und was soll dieses Kreuz anderes bedeuten als den vollkommenen Tod, den in uns der Christusglaube wirklich macht? Auch tragen wir eine Kukulle – Symbol der Selbsterniedrigung. Denn die kleinen Kinder, die noch unschuldig sind, tragen solche Kukullen, ein erwachsener Mensch nicht mehr. Wenn wir dies trotzdem tragen, dann, um – was die

Bosheit anlangt – wie die kleinen Kinder zu sein. Auch ist die Kukulle ein Symbol der Gnade Gottes und ebenso, wie sie den Kopf des Kindes schützt und warmhält, so schützt die göttliche Gnade unseren Geist. – ... Laßt uns denn entsprechend unserer Gewandung leben, wie die Väter sagen, damit wir nicht ein Kleid tragen, das gar nicht zu uns paßt.«

Die origenistischen Streitigkeiten

Nirgends blieb die Erinnerung an Origenes so lebendig wie im Heiligen Land, wo der große Lehrer nachhaltig gewirkt hatte. Hier haben sich zwei Mönche aus dem Abendland eingefunden, Rufin von Aquilea und Hieronymus, von Studienzeiten her befreundet. Rufin hatte sich zu Füßen des Leiters der alexandrinischen Katechetenschule Didymos des Blinden 6 Jahre lang mit Origenes befaßt und lebte nun, mit der Römerin Melania der Älteren verbunden, seit 380 auf dem Ölberg. 386 stieß sein Freund Hieronymus zu ihm, der sich in Konstantinopel durch Gregor von Nazianz für die Schriften des Origenes hatte begeistern lassen. Origenes' Werke inspirierten das literarische Schaffen des Hieronymus.

Melania, die sich schon um die »Drei Langen Brüder« (origenistische Gelehrte, die aus Ägypten nach Palästina verbannt waren) verdient gemacht hatte, beherbergte 382 in ihrem Ölbergkloster den Evagrios, der aus Konstantinopel zu ihr geflohen war. Evagrios, bisher von Gregor von Nazianz gefördert, hätte in der byzantinischen Hauptstadt eine glänzende Laufbahn vor sich gehabt. Doch als er von leidenschaftlicher Liebe zur Gattin eines hohen Beamten gepackt wurde, kam er in einer Traumvision zur Einsicht, es sei besser für ihn, Konstantinopel schnell zu verlassen. Er eilte nach Jerusalem. Die Begegnung mit Melania der Älteren gewann für Evagrios entscheidende Bedeutung. Melania half ihm, sein ständiges Schwanken zu überwinden und sich auf Dauer in der ägyptischen Mönchswüste festzusetzen. Bei Melania und Rufin, die oft Tag und Nacht mit Origeneslektüre zubrachten, tauchte Evagrios in das origenistische Milieu ein. Er blieb auch von Ägypten aus stets mit Melania verbunden. Im längsten seiner Briefe sprach er sich ihr gegenüber auch einmal ohne die bei ihm gewohnten symbolischen Andeutungen über seine kühne These vom Zusammenfluß aller Intelligenzien aus. In seinen Kephalaia Gnostica verwob Evagrios die Tradition der Kirchenväter mit Spekulationen, die – von Origenes inspiriert – diesen noch überboten.

Inzwischen jedoch paßte bei der Weiterentwicklung des Dogmas die spiritualisierende Lehre des Origenes über die Seelenpräexistenz nicht mehr in die Rechtgläubigkeit. Nach dem Sieg des Homoousios, das die Wesengleichheit von Vater, Sohn und Geist festlegte, geriet die Trinitätslehre Origenes' in Verdacht, leicht subordinatianisch strukturiert zu sein. Als erster hatte um das Jahr 300 Methodios vom Olymp den Origenes angegriffen. Davon blieb etwas sitzen. Als der Palästinenser Epiphanios, jetzt Bischof auf Zypern, in seinem 375–377 niedergeschriebenen Panarion den Origenismus als 64. Häresie brandmarkte, fußte er auf Methodios. Nichts habe Origenes unerklärt stehen lassen wollen. So hätten Arius und alle Häretiker aus Origenes schöpfen können. Epiphanios urteilte ungerecht, wenn er dem Origenes (Peri archon) die Lehre ankreidete, der Sohn habe den Vater nicht sehen können, der Geist nicht den Sohn, die Engel nicht den Geist und die Menschen nicht die Engel: »Solche Isolationen!« In Wahrheit unterschied Origenes hier bloß körperliches Sehen von einem Kennen, das geistlich immer möglich bleibt.

Im Jahr 394 erschienen die Antiorigenisten Atarbios und Epiphanios in Palästina. Hieronymus schwenkte um und ergriff ihre Partei. Rufin aber jagte den Atarbios mit dem Knüppel davon und stellte sich auf die Seite des Jerusalemer Bischofs Johannes II., der gleichfalls Origenes liebte. Zwischen Hieronymus und Rufin kam es darüber zum Bruch.

Zu den Gegensätzen, die Origenisten und Antiorigenisten trennte, gehörte auch eine unterschiedliche Stellung zu den minoritären Judenchristen, die im Heiligen Land lebten. Epiphanios war von dem Judenchristen Trifon ausgebildet worden. Von daher rührte es, daß er die Prärogativen der judenchristlichen Mutterkirche verteidigte und sich an deren Symbolsystem anlehnte. Lieber behielt er anthropomorphische Elemente in der Gottesvorstellung bei, als daß er eine hellenisch beeinflußte Metaphysik hätte annehmen können. Die Judenchristen beurteilte Epiphanios nur als Schismatiker, die doch dogmatisch korrekt lehrten. Günstiger noch urteilte Hieronymus. Ihm hatte der Judenchrist Bar Hanina geholfen, seiner Jugendsünden Herr zu werden. In Kooperation mit Bar Hanina schrieb er seine Kommentare zum AT. Durch ihn wurde Hieronymus mit dem Hebräer-Evangelium bekannt, das er oft zitierte.

In der Anastasis mußte sich Epiphanios eine Predigt des Bischofs Johannes gegen die »Anthropomorphisten« anhören. Darunter verstand man die Antiorigenisten. Unter Anregungen des Evagrios erstrebte man ein »reines Gebet« aus einem von allen formhaften Vorstellungen der Gottheit gereinigten Intellekt. »Man soll nicht versuchen, die Gottheit einzuzeichnen in eine Figur oder Form.« Als Bischof Epiphanios seinerseits gegen die Origenisten predigte, ließ ihn der Jerusalemer Bischof durch einen Diakon unterbrechen. Damit war das kanonische Band zwischen dem zypriotischen und palästinensischen Hierarchen zerrissen. Epiphanios weihte den Bruder des Hieronymus, Paulinian, ohne Wissen des zuständigen Bischofs zum antiorigenistischen Priester für die lateinischen Mönche in Bethlehem. Hieronymus aber verschärfte den Streit, indem er seinen Libellus gegen Johannes von Jerusalem herausgab. Johannes erreichte zwar die Exilierung des Hieronymus, der die Mönche aufhetzte, die Verbindung zu ihrem Bischof abzubrechen; aber infolge eines Hunneneinfalls kam dies nicht zur Ausführung. Die annähernd 300 palästinensischen Mönche, die die Gemeinschaft mit Bischof Johannes abgebrochen und sich dem priesterlichen Dienst des Paulinian zugewendet hatten, konnte die Nonne Melania wieder für die Einheit mit dem Bischof gewinnen.

Patriarch Theophilos von Alexandria, der bisher eine Vermittlerrolle in Palästina gespielt hatte, kippte 399 um und verurteilte seinerseits die Origenisten. Jetzt fand man in der Tat allzu kühne Sätze bei der Durchsicht der Werke des Origenes. Da hieß es: »Uns Menschen gegenüber ist der Sohn Wahrheit, dem Vater gegenüber ist er noch immer Irrtum«, oder: »Christi Reich wird ein Ende haben und der Teufel, jetzt selbst gereinigt von allen seinen Beschmutzungen, wird die Ehre empfangen, deren er jetzt würdig ist, und mit Christo dem Vater unterworfen sein.« Das nötigte die palästinensische Hierarchie zum vorsichtigen Taktieren. Auf dem Kirchweihfest der Anastasis im Jahr 400 versammelt, erklärten die Bischöfe, es gäbe unter ihnen keine Origenisten.

Doch anfangs des 6. Jhs. flammten die origenistischen Streitigkeiten in einem völlig anderen Milieu erneut auf. Die Mönche von Mar Saba, die 507 revoltiert und bei Tekoa eine »Neue Lavra« geschaffen hatten, entwickelten in Weiterführung von Gedanken des Origenes (und des Evagrios) kühne Spekulationen über die Präexistenz der Seelen und die Wiederbringung aller, bei der alle geschaffenen Wesen in die einzig bleibende Existenz Gottes einmünden.

Vielleicht war es schon bei ihrem Exodus aus Mar Saba eine sich elitär dünkende origenistische Stimmung gewesen, die die rebellischen Mönche in Gegensatz zum hl. Sabas gebracht hatte. Jedenfalls eine mönchische Persönlichkeit, die zu ihrem Kreis gerechnet werden kann – Leontios von Byzanz –, war Krypto-Origenist. Ihn, der aus Byzanz stammte, hatte Sabas auf seiner Reise 530 an den Kaiserhof als Begleiter gewählt. Doch hatte der Heilige den Leontios abgeschüttelt, als er dessen Origenismus gewahr wurde. Leontios spielte dann – durch Zusammenarbeit mit der chalcedonensischen Partei in gesicherter Position – als Apokrisiar der Mönche Jerusalems und der judäischen Wüste ein intrigenreiches Spiel im Byzanz der Justinianzeit, das der Durchsetzung des Origenismus im Reich dienen sollte. Dem Theodoros Askidas aus der Neuen Lavra und dem Dometian aus dem Kloster des Martyrios – entschiedenen origenistischen Mönchen aus Palästina, beide zur Konstantinopler Synode von 536 herangeholt – verschaffte Leontios die Metropolitansitze von Cäsarea in Kappadozien und Ankyra.

Die Origenisten der Neuen Lavra nahmen Verbindung zu dem pantheistischen Mönch Stephanos bar-Sudaili aus Edessa auf, der sich nach Jerusalem zurückgezogen hatte und selbst den Teufel an der Apokatastasis panton teilhaben ließ. Die Lavra des Firmin ließ sich von diesem Origenismus, der sich zu einer mystischen Gnosis für den Mönchsgebrauch weiterbildete, anstecken. Als die Bewegung nach Mar Saba übersprang, ließ der dortige Abt Gelasios den antiorigenistischen Traktat des Antipater von Bosra in der Kirche verlesen. 40 Mönche, die diesen Text ablehnten, wurden davongejagt und schlüpften in der Neuen Lavra unter. Als man von dort im Rachefeldzug zur Zerstörung von Mar Saba auszog, verirrte man sich im Nebel.

Jetzt erfolgte der Gegenschlag. Die Autoritäten in Rom und Byzanz konnten alarmiert werden. Dies wurde von zwei Männern betrieben, die aus Anlaß einer Synode in Gaza, auf der ein neuer Patriarch für Alexandria zu bestimmen war, im Frühjahr 542 ins Heilige Land kamen: Diakon Pelagius – der künftige Papst – als Vertreter Roms und Papas Eusebios als Vertreter des Ökumenischen Stuhls von Konstantinopel. Sie liehen den Klagen des Abtes Gelasios von Mar Saba über die origenistischen Mönche ihr Ohr. Als Gelasios dem Ratschlag des Eusebios folgend erneut eine origenistische Gruppe aus seinem Kloster austrieb und diese beim antiochenischen Patriarchen Ephräm, auf dessen Verständnis sie gerechnet hatte, nur eine noch deutlichere Verurteilung erfuhr, verlangte die Gruppe vom Jerusalemer Patriarchen Petros die Streichung des Ephräm aus den Diptychen. Das nötigte nun auch den Jerusalemer Patriarchen, aus seiner Neutralität herauszutreten. Er regte den Abt Gelasios und den Archimandriten Sophronios aus St. Theodosios an: Schreibt mir doch eine Denkschrift, in der ich beschworen werde, jeden Akt gegen Ephräm zu unterlassen, und laßt die wahre, nämlich antiorigenistische Position des palästinensischen Mönchtums hier hervorleuchten! Der Patriarch ließ dies Dokument zusammen mit einem Brief, der die Neuerungen der Origenisten der Neuen Lavra denunzierte, Kaiser Justinian zukommen. Der theologisierende Kaiser verfaßte daraufhin 10 Anathematismen gegen die Origenisten, basierend auf den Jerusalemer Texten. Triumphierend konnte Patriarch

Petros wenige Monate darauf die »Nea« – die neue Marienkirche Jerusalems – einweihen.

Die Origenisten Palästinas brauchten sich freilich nicht getroffen zu fühlen. Ihre geistlichen Anliegen hatte der Kaiser nicht verstanden. Der ehemalige Mönch der origenistischen Neuen Lavra, Theodoros Askidas – von Leontios in Byzanz eingeschleust – konnte in der Funktion eines Hoftheologen den Jerusalemer Patriarchen mit seinen Intrigen isolieren. Sabas-Mönche lebten jetzt wie in einem Belagerungszustand, und Patriarch Petros, von zwei origenistischen Synkelli bewacht, konnte keine Verbindung mehr mit ihnen gewinnen.

Als Petros 552 nach 28 Jahren im Patriarchenamt starb, erhoben die Origenisten einen der Ihren, Makarios, auf den Jerusalemer Patriarchenthron. Das brachte allerdings für den Kaiser das Faß zum Überlaufen. Informiert war dieser von Abt Konon, der die orthodox verbliebenen Lavren Palästinas wiederhergestellt hatte. Auf dem V. Ökumenischen Konzil 553 in Konstantinopel wurde Origenes und mit ihm Evagrios Pontikos verurteilt. Der Ökonom des alexandrinischen Patriarchats Eustachios wurde als Patriarch nach Jerusalem herübergeholt und säuberte die origenistischen Klöster unter Militäreinsatz.

Das Ringen um das Chalcedonense

Als markantes Datum in der Geschichte der Alten Kirche gilt das IV. Ökumenische Konzil, das Kaiser Marcian in Chalcedon, einem Vorort von Konstantinopel, 451 zur Lösung der christologischen Streitfragen einberufen hatte. Das Konzil legte das Christusgeheimnis dahin aus, daß hier eine göttliche und eine menschliche Natur in analogieloser Weise vereinigt seien. Diese Lösung schien an der Theologie des Patriarchen Kyrill von Alexandria vorbeizulaufen, die bisher die Lehrentwicklung der Ostkirche dirigiert hatte.

Die Konzilsmehrheit von Chalcedon, die die Formel beschloß, war mehrheitlich durchaus kyrillisch orientiert. Doch da die Formel Kyrills, Christus sei einer »aus zwei Naturen«, durch die Formel Papst Leos, er sei einer »in zwei Naturen«, verdrängt wurde, geriet das Konzil in Verdacht, nestorianische Trennungschristologie zu vertreten.

Die Formel von Chalcedon stieß in Jerusalem auf heftigen Widerspruch. Das kann nicht verwundern, denn während zweier Jahrzehnte hatte die Kirche Palästinas der Theologie Kyrills von Alexandria angehangen. Die Verehrung für Kyrill war manifest geworden, als Eudokia – Gemahlin Kaiser Theodosius II., die in Jerusalem das Regiment in Händen hatte – den alexandrinischen Patriarchen die von ihr gestiftete Stephanuskirche weihen und die Reliquie des Erzmärtyrers hier deponieren ließ. Damals setzte Kyrill auch die von Peter dem Iberer mitgebrachten Reliquien der persischen Märtyrer und die der 40 Märtyrer von Sebastia im Ölbergkloster der Melania bei.

Noch auf dem Konzil von Ephesus 431, auf dem Kyrill die Verurteilung des Nestorius mit seiner Lehre durchsetzte, Maria habe einen bloßen Menschen geboren, mit dem sich Gott in einem sekundären Akt vereinigte, hatte der Jerusalemer Patriarch Juvenal an der Seite des Kyrill von Alexandria gewirkt. Seine Unterschrift hatte er unmittelbar unter das Handzeichen Kyrills gesetzt. Auch das »Räuberkonzil« von Ephesus 449 besuchte Juvenal und ließ sich dabei von 21 palästinensischen Bischöfen begleiten, um dem alexandrinischen Patriarchen Dioskoros, Kyrills Nachfolger, beizustehen.

In Chalcedon 451 schwenkte Juvenal um. Seinen Übergang zur majoritären Partei des Konstantinopler Patriarchen Flavian und der Vertreter des Papstes Leo machte Juvenal durch einen demonstrativen Platzwechsel in der St. Euphemia-Kirche von Chalcedon, in der das Konzil tagte, manifest.

Als das Konzil mit der christologischen Thematik einberufen war, machten sich einige palästinensische Mönche nach Chacledon auf, um die Entwicklung aus der Nähe zu verfolgen. Einer von ihnen – Theodosios – eilte bei Abschluß des Konzils nach Jerusalem zurück, ehe die Bischöfe kamen, und alarmierte die Kirche des Heiligen Landes. Juvenal habe »Glaubensverrat« begangen. Die christologische Lösung von Chalcedon mit ihrer Unterscheidung der zwei Naturen Christi wurde als Rückfall in den Nestorianismus dargestellt. Die palästinensischen Mönche zeigten sich wie alle Anhänger Kyrills unbeweglich in ihren Postionen.

Patriarch Juvenal hatte noch vor seiner Abreise zum Konzil den Lehrbrief des Papstes Leo, der die Konzilsformulierungen stark bestimmen sollte, zurückgewiesen. Als er jetzt in die Heilige Stadt zurückkehren wollte, ging das Gerücht vor ihm her, er habe »das Teil des Verräters Judas vorgezogen«. In Massen begaben sich Mönche und Kleriker dem rückkehrenden Juvenal entgegen nach Cäsarea, manche in der Hoffnung, den Patriarchen umstimmen zu können. Cäsareas Gouverneur ließ die turbulente Schar nicht in die Stadt hinein, weil er Unruhen befürchtete. Das Zusammentreffen mit Juvenal nahm den Charakter eines öffentlichen Prozesses an. Juvenal hatte kein besseres Argument zur Hand als den Vorwurf, die Mönche zeigten, wenn sie bei ihrem Protest verharrten, mangelnde Unterordnung unter den Kaiser. Das erhöhte nur die Spannung. Der chalcedonensisch orientierte Metropolit Severianos von Skythopolis wurde ermordet, Bischof Leontios von Askalon mußte sich auf Zypern in Sicherheit bringen. Patriarch Juvenal begab sich nach Konstantinopel zurück, um die Unterstützung des Kaisers zu suchen.

Der Abzug der Unterzeichner-Bischöfe institutionalisierte das Schisma. In Jerusalem kam es auf Betreiben des Mönchs-Archimandriten Romanos zur tumultuarischen Einsetzung des Theodosios zum neuen Patriarchen. Der weihte zu neuen Hierarchen, wen die Bischofsstädte vorschlugen. »Das Volk jeder Stadt ließ er selbst einen Beschluß fassen und sandte den von der Gemeinde erwählten Kleriker als Hierarchen.« Theodatos wurde für Jaffa gewählt. Der Mönch Gelasios schied als Bischofskandidat aus, weil er den Juvenal nicht verfluchen wollte. Mit den Bischofsweihen war die Kirche der Opposition eine echte Alternative zur kaiserlichen Kirche geworden.

Damals eilte das Volk von Maiuma zu Patriarch Theodosios, um die Weihe des in Stadtnähe wohnenden Mönchs aus georgischem Königsgeschlecht – Petrus des Iberers – zum Bischof ihrer Stadt durchzusetzen. Die Vita des Petrus berichtet, der Widerstrebende habe die Türen verrammelt, »als er sah, daß sie wie Räuberhorden gegen ihn kamen«. Doch zwangsweise zerrte man den heiligen Mönch in eine Sänfte. Im Dorf Socho zum Übernachten gezwungen, kam Petrus in Versuchung, sich vom Söller selbstmörderisch auf den felsigen Vorplatz herabzustürzen. Schon 7 Jahre zuvor hatte man ihn mit der Weihe zum Presbyter überrumpelt, und bis jetzt hatte er sich zu zelebrieren geweigert. Doch eine Stimme hielt ihn vom Selbstmord zurück; das Argument, er sei unwürdig, half ihm in Jerusalem nicht, der Bischofsweihe zu entgehen. Als nach der Rückkehr sich das Volk von Maiuma um ihn drängte, und »Jedermann von seinen heiligen Händen der heilbringenden Geheimnisse (der Eucharistie) teilhaftig zu werden begehrte,« wurde er wieder infolge großer Bescheidenheit gehindert, selbst das Opfer darzubringen. Seine Priester sollten statt seiner die heiligen Dienste verrichten. Doch das Volk, unwillig geworden, drohte, den Bischof samt Kirche zu verbrennen, wenn er nicht die Versammlung leite.

Der Iberer sah sich durch eine Jugenderinnerung dazu bestimmt, auf die antichalcedonensische Seite zu treten. Als junger Mensch hatte er in Konstantinopel den damaligen Patriarchen Nestorius erlebt, wie er am Tage der 40 Märtyrer von Sebastia in der Marienkirche mit seiner femininen Stimme den Gedanken vertrat, Maria habe einen bloßen Menschen, nicht Gott geboren. Damals, so berichtete der Iberer seinen Schülern, habe der Dämon nach dem Patriarchen gegriffen; dieser habe sich, dem Zusammenbruch nahe, von Diakonen in die Sakristei geleiten lassen müssen. Damals verweigerten viele, darunter auch der junge Iberer, dem häretischen Patriarchen die Kommuniongemeinschaft. Dieses frühe Erlebnis machte den Iberer zum schroffen Antichalcedonenser, weil er im Bekenntnis von Chalcedon die Nähe zum Nestorianismus witterte.

Wie stark sich Mönche im Kampf gegen das Chalcedonense engagierten, zeigt das Beispiel des Marcian, der 454 aus dem Passarion-Kloster in Jerusalem wich, Gesinnungsgenossen sammelte und bei Bethlehem ein antichalcedonensisches Kloster gründete, dessen Mönche 30 Jahre lang unter seiner Führung bei jedem Streich gegen die Chalcedonenser dabei waren. – Das Kloster, aus dem man einst den Mönch Juvenal geholt hatte, um ihn zum Patriarchen zu erheben, wurde in der Erbitterung über Juvenals »Verrat« zerstört.

Die Antichalcedonenser des Heiligen Landes fanden Rückhalt bei Kaiserin Eudokia, die damals in Jerusalem das Regiment führte. Nur der Mönchsvater Euthymios solidarisierte sich nicht mit ihnen. Patriarch Theodosios schickte die beiden Archimandriten Gerontios und Elpidios, die sich der Revolte angeschlossen hatten, zu Verhandlungen zu Euthymios. Der aber zog sich lieber zwei Jahre lang in die Wüste zurück.

Auch in der internationalen Aristokratie, die sich in Jerusalem befand, hielt man am »legitimen« Patriarchen Juvenal fest. Man zog sich damit brutale Behandlung auf den Hals. Der Diakon Athanasios, der den Patriarchen Theodosios kritisierte, kam ums Leben. Den »Legalen« mangelte es an theologischer Argumentation, die für die Antichalcedonenser das eigentliche Element war. Um Eudokias Einfluß auszustechen, schrieb Kaiserin Pulcheria aus Konstantinopel Anfang 453 einen Brief nach Jerusalem. Dem war der Wunsch anzumerken, daß Gewaltlösungen vermieden blieben. Der Kaiser warf den palästinensischen Mönchen vor, sich, obwohl unberufen, als Doktoren der Theologie aufzuspielen. Im August 453 kehrte Juvenal mit kaiserlichem Militär nach Jerusalem zurück. Sein Rivale wich, nicht anders Petrus der Iberer, mit vielen antichalcedonensischen Mönchen 455 nach Ägypten aus. Als Theodosios 457 sein Exil verließ, um einen Streit in Antiochia zu schlichten, wurde er vor den Toren der Stadt erkannt, festgenommen und nach Konstantinopel verbracht. Umsonst versuchte der Kaiser, ihm eine Zustimmung zum Chalcedonense abzugewinnen. Der Vorsteher des Dius-Klosters, dem Theodosios übergeben wurde, schloß ihn zur Winterzeit in eine enge, mit ungelöschtem Kalk angefüllte Zelle ein, so daß er an Füßen und Magen erkrankte. Die Befreiung aus der Zellenhaft kam zu spät. Theodosios starb wenige Tage darauf. Anhänger brachten seinen Leichnam in ein zypriotisches Kloster.

Bischof Petrus der Iberer, der sich in Oxyrynchos versteckt hielt, mußte erleben, daß der dortige chalcedonensische Bischof einen Lehrtext des alexandrinischen Patriarchen Proterius verlas, in dem »Gift und Honig gemischt« war. Petrus schwang sich auf die Säule eines Kaiserstandbildes, das »fallstrickartige Schriftstück« des Proterius in der Hand. Da half ihm eine Vision, in der er den Theodosios erschaute, der ihm »die Weihe erteilt hatte und bereits durch Bekennertum in der Residenz des Basileus zur Vollendung gekommen war«, die »in jedem Wort verborgene Gottlosigkeit aufzudecken«.

Die Kraft der Gegner von Chalcedon war noch keineswegs erschöpft. Nach dem Tod des in Gangra verbannten nonchalcedonensischen Patriarchen von Alexandria, Dioskoros, verhalf der Iberer der nonchalcedonensischen Hierarchie zum Weiterbestehen. Für eine Neuweihe, die von zwei Bischöfen zu vollziehen war, stand in Ägypten nur Bischof Euseb von Pelusium zur Verfügung. Doch das Volk, das nach Kaiser Marcians Tod aufatmete, versammelte sich in der Kaisarion-Kirche und schleppte den Mönch Timotheos Äluros aus einem Wüstenkloster als Kandidaten der Patriarchenwürde heran. Jetzt fand sich der Iberer bereit, mit Euseb die Weihe zu vollziehen.

Als Juvenal mit einer Militäreskorte wieder im Heiligen Land einzog, gab es nur in Neapolis (Nablus) Protestmanifestationen. Die Mönche lehnten die Aufnahme der Kommunionsgemeinschaft mit Juvenal ab. Unter Mithilfe der Samaritaner wurde ein Massaker unter den Antichalcedonensern angerichtet. Doch während in den nördlich und südlich angrenzenden Patriarchaten von Antiochia und Alexandria die Kircheneinheit sich nie wieder herstellen ließ und chalcedonensische mit antichalcedonensischen Patriarchaten fürderhin rivalisierten, ließ sich in Jerusalem die Einheit der Jurisdiktion retten. Das war mehreren geglückten Versöhnungsaktionen zu danken.

Daß sich Kaiserin Eudokia mit dem chalcedonensischen Patriarchat versöhnen ließ, schlug die erste Bresche in die antichalcedonensische Front. Papst Leo hatte sich mit einem Brief vom 21. März 453 unmittelbar an die Kaiserin gewendet. Seinem Brief fügte er eine theologische Erklärung an die aufsässigen Mönche bei. Als Juvenal dem Papst anzeigte, daß er seinen Patriarchenstuhl wieder innehabe, befaßte sich Leo in einem Schreiben vom 4. September 454 erneut mit den palästinensischen Schwierigkeiten. Dabei unterdrückte der Papst nicht seine Kritik an Juvenal. Er rief ihm ins Gedächtnis, daß der Patriarch selbst durch seinen Zickzackkurs die Rebellion mitverschuldet habe. Am Heiligen Ort spreche doch alles für die volle Menschheit Christi, nicht nur das Wort der Schrift. Das päpstliche Synodalschreiben Cum summus an die Presbyter, Archimandriten und Mönche Palästinas ging kaum auf die kritischen Punkte des Textes von Chalcedon ein. Das Friedensmotiv herrschte vor.

Kaiserin Eudokia ließ nie die Beziehungen zum Jerusalemer Weihbischof Anastasios und dem Stavrophylax Kosmas abbrechen. Diese dienten ihr als Vermittlung zum Patriarchen. Eudokia erklärte nun: Ehe sie sich mit den Chalcedonensern aussöhne, müsse sie einen geistlichen Ratgeber hören. Sie bat den Styliten Symeon herbei. Der aber lehnte ab und riet der Kaiserin, sich statt dessen mit Euthymios auszutauschen. Kaiserin und Asket trafen sich bei dem sogenannten Turm der Eudokia, den die Kaiserin auf dem höchsten Berg der judäischen Wüste hatte aufrichten lassen. Viele gingen jetzt den Weg der Eudokia mit. Dazu wirkte sich der Zustrom von Mönchen aus Kappadozien aus, die chalcedonensisch orientiert waren. Im Jahre 456 kam der heilige Sabas mit diesen Wanderscharen. Das war eine neue Komponente in Palästina. Wer jetzt noch bei der Konzilsablehnung verblieb, hatte keinen Rückhalt mehr bei den Autoritäten.

Freilich half Eudokia auch noch weiterhin den Exponenten der Konzilsgegnerschaft. Sie bildete eine Brücke zwischen den Parteien. Noch immer blieben Gerontios und Romanos als führende Köpfe auf der antichalcedonensischen Seite. Erst als 479 eine erneute Union der beiden Parteien unter Patriarch Martyrios zustande kam, war die Stellung des Gerontios gefährdet. Dem Romanos wurde alle Hilfe gewährt, ein eigenes Koinobion bei Eleutheropolis zu bauen. Dort war Romanos der unmittelbaren Jurisdiktion des Juvenal besser entzogen, als wenn er sich im Koinobion von Tekoa festgesetzt hätte.

Mit dem Koinobion von Eleutheropolis bildete sich freilich ein neues ausstrahlungskräftiges Zentrum der Antichalcedonenser. Hier wuchs Severus heran zum bedeutendsten antichalcedonensischen Theologen. Als der antichalcedonensische Patriarch Alexandrias, Timotheos Äluros, nach Gangra verbannt wurde, reiste er an der Küste Palästinas entlang und empfing Solidaritätskundgebungen. Inzwischen hatten die antichalcedonensisch orientierten Gemeinden und Klöster im Heiligen Land von der in aller Verfolgung beständigen Kraft, mit der Petrus der Iberer in Ägypten wirkte, vernommen. Unter ihnen erwachte das Verlangen, den Iberer wieder als

Vater und Bischof fürs Heilige Land zurückzugewinnen. »Es kamen von Palästina viele Heilige zu ihm und baten ihn inständig, auch seine palästinische Herde zu besuchen, weil sie im eigentlichen Sinne seine Herde wäre, die während dieser ganzen Zeit seiner Aufsicht und geistigen Lehre beraubt gewesen sei.« Petrus langte 475 in Askalon an und schuf sich im nahegelegenen Dorf Paläa ein antichalcedonensisches Zentrum. Unter seiner Wirkung bildete sich ein neues nonchalcedonensisches Mönchtum im Heiligen Land. Das Zwischenregiment des Kaisers Basiliskos, gekennzeichnet durch ein Enkyklion, das Chalcedon außer Geltung setzte, gab der antichalcedonensischen Bewegung Auftrieb. Patriarch Timotheos Äluros, jetzt wieder frei, konnte zwar den Iberer nicht für eine neue Zusammenarbeit in Alexandria gewinnen, doch entsandte Petrus palästinensische Mönche nach Ägypten und unterstützte den Patriarchen mit liebevollen Briefen.

Petrus der Iberer führte jetzt als einziger nonchalcedonensischer Hierarch ein unruhiges Wanderleben durch Palästina und die angrenzenden arabischen Gebiete. Oft berichtet die von seinem Schüler Johannes von Beit Rufina niedergeschriebene Vita davon, daß »das Volk der Stadt, auch der Dörfer und Gehöfte, die am Wege lagen, mit Freude und Glauben zur Begegnung herausging und zu ihm eilte und sich segnen ließ«. Zeitweise fand der Iberer bei den Thermen von Ba'ar oder in Madeba Unterschlupf. Der Tribun Elias, der Kontakt zur Kaiserinwitwe Eudokia hielt, lud den Bischof in seine Bergwohnung Beit Tafscha 5 Meilen nördlich von Jerusalem ein.

Damals wurden auch in den eigenen Kreisen Vorwürfe gegen den Iberer laut: »Wie hat nur der Selige, während er alle diese Tage nahe bei Jerusalem verweilte, nicht das Verlangen gehabt, wenn auch bei Nacht, in die Heilige Stadt zu gehen und an den verehrungswürdigen Stätten ... anzubeten!« In einer Vision, die einem aus ihrem Kreise zuteil wurde, wurde den Kritikern Antwort gegeben. Da wurde der Bischof geschaut, wie er den Bruder bei der Hand nahm, mit ihm in die Märtyrerkirche des Stephanus eintrat und die Reliquienurne in der Grotte anbetete. Von dort eilte er zur Golgatha-Kirche und zum Heiligen Grab, zur Pilatus-Kirche, von da in die des Paralytischen ... Das heißt, der visionär geschaute Iberer besuchte alle den Pilgern vorgeschriebenen Orte. »Dies geschah aber, um diejenigen, welche geeifert hatten, davon zu überzeugen, daß der Selige an jedem heiligen Orte täglich, vielleicht auch stündlich, im Geiste dem Herrn Anbetung darbrachte.«

Die Sprache, die die Nonchalcedonenser gegen die Unterzeichner des Chalcedonense gebrauchten, zeugte von einer abgrundtiefen Verachtung. Man nannte Chalcedon eine »gottlose Synode«. Ihre

Vertreter wurden mit dem Titel «neuer Judas», »abtrünniger Drache«, »Kaiphas« bedacht.

Es gibt Anzeichen dafür, daß auch der Didaskalos (theologischer Lehrer) an der Grabeskirche, Hesychios, der Lösung des christologischen Problems im Konzil von Chalcedon kritisch gegenüberstand. Damals soll sich der Himmel über der Heiligen Stadt plötzlich verdunkelt haben. Auf die Stadt und die umliegenden Dörfer kam ein Steinregen danieder. Die Steine glichen Ziegeln, die ein seltsames Markenzeichen trugen. Viele, die diese Steine sammelten und einer Verwendung zuführten, erblindeten. Hesychios soll von diesen Steinen eine große Zahl gesammelt, der Kaiserin Eudokia vorgewiesen, davon auch einige nach Konstantinopel gesandt haben. Dies Wunder weise auf die Blindheit hin, in die die Welt infolge der Apostasie der Bischöfe fallen solle. Papst Pelagius, der im Heiligen Land aus eigener Anschauung Bescheid wußte, überliefert, Hesychios habe gegen den Lehrbrief Leos und das Chalcedonense polemisiert.

Trotz der antichalcedonensischen Mönchsgruppe von Gaza und Eleutheropolis brachten die 20 Jahre, während der Nachfolger Juvenals, Patriarch Anastasios (458–478), regierte, weiteren Ausgleich. Der herumwandernde Iberer hatte nichts zu fürchten. Die zweimalige schnelle Tendenzwende der kaiserlichen Religionspolitik richtete in anderen Patriarchaten manchen Schaden an: Das Enkyklion des Basiliskos, der kurze Zeit den byzantinischen Thron innehatte, ermöglichte es dem Timotheos Äluros, triumphierend nach Ägypten zurückzukehren – doch Zenon stürzte den Basiliskos und nahm das Enkyklion zurück. Die antichalcedonensischen Patriarchen Äluros und Petrus Fullo, eben zurückgekehrt, mußten wieder aus Alexandria und Antiochien weichen. Patriarch Anastasios jedoch und mit ihm die palästinensischen Bischöfe stimmten zwar dem Enkyklion zu und nahmen auch seine Zurücknahme hin, aber die jurisdiktionellen Verhältnisse in Palästina blieben unverändert. Das Heilige Land blieb ein offenes Land.

Unter Patriarch Martyrios (478–486) verstärkte sich das Verlangen, durch Kompromiß zur Einigung mit den Nonchalcedonensern zu kommen. Das war überraschend. Einst war ja Martyrios zusammen mit seinem Mönchsbruder Elia aus dem von Äluros beherrschten Ägypten gewichen – ein Zeichen, daß er unter nonchalcedonensischer Jurisdiktion nicht leben wollte. Oder sollte für Martyrios weniger die Entschiedenheit für das dyophysitische Bekenntnis bestimmend gewesen sein (wie es für Elia bestimmend war!) als vielmehr das Verlangen nach intimem Leben mit Euthymios? Nach Euthymios Tod hatten sich beide Freunde vom Jerusalemer Patriarchen ordinieren lassen. Selber zum Patriarchen aufgestiegen, nahm Martyrios eine Vielzahl von Nonchalcedonensern wieder in die sakramentale Gemeinschaft auf. Das bei der Taufe abgelegte Bekenntnis nutzte er dabei als Basisdokument. Eine Versöhnungsrede des Patriarchen wurde vom Rhetor Zacharias aufbewahrt. Darin wurde betont, daß sich in den an Nicäa anschließenden Konzilien die Linie von Nicäa fortgesetzt habe, und falls dies in einzelnen Punkten nicht zu erkennen sei, so seien diese Momente nicht gültig. Jerusalem schuf sich seinen eigenen Frieden. Die Widerstandsfront löste sich auf. Als sich Gerontios noch immer unversöhnt zeigte, wurde er gezwungen, vom geliebten Kloster der Melania auf dem Ölberg, dem er so lange vorgestanden hatte, Abschied zu nehmen. Die Union der Parteien im Heiligen Land verdroß zunächst in Byzanz, gewann aber dann Modellcharakter: Kaiser Zenon setzte 482 zum Henotikon an, das noch Zusätze brachte, die über das Jerusalemer Angebot hinausgingen, um den Nonchalcedonensern die Einkehr in die Kirche des Kaisers zu erleichtern. So waren die zwölf Anathemata des Kyrill von Alexandrien gegen christologische Irrlehrer aufgenommen – ein Schlüsseltext der Nonchalcedonenser. Kaiser Anastasios (491–518) gab dem Henotikon noch eine eigene antichalcedonensische Interpretation. Da der neue alexandrinische Patriarch Petrus Mongos das Henotikon annahm und in Antiochien Petrus Fullo auf den Patriarchenstuhl zurückkehren konnte, war praktisch für eine kurze Periode die Einheit der vier östlichen Patriarchate wieder hergestellt: in eher nonchalcedonensischem Sinne!

Nur in minoritären monastischen Gruppen hielt sich Widerstand. Johannes von Beit Rufina hat die Gründe herausgestellt, die dafür bestimmend waren, daß einige Antichalcedonenser ihren eigenen Weg fortsetzten. Der Verfasser der Plerophoriai, von Petrus Fullo ordiniert, hatte seinerzeit Antiochien im Gefolge der exilierten Antichalcedonenser verlassen und war unter die geistliche Strahlkraft des Iberers geraten – so sehr, daß er sich vom Heiligen Land nicht mehr lösen konnte. Petrus der Iberer aber hielt nun den Kontakt mit solchen ägyptischen Mönchskreisen aufrecht, die die Annahme des Henotikons durch den alexandrinischen Patriarchen Petrus Mongos ungern sahen, war doch hier die ausdrückliche Verdammung von Chalcedon vermieden. Die Haltung des Petrus Mongos wurde von einem monastischen Ausschuß unter dem Vorsitz des Iberers einer Überprüfung unterzogen. Petrus Mongos lieferte dazu vier seiner Homilien, die Chalcedon verurteilten, und die er mit seiner Unterschrift versehen hatte. Jetzt zeigte Petrus der Iberer seine intransigente Seite. Daß Petrus Mongos diejenigen

ägyptischen Mönche, die noch immer nicht in Sakramentsgemeinschaft mit ihm eintreten wollten, aus ihren Klöstern verjagen ließ,
verschlimmerte die Situation. Der Kaiser lud den Iberer in die
Hauptstadt ein, aber der Unversöhnliche entzog sich ihm.

Die Ergebnislosigkeit aller Bemühungen, die letzten Widerständler
zu gewinnen, führte zu harten Konsequenzen. Der pamphilische
Bischof Epiphanios, der als Antichalcedonenser seinen Bischofssitz
hatte aufgeben müssen, war in das Ölbergkloster der Urbicia und
des Enphrasios eingetreten. Der Archidiakon der Himmelfahrtskirche brachte es dahin, daß dem Epiphanios verdeutlicht wurde, er
müsse, wenn er sein Kloster behalten wolle, mit dem Patriarchen
von Jerusalem in Kommunion stehen. Epiphanios mußte weichen.
Das zeigt den Umschwung, der noch auf das Jahr 481 zu datieren
ist.

Die Ereignisse um Epiphanios waren nur ein Vorspiel. In den
Jahren 492–494 fand sich im Heiligen Land eine neue Mannschaft
zusammen, die mit Entschiedenheit das chalcedonensische Bekenntnis durchsetzen wollte. 492 versammelten sich die Mönche, während
der Patriarch selber krank lag, im Bischofspalast, und wählten mit
Sabas und Theodosios zwei Vorkämpfer des Chalcedonense als
Archimandriten für die Lavren und Koinobien. 494 wurde Elia
zum Patriarchen gewählt, der sogleich die Verbindung mit der
Hauptstadt suchte und mit den nonchalcedonensischen Patriarchen
von Alexandria und Antiochia brach. Im Jahre 508 ließ Elia den
Mönch Nephalios – selber ein ehemaliger »Monophysit«, der sich
aber zu Chalcedon bekehrt hatte – die nonchalcedonensischen Mön-
che aus den palästinensischen Klöstern vertreiben. Damit war der
Friede im Heiligen Land zerrissen.

Mittlerweile aber hatte sich das antichalcedonensische Mönchtum
von Maiuma und Eleutheropolis, das unter der geistlichen Führung
des Iberers stand, gestärkt. Hierhin waren die Mönche aus Apamea
geflohen, die aus dem antiochenischen Patriarchat weichen mußten,
als sich dort der Chalcedonenser Flavian durchsetzte. Einer von
ihnen, Severus, zeigte sich als überlegener Theologe, als Nephalios
die Antichalcedonenser zur Diskussion herausforderte.

Um die Vertreibung aus ihren Klöstern aufzuhalten, entsandten die
»Monophysiten« den Mönch Severus nach Konstantinopel zur Be-
schwerde beim Kaiser. Dieser Severus, in Pisidien geboren und nach
dem Tode seines Vaters in Alexandria als Grammatikstudent und
seit 486 in Beirut als Jurastudent ausgebildet, war von der Theologie
angezogen, hatte sich 488 in Tripolis taufen lassen und war schließlich 490 bei einem Besuch Jerusalems unter den Einfluß des Iberers
geraten. Er wurde Mönch in Peters Kloster, gründete aber bald

ein eigenes Kloster. Von dort machte sich Severus in die Kaiserstadt auf, verweilte dort drei Jahre lang und schrieb einen die antichalcedonensische Christologie rechtfertigenden Traktat. Severus reifte zum bedeutendsten Theologen der antichalcedonensischen Partei. Während seines Aufenthaltes in Konstantinopel konnte Severus zwar die kaiserliche Politik beeinflussen. Doch in den östlichen Patriarchaten entwickelte sich die Lage nicht günstig für die antichalcedonensische Partei. Das Einverständnis, das zwischen den Patriarchen von Konstantinopel, Antiochien und Jerusalem herrschte, war ein Anzeichen, daß ein Versuch bevorstand, das Konzil zu rehabilitieren. Die Antichalcedonenser des Heiligen Landes verfolgten demgegenüber ein doppeltes Ziel: Schluß mit den Verfolgungen in Palästina und Vereinigung der Patriarchate auf der Grundlage einer antichalcedonensischen Interpretation des Henotikon. Im ersten Punkt wurde ein Erfolg erreicht: Der Kaiser erließ eine Verordnung, daß die antichalcedonensischen Mönche ihre Klöster wieder in Besitz nehmen konnten, und erließ ein »dogmatisches Sendschreiben« an ihre Archimandriten. Darin bestätigte Kaiser Anastasios die Formel »ek dyo physeon«. Als Severus den Kaiser Ende 509 bewog, im sogenannten Typos dem Henotikon seine antichalcedonensische Interpretation zu geben, wurde auch dem Jerusalemer Patriarchen Elia eine Stellungnahme zum Typos abverlangt. Der Kaiser wies ihn an, eine Synode der palästinensischen Bischöfe zusammenzurufen und den Typos zu approbieren. Der Patriarch aber ließ sich nur zu einem Antwortbrief an den Kaiser herbei. In diesem Schreiben scheint Elia der Verurteilung der antiochenischen Schule zugestimmt zu haben. Mehr nicht!

511 war Severus in sein Kloster bei Maiuma zurückgekehrt. Doch er ließ nicht locker, beim Kaiser die Absetzung der chalcedonensisch orientierten Patriarchen Elias von Jerusalem und Flavian von Antiochien zu betreiben. Als sich der Erfolg abzeichnete, wurde Severus selbst zum Patriarchen von Antiochia erhoben. Jetzt wirkten seine antichalcedonensischen Anhänger – Severianer genannt – ins Kirchenleben des Heiligen Landes desto intensiver hinein.

Die Argumente, welche die Nonchalcedonenser in der Zeit ihres Triumphes 512–518 für ihre Sache ins Feld führten, stellte Johannes von Beit Rufina in seinen Plerophoriai zusammen. Dieser Johannes war Araber aus Askalon, hatte dem Petrus Fullo in Antiochien als Synkellos gedient und wirkte jetzt als Nachfolger des Iberers auf dem Bischofsstuhl von Maiuma. Das Kloster des Iberers ließ er durch andere leiten. Die antichalcedonensische Position scheint dem Johannes von Beit Rufina durch Wunder, Visionen und Voraussagen bestätigt, die belegten, daß das Chalcedonense eine Rache der verurteilten Nestorianer gewesen war. Das meiste, was Johannes niederschrieb, stammte aus Erzählungen des Iberers. Er berichtet von Pelagius von Edessa, der, nach Jerusalem ausgewichen, oft beim Iberer zu Besuch erschien. Auf einem Sandweg bei der Lavra hatte Pelagius schon 7 Jahre vor Chalcedon in einer Vision die pflichtvergessene Handlung der Väter von Chalcedon geschaut, ja selbst den Namen des gottlosen Kaisers Marcian erfahren, der die Schuld an allem tragen sollte: »Solch eine Zeit wird uns treffen, dich und mich auch, Vater!« In seiner Prophetengabe konnte Pelagius auch die für die Nonchalcedonenser verhängnisvolle Schwenkung der Kaiserin Pulcheria voraussagen. Bei einem Besuch des Iberers rief er weinend: »Oh Unheil für Pulcheria!« Als man auf Erklärungen drang, erklärte Pelagius: »Pulcheria, die einmal Gott die Virginität versprochen hatte, die den Nestorius davonjagte und in der Vorstellung aller Heiligen aller Länder selbst als Heilige und Jungfrau dasteht und einmal an der Spitze der Rechtgläubigkeit stand, ist im Begriff, dem Glauben und der Jungfrauschaft untreu zu werden und die Heiligen zu mißhandeln.« Und in der Tat: So kam es. »Pulcheria verleugnete das Versprechen der Reinheit, das sie Christo gegeben hatte, heiratete Marcian und wurde Erbin seiner Unfrömmigkeit und der Strafen, die ihm vorbehalten sind.« Bei einem nächtlichen Gebet auf dem Golgathafelsen zusammen mit dem Jerusalemer Diakon Pamphilos sah Pelagius prophetisch in einer Vision den Juvenal, wie er von Dämonen und byzantinischen Soldaten triumphierend ins Heilige Land geleitet wird.

Der vom Bettel lebende Abba Zenon, als der Prophet von Kafr Se'arta (15 Meilen von Gaza) berühmt, war von den Nonchalcedonensern oft als Berater aufgesucht worden, so auch vom Jerusalemer Diakon Stephanos. Ihm riet Zenon: »Weiche ins Ausland aus!« Schon ein Jahr vor dem Konzil von Chalcedon hatte sich Zenon, das Kommende betrauernd, als Recluse eingeschlossen.

Daß Kaiser Justin unmittelbar nach seiner Thronbesteigung 518, unterstützt von seinem Neffen Justinian, die volle Autorität des chalcedonensischen Konzils wieder herstellte, war eine Art Purzelbaum in der byzantinischen Reichspolitik. Nach vier Jahrzehnten Ausgleichsbemühung war zu erkennen, daß auf dieser Linie keine Einheit zu erreichen war. Ein Thronrivale, der sich auf die chalcedonensische Partei stützte, war nur durch einen solchen Akt chalcedonensischer Parteilichkeit auszuschalten. Die bereits 35 Jahre währende Trennung von Rom – das Schisma des Akakios – war nur so zu beenden. Severus mußte heimlich den Patriarchensitz Antiochia verlassen und floh nach Ägypten. Seine Parteigänger haben freilich nie einen anderen Patriarchen als ihn – so lange er lebte – anerkannt.

Die Julientscheidungen 518 in der Reichshauptstadt wurden mit ungewohnter Schnelligkeit in Jerusalem nachvollzogen. Schon am 6. August 518 bestätigte die palästinensische Hierarchie die Konstantinopler Synodalbeschlüsse vom 20. Juli, die Severus abgesetzt und die verbannten Chalcedonenser zu ihren Sitzen zurückgeführt hatten.

Was Palästina anlangt, bedeutete die Wiederherstellung der Gültigkeit des Chalcedonense, wenn auch von außen kommandiert, im Grunde nur eine amtliche Sanktion, welche das Ergebnis des langen Prozesses der Anpassung an die chalcedonensische Orthodoxie sicherte. Die kirchliche Entwicklung des Heiligen Landes war nicht einfach eine Resonanz der Entscheidungen des byzantinischen Hofes.

Die Jerusalemer Abwehrfront gegen die Severianer wird in Erzählungen des »Paradiesgärtleins« deutlich, die einen himmlischen Eingriff bestaunen, der solche Häretiker – auch hochgestellte – hindert, in das Grab Christi einzudringen. So wird von der Frau des Patriziers Germanus mit Namen Kosmiana berichtet, sie sei nach Jerusalem gekommen, um eine Nacht lang in Christi Grab zu meditieren. Aber die Gottesmutter, begleitet von einem Heer heiliger Frauen, trat ihr in den Weg und sprach: »Solange Du nicht zu den Unseren gehörst, kannst Du hier nicht eintreten.« In der Tat, Kosmiana hing der Sekte der Severianer an. Kosmiana wollte nicht locker lassen. Doch sie bekam keine andere Auskunft: »Du wirst hier nicht eintreten, bis Du in Kommunion mit uns stehst.« Da ließ Kosmiana den Abendmahlskelch bringen. So wurde das Hindernis beiseite geräumt.

Nicht anders ging es dem byzantinischen Gouverneur Palästinas: weil er dem Severus anhing, drohte ihn ein Widder auf die Hörner zu nehmen, als er sich der Anastasis näherte. Seine Begleiter sahen diesen Widder nicht. Der Wächter des Christusgrabes erklärte dem hohen Herrn: »In Deiner Seele muß ein Hindernis sein. Prüfe Dich!« Die bloße Beichte half in diesem Fall nicht. Nachdem der Gouverneur die Eucharistie der Orthodoxie genossen hatte, blieb die störende Erscheinung des Widders weg.

Die rechtgläubige Verbundenheit mit der chalcedonensisch orientierten Gesamtkirche wurde im militanten Umgang der palästinensischen Mönche mit den Häretikern dargetan. Zum Beweis, daß deren Eucharistie nicht heilswirksam sein konnte, ließ sich ein Mönch von einem anderen, der der severianischen Ketzerei anhing, ein Partikel von dessen Abendmahlsbrot geben und warf dies in kochendes Wasser. Sofort löste sich das Abendmahlsbrot auf. Im selben Topf bewirkte das Abendmahlsbrot der chalcedonensischen Rechtgläubigkeit, daß das Wasser zu kochen aufhörte und das eucharistische Brot unversehrt blieb.

535 hatte in der Person des Anthimos noch einmal ein mit antichalcedonensischen Positionen sympathisierender Hierarch dank der Mithilfe der Kaiserin Theodora den Patriarchenthron von Konstantinopel einnehmen können. Der übersandte sein Credo nicht nur den beiden nonchalcedonensischen Patriarchen von Antiochien und Alexandria, sondern auch an Patriarch Petros von Jerusalem. Auch dieser erkannte nun Anthimos und seine Lehrweise an. – Als bei Ankunft des Papstes Agapit in Konstantinopel der Ökumenische Patriarchenstuhl wieder für vakant erklärt wurde – nicht eigentlich im Blick auf die antichalcedonensische Position des Anthimos, sondern weil ein Wechsel von seinem bisherigen Bischofsstuhl Trapezunt auf den Konstantinopeler Thron (Metatheton) den kanonischen Regeln widersprach –, mußte auch der Jerusalemer Patriarch wegen seiner »tadelswerten Zustimmung« eine päpstliche Rüge einstecken. Doch die Erinnerung daran war schnell ausgelöscht. Der neue Ökumenische Patriarch Menas (536–552) versicherte dem Jerusalemer Petros, daß der Hirte der Heiligen Stätten vom Kranz der Tugenden geziert sei, der ihn des Stuhles des Herrenbruders Jakobus würdig mache, und daß er als Hüter der Orthodoxie gelten dürfe. Unmittelbar nach dem Kreuzerhöhungsfest 536 eröffnete Patriarch Petros – jetzt wie ein Wolf, der sich im Schafspelz versteckt – ein Konzil in der Heiligen Stadt und sprach nach Verlesung der Konstantinopler Konzilsakten sein Verdammungsurteil gegen Anthimos aus. Das Dokument darüber trug die Unterschriften von 47 palästinensischen Bischöfen.

Die in Chalcedon formulierte dogmatische Lehre der Zwei Naturen Christi, die doch hypostatisch vereint sind, spiegelt sich ein Jahrhundert später für Patriarch Sophronios von Jerusalem in den unterschiedlichsten Zusammenhängen wider: Die zwei Apostel Petrus und Paulus sind eine Einheit wie die beiden Naturen des Herrn. *Ein* Festtag für die Zwei! Das neue Lebensregime macht es möglich, daß die zwei Apostel unter sich verbunden sind in einer Art von Vereinigung, die ihre Verschiedenheit nicht auslöscht, ohne jedoch eine Trennung zu bewirken. Denn es ist Christus, der sie aneinandergekoppelt hat. In der Predigt über Jesu Darstellung im Tempel fragt Sophronios: »Warum bringen Maria und Joseph zwei Tauben dar?« Antwort: Das Gesetz schrieb es so vor im Blick darauf, daß der *eine* Christus in zwei Perspektiven gesehen werden kann, je einer der beiden Naturen entsprechend.

Da sich in den nichthellenischen Randvölkern des byzantinischen Reiches das nonchalcedonensische Bekenntnis durchsetzte und ein Moment der nationalen Identität wurde, ging im palästinensischen Mönchtum die anfängliche Internationalität der Mönchsgemeinschaften verloren. Kopten, Äthiopier und Armenier bildeten spätestens nach der arabischen Eroberung ihre distinkten monastischen Gemeinschaften. Im Mar Saba-Kloster ereignete sich bei der Kirchweihe 501 ein kennzeichnender Zwischenfall: Die Gruppe der armenischen Mönche des Klosters rezitierten das Trishagion mit dem »monophysitischen« Zusatz, den Petrus Fullo geschaffen hatte und der als nonchalcedonensische Interpretation des Trishagion galt. Der Heilige Sabas zwang die Armenier, den griechischen Text zu singen. Hier zeigte sich eine erste armenische Sympathie für die nonchalcedonensische Partei.

Was Georgien anlangt, wurde vom georgischen Mönchtum des Heiligen Landes die heimatliche Kirche für das nonchalcedonensische Bekenntnis gewonnen. Daß Bischof Petrus der Iberer diese Position so entschieden vertrat, hatte seine Auswirkung auf die georgische Heimatkirche, die unter König Vahtang I. (Wolfskopf) ein eigenes Katholikosat errichtet und damit Selbständigkeit erlangt hatte (zwischen 472 und 484). Der Iberer vermittelte seinem König vermöge seiner Beziehungen zum antiochenischen Patriarchen Petrus Fullo eine antichalcedonensische Hierarchie. Vahtang hatte sich mit seinem Katholikos überworfen und vermochte ihn vermöge seines Überwechselns zum nonchalcedonensischen Glauben abzuschütteln.

Das syrische Bevölkerungselement Palästinas wurde arabisiert und blieb unter der chalcedonensischen Jurisdiktion des Patriarchats; aber vom nonchalcedonensischen Syrertum des antiochenischen Patriarchats wurde ein Rest nonchalcedonensischen syrischen Mönchtums gespeist. Das nahm an der sogenannten syrischen Renaissance teil, widerstand darum auch länger der Arabisierung, ja hielt Syrisch als liturgische Sprache bis in die Gegenwart fest. Um den monastischen nucleus sammelten sich auch syrische nonchalcedonensische Gemeinden.

Die antichalcedonensisch orientierten syrischen Christen hatten die kleinen arabischen Stämme in ihrer Gefolgschaft, so die Ghassaniden, die sich im Blick auf die Syrer gegen Chalcedon entschieden. Im ghassanidischen Bereich an den Grenzen des Heiligen Landes zählte man bald 137 antichalcedonensische Klöster.

Vom 4. Jh. an wuchs der Stadt Jerusalem eine einzigartige Stellung in der Kirche zu: Sie wurde Saatstätte liturgischen Brauchtums. Pilgerscharen aus allen Teilen des Römischen Reiches und aus Gebieten jenseits der östlichen Grenzen verpflanzten Jerusalemer Bräuche in ihre Heimat. Im 5. Jh. übernahmen ganze Kirchenprovinzen amtlich die Ordnungen, die in der Heiligen Stadt entstanden waren.

Träger des liturgischen Lebens an der Anastasis in Jerusalem war eine Mönchsgruppe, die man die Spoudaioi nannte. In zahlreichen Dokumenten vom 5. bis zum 12. Jh. wird von ihnen berichtet, daß sie als liturgischer Chor dienten, insbesondere mit der Durchführung der Agrypnia – des Ganznachtgottesdienstes – beauftragt.

Auch an anderen Pilgerzielen schufen Mönche klösterliche Niederlassungen, die dazu dienten, das Leben der herbeigewanderten Wallfahrer in eine gottesdienstliche Ordnung zu stellen. Die womöglich größte Klosteranlage der byzantinischen Periode, zu solchem Zweck geschaffen, wurde in Kursi (Gergessa) am Ostufer des Sees Genezareth angelegt. Hier wurden Pilger aufgenommen, die »im Land der Gadarener« den Ort besuchen wollten, da sich die Säue ins Meer stürzten, im Gebiet der hellenistischen Kultur der Dekapolis.

Auch die Mönche von Mar Saba nahmen bestimmenden Einfluß auf die Gestaltung des Gottesdienstes. Das Typikon dieses Klosters faßte Anweisungen für die Gottesdienste des ganzen Jahres zusammen, die in mehreren Mönchsgenerationen schon entwickelt waren, aber vom hl. Sabas kodifiziert wurden. Besonders wurde die Gestaltung der Stundengottesdienste bestimmt. Das mit dem Mar Saba-Horologium konkurrierende Tagzeitengebet der Hagia Sophia ist untergegangen, so daß heute die Ordnung des Heiligen Landes in der ganzen Orthodoxie gilt.

Die 18 Katechesen des Bischofs Kyrill von Jerusalem ad illuminandos und der Pilgerbericht der Ätheria geben ein deutliches Bild der Göttlichen Liturgie, wie sie damals in der Heiligen Stadt gefeiert wurde. In den Katechesen erscheinen Schriftlesung und Tagesthema jeweils festgelegt. Genau dieselben kennt das armenische Lektionar von 417.

Die Liturgie der Gläubigen wird in der 5. mystagogischen Katechese beschrieben. Man erlebt den Verlauf des Gottesdienstes von der Handwaschung des Liturgen bis zum Segen, mit dem die Gemeinde entlassen wird. Die Präfation zeigt dabei eine eigentümliche Struktur. Das dreifache »Heilig, Heilig, Heilig«, das in Alexandrien an die Trinität gerichtet war, ist in Jerusalem, nicht anders als in Antiochien, ganz dem Vater zugewandt. Aber mitten hinein in die Aufzählung der Engelklassen ist ein an Christus gerichteter Psalmvers eingeschoben, der vom Bischof oder der Gemeinde gesprochen wird: Preiset mit mir den Herrn!

Die Präfation lautet so: »Wir erwähnen ... die ganze Schöpfung, die sichtbare und die unsichtbare, Engel, Erzengel ... Gewalten, Throne und rufen dann kraftvoll das Davidwort: Preiset den Herrn mit mir (Ps 34,3).« Damit sind die Seraphen aus der Vision von Jesaja 6 von den Engeln abgesetzt. Denn jetzt setzt die Präfation erneut ein: »Wir erwähnen auch die Seraphim, die Jesaja im Heiligen Geist sah, wie sie im Kreis um den Thron Gottes dienen und rufen: Heilig, Heilig, Heilig, Herr Zebaoth.«

Hier zeigt sich, daß in Jerusalem die origenistische Exegese der Jesajavision, die die erschauten Seraphen nicht als himmlische Wesen verstand, sondern als prophetisches Bild für Christus, den Sohn und den Heiligen Geist, die Ausformung des eucharistischen Hochgebets bestimmt hat. Sohn und Geist bringen in Seraphengestalt dem Vater ihre Huldigung dar und lassen die feiernde Gemeinde sich daran anschließen. Denn das Hochgebet fährt fort: »Dies uns von den Seraphim überlieferte Gotteslob rufen auch wir, um teilzunehmen an dem Lobgesang ...«

Als Origenismus wird auch der rätselhafte Satz in der 4. mystagogischen Katechese verständlich, daß es im Neuen Bund himmlisches Brot und heilsamen Trank gebe, und daß, wie das eucharistische Brot dem Leib entspreche, so der Logos zur Seele passe. Man erwartet hier eine Aussage über den Wein und nicht über den Logos. Doch in der origenistischen Tradition ist der Kelch als Symbol des Logos verstanden.

Die liturgische Ordnung, die sich in den mystagogischen Katechesen findet, führt unmittelbar zur späteren »Jakobusliturgie« der orthodoxen Kirche, die die besondere Liturgie Jerusalems war. Daß die Jakobusliturgie die Jerusalemer Gottesdienstart in sich auffing, läßt sich auch an folgendem erkennen: Nicht anders als in den übrigen östlichen Liturgien folgt zwar dem Dreimal-heilig eine Epiklese. Aber ein Postsanctusgebet und die Einsetzungsworte fehlen im Text. Diese Stücke wurden also – so muß man vermuten – wie in der syrischen Jakobusanaphora vom Priester in gebückter Haltung still gesprochen. Eine neue Frömmigkeit der Ehrfurcht hatte sich breitgemacht.

Nach überallhin hat der Liturgietext von Jerusalem ausgestrahlt. Die byzantinische Basiliusliturgie ist von ihr beeinflußt. Gregor von Nazianz hat aus ihr das Sanctus übernommen. Die Chrysostomosliturgie hat den Einfluß des Jakobustextes bei der Gestaltung der

Epiklese erfahren. Die nonchalcedonensischen Syrer im Gefolge des Severus nutzten eine bestehende syrische Version der Jakobusliturgie bis in die Gegenwart weiter.

Jerusalem als Ort, an dem die Pilger den heilbringenden Lebensweg Christi auf einer Wanderung von einem Schauplatz zum nächsten nachvollziehen – möglichst an den Gedächtnistagen – mußte auch Ursprungsort eines Verständnisses der Liturgie als Nachvollzug des Lebens Christi von der Geburt bis zur Auferstehung werden und Ursprungsort des Kirchenjahres. Auffallend ist nur, daß ein eigenes Himmelfahrtsfest nicht früher als 480 von auswärts nach Jerusalem importiert wurde, obwohl sich doch der Schauplatz der Himmelfahrt hier finden ließ. Zur Zeit der Pilgerin Ätheria wurde Christi Himmelfahrt noch am Pfingstnachmittag gefeiert.

Die Gestaltung des Kirchenkalenders folgte auch dem Prinzip der »Gegendatierung«, das heißt: ein halbes Jahr von einem bedeutenden Festtag entfernt wird ein Entsprechungsfest angeordnet. So wird dem Tag des Erstmärtyrers des Neuen Testaments, Stephanus, der letzte Märtyrer des Alten Testaments, der Prophet Zacharias, gegenübergestellt: Stephanus am 27. Dezember, Zacharias am 27. Juni. – Der Auffindung der Stephanusgebeine in Kafr Gamala entspricht die Entdeckung des Zacharias-Grabes in Kafr Zacharia unter fast den gleichen Begleitumständen. So wird auch dem Jerusalemer Fest der Kreuzauffindung vom 14. September entsprechend mitten in der Passionszeit ein Kreuzesfest angeordnet.

Besonders eindrucksvoll ist Karwoche und Osterzeit gestaltet: Aus dem Lektionar der biblischen Lesungen, aus der armenischen Übersetzung von 417 bekannt, leuchtet die Frömmigkeit hervor, die hinter der Textwahl des damaligen Jerusalem stand. Am Palmsonntag wurden die »Berge« – gewiß insbesondere der Ölberg – aufgerufen, Christus als den Kyrios zu preisen, der nach Ps 97 der zum Gericht Wiedererscheinende ist. Eine archaisch-eschatologische örtliche Palmsonntagsfrömmigkeit tut sich hier kund. Als »Evangelium« wird die Geschichte vom Einzug in Jerusalem gelesen, aber unter Einschluß des Berichts von der Heilung des Blinden von Jericho, der Mt 20/21 voraufgeht. Der Erbarmungsschrei der blinden Menschheit, der Christi Einzug in die jetzige Welt herbeiruft, soll vernehmbar werden.

Am Karfreitagmorgen trug man die Kreuzreliquie, die in der Konstantinsbasilika in einem silbernen Schrein aufbewahrt wurde, zur kleinen Golgatha-Kapelle und stellte sie zur Anbetung der Gläubigen aus. Ätheria hat es so miterlebt. Das armenische Lektionar von Jerusalem berichtet: »Beim Anbruch des Tages erhält das kostbare Holz des Kreuzes vor dem heiligen Golgatha seinen Platz. Und die,

die sich hier versammeln, huldigen ihm: Bis zur 6. Stunde (bis zum Mittag) vollzieht man die Anbetung.«

Triumphalstes Fest, von der Gemeinde und den herbeigeströmten Pilgern begangen, war die Osterfeier. Sie begann in der Konstantins-Basilika, die der Passion Christi gewidmet war. Dies auszudrücken, war ein großes Holzkreuz davorgepflanzt, 420 durch ein von Kaiser Theodosius II. gestiftetes Goldkreuz ersetzt, das mit Edelsteinen geschmückt war. Das armenische Lektionar von Jerusalem aus dem Jahr 417 berichtet: »Am Sabbattag des Abends am Osterfest steigt man ins Heilige Martyrium. Der Bischof zündet eine Lampe an.« Dies war der ältere Brauch, wie ihn die Pilgerin Ätheria im Jahre 381 kennengelernt hatte, und der bis in die Anfänge des 5. Jhs. bestand. Bald wollte man neue Zeichen setzen und ging dazu über, das Osterlicht – später Osterfeuer, das alle Fackeln der Gläubigen entzündet und den ganzen Kirchenraum in ein Lichtermeer verwandelt – beim Christusgrab in der Anastasis anzuzünden. Das armenische Lektionar fährt fort: »Alsbald beginnen die Priester die Ostervigil, und man liest die 12 Lektionen.« In der ersten nächtlichen Messe ist als Lesung 1 Kor 15,1–11 (die Auflistung der Christuserscheinungen vor den Jüngern) und Mt 28,1–20 (der Bericht vom leeren Grab und der Erscheinung Christi vor den Frauen) im Gebrauch. – Beim Grab Christi diente in der ersten Hälfte des 5. Jhs. im Amt eines Didaskalos der Presbyter Hesychios, hoch angesehen, so daß Patriarch Juvenal ihn auch zur Weihe der Klosterkirche der Lavra des Euthymios am 7. Mai 429 mitnahm – eine »Fackel, die den Erdkreis erhellt«. Dem Hesychios fiel es auch zu, die Festtagshomilie zu halten. »Strahlend« (so beginnt die literarisch tradierte Osterhomilie des Hesychios, gehalten im ersten Nachtgottesdienst) »ist der Himmel vom Chor der Sterne erhellt, noch strahlender der Erdkreis, wenn sich der Morgenstern erhebt. Doch diese Nacht leuchtet weniger vom Glanz der Sterne als in der Freude über den Sieg unseres Gottes und Retters. Seid unverzagt, ruft Er uns zu, ich habe die Welt überwunden. Durch diesen Sieg Gottes über den unsichtbaren Feind tragen wir ganz gewiß den Sieg über die Dämonen davon. Halten wir uns also dicht ans rettende Kreuz, damit wir den allerersten Vorschuß der Gaben Jesu davontragen!« Hesychios redet die Kreuzreliquie an, bei der sich die Gemeinde versammelt hat: »Oh Holz, würdiger noch als himmlische Größen und das Himmelsgewölbe überragend, oh dreimal gesegnetes Holz, das unsere Seelen zum Himmel hinführt! Oh Holz, das der Welt Heil verschafft und die teuflischen Heerscharen verjagt hat! Oh Holz, das in einem Nu den Schächer ins Paradies versetzte und ihn mit Christus tanzen läßt«!

Die Worte »Auferstehung« und »Sieg« sind in der Homilie des Hesychios stets verkoppelt: »Die heutige Versammlung, meine Brüder, ist ein Siegesfest ... Es ist ja eine Realität, daß der Teufel heute durch den Gekreuzigten eine Niederlage erlitt.« Immer verbündelt Hesychios Gegensätzliches zu einer Paradoxie: Ein Grab – aber es ist ohne Leichnam, ein sterblicher Mensch – aber er ist auferstanden, seine Gebeine sind in Freudigkeit. Adam hat seine Hände zur verbotenen Frucht ausgestreckt und uns damit den Tod auf den Hals gebracht – aber unser Meister hat durch Ausstrecken seiner Hände alles gerettet.

Der triumphale Aufstieg Christi wird wie in einer Vision geschaut: »Ich habe den König des Himmels, umgürtet mit Licht, aufsteigen sehen in Bereiche oberhalb von Blitz und Strahlen, oberhalb von Sonne und Wasserquellen ... uneinholbar wie ein Wagenlenker.«

Ein Dialog spinnt sich an zwischen dem Sohn, der von seiner Mission zurückkehrt, und seinem im Himmel thronenden Vater: »Hier hast du mich, Gott, und die Kinder, die Du mir gegeben hast.« Und die Antwort des Vaters: »Nimm den Sitz ein zu meiner Rechten, bis ich dir deine Feinde als Schemel unter deine Füße lege.«

Nach der österlichen Göttlichen Liturgie zog die Gemeinde zur Anbetung zur Anastasis. Dort las man als österlichen Text Jo 19, 38–20,18. Beim Sonnenaufgang aber begann die Göttliche Liturgie des Ostermorgens wiederum in der Konstantinsbasilika. Man blies dazu die Trompete. Vielleicht spielt Hesychios darauf an, wenn er die Homilie des Ostermorgens damit beginnt, Christus als die Trompete zu preisen, die in Bethlehem und Sion geschmiedet wurde, mit dem Kreuz als Hammer und der Auferstehung als Amboß, und nun die Gemeinde zu einem geistlichen Theater versammelt: »Ich weiß nicht, wie ich die Schönheit dieser Trompete beschreiben sollte, wie sie in die Hand nehmen.«

In einem antithetischen Parallelismus stellt Hesychios in der zweiten Osterhomilie die Hinweise auf die Menschlichkeit und die Göttlichkeit Christi zusammen: Ein Toter – aber doch ein Gott. Ein Grab und ein einbalsamierter Leichnam, Tränen heiliger Frauen, Bestattungsriten des Josef von Arimathia, Grabeswächter – das alles bezeugt den Tod eines Menschen. Aber der Schrecken der Torhüter des Hades bezeugt Christi Gottheit. Und doch ist dieser Christus hier und dort ein und derselbe. In der Predigt drückt Hesychios seine Christusauffassung aus ohne Rückgriff auf die damals geläufigen technischen Termini. Ein armenisches Skriptorium, das im 6. und 7. Jh. in der Heiligen Stadt eifrig am Werke war, hat die in Jerusalem genutzten griechischen Väterschriften mit nicht nachlassendem Eifer in die armenische Sprache übersetzt und an die Kirche des armenischen Reiches vermittelt. Die Homilien des Hesychios wurden von den Armeniern besonders geliebt.

Im Ölbergkloster der jüngeren Melania ordnete man die Horen bestimmten Daten der Heilsgeschichte zu: Die Terz dem Pfingstgeschehen, denn um die dritte Stunde wurde der Heilige Geist ausgegossen – die Sechst dem Besuch der drei Engel im Hain Mamre, denn um die sechste Stunde nahm Abraham die Gäste auf – die Non läßt an die Apostel erinnern, weil Petrus und Johannes um die neunte Stunde zum Gebet in den Tempel gingen. Wie Daniel will man dreimal am Tage die Knie zum Gebet beugen. Man tut das auch, weil im Gleichnis von dem Hausvater, der sich Knechte dingt, der Herr zur dritten, sechsten und neunten Stunde ausging, um Arbeiter für die Ernte zu dingen. Das Abendoffizium schließt an die Begegnung des Herrn mit den Jüngern in Emmaus an, denn damals wollte es Abend werden, als sich Christus zu den Jüngern gesellte.

Nicht nur in Jerusalem zogen die Christen an bestimmten Festtagen in Prozession von einer heiligen Stätte zur andern, sondern auch in Orten wie Gaza werden Prozessionen von Kirche zu Kirche ausgeführt. So anläßlich einer Dürre. Nach anbefohlenem Fasten versammelte sich die Gemeinde von Gaza abends in der »Friedenskirche«, die ihren Namen daher hatte, daß genau an diesem Ort Alexander der Große beim Sturm auf Gaza vor Christi Geburt das Zeichen zum Kampfesende gegeben hatte (von Bischof Irenion gebaut). Man hielt die Vigil, dann »30 Gebete mit Genuflexionen« – das nahm die ganze Nacht in Anspruch. Hinter dem vorangetragenen Kreuz zog die Prozession am frühen Morgen unter Hymnengesang zur »Alten Kirche« in der Weststadt (vom ersten der Bischöfe Gazas, Asklep, gebaut), um nach Ausführung der gleichen Gebete und Genuflexionen ebenso, wie es die Heiden bei ihrem Bittgang gehalten hatten, aus der Stadt heraus auf die Felder zu ziehen. Ziel: Die Memoria des Märtyrers Timotheus. Dort die gleichen »30 Gebete und Genuflexionen«. Damals übrigens mußte man beim Umzug um die Stadtmauer erkennen, daß die Heiden den christlichen Bittgängern die Tore vor der Nase geschlossen hatten. Doch ein Hereinbrechen eines plötzlichen Gewitters machte offenbar, daß nicht das 7-Tage-Gebet der Heiden erhört worden war, wohl aber die Bittprozession des Bischofs.

Mit Passionsgedenken und österlicher Feier war ein fünfwöchiges Katechumenat und die Taufe der Katechumenen verbunden. Nördlich des Christusgrabes in der Anastasis befand sich eine Zisterne mit der Aufschrift aus Ps 28,3: »Die Stimme des Herrn über den Wassern.« Dort wurde die Taufe in der Osternacht vollzogen. Der

Pilger von Bordeaux berichtet schon diesen Taufbrauch aus den Anfängen des 4. Jhs. Aus der Anastasis zogen dann die Getauften zur Basilika, um sich mit der eucharistisch feiernden Gemeinde zu vereinen. Das armenische Lektionar berichtet: »Während man den Segen im Ostergottesdienst um Mitternacht spricht, zieht eine große Zahl Neugetaufter mit dem Bischof in die Konstantinsbasilika ein.«

Die Katechesen, die Bischof Kyrill im Jahre 348 den Taufkandidaten, die er selber registriert hatte, in Jerusalem hielt, sind literarisch festgehalten worden – Urbild der Katechismusliteratur der Weltchristenheit. Kyrill hat in 5 Wochen jeweils die Taufbewerber an 5 Tagen zum Unterricht zusammengeholt, meist in der Konstantinsbasilika, mitunter auch im säulenumstandenen Binnenhof vor dem hohen Holzkreuz. Wenn von der Auferstehung des Herrn zu reden war, auch bei den 5 mystagogischen Katechesen an die bereits Getauften während der Osterwoche, traf man sich am Ort der Auferstehung: in der Anastasis.

Die 5 ersten Katechesen, mit denen in der ersten Fastenwoche begonnen wurde, helfen der zusammengewürfelten Schar der Taufbewerber ihre Motivation zu klären. Kommt einer nur, um sich für eine Ehe mit einem christlichen Partner zu qualifizieren, so sagt der Bischof: Ich nehme die Lockspeise für die Angel und halte dich damit fest. Kommt einer aus Neugierde, so soll er wissen, daß dies für ihn gefährlich ist, wenn er nicht das hochzeitliche Kleid erwirbt. Eine strenge Kontrolle hat der Bischof bei der Auflistung der Bewerber nicht angewandt: »Wir haben als Christi Diener jeden aufgenommen, haben als Pförtner die Türe offen stehen lassen.« Doch einer genauen Prüfung unterliegt der Mensch vor Gott, »der Herz und Nieren erforscht«: »Wie diejenigen, welche einen Feldzug unternehmen wollen, bei der Musterung Alter und Körperbeschaffenheit der Soldaten feststellen lassen, so prüft der Herr die Seelen, wenn er sie aushebt, auf ihre Bereitwilligkeit. Den, bei welchem er Heuchelei versteckt findet, weist er zurück, da er in ein richtiges Heer nicht paßt. Trifft er einen Würdigen, dem schenkt er gerne seine Gnade. Nicht gibt er das Heilige den Hunden, sondern wo er gute Absicht wahrnimmt, da gibt er das heilsame, wunderbare Siegel, vor dem die Dämonen zittern und das die Engel kennen ... Wer dieses heilsame Siegel empfängt, muß also seinerseits auch einen guten Willen mitbringen. Geradeso wie der Griffel oder die Waffe der führenden Hand bedarf, so bedarf die Gnade einer gläubigen Hingabe.« Der orthodoxe Synergismus, der eine Mitarbeit des Menschen zum Heil verlangt, spricht sich deutlich aus.

Der Unterricht war häufiger von Exorzismen in der Form von

Anhauchungen und Beschwörungen begleitet. In späterer Zeit wurde dies als konventioneller Ritus in die Taufagende aufgenommen. Im Jerusalem des 4. Jhs. war dies mehr! Die Taufbewerber wurden angewiesen, daß die Männer bei den Männern seien, die Frauen bei den Frauen – »wie in der Arche Noahs«. Stets wurden sie auf die Beachtung der Arkandisziplin verpflichtet: »Sieh zu, daß du nichts ausschwatzest.« Von vornherein wurde gegen die Vorstellung angekämpft, die äußerlich vollzogene Taufe mit Wasser wirke automatisch. »Der Magier Simon kam auch einmal zur Taufe. Er wurde getauft, jedoch nicht erleuchtet. Wohl tauchte er seinen Körper ins Wasser, vergaß aber, das Herz durch den Geist zu erleuchten. Sein Leib stieg ins Wasser und entstieg demselben. Seine Seele aber wurde nicht mit Christus begraben und nicht mit ihm auferweckt.« So besteht die latente Gefahr: »Das Wasser nimmt dich zwar an, aber der Geist nimmt dich nicht auf.« Gegen die ironischen Bemerkungen kritischer Heiden will der Bischof die Taufbewerber abhärten: »Wenn jemand zu dir sagt: Du gehst hin, um ins Taufwasser hinabzusteigen? Hat die Stadt jetzt nicht Bäder?«, so soll man darin den Einwand des »Drachens« erkennen, der am Weg lauert. »Sieh zu, daß er dich nicht beißt.« Der Bischof weist die Taufbewerber darauf hin, es sei Zeit zu beichten, und bindet sie in die Gemeinde ein: »Finde dich eifrig bei den Versammlungen ein.« Dies soll auch für später gelten. »Wenn es *vor* dem Einpfropfen ratsam war, zu gießen und den Boden zu pflegen, ist es *nach* dem Verpflanzen nicht noch viel besser?«

Um die Taufbewerber zum Verstehen der christlichen Thesen zu befähigen, beschreibt der Bischof in dieser ersten Fastenwoche die Existenz, in der sich der Mensch vorfindet. Die Frage stellt sich: »Was ist Sünde? Ist sie ein Lebewesen, ein Engel, ein Dämon? Sie ist, oh Mensch, kein Feind, der von außen an dich herantritt. Sie ist vielmehr ein schlimmes Gewächs, das selbständig in dir sprießt ... Doch bist du nicht der einzige Urheber. Noch einer ist da, der Teufel.« Die Wiederherstellungskraft der Gnade auch in krassen Fällen der Versündigung wird an biblischen Beispielen aufgezeigt.

In einer zweiten und dritten Woche während der Fastenzeit und schließlich in der Karwoche wird das ganze christliche Lehrgebäude anhand des nizänischen Bekenntnisses aufgerichtet. Eine Katechese über die Höllenfahrt Christi ist im überlieferten Text verlorengegangen. Auffällig ist, mit welcher Dringlichkeit die Taufbewerber vor den Häretikern gewarnt werden, »die sich zu Unrecht mit dem wohlriechenden Namen Christi bezeichnen«. Der Bischof bringt Argumente, nicht nur gegen historische Häresien, sondern vor allem gegen die Manichäer, die offensichtlich im Heiligen Land noch eine aktive Mission betrieben. »Grüße solche Leute nicht … Lasse dich in kein Gespräch mit ihnen ein!« Kyrill nimmt die Stellungnahme zu den Häretikern deshalb in seine Katechesen auf, »damit keiner von den Anwesenden infolge von Unwissenheit in den Schmutz der Häretiker falle«. Er will urteilsfähig machen. Aber niemand darf manichäische Limonade trinken, die die Häretiker, da ihre Askese den Wein verbot, bereithalten. Vielleicht befanden sich ehemalige Manichäer unter seinen Hörern, denn der Bischof sagt: »Hast du selbst einst zu den Häretikern gehört, dann hasse den Irrtum, nachdem du ihn eingesehen hast.«

Die Katechesen betonen das Fragmentarische christlicher Erkenntnis. Wo wir doch schon die Grenzen der Erde nicht kennen, wie könnten wir uns ihren Schöpfer vorstellen? »Zähle die Tropfen, die in einer einzigen Stunde auf dein Dach fielen, wenn es dir möglich ist!« So bleibt Gott unfaßbar. Aber: »Soll ich vielleicht, da ich nicht den ganzen Fluß auszutrinken vermag, nicht so viel zu mir nehmen, als mir guttut?« So will der Unterricht des Bischofs nicht zu einer Erklärung Gottes führen, sondern zu seiner doxologischen Verherrlichung.

Erst läßt die Jerusalemer Praxis die Katechumenen Erfahrungen im Empfang des Taufsakraments und der Teilhabe an der Eucharistie machen, ehe in den 5 mystagogischen Katechesen das sakramentale Geschehen erklärt wird. In einer Art Liturgiekommentar wird der symbolische Sinn eines jeden gottesdienstlichen Aktes erklärt. Die Neuglieder werden angeleitet, in der Kommunion »nicht die Hände flach auszustrecken und nicht die Finger zu spreizen … Da die rechte Hand den König in Empfang nehmen soll, so mache die linke zum Throne für denselben! Nimm den Leib Christi mit hohler Hand entgegen und erwidere: Amen! Berühre behutsam mit dem heiligen Leibe deine Augen, um sie zu heiligen! Dann genieße ihn, doch habe acht, daß dir nichts davon auf den Boden falle! … Würdest du nicht, wenn dir jemand Goldstaub gäbe, denselben recht sorgfältig aufheben?« Nach dem Empfang des Kelches werden die Kommunikanten angewiesen: »Solange noch Feuchtigkeit auf deinen Lippen ist, berühre sie mit den Fingern und heilige mit jener Feuchtigkeit Augen, Stirne und die übrigen Sinne!«

Im Laufe des 19. Jhs. hat das Patriarchat Jerusalem in Druckwerken für die Hand der Chorsänger und konzelebrierenden Priester gottesdienstliche Gebräuche festgehalten, die an der Grabeskirche und dem Mariengrab im Kidrontal haften und womöglich das Ergebnis einer langen liturgiegeschichtlichen Entwicklung sind.

Auf dem Vorhof der Grabeskirche wird am Gründonnerstag die Zeremonie der Fußwaschung vollzogen – mit Ausnahme Patmos an keinem anderen Ort der gesamten Orthodoxie. Wie in den non-chalcedonensischen Klöstern der Heiligen Stadt hat der oberste Hierarch, hier also der Patriarch, den Christus zu repräsentieren; Kleriker des Heiligen Landes sind dazu bestimmt, Apostelrollen zu übernehmen. Der Dialog zwischen dem Herrn und seinen Jüngern ist ein Element der Akolouthie. Die Fußwaschungszeremonie läßt sich mindestens bis ins 12. Jh. zurückverfolgen.

Der Einzug des Patriarchen in die Grabeskirche an 9 besonderen Festen, darunter dem Kreuzerhöhungsfest und dem Palmsonntag, an denen an ein Einzugsgeschehen in der Heiligen Stadt erinnert wird, ist mit besonderen gottesdienstlichen Akten ausgestattet. Man muß hier von einem »griechischen Proprium von Jerusalem« sprechen.

Auch zum Empfang von Pilgergruppen in der Grabeskirche wurden bestimmte Riten gepflegt. Unter Führung eines Mönchs küßt man, die Kerze in der Hand, das Christusgrab und singt, von einem Gedenkort innerhalb der Kirche zum andern weiterziehend, jeweils vier Troparien. Der Pilgerempfang endigt wiederum mit einem Kuß des Christusgrabs.

Auch wenn der Patriarch am Fest der Koimesis, dem 14. August ins Mariengrab des Kidrontals herabsteigt, kommt eine unvergleichlich eigenartige Jerusalemer Akolouthie zur Anwendung.

Jerusalemer Traditionen übten ihren eigenen Einfluß auch auf die Gestaltung des neutestamentlichen Kanons, der Exegese der biblischen Bücher und des Gedächtnisses der Heiligen im Jahr der Kirche. Vermutlich geschah es in der Heiligen Stadt, daß die sogenannten »katholischen Briefe« pseudepigraphisch den drei Führern der Urgemeinde, dem Herrenbruder Jakobus und den Aposteln Petrus und Johannes zugeschrieben wurden. In Handschriften, die aus dem Heiligen Land stammten, stand das Schreiben des ersten Bischofs von Jerusalem, Jakobus, an der Spitze der ganzen in den Kanon aufgenommenen epistolischen Literatur, nach ihm dann die Petrus- und Johannesbriefe und diese alle vor dem paulinischen Corpus.

Als die Auslegung der biblischen Bücher Ende des 5. Jhs. zur Ausbildung von »Katenen« führte, lag der Ursprung dieser neuen Art von Kommentaren im Heiligen Land. Die Katene zum Oktateuch des Prokopios von Gaza ist die ältest bekannte. Die palästinensische Psalmenkatene, die im Manuskript 215 von Patmos und in einem Mailänder Manuskript bezeugt ist, gilt als die älteste »Kette«, die den Psalmen gewidmet ist, also Texten, die im gottesdienstlichen Gebrauch standen und das theologische Denken steuerten. Diese Psalmenkatene stammt aus dem frühen 6. Jh. und zeigt, welche

Autoren in den palästinensischen Bibliotheken gesammelt waren und von Katenisten konsultiert wurden. Es sind Origenes, Euseb, Didymos, Theodoret, sparsamer benutzt sind Apollinarios, Athanasios und Hesychios. Ortsnahe oder alexandrinische Autoren sind also bevorzugt. Vers für Vers ist vorgenommen und jeweils eine Anzahl Auslegungen geisterfüllter Väter zugeordnet. Origenes steht immer an der Spitze. Er bringt die Wucht des Wortes zur Geltung. Wer das Gesetz meditiert, sagt es aus, liest es und tut es. Der palästinensische Katenist zeigt wenig Sorge, ob seine Autoren im Ruf der Orthodoxie stehen. Er benutzt eine Bibliothek, die auch diejenigen Werke noch enthält, die später als unorthodox qualifiziert wurden. Man kann vermuten, daß die Metropolitanbibliothek von Cäsarea am Meer in der Zeit vor den origenistischen Streitigkeiten dem Kompilator zur Verfügung stand.

Wie in anderen Provinzen des römischen Reiches – etwa Nordafrika oder Rom – entstand auch in Palästina ein eigener Heiligenkalender. Eine georgische Mönchsgruppe von Mar Saba hat diesen Kalender in die eigene Sprache übersetzt. Mit der georgischen Handschrift Sinaiticus 34 ist dieser Heiligenkalender auf uns gekommen. In ihm spiegeln sich die im Heiligen Land geltenden Heiligendaten aus einer Frühzeit, ehe sich die Synaxarien von Byzanz durchsetzten.

In allen Regionen Griechenlands haben die örtlichen Heiligen (Topikoi Hagioi), die nicht in die Menäen aufgenommen wurden, eine nicht geringere Verehrung erfahren als die Heiligen der universalen Kirche. Dieses Phänomen ist im Heiligen Land nicht anzutreffen. Die Heiligen des Heiligen Landes wurden als so wegweisend erfahren, daß sie insgesamt die Verehrung der universalen Kirche fanden. So wird in den Menäen am 23. Oktober des Herrenbruders Jakobus gedacht. Dann singt die Gemeinde:

Des Erzhirten Christus Bruder und Nachfolger
und unter den Aposteln einer der Hervorragenden,
hast Du den Tod für Christus geliebt und das Martyrium nicht
     gescheut,
hochgeehrter Jakobus!
IHN bitte ohn' Aufhören,
daß er unsere Seelen errette!

Von langeher Deinen Wandel im voraus erschauend,
oh Jakobus,
hat Christus, der Menschenliebende, der weise Vorherwissende,
Dich, den Bruder,
zum treuen Verwalter der Weihegewalt Jerusalems
und obersten Hirten geweiht,

der Du als Myste die unaussprechlichen Mysterien zelebrieren
solltest.
IHN flehe auch jetzt an, auf daß unsere Seelen gerettet werden!

Eingedenk dessen, daß der Bischofsstuhl der Heiligen Stadt ein
weiteres Mal durch einen Mann aus Christi Verwandtschaft besetzt
wurde, feiert die Gemeinde am 16. April den Jerusalemer Bischof
Symeon. Dann wird gesungen:
Du hast den hohen Bischofsstuhl eingenommen,
ein Nachfolger des Jakobus, an seiner Lebensart teilhabend.
Das Hierarchenamt hast Du durch das Martyrium zum Leuchten
gebracht,
oh Seliger!

Der aus Abrahams Geschlecht kam und aus der Ahnenreihe
Davids,
den Sohn des Josef und Verwandten Jesu,
den Symeon preisen wir heute, den dreimal Glücklichen,
der durch Nahverwandtschaft mit Christus zu großer Ehre
gelangte,
der den Bischofsthron der Mutter der Kirchen glanzvoll zierte,
der mit dem Blut des Martyriums herrlich geschmückt ist.
Denn dieser, wie der Herr selbst, wurde ans Kreuz geheftet,
Sein göttliches Erdulden nachahmend.

Der 21. November gilt dem Gedenken an die Begründung des Jerusalemer Bischofsamtes und damit dem Gedenken der ganzen Reihe
aller Jerusalemer Patriarchen. 1980 wurde nach dem Vorbild vieler
griechischer Städte, Provinzen oder Inseln ein örtliches Allerheili-
genfest gestiftet: Dem universalen Allerheiligentag (Sonntag nach
Pfingsten) folgt nach einer Woche das Fest »Aller Heiligen des
Heiligen Landes«.
Als mit der Entdeckung der Gebeine des Stephanus die Verehrung
des Erzmärtyrers stärker aufkam, wurde am Fest der Auffindung
der Reliquien (dem 2. August) fortan gesungen:
Erster unter den Diakonen, erster auch unter den Märtyrern –
so wurdest Du uns gezeigt, allheiliger Stephanus.
Zum Weg bist Du geworden den Heiligen
und viele Märtyrer hast Du dem Herrn zugeführt.
Deshalb wurde der Himmel für Dich geöffnet und Gott er-
schien Dir.
IHN flehe an, unsere Seelen zu erlösen.

Schon an der Wende vom 4. zum 5. Jh. war es in Jerusalem Brauch, bei der Eucharistie die Namen von Heiligen anzurufen. Als Abt Gerontios den Namen einer auf Pilgerfahrt gestorbenen Frau anrief, verweigerte Melania die Teilnahme an der Kommunion, da diese Frau von einigen als Anhängerin einer Irrlehre angesehen wurde. »Die Nennung Irrgläubiger im heiligen Opfer empfand Melania als eine Sünde wider den wahren Glauben.«

Ereignisse, die die Gemeinde des Heiligen Landes tief berührten, gerieten nicht wieder in Vergessenheit. Ihr Datum wurde in den Kalender des Kirchenjahres aufgenommen und des Wunders Jahr um Jahr in einer eigens dafür geschaffenen Akolouthie gedacht. Den Anstoß zu solchem Vorgehen gab Patriarch Athanasius von Alexandria, indem er das sich zu seiner Zeit ereignende »Wunder von Beirut« literarisch festhielt: Ein Christ in einer Hütte neben der Synagoge hatte beim Überwechseln in eine größere Wohnung seine Christusikone zurückgelassen. Der neue jüdische Mieter hatte zwar selber das Bild nicht bemerkt, doch ein Hebräer, der zu Gast kam, begann mit Beschimpfungen des Herrenbildes. Auf seine Anzeige kamen die Hohen Priester, verjagten den Ikonenbesitzer aus dem Synagogenbereich und erklärten: »Wir müssen mit der Ikone das gleiche tun, wie unsere Väter mit Jesus bei seiner Kreuzigung.« Als sie das Bild mit einer Lanze durchbohrten, floß daraus Blut und Wasser. Die Kreuzigung hatte sich in aller Realität im Bilde noch einmal wiederholt. Als Gelähmte und Blinde von diesem Blut geheilt wurden, bekehrten sich die Juden, zogen mit der Ikone zum Bischof von Beirut, der ihnen die Taufe spendete und die Synagoge in eine Kirche verwandelte. Stets am 5. November gedachte die Gemeinde von Beirut in einer wiederkehrenden Feier dieses Ereignisses. So nahm die Jerusalemer Gemeinde die Erscheinung des Kreuzes, das sich am Himmel vom Ölberg bis zum Kalvarienberg ausspannte, und die Rückführung des Kreuzes aus Persien in ihren Kalender auf.

Am Tag der Kreuzerscheinung, dem 20. Mai, singt die Gemeinde:

In Tagesmitte hoch als Kreuz erscheinende Sonne,
die sehend die geschaffene Sonne sich ihrer Strahlen schämte,
oh hochgepriesener Herr, Gott unserer Väter,
gelobet seist Du!

Du, der Du einst den im Feuer (des brennenden Dornbuschs)
Gott erschauenden (Moses) ansprachst,
heute aber – ein kreuzgestalteter Blitz – als Gott geehrt wirst,
oh hochgepriesener Herr, Gott unserer Väter,
gelobet seist Du!

Die Himmel verkündeten Deine Ehre, oh Herr,
mit dem schreckenerregenden Zeichen Deines Kreuzes,
und die ganze Erde betete Dich ehrfurchtsvoll an.
Wir aber, Dich verherrlichend, rufen Dir dankbar zu:
Gott, der Du leidenslos bist,
hast doch im Fleisch aus freien Stücken uns zugute gelitten.
Darum erlöse Dein Volk,
das Du mit Deinem Blute umhegtest!

Welcher Sinn dem Fest der Kreuzeserhöhung in der Zeit seiner
Stiftung beigelegt wurde, darüber gibt eine Predigt des Patriarchen
Sophronios Auskunft. Wenige Jahre, nachdem das Kreuz in die
Heilige Stadt wieder eingebracht war, rief der Patriarch: »Welcher
Mensch sollte davon dispensiert sein, sich selbst zu kreuzigen? Wer
sich selbst der Welt kreuzigt ..., wird als wahrer Kreuzesfreund zu
gelten haben ... Das Kreuz ist erhöht! Wer sollte sich nicht in mysti-
scher Weise über die Erde erhöhen wollen? Denn dahin, wo der
Erretter erhöht ist, dahin auch schwingt sich der Errettete im Ver-
langen, immer mit dem Erretter zusammen zu sein, in die Höhe!«
Stets treibt der Patriarch seine Hörer zum eiligen Aufbruch in
Richtung des Heils: »Kommt alle zusammen, nehmt Taubenflügel,
fliegt, oder nehmt den flinken Fuß der Gazelle, um die himmlische
Botschaft zu hören!«
Nicht nur in der österlichen Zeit sammelten sich die Pilgerscharen.
Auch zum Kreuzerhöhungsfest des 14. September pflegte »eine
nahezu unzählbare Menge verschiedener Völkerschaften alljährlich
von überall her in Jerusalem zusammenzukommen«. Damit war ein
Markt verbunden. Sie kamen, »um Handel mit Wechselgeschäften,
Verkäufe und Käufe zu treiben«. Die Menge von »Kamelen, Pferden
und Eseln, auch Ochsen, die allerlei Dinge tragen, hinterläßt überall
auf den Straßen abscheulichen Kot ... Wunderbarerweise fällt eine
gewaltige Fülle von Wolkenbruchregen auf die Stadt herab, der
allen abscheulichen Dreck von den Straßen beseitigt ... Diese Über-
schwemmung mit Himmelswasser durchfließt die Osttore, trägt
allen Schmutz mit sich fort.«

III. Unter der Herrschaft der Omajaden, Abbasiden und Fatimiden

Um das Jahr 500 hatten sich arabische Stämme, die sich um die
mächtige Familie Ghassan gruppierten – vom byzantinischen Gene-

ral Romanos besiegt –, dem Kaiser Anastasios gegenüber zum Dienst bereit gezeigt. Sie grenzten das byzantinische Reich gegen Persien ab und halfen die aufständischen Samariter zu überwältigen. Ihre Herrscher hingen freilich dem antichalcedonensischen Glauben an. Verfolgte Monophysiten aus dem byzantinischen Reich suchten bei ihnen Zuflucht. Daß die Kaiser infolge ihres Ränkespiels den Grenzschutz der Ghassaniden einbüßten, machte einen Einfall der Perser unter Chosroes ins Heilige Land im Jahre 614 möglich. Juden und Samariter begrüßten sie stürmisch. Die Perser unterwarfen die palästinensische Hauptstadt Cäsarea (die damit ihre Bedeutung verlor) und Lydda und erschienen vor Jerusalem. Die Mönche der judäischen Wüste flohen über den Jordan. Im Vertrauen, Gott werde seine Heilige Stadt schützen, hinderten rebellische Gruppen den Patriarchen Zacharias an friedlichen Verhandlungen mit dem Feind. So schickte Zacharias den Mönch Modestus aus dem Theodosioskloster zur byzantinischen Garnison von Jericho, Hilfe aufzubieten. Umsonst! Nach 20 Tagen brach die Eudokiamauer unter den Stößen des persischen Rammbocks zusammen. Als die Perser am 20. Mai in die Stadt stürmten, stachen sie nieder, wen sie trafen, und verbrannten Grabeskirche, Himmelfahrtskirche und Sion. Aus den Übriggebliebenen, aus den Verstecken gerufen, wurden nur die Handwerker zum Abtransport ausgesucht. Die in diesem Sinne Unbrauchbaren wurden in den Teich von Mamilla getrieben und dort ertränkt, oder sie erhielten einen Gnadenstoß von jüdischer Hand. Der tugendhafte Thomas und seine Gattin begruben die 33000 Toten. Patriarch Zacharias wurde in die Gefangenschaft verschleppt, die Kreuzreliquie nach Persien entführt. – Unter den Deportierten befand sich der Diakon Eusebios mit seinen zwei Töchtern, 8 und 10 Jahre alt. Die persischen Priester forderten die Kinder zur persischen Feueranbetung auf, doch gestützt auf die Ermahnungen ihres Vaters verweigerten sich die Mädchen. Sie wurden hingemordet, der Vater ins Feuer gestoßen. Darüber schrieb Patriarch Sophronios einen Hymnus, den bewegendsten unter allen seinen Dichtungen.

Die persische Herrschaft im Heiligen Land währte nur 15 Jahre. Der Eroberer zeigte sich bald an einer Aussöhnung mit der Bevölkerung interessiert und erlaubte die Rückkehr von Christen in die Stadt und die Wiederherstellung der Kirchen. Der Mönch Modestus zeigte sich besonders eifrig, dafür Kollekten zu sammeln. So richteten sich die Blicke auf ihn, als Patriarch Zacharias im Exil starb. Modestus wurde zum Patriarchen gewählt. Innere Wirren in Persien erleichterten Kaiser Heraklius, am 20. März 630 die Perser zu schlagen und zur Herausgabe des Kreuzes zu zwingen.

Ein persischer Soldat, den die Begegnung mit den Christen zur Bekehrung bewegte, nahm bei der Taufe, die ihm Patriarch Modestus spendete, den Namen Anastasios an (beziehungsreich zur Anastasis, an der er seinen Dienst versah). Er fühlte sich gedrungen, seinem eigenen Volke zu predigen und machte sich nach Persien auf. Dies konnte nicht anders als mit seinem Martyrium enden.

Die Wiedereinbringung der kostbaren Kreuzreliquie wurde im Triumph gefeiert. Damals wurde westwärts der Heiligen Stadt in der Talmulde, die der Weg nach En Karem durchquert, das Kloster vom verehrungswürdigen Kreuz gegründet. Das »Kreuzerhöhungsfest« des 14. September wurde ein Datum im orthodoxen Festkalender.

Als Sophronios 633 nach Jerusalem zurückkehrte, empfing ihn das Volk mit Jubel; da der Patriarchenthron vakant war, erhob es ihn zum Patriarchen. Damit hatte derjenige den Thron der Heiligen Stadt bestiegen, dem es zufiel, an der Wende zum Unglück das gläubige Volk zu leiten. Er selber stöhnte: »Das ist mir nun geschehen, mir, dem Todunglücklichen, infolge des Zwangs und der Gewalttätigkeit von seiten eines Klerus, dem man freilich nicht absprechen kann, daß er bei Gott in Gunst steht, und von seiten frommer Mönche, gläubiger Laien und aller Bürger dieser sehr heiligen Stadt Christi, unseres Gottes. Sie haben mich mit ihren Fäusten gezwungen. Sie gingen ganz tyrannisch vor. Und ich kenne weder noch verstehe ich ihre Motive.«

Man fragt sich, wie die Erhebung des Sophronios zum Patriarchen nur möglich war, wo doch die säkulare Gewalt des byzantinischen Reiches statt dessen den Bischof Sergios von Joppe vorgesehen hatte. Dieser war bereit, den reichsoffiziellen Monotheletismus zu unterstützen, welcher dem Kaiser zur Einigung der Kirchenparteien unentbehrlich schien. Sicher spielte hier die Dynamik des im Glauben einigen Volkes von Jerusalem eine Rolle, aber auch das Faktum, daß mit dem Islam plötzlich eine neue Religion aufgekommen war, und das davon belebte Arabertum bedrohlich expandierte. Das führte dazu, daß der Patriarchatsbeginn des Sophronios unter eschatologischem Aspekt gesehen wurde. Sein Synodalbrief zeigt dies, ist aber nicht ohne Hoffnung auf Abwehr: »Wir bitten Gott, er möge den Kaisern ein machtvolles Zepter geben, den Hochmut aller Barbaren zu rächen, vor allem aber den der Sarazenen, die als Strafe für unsere Sünde sich in überraschender Weise gegen uns erhoben haben. In ihrem grausamen, ja bestialischen Charakter, mit ihrer unfrommen, ja gottlosen Frechheit plündern sie alles aus.«

Bald wichen alle solche Hoffnungen, daß die Kaiser die Muslime würden zügeln können, aus des Sophronios Äußerungen. Bereits in seiner Weihnachtspredigt 634 hatte Sophronios zu klagen, daß es wegen marodierender Araber unmöglich sei, wie gewohnt in Prozession von Jerusalem nach Bethlehem zu ziehen. Wenige Tage darauf klagte der Patriarch in der Epiphanias-Predigt über die Zerstörung der Klöster und das Niederbrennen der Dörfer durch die Sarazenen.

Nachdem 635 Damaskus in arabische Hand gefallen war, erkannte Kaiser Heraklius die drohende Gefahr. Zwei Heere entsandte er gegen Omar, eines, das in Armenien ausgehoben war, unter Fürst Vahan, das andere unter Theodor Trithyrios. Am heißen Sommertag des 20. August 636 verloren die Byzantiner am Jarmuk, dem östlichen Nebenfluß des Jordan, die Entscheidungsschlacht. Mitten im Kampf gingen 12000 christliche Araber zum Feind über. Als Nonchalcedonenser haßten sie Byzanz. Den Soldaten des Kaisers wehte der Sandsturm in die Augen. Als Sophronios erfuhr, daß Jericho in gegnerischer Hand sei, schaffte er die Kreuzreliquie bei Nacht zur Küste, damit sie nach Konstantinopel verbracht würde.

Über den Fall der Heiligen Stadt gibt es unterschiedliche historische Berichte. Am wahrscheinlichsten ist, daß Jerusalem von einem unbekannten Stammesscheich Khalid b. Thabit al-Fahmi eingenommen wurde, der Jerusalem gegen Tributzahlung unzerstört ließ. Die spätere Phantasie haftete jedoch an einem Bericht, demzufolge der greise Patriarch Sophronios die Heilige Stadt den Muslimen übergeben habe. Der Patriarch habe gefordert, daß Kalif Omar selbst in Person anwesend sei. Im 17. Jahr der Hedschra, das heißt im Februar 638, begegneten sich Sophronios und Omar auf dem Ölberg. Der alte Patriarch mußte sich vor dem Eroberer demütigen. Sophronios bot dem Kalifen an, in der Anastasis zu beten. Doch Omar erwiderte: »Wenn ich in Deinem Tempel beten würde, würdest du ihn später verlieren, denn die Muselmanen würden ihn dir nach meinem Tod wegnehmen, indem sie sagten: Hier hat Omar gebetet.« Der Kalif wünschte statt dessen ein Terrain zu sehen, auf dem er eine Moschee bauen könnte. Die Sage berichtet, Sophronios habe ihn auf den Tempelplatz geführt, der bis dahin wüst gelegen hatte; die Christen respektierten nämlich die Prophezeiung des Herrn, daß hier kein Stein auf dem andern bleiben werde. Omar habe sogleich mit eigenen Händen begonnen, in der Mitte des Platzes Trümmer wegzuräumen. Der Felsendom, von syrischen Kirchenarchitekten nach der Art errichtet, wie sie eine christliche Kirche gebaut haben würden, entstand freilich erst 691. Der arabische Historiker Mukkadasi beschreibt das dabei vorwaltende Motiv so: Dieser Bau sei errichtet worden, damit die Pracht der Grabeskirche die Muslime nicht verwirre. Daß für den Felsendom die oktogonale Form gewählt wurde, spricht dafür, daß die Omajaden ein Herrschaftssymbol vorzeigen wollten.

637 fiel Gaza, das von frisch über See eingeschleusten byzantinischen Soldaten zurückerobert war, ein zweites Mal in muslimische Hand. 60 byzantinische Verteidiger wurden zur Todesstrafe verurteilt, um ein Exempel zu statuieren. Im Februar 638 wurden 10 von ihnen ausgesondert und vor der Stadtmauer Jerusalems enthauptet. Patriarch Sophronios, der ihnen Beistand leistete, nahm sich der Leichname an. Bei der Stephanuskirche, bei der er sie begrub, und die seit der Zerstörung durch die Perser in Ruinen lag, gründete er ein Oratorium, das noch die Kreuzritter im Gebrauch fanden. Die 50 übrigen noch im Gewahrsam gehaltenen christlichen Soldaten ließ Amr, als er ihren Glauben nicht zu erschüttern vermochte, in Eleutheropolis massakrieren.

Sophronios' Lebenskraft war erschöpft. Sein Nachfolger Anastasios, von dem man nicht weiß, wann er auf den Patriarchenthron erhoben wurde, starb erst 702. Es muß also Wirren nach der muslimischen Inbesitznahme der Heiligen Stadt gegeben haben und eine patriarchenlose Zeit. Doch Pilgerfahrten wurden nicht unterbunden. 670 berichtete Arkulf von seiner Reise ins Heilige Land.

Willibald, der erste Bischof von Eichstädt, von Herkunft Angelsachse aus Südengland und Mönch im Kloster Waldheim, faßte 724 – schon damals als Wallfahrer bis nach Rom gelangt – den überraschenden Entschluß zur Jerusalemfahrt. Im Reiche des Kalifen oft vom Hungertod bedroht, in Homs als Spion eingekerkert, zog Willibald mit 7 Landsleuten, die sich angeschlossen hatten, vom See Genezareth den Jordangraben entlang. Bonifatius erbat sich den Mönch, der nach der Rückkehr in Monte Cassino weilte, vom Papst für die deutsche Mission und weihte Willibald 741 zum Bischof. Ein halbes Jahrhundert später erzählte der greise Bischof seinen Nonnen im Missionskloster Heidenheim von seinen Pilgererfahrungen; diese schrieben alles auf.

Im 10. Jh. bildete sich die Institution der »Bußwallfahrt« aus, die von den lateinischen Beichtvätern bei Kapitalverbrechen als kanonische Strafe auferlegt wurde. Die Cluniazenser übernahmen eine führende Rolle in der Organisation der Wallfahrten, die 1033, dem Millennium der Passion Christi ihren Höhepunkt erreichten.

Christen konnten in der omajadischen Hauptstadt mit hohen Beamtenfunktionen betraut sein, so Johannes Damascenus, den der Protest gegen das Bilderverbot der ikonoklastischen Kaiser von Byzanz so herausforderte, daß er zum theologischen Schriftsteller wurde. Um 720 ging Johannes ins Mar Saba-Kloster im Kidrontal in seine Mönchshöhle, wo er die Tradition der Kirchenväter des

Ostens in seinem dogmatischen Werk »Quellen der Erkenntnis« zusammenfaßte. Niemand hinderte ihn, eine arabischsprachige Apologetik des Christentums gegen den herrschenden Islam zu entfalten.

In den Höhlen von Mar Saba wurden im 8. Jh. Hymnen gedichtet, die die orthodoxe Liturgie vollends zur Hymnenliturgie machten. Der schöpferische Anstoß war von dem Kleriker Andreas an der Anastasis ausgegangen, der als 15jähriger in die Grabesbruderschaft aufgenommen, im Jahre 685 vom Jerusalemer Patriarchat zum VI. Ökumenischen Konzil nach Konstantinopel gesandt und schließlich zum Bischof von Kreta erhoben worden war. Andreas hatte die Dichtform des Kanon entwickelt, die das Kontakion verdrängte. Der Kanon war zwar weniger geeignet, daß die Seele der Betenden in ihn einströmte, dafür aber brachte er die Heilstatsachen in objektivierender Distanz zur Geltung. Der Bußkanon des Andreas von Kreta bestimmt die Fastenzeit der orthodoxen Kirche. Bald war für jeden Festtag des Kirchenjahres ein Kanon geschaffen. Johannes Damascenus schmückte die meisten Herrenfeste mit Hymnen. So schuf er den Osterkanon, in dessen erster Ode es im Blick auf das Osterfeuer der Grabeskirche heißt:

Läutern laßt uns die Sinne,
und wir schauen sodann
in der Auferstehung unnahbarer Lohe
Christus als blitzendes Leuchten ...

An den Damascener schloß sich eine ganze »Schule von Mar Saba« an: Kosmas, seit 743 Bischof von Maiuma, der in den Bergen von Moab beheimatete Theophanes Graptos, mit seinem Bruder Theodosios ein Bestreiter des kaiserlichen Bilderverbots, später Metropolit von Nicäa, ein Verwandter des Johannes Damascenus, der unter dem Namen Stephanos der Sabaite bekannt ist, Johannes aus der alten Lavra, Patriarch Elias II. von Jerusalem (770–797) und Sergios der Hagiopolite. Mit dieser neuen liturgischen Dichtart kam eine Wende für die Liturgie von Jerusalem herauf, später für ganz Byzanz.

Die Dichter des Heiligen Landes haben eine große Zahl von Dichtelementen geschaffen, die zusammengesetzt die Oktoëchos bilden – eines der unersetzlichen liturgischen Bücher der byzantinischen Kirche, ursprünglich die 8 kanonisch angenommenen modi des Kirchengesangs enthaltend, dann zu einer Art Brevier weiterentwickelt. Einstimmig schreibt die Tradition die Herkunft der Oktoëchos dem Johannes Damascenus zu. Aber nichts in dessen Schrifttum weist auf solche Arbeit hin. So ist eher dem Hinweis der jakobitischen Syrer zu folgen, die die Oktoëchos dem Severus zuweisen.

In der Tat: dessen Biograph Johannes bar Aphtonia schildert, wie Severus von seinem Kloster bei Eleutheropolis als Patriarch in Antiochia anlangte, die Schmarotzer vom Hofe jagte und den Kult zu schönen begann. »Als er sah, daß das Volk von Antiochia Freude an Gesängen hatte, die einen in den Theatervorstellungen im Zelt, die andern an denen der Poeten der Kirche, da knüpfte er an diese Leidenschaft an. Wie ein Vater, der seinen Kindern vorplappert, setzte er Sänger ein und dichtete selbst Hymnen und stellte sie ihnen zur Verfügung.«

Mitte des 8. Jhs. veränderte die abbasidische Revolution die Machtverhältnisse im Vorderen Orient. Nach 90jähriger Omajadenherrschaft verlagerte sich das Machtzentrum des Islam nach Bagdad. Unter den abbasidischen Herrschern verhärtete sich die bisher tolerante Haltung des Islam: Übertritt vom Islam zum Christentum wurde jetzt mit dem Tode bestraft. Unter den muslimischen Erpressungen fielen zahlreiche Christen zum Islam ab. Die Klostergebäude von Mar Saba und Theodosios wurden ihrem Zweck entfremdet. Unter Kalif el Mutawakhil wurde die Diskriminierung noch fühlbarer. Glocken mußten verstummen. Christen durften keine Waffen tragen und nicht reiten. Theophanes berichtet in seiner Chronographie, der Abbasidenherrscher al-Mansur habe bei seinem Besuch in Jerusalem angeordnet, daß Juden und Christen ihre für die Religionszugehörigkeit typischen Namen auf die Hände zu tätowieren hätten, damit sie sich nicht der Steuer entziehen könnten.

Einen Gewinn für die Stabilisierung der christlichen Positionen im Heiligen Land stellte es dar, daß Karl der Große freundschaftliche Beziehungen zum Reich der Abbasiden herstellte. Harun al-Raschid erkannte 797 den abendländischen Herrscher als Beschützer der Heiligen Orte an. Im Gefühl der Dankbarkeit ließ der Jerusalemer Patriarch dem Kaiser durch einen Mönch vom Ölberg Eulogien und Reliquien übersenden. Diesen begleitete auf dem Rückweg der fränkische Priester Zacharias mit Geldspenden für den Patriarchen und dem Auftrag, die Lage der Christen in Palästina zu erkunden. Bei seiner Kaiserkrönung wurde Karl am 30. November 800 im Namen des Patriarchen der Schlüssel zur Grabeskirche überreicht. Karl der Große rief drei Gründungen im Heiligen Land ins Leben: eine Marienkirche mit Hospiz und Bibliothek, eine Abtei auf dem Ölberg, in der sich 807 Georg Engelbald einfand, und ein Frauenkloster beim Heiligen Grab, in dem man 17 Nonnen zählte. Der Mönch Bernhard der Weise traf 865 auch einen lateinischen Mönch in Bethlehem an. Die karolingischen Mönche stammten vermutlich von der Reichenau oder aus St. Gallen. Die dortigen Chroniken berichten von Mönchen, die ins Heilige Land gesandt wurden. 807 langten erneut zwei Mönche vom Ölberg, Georg und Felix, als Gesandte des Patriarchen Thomas in Aachen an. Sie überbrachten eine Kreuzreliquie. In ihrer Begleitung befand sich der abbasidische Gesandte Abdallah mit Geschenken für den Kaiser. Spenden aus dem Karolingerreich erlaubten dem Patriarchen Thomas 810, an der Kuppel der Anastasis die Schäden auszubessern, die das Erdbeben von 746 angerichtet hatte. Die neue Sicherheit, die die Christen im Heiligen Land fanden, spiegelt sich in dem Bericht des Patriarchen Theodor an den Ökumenischen Patriarchen von 839: »Die Sarazenen erweisen uns viel Wohlwollen. Sie erlauben uns Kirchen zu bauen und stellen unseren Sitten und Bräuchen kein Hindernis in den Weg.« Die Protektion des abendländischen Kaisers erstreckte sich auch auf die nonchalcedonensischen Institutionen. In dem Vertrag Karls des Großen mit Harun al-Raschid war ein Passus enthalten, demzufolge auf dem Ölberg drei Kirchen erhalten bleiben sollten. Unter denen, die dort beten durften, sind Syrer und Armenier eigens erwähnt, ebenso unter den Mönchen, die als Reklusen am Zuweg zum Ölberg hausten. Die Syrer hatten die arabische Besetzung als Befreiung erlebt. Die Armenier wurden gefördert, da die Muslime sie durch eine dogmatische Kontroverse von den byzantinischen Christen – den potentiellen Gegnern – geschieden sahen.

Die Verbindung zwischen der Pfalzkapelle von Aachen und den karolingischen Mönchen in Jerusalem verursachte einen ökumenischen Unglücksfall. Das unlängst in Aachen in die Zitation des Nicänums eingefügte filioque – ein Zusatz, der besagte, daß der Heilige Geist vom Vater und vom Sohn ausgehe – wurde auch in der Heiligen Stadt gesungen. Das fiel den griechischen Mönchen auf. Es traf sich, daß die fränkischen Mönche in Jerusalem, die das filioque in ihrem Credo bekannten, auf eine Gruppe ungewöhnlich gut gebildeter Griechen stießen. Der Synkellos Michael (761 als Jerusalemer geboren, in Rhetorik, Astronomie und Poesie ausgebildet, Seelenführer in Mar Saba für so ausgezeichnete Schüler wie Theodoros und Theophan, vom Patriarchen Thomas als Lehrer ins Kloster der Spoudaioi versetzt) brachte die Kritik am filioque so energisch vor, daß am Sonntag nach Weihnachten sich zwischen Jesusgrab und Golgatha eine Versammlung von Klerikern und Laien zur Diskussion mit den Franken zusammenfand. Die westlichen Mönche wollten im filioque nur einen unwesentlichen Unterschied sehen; die Versammlung forderte sie jedoch auf, ihre bisherige Lehre in einem schriftlichen Bekenntnis zu verurteilen, welches der Archidiakon der Anastasis öffentlich verlesen solle. Jetzt war auch Patriarch Thomas überzeugt, daß die fremden Mönche Häretiker seien, und schrieb einen Brief an den Papst, der durch den Mönch Johannes und den Synkellos Michael überbracht werden sollte. Die Delegation gelangte freilich nur bis nach Konstantinopel. Dorthin hatte man sich begeben, da die Kaiserstadt die Jerusalemer Mönche aufgefordert hatte, gegen die Ikonoklasten mitzukämpfen. Michael Synkellos nahm seine Schüler Theodoros Graptos und Theophanes mit nach Konstantinopel, wo sie zusammen im Chora-Kloster Unterkunft fanden. Die Sabaiten, die so unerschrocken den ikonoklastischen Kaisern entgegentraten, so im Jahre 836 dem Kaiser Theophilos, mußten dafür die Verbannung nach Apameia in Kauf nehmen.

Die lateinischen Mönche, von den Griechen bedrängt, appellierten an Papst Leo III. Patriarch Thomas von Jerusalem sandte seinerseits zwei Gesandte mit einem Brief an den Papst, der sie zu Karl dem Großen weiterdirigierte. Anfang 810 ging eine Gesandtschaft des Kaisers zu Leo mit der Bitte, das filioque ins Credo aufzunehmen. Sie stieß beim Papst auf eiserne Ablehnung. Leo ließ zwei silberne Tafeln mit dem Nicänum in griechisch und lateinisch ohne filioque anfertigen. Erst 1058 kam das filioque in die römische Messe. Die in Jerusalem begonnene Kontroverse um die richtige Wortwahl beim Credo, der man bald erhebliche theologische Implikationen zuschrieb, trennte schließlich Ostkirche und Westkirche in einem noch immer nicht beendeten Schisma. Der byzantinische Patriarch Photios unterlegte 867 den Konflikt, in den er mit der Papstkirche geraten war, mit der im filioque ausgedrückten dogmatischen Divergenz. 1054 sah der päpstliche Delegat Humbert in der byzantinischen Zurückweisung des filioque einen Grund für die Bannung des Ökumenischen Patriarchen Michael Kerullarios.

Mitte des 9. Jhs. machten sich Armeeführer im Heiligen Land vom Kalifen unabhängig. In den Wirren, die dabei entstanden, wurden die Kirchen von Ramleh und Askalon zerstört. Daß der byzantinische Kaiser Nikephoros Phokas 964 Zypern und 969 Kreta von den Arabern zurückeroberte und sein Nachfolger Johannes Tsimiskes 975 Damaskus und Homs nahm, ließen die muslimischen Herren die Christen im Heiligen Land spüren. 966 wurde Patriarch Johannes VII. ermordet und die Grabeskirche profaniert. Der Patriarch hatte den Kaiser gedrängt, in Eilmärschen ins Heilige Land zu kommen.

969 rissen die schiitischen Fatimiden aus Nordafrika die Macht in Ägypten an sich und dehnten ihre Herrschaft auf Palästina aus. Der dem Wahnsinn verfallene Fatimide al-Hakim (996–1021) unterband die Pilgerfahrten und verbrannte Kreuze, wo er ihrer habhaft werden konnte. Die Jerusalemer Palmenprozession der Osterwoche wurde verboten. Am 28. September 1008 ließ al-Hakim die Grabeskirche

zerstören unter der Begründung, daß die Zeremonie des Osterfeuers eine Fälschung sei. Bis 1014 waren etwa 30000 Kirchen im fatimidischen Herrschaftsgebiet geplündert oder eingeäschert. Bald war freilich dem Patriarchen Nikephoros gestattet, in der Ruine der Grabeskirche den Gottesdienst wieder aufzunehmen. Drei Jahrzehnte später bot der byzantinische Kaiser die Freilassung arabischer Gefangener an, die sich in seinem Gewahrsam befanden, und tauschte dagegen die Erlaubnis ein, durch byzantinische Beamte die Grabeskirche wieder aufzubauen.

Jetzt langten auch wieder Pilger im Heiligen Land an, darunter Symeon, ein Christ aus dem islamisch beherrschten sizilianischen Syrakus, der sich auf den hohen Schulen Konstantinopels gebildet hatte. Sein Biograph Abt Eberwin von Trier schreibt: »Vom Verlangen bewegt, arm den Spuren des armen Christus zu folgen, suchte er die Stätten des Leidens, der Auferstehung und Himmelfahrt in Jerusalem auf.« Symeon blieb im Heiligen Land und diente 7 Jahre als Pilgerführer. Doch seine Sehnsucht nach meditativem Leben konnte so nicht gestillt werden. In einer Turmruine am Jordanufer fand er einen geistlichen Vater. Als der ihn nachts heimlich verließ, begann Symeons unstetes Leben. Er wechselte zum Marienkloster in Bethlehem, dann zum Katharinenkloster. Wenn er einsam in die Wüste hinauszog, verwischte er die in den weichen Wüstensand eingedrückten Fußspuren, damit niemand ihm folgen konnte. Der Symeonspsalter (im Trierer Domschatz, ein griechischer Kodex), Trinkgeschirr, Brot und Kohlsamen, den er an einer Wasserstelle aussäte, waren seine einzigen Habseligkeiten. Eine Bettelreise für sein Kloster führt den in 7 Sprachen Kundigen ins Abendland. Als er nach Trier kam, gewann ihn Bischof Poppo von Babenberg als seinen Pilgerführer ins Heilige Land. Nach seiner Rückkehr schuf sich der Eremit im halbverfallenen römischen Stadttor, der Porta Nigra, 1030 eine Zelle, die er während der letzten 5 Jahre seines Lebens nicht mehr verließ.

Mitte des 11. Jhs. – schon vor den Kreuzzügen – gab es im Heiligen Land einzelne Gemeinden und Hierarchen, die arabisiert waren. Anzeichen dafür sind die arabischen Dichtungen und kontroverstheologischen Werke, die der Bischof von Gaza Suleiman al-Gazzi (ein Sohn der Stadt) schuf. Sein »Divan« umfaßt über 3000 Verse und stellt die erste rein christliche Gedichtsammlung in arabischer Sprache dar. Bischof Suleiman, dessen Name gräzisiert Samunas oder Salmunas lautet, war aber auch Verfasser einer Apologie für den chalcedonensischen Christusglauben gegen häretische Abweichungen, Juden und Muslime. In griechischer und lateinischer Übersetzung ist ein Dialog mit dem Sarazenen Achmet über die Eucharistie erhalten, der im Gefolge der Gedanken des Abu Qurra (Werk 22) nachweisen will, daß Brot und Wein wahrhaftig Leib und Blut Christi seien. Wie gewöhnliches Brot beim Genuß Bestandteil des menschlichen Körpers wird und sich dabei wandelt, so wandelt sich das Brot des Altars unter der Einwirkung des Heiligen Geistes. In einem seiner Gedichte besingt Suleiman die palästinensischen Klöster, die er besucht hat. Auch hört man die Trauer um die damals in Ruinen liegende Grabeskirche, die Sultan Hakim zerstört hatte, heraus. Als 84jähriger dichtete er eine Klage über den Tod seines Sohnes. In der Stimme dieses Dichters ist Sehnsucht nach dem Martyrium vernehmbar.

Das Leben im Heiligen Land wäre für die Christen wieder erträglich geworden, wenn nicht die Seldschuken vom Osten her eingebrochen, 1070 die Heilige Stadt erobert und 1071 in der Schlacht von Mantsikert die Macht von Byzanz gebrochen hätten. Freilich konnten die seldschukischen Generale ihre Herrschaft im Heiligen Land nicht so fest begründen, daß nicht doch immer wieder sich die Fatimiden durchsetzen konnten. Als die Kreuzfahrerheere vor Jerusalems Mauern erschienen, herrschten die Fatimiden gerade wieder zwei Jahre lang.

IV. Die Kirche im Königreich Jerusalem der Kreuzfahrer

Das Kreuzheer war, vom eroberten Antiochia kommend, am 24. Mai 1099 vor Akkon angelangt, seit Ausbau durch die Tuluniden im 9. Jh. ein wichtiger Hafen. Im Hauptbestand provencalische Ritter und Fußvolk unter Führung des Raimund von Saint Gilles, zog das Heer unter den Hängen des Karmel nach Cäsarea – damals ein unbedeutender Flecken –, bog dann landeinwärts auf Ramleh zu, dessen muslimische Bewohner flohen. Die dem hl. Georg gewidmete Kirche des nahen Lydda gelobten die Kreuzritter wieder aufzubauen und ein Patrimonium des hl. Georg zu stiften, dessen Herrscher ein Bischof von Lydda sein sollte. Der normannische Priester Robert von Rouën wurde zum Bischof ernannt. Als in Emmaus Gesandte von Bethlehem das Kreuzheer in den Ort der Geburt Jesu einluden, eilten Tankred und Balduin dorthin und wurden jubelnd empfangen. Am 17. Juni erblickte das Hauptheer vom Berg des Propheten Samuel, der fortan den Namen Montjoie (Berg der Freude) tragen sollte, die Heilige Stadt. »Die Christen«, schrieb der Chronist Raimund von Aguilers, »konnten sich nicht zurückhalten, zu weinen; sie fielen mit dem Gesicht auf den Boden, lobten und beteten zu Gott, der in seiner Gnade die Gebete seines

Volkes erhört und sie zu den heiligen Stätten führt, dem Ziel ihrer Hoffnungen.«

Die Erhebung eines Lateiners zum Bischof im Heiligen Land war – auch im Sinne östlichen Kirchenrechts – kein unkanonischer Akt, war doch Lydda zuvor nie Sitz eines Bischofs gewesen. Das Schisma zwischen Ostkirche und Westkirche, das 1054 mit der Niederlegung einer römischen Bannbulle auf dem Altar der Hagia Sophia aufgerissen war, hatte nur dem Patriarchat Konstantinopel gegolten. Zum Jerusalemer Patriarchen Symeon, der in Zypern Zuflucht gefunden hatte, unterhielt der päpstliche Legat Adhemar, der das Kreuzheer nach Antiochia geleitet hatte, ungetrübte Beziehungen. Patriarch Symeon hatte zwar ein Buch gegen die lateinischen Bräuche verfaßt, half aber dem Kreuzheer durch Lebensmittelsendungen, als es vor den Mauern von Antiochia litt. Der Patriarch von Antiochia, Johannes Oxeites, war von der türkischen Besatzung Antiochias als Gefangener im Käfig über den Stadtmauern gezeigt worden. Als es Bohemund gelungen war, den im türkischen Dienst kämpfenden armenischen Offizier Firuz für eine Übergabe der Stadt durch Verrat zu bestimmen, wurde er wieder in sein Patriarchenamt eingesetzt. Als man die muslimische Stadt Rugia am Orontes erobert hatte und einen Priester aus der Gefolgschaft des Raimund von Saint Gilles, Peter von Narbonne am Ort zum Bischof einsetzen wollte, war Johannes Oxeites denn auch bereit, die Bischofsweihe zu vollziehen. Das war bereits der Anfang einer lateinischen Hierarchie unter der Herrschaft des Kreuzheers gewesen, keineswegs unkanonisch, denn in der Stadt hatte nie ein orthodoxer Bischofssitz bestanden.

Die fatimidische Besatzung Jerusalems trotzte jedem Ansturm. Das Kreuzheer – 40000 Mann – war in Bedrängnis. Da schaute Peter Desiderius am 6. Juli den in Antiochia verstorbenen Legaten Adhemar in einer Vision und ließ mit der Prophezeiung, binnen 9 Tagen falle die Heilige Stadt den Kreuzrittern in die Hand, eine mystische Begeisterung auflohen. Unter dem Spott der Muslime umzog man in Prozession barfuß die Stadtmauern, voran die Bischöfe, Kreuze und Reliquien tragend. Jetzt erfüllte Peter der Einsiedler eine wichtige Aufgabe. (Peter war es auch gewesen, der auf eigene Faust mit Tausenden aus dem niederen Volk lange vor dem Ritterheer ins Heilige Land aufgebrochen war, aber nicht hatte verhindern können, daß die Türken seine Scharen bei Civetot niedermetzelten.) Seit Antiochia hatte Peter im Ritterheer als Armenpfleger gedient. Jetzt stiftete er mit einer Predigt auf dem Ölberg Versöhnung zwischen den rivalisierenden Gruppen. – Die Besatzungen Genueser Schiffe, die in Jaffa eingelaufen waren, halfen mit handwerklichem

Geschick, zwei Holztürme aufzurichten, die gegen die Nordmauer und gegen den Berg Sion gerollt wurden. Als das christliche Heer in die Stadt drang, wurden nahezu 30000 Muslime hingeschlachtet. Die Juden wurden in der Hauptsynagoge zusammengetrieben und in dem angezündeten Gebäude verbrannt. »Die Stadt«, so schrieb später der Erzbischof von Tyrus als Chronist, »bot ein Schauspiel des Abschlachtens, eine solche Menge an Blut, daß selbst die Eroberer mit Schrecken und Ekel erfüllt wurden.« Bei der Grabeskirche wuschen sich die Kreuzritter, wechselten die blutverschmierten Kleider mit weißen Roben und warfen sich vor Christi Grab zu Boden.

Wäre Adhemar noch am Leben gewesen, so hätte man von ihm den Entwurf einer Verfassung, wie die Heilige Stadt nun zu regieren sei, erwarten können. In ihm, der sich als erster Urban II. für die Kreuzfahrt zur Verfügung gestellt hatte, war die ganze Autorität des Papstes gegenwärtig. Ihm schwebte ein Kirchenstaat vor unter dem orthodoxen Patriarchen Symeon, beraten von seiner Person als dem päpstlichen Legaten. Doch Symeon war einige Tage vor dem Fall der Heiligen Stadt auf Zypern gestorben. Die höhere orthodoxe Geistlichkeit war ihrem Patriarchen ins Exil gefolgt. So war in Jerusalem kein Wahlgremium zur Stelle, welches einen orthodoxen Patriarchen hätte wählen können. Als unter den Kreuzrittern der Vorschlag aufkam, einen König zu wählen, gab es Einspruch von seiten der lateinischen Geistlichkeit. Zu sehr war die Vorstellung gefestigt, daß der Kreuzzug ein Unternehmen der Kirche sei. Als Gottfried von Bouillon zum Herrscher über die Heilige Stadt erhoben wurde, nahm er nicht den Königstitel an, sondern den Titel Advocatus Sancti Sepulchri. Das wurde so gedeutet, als spräche sich darin die Überzeugung aus, daß am heiligen Ort noch immer die Kirche oberste Herrin sei. Niemand könne als König herrschen, wo Christus die Dornenkrone trug.

Zum Patriarchen wählten die Kreuzritter einen der Ihren, Arnulf von Rohes. Später konnte gegen ihn geltend gemacht werden, daß er – illegitim geboren – nicht kanonisch gewählt sei. Arnulfs Ziel war, das kirchliche Leben zu latinisieren. 20 Domherren setzte er am Heiligen Grab ein. Glocken wurden aufgehängt. Im gleichen Zug wurden in der Omar-Moschee – jetzt Templum Domini – Säkularkanoniker eingesetzt (später als Chorherrenstift organisiert). Der den Muslimen heilige Fels wurde mit Marmorplatten überdeckt.

Sämtliche Privilegien der nonchalcedonensischen Kirchen, die ihnen Anteil an der Grabeskirche sicherten, wurden aufgehoben. Als die einheimischen Christen nach Jerusalem zurückkehrten, waren auch sie davon befremdet. Erst mit Folterungen erlangte Patriarch Arnulf von ihnen die Auskunft, wo die Kreuzreliquie versteckt sei. Das Bewußtsein einer Kirchenspaltung zwischen Ost und West hatte sich jedoch unter den Ostchristen so wenig gebildet, daß sie überhaupt nicht auf den Gedanken verfielen, jetzt eine eigene Hierarchie einzusetzen. Alsbald wurden im Heiligen Land weitere lateinische Bischofssitze errichtet.

Bei der Eroberung von Cäsarea 1101 wurde die alte Kathedrale, die Petrus und Paulus gewidmet, inzwischen aber Hauptmoschee geworden war, neu geweiht und der historische Erzbischofstuhl wieder errichtet. Die Griechen blieben in ihrem Ersatzkirchlein, das sie sich eingerichtet hatten, Petrus minor. Bethlehem, das nie Bischofssitz gewesen war, wurde 1110 von König Balduin zum Bistum erhoben. Der kreuzfahrende Bischof Arnulf von Marturano freilich, der auf dieses Bischofsamt gehofft hatte, wurde von den Muslimen gefangen und blieb verschollen. Das Patriarchat Jerusalem hatte der Erhebung Bethlehems zum Bischofssitz Widerstand entgegengesetzt. Jetzt wurde Bischof Anschetin, mit dem 1108 das Bistum Askalon nominell errichtet war, nach Bethlehem versetzt. Als 1153 Askalon als letzte der Küstenstädte erobert wurde, hätte man dort eine Pfarre unter Bethlehems Jurisdiktion errichten müssen. Statt dessen zogen König und Patriarch in die Hauptmoschee zum Dankgottesdienst, und bald darauf weihte der Patriarch einen neuen Bischof für diesen Sitz. In Überführung des historischen Bistums Skythopolis (Beit Schean) nach Nazareth wurde 1129 in der Heimat Christi ein Erzbistum errichtet. Die Äbte vom Berge Tabor und von Tiberias galten als seine Suffragane. Als 1168 der Versuch unternommen wurde, das hierarchische System im Königreich Jerusalem zu ordnen, wurde auch in Hebron ein Bischofssitz kreiert und zwar als Suffraganat des Patriarchats. In der bisherigen Geschichte hatte der griechische Patriarch keine Suffragane, nur Synkelloi. Nach westkirchlichem Recht konnte die altkirchliche Gliederung aber nicht fortbestehen: Um Metropolitanfunktionen ausüben zu können, mußten mindestens drei Suffragane zur Stelle sein.

Ein dorniges Problem stellte sich mit der Gründung des Erzbistums Tyrus. Die Bischofsstadt hatte stets zum Patriarchat Antiochien gehört. Als der Jerusalemer Patriarch vier Jahre nach der Eroberung den ersten lateinischen Erzbischof weihte, war die Stadt aber im Königreich Jerusalem eingegliedert. Die Erzbischöfe von Tyrus hätten am liebsten eine exemte Kirchenprovinz geschaffen, die nicht nur das südliche Suffraganat Akkon, sondern auch die nördlichen Suffraganate zusammengehalten hätte, die außerhalb des Königreichs Jerusalem lagen. Doch sie verloren in Rom das kirchenpolitische Spiel. Die Marienkirche von Tyrus, ohne Zweifel identisch mit der im 4. Jh. von Bischof Paulinus gegründeten historischen Kathedrale, die von den muslimischen Herren zur Moschee umgewandelt war, eignete sich das Domkapitel der Grabeskirche an. So mußten sich die Erzbischöfe von Tyrus mit der hl. Kreuzkirche eine neue Kathedrale schaffen. Der Heilige Stuhl entschied 1206, daß die kirchlichen Zirkumskriptionen mit dem politischen Herrschaftsgebiet identisch sein sollten.

Für die lateinische Praxis in der Grabeskirche erwies es sich mehr und mehr als schwierig, daß die örtlichen Traditionen, die typisch orthodox waren, doch fortgeführt werden mußten. Aber es fehlte der lateinischen Geistlichkeit an Kenntnis orthodoxen Brauchtums. Unter allen Prälaten war nur Erzbischof Wilhelm von Tyrus ein Sohn des Heiligen Landes. Der Nachschub an Klerikern kam aus Europa. Nur in der Grabeskirche und in Akkon fand man gelegentliche theologische Lehrtätigkeit. Trotz allen Reichtums wurde unter der Kreuzfahrerherrschaft kein theologisches Bildungsinstitut gestiftet. Wilhelm von Tyrus mußte, um sich theologisch zu bilden, 20 Jahre in Italien und Frankreich studieren.

Bei Annäherung des Kreuzheeres hatten die Muslime alle außerhalb der Stadtmauern Jerusalems liegenden Kirchen zerstört, so auch die hl. Maria im Tale Josaphat und Dormition auf dem Berge Sion. Als der russische Abt Daniil 1106 das Mariengrab besuchte, sah er es noch immer in Ruinen. Doch bald fanden sich disziplinierte Benediktiner dort ein, die Tag und Nacht die Offizien hielten. Gottfrieds Kampfgenosse Graf Werner von Grez ließ sich 1100 im Mariengrab beisetzen, andere Lothringer wie Arnulf von Oudenaarde folgten ihm. 1120 wurde ein Vetter König Balduins II. Abt; als 1126 die hl. Maria im Tale Josaphat als Grabgelege der Königinnen Morphia und Melisende hergerichtet wurde, empfing das Kloster reiche Schenkungen. Die Tradition, daß im Tale Josaphat das Jüngste Gericht beginnen solle, wurde von den Kreuzfahrern übernommen.

Das zerstörte Dormition wurde von den Kreuzfahrern noch schneller aufgebaut. Hier schuf sich der Patriarch eine Residenz, als er nach Gottfrieds Tod an der feierlichen Einholung Balduins (des Bruders des Verstorbenen) nicht teilhaben wollte, dessen Herrschaftsvorstellungen dem theokratischen Ideal des Patriarchen widersprachen. 1142 wurde das Kloster Dormition Schauplatz des Konzils, das der Legat Alberich von Ostia einberufen hatte.

Daß Raimund von St. Gilles, der den Marsch auf Jerusalem geleitet hatte, sich nicht die Königskrone der Heiligen Stadt hatte verschaffen können, verärgerte den Grafen so sehr, daß er die Davidsburg, in der er residierte, dem neuen Herrscher Gottfried auszuhändigen verweigerte. Schließlich fand er sich bereit, die Burg in der Hand des Bischofs von Rugia zu lassen, bis eine Ratstagung der Ritter den Streitfall geregelt hätte. Aber kaum war Raimund aus der Burg ausgezogen, als sie der Bischof, ohne einen Rechtsentscheid abzuwarten, Gottfried aushändigte. Die Waffen, die in der Burg lagerten, nahm der Hierarch mit sich. Raimund half zwar noch dem König bei der Vernichtung des ägyptischen Heeres, das von Askalon her die Kreuzritterherrschaft bedrohte. Dann aber zog er mit heimkehrwilligen Rittern auf dem Küstenweg nach Norden. Dadurch wurde er in eine Affäre verwickelt, bei der es darum ging, ob Latakia byzantinischer Flottenstützpunkt bleiben solle oder von Bohemund in seine antiochenische Herrschaft einbezogen werden könne. Bohemund gehörte zu jenen Feudalherrn des Kreuzzugs, die Kaiser Alexios Komnenos den Lehnseid geschworen hatten. Er war daher in Pflicht genommen, seine Eroberungen dem byzantinischen Reich einzugliedern. So konnte er erst dann seine Herrschaft gegen die legitimen Ansprüche des Kaisers abgesichert sehen, wenn sie von der byzantinischen Seeherrschaft nicht mehr in Frage gestellt wäre. Bohemund hatte den Glücksfall, daß der neue päpstliche Legat (der bisherige Bischof von Pisa, Dagobert) mit einer Pisaner Flotte herangesegelt war, genutzt und hatte Latakia von der Seeseite blockiert. Raimund, der als Anhänger von Adhemars Konzeption das einerzeit in Konstantinopel beschworene Bündnis mit dem byzantinischen Kaiser fortsetzen wollte, war zutiefst betroffen, als er den päpstlichen Legaten seine Tätigkeit im Osten mit einem Vergehen beginnen sah. Er legte sich mit seinen Mannen nach Latakia und hißte sein Banner neben dem byzantinischen Zeichen.

Bohemund, der an den heiligen Stätten noch nicht angebetet und damit sein Kreuzzugsgelübde noch nicht erfüllt hatte, schloß sich dem Zug des päpstlichen Legaten nach Jerusalem an, nicht anders Balduin, Bruder des Königs von Jerusalem, der die Herrschaft in Edessa ausübte. Man schätzt die Kopfstärke dieses Pilgerzugs auf 300 Ritter und 2000 Mann Fußvolk. »Patriarch« Arnulf wurde mit der Begründung abgesetzt, daß seine Wahl gegen das Kirchenrecht verstoßen habe.

Auf Bohemunds Betreiben wurde Dagobert an seiner Stelle zum Patriarchen von Jerusalem gewählt. Sofort nach seiner Einsetzung knieten Gottfried und Bohemund vor ihm nieder und ließen sich von ihm mit den Herrschaftsgebieten Jerusalem und Antiochia belehnen. Dies war, was Antiochia anlangt, ein Rechtsakt, mit dem ein Jerusalemer Patriarch in unkanonischer Weise in den Jurisdiktionsbereich des antiochenischen Patriarchen eingriff – dem »Fürsten« Bohemund willkommen, da er sich nun auf eine päpstlich legitimierte Einsetzung berufen konnte, die ihn gegenüber dem byzantinischen Kaiser und dem orthodoxen Patriarchen Johannes Oxeites von Antiochia, den er als Griechen byzantinischer Sympathien verdächtigte, unabhängig machte.

Als Herr über Antiochien vollzog Bohemund einen Akt, der die endgültige kirchliche Spaltung zwischen Griechen und Lateinern einleitete. Er verfügte die Ausweisung des griechischen Patriarchen Johannes Oxeites aus der Stadt und ernannte an seiner Stelle den Lateiner Bernhard von Valence. Patriarch Johannes trat zwar nach seinem Eintreffen in Konstantinopel vom Amte zurück, aber zu Gunsten eines Nachfolgers, der von seinen exilierten Geistlichen gewählt wurde. Er selbst schrieb im Kloster Oxeia eine antilateinische Streitschrift mit bitteren Klagen über die lateinische Unterdrückung. So kam es zum rivalisierenden Nebeneinander einer griechischen und lateinischen Hierarchie im Bereich der Kreuzstaaten.

Zum Glück verfolgte Balduin, der seinem Bruder Gottfried in der Jerusalemer Herrschaft nachfolgte, eine andere kirchenpolitische Linie. Zwar hatte der Jerusalemer Patriarch Dagobert Balduins Aufstieg zur Herrschaft hintertreiben wollen. Doch die Briefe, die er an Bohemund nach Antiochia schrieb, um ihn zum Zug nach Jerusalem zu veranlassen, waren unterwegs abgefangen worden; Balduin, der sich eilig von Edessa aufgemacht hatte und wissen durfte, daß der frühere Patriarch Arnulf die Davidsburg für ihn besetzt hielt, schlug am Hundsfluß das muslimische Heer, das ihn aufhalten wollte, und vergalt Dagobert nicht sogleich. An Weihnachten 1100 huldigte er Dagobert in der Geburtskirche von Bethlehem und ließ sich von ihm zum König krönen. Doch für Balduin war es unerläßlich, die Kirche strenger unter seine Aufsicht zu stellen: Ihr flossen alle Stiftungen zu, nicht den weltlichen Instanzen im Heiligen Land. Die Kirche hatte ein gut strukturiertes organisatorisches Netz über alle Kreuzfahrerstaaten geschaffen. Um darüber verfügen zu können, mußte Balduin den Patriarchen aus dem Amt drängen. Als zu Ostern 1101 Kardinal Moritz von Porto als päpstlicher Legat eintraf, erhob Balduin vor ihm Anklage, indem er Dagoberts verräterischen Brief an Bohemund vorwies. Kardinal Moritz verbot Dagobert die Teilnahme an den Osterfeierlichkeiten und versah die heiligen Handlungen selbst. Ein Versuch Dagoberts, den König durch Geldgabe zu bestechen, hatte zwar vorübergehenden Erfolg. Dagobert wurde kurz darauf abgesetzt, fand Zuflucht in Antiochia und wurde dort in die Georgskirche eingewiesen. Als er jedoch im antiochenischen Hilfsheer mitzog, das dem bei Ramleh in Bedrängnis geratenen Balduin gegen die Fatimiden beistehen sollte, und darauf hoffte, daß seine Wiedereinsetzung erpreßt werden könne, war ein neuer Legat zur Stelle: Kardinal Robert von Paris. Er entschied auf einer Bischofssynode, die unter seinem Vorsitz stattfand, gegen Dagobert. Der frühere Patriarch Arnulf von Rohes war klug genug, auf eine eigene Kandidatur zu verzichten. Statt dessen wurde der alte Priester Evremar von Therouannes, der mit dem ersten Kreuzzug gekommen war und fern aller Politik ein frommes Leben führte, erhoben. Ihn weihte der Legat. Aber Dagobert gab das Spiel nicht auf. 1105 erreichte er bei einem Besuch in Rom in Begleitung Bohemunds die Wiedereinsetzung in die Patriarchenrechte durch Papst Paschalis – ein Fehlurteil des Papstes, das sich nur deswegen nicht auswirkte, weil Dagobert, der eine triumphale Rückkehr vorbereitete, erkrankte und starb.

Da Evremar seinen Verwaltungsaufgaben nicht gewachsen war, konnte die Patriarchenfrage noch nicht als endgültig gelöst angesehen werden. Evremar wie Arnulf querulierten in Rom. Als der Papst den Erzbischof Gibelin von Arles zur Klärung der Frage entsandte und dieser Evremars Ungeeignetheit einsah, unterbreitete Balduin den Vorschlag, daß Gibelin selbst als Patriarch bliebe. Evremar übernahm jetzt das Erzbistum Cäsarea. Als Gibelin nach 4 Jahren starb, wurde endlich Arnulf wiederum ohne Widerspruch auf den Patriarchenthron Jerusalems erhoben.

Gewiß konnte man Arnulf manche Korruption vorwerfen. Als eine Nichte eine günstige Ehe einging, schenkte er ihr als Mitgift einen Besitz der Grabeskirche in Jericho. Arnulf wirkte dahin, daß der Traum der Kreuzfahrer des ersten Kreuzzugs, im Heiligen Land eine ideale Theokratie zu gründen, fallengelassen wurde. Während im Abendland unter Führung der cluniazensischen Reformbewegung jede Einmischung feudaler Instanzen in das kirchliche Ämtergefüge abgewehrt wurde, bestimmten in den Kreuzfahrerstaaten die Feudalherren die kirchliche Ämterbesetzung, ohne Widerspruch zu finden.

Als das Königreich durch Eroberungen erweitert wurde, sorgte Arnulf dafür, daß sich weltliche und kirchliche Jurisdiktion entsprachen – dies auch gegen den Widerstand des Papstes, der in Vorliebe für die normannischen Herrscher Antiochias und in Verteidigung der historischen Rechte des antiochenischen Stuhls sich solchen Lösungen widersetzte. Arnulf setzte im gesamten Klerus eine Konformität der Anschauungen durch, auch mit dem Mittel der Absetzung im Falle einiger Domherrn der Grabeskirche.

Das bedeutendste an Patriarch Arnulfs Wirken war, daß er im Gegensatz zur antiochenischen Praxis in Zusammenarbeit mit Balduin wieder gute Beziehungen zu den einheimischen Christen schuf. Zwar hatte Arnulf in seiner ersten Amtszeit 1099 die nonchalcedonensischen Kirchen von der Grabeskirche weggewiesen. Aber Dagobert war noch darüber hinausgegangen, indem er ihnen ihre Klöster nahm, ja auch die chalcedonensischen Griechen und Georgier ausschloß. Auch hatte Dagobert gegen den orthodoxen Brauch Frauen zu Dienstleistungen in der Grabeskirche herangezogen. Die Orthodoxen setzten an Ostern 1101 ein Protestsignal, als sie das Osterfeuer nicht aus dem Christusgrab herausreichten und die in reichlicher Zahl aufgehängten Lampen erlöschen ließen. Alle fünf enteigneten Gemeinden beteten dann solidarisch um Vergebung für die Franken. Arnulf und Balduin lernten aus diesem Vorkommnis. Man gab den Griechen die Schlüssel der Grabeskirche zurück. Daß zu höheren Ämtern nur Geistliche aus den Reihen der Franken gewählt wurden – bis auf einige griechische Domherrn am Heiligen Grab –, nahmen die Griechen hin, zumal in den Wirren vor den Kreuzzügen ihre höhere Geistlichkeit davongestoben war.

Zu ihren Leistungen waren die Kreuzritter immer aufs neue durch eine religiöse Vergewisserung befähigt, die ihnen durch Visionen, das Mitführen von Reliquien, durch Segnungsakte der Hierarchen oder bedeutungsschwere Riten, die sie hingebungsvoll vollzogen, vermittelt wurde. Schon in Antiochia hatte das Auffinden der Heiligen Lanze sie belebt. Am 10. Juni 1098 war ein ärmlicher Bediensteter eines provencalischen Kreuzfahrers ins Zelt zum Grafen Raimund von Saint Gilles getreten, um von Andreas-Visionen zu berichten, die ihm den Fundort jenes Speeres angezeigt hätten, der Christi Seite durchbohrte. Man grub in der St. Peterskathedrale und fand nichts. Graf Raimund begab sich enttäuscht hinweg. Schließlich sprang Peter selbst, nur mit einem Hemd bekleidet, in die Grube und förderte triumphierend ein Eisenstück zutage. Der Legat Adhemar von Le Puy zweifelte zwar dies Wunder an, aber das Heer war so ermutigt, daß es die Schlacht gegen die Belagerer Antiochias gewann.

Ehe Raimund von Saint Gilles von Jerusalem abrückte, zog er mit allen seinen Leuten, deren jeder ein Palmblatt trug, wie Peter Bartholomäus einst geboten, zum Jordanfluß. Alle tauchten sie im Wasser unter – ein Ritus, der unter Pilgern gebräuchlich war. Dann legten sie reine Gewänder an. Am Epiphaniastag 1100 begleiteten Patriarch Dagobert und Gottfried die Pilger zur Wasserweihe im Jordan.

Auf die Heilsdaten des Kirchenjahres konzentriert, pflegten die Ritter eine fast abergläubige Terminwahl für ihre Aktivitäten. Der Mönch Guibert von Nogent, der in seinen Gesta Dei per Francos einen lebendigen Bericht vom ersten Kreuzzug lieferte, erzählte von Ritter Matthäus, einem Heimatgenossen, »fleißig im Besuch der göttlichen Mysterien«, daß er, von den Heiden gefangengenommen, zur Verleugnung des Christusglaubens gezwungen werden sollte. Andernfalls drohte ihm der Tod. Der Ritter bat um einen Aufschub bis zum 6. Tag. »Den gewährten (die Verruchten) ihm gern, da sie meinten, er würde sich in der Zwischenzeit zum Widerruf entschließen. Als der festgesetzte Tag gekommen war und die Heiden ihn wütend bedrängten, ihrem Ansuchen nachzugeben, soll er zu ihnen gesagt haben: Ihr denkt vielleicht, ich hätte das über meinem Haupte hängende Schwert nur in der Absicht entfernt, einige Tage zu gewinnen. Nein, vielmehr, um an demselben Tag sterben zu können, an dem mein Herr Jesus Christus gekreuzigt wurde.« (Jetzt war Karfreitag!) »Erhebet euch also, fügte er hinzu, und gebt mir den Tod, wie ihr wollt. Ich verlange nicht mehr, als meine Seele dem zu übergeben, ... der an diesem selben Tage selbst sich geopfert hat für das Heil aller. Mit diesen Worten bot er den Hals dem Eisen.« – Bedroht von einem überlegenen Heer, das bei Askalon stand, verschob Balduin die Schlacht um einen Tag, um an einem Sonntag, »dem Tage, da Christus von den Toten auferstand, mit größerer Sicherheit« kämpfen zu können, auch, um den Patriarchen durch einen Boten um ununterbrochene Fürbitte angehen zu können. – Als sich im September 1101 König Balduin mit einer viel zu geringen Streitmacht vom ägyptischen Wezir el-Afdal eingeschlossen sah, befeuerte der Anblick der Reliquie des wahren Kreuzes und eine Segnung und Absolution durch den Kardinal-Legaten die Kreuzfahrer, daß sie aus Ramleh ausbrechen und die Ägypter schlagen konnten. Als im Frühjahr 1119 der Ortoqide Ilghazi die Herrschaftsgebiete von Antiochia und Edessa bedrängte, ließ König Balduin II. den Kampfgeist seines Heeres mit einem Stück des wahren Kreuzes, das sich in der Obhut des Erzbischofs Evremar von Cäsarea befand, stärken. Die Kreuzreliquie mußte alsdann eilig nach Süden gesandt werden, damit sie am Kreuzerhöhungsfest, dem 14. September, in der Grabeskirche anwesend sei.

Die Kleriker der Grabeskirche sahen es nicht gern, daß ihre kostbaren Reliquien den Fährnissen des Krieges ausgesetzt wurden. Als 1120 König Balduin dem bedrohten Antiochia zu Hilfe eilte, begleitete der damalige Patriarch Gormond in Person das königliche Heer, um die Kreuzreliquie in Verwahrung zu nehmen. Als Joscelin von seiner Gefangenschaft in der Festung Kharpurt durch einen tollkühnen Handstreich armenischer Freunde befreit wurde, brachte er die Ketten, mit denen er gefesselt war, zum Golgatha-Altar.

Mit dem Tod König Balduins II. 1131 war die Kreuzfahrergeneration der Wegbereiter dahingegangen. Fulk, der Balduins Tocher Melisende zur Ehe genommen, folgte ihm auf den Thron Jerusalems. Eine zweite Generation von Männern und Frauen, die im Heiligen Land großgeworden war, Kinder oft von einheimischen Christinnen, insbesondere von Armenierinnen, hatte sich bereits in orientalische Lebensformen hineingefunden. Wenn sie auf Wahrung des Besitzstandes und auf nachbarliche Beziehungen zu muslimischen Teilfürsten aus waren, so gerieten sie in Spannung zu den angriffslustigen Neuankömmlingen.

Fulk von Chartres bemerkt in seiner Historia Hierosolymitana, Gott habe den Westen in den Osten verpflanzt. »Wir, die wir Abendländer waren, wurden zu Morgenländern gemacht. Wer Römer oder Franke war, ist nun ein Galiläer oder Einwohner von Palästina. Einer, der Bürger von Reims oder Chartres war, wurde nun zum Bürger von Tyrus oder Antiochien gemacht. Wir haben unsere Geburtsorte schon vergessen ... Einige haben Frauen genommen nicht aus ihrem eigenen Volk, sondern Syrerinnen oder Armenierinnen oder sogar Sarazeninnen, die die Gnade der Taufe empfangen haben. Einige haben ihren Schwiegervater bei sich im Haus.« Bald sprach man im Heiligen Land nicht nur in Kreuzfahrerkreisen französisch. Der Chronist schreibt: »Verschiedene Sprachen wurden beiden Rassen vertraut, und der Glaube schloß Menschen zusammen, deren Vorväter einander noch fremd gewesen waren. Solche, die Ausländer waren, sind nun Einheimische ... Wer hat je Vergleichbares gehört?«

Daß die Kreuzfahrerkultur nicht einfach einen Kulturtransfer aus dem Westen darstellte, zeigte sich an der Festungsarchitektur. In dem permanenten Krieg, in dem sich das Königreich Jerusalem zu behaupten hatte, war die von einer Garnison besetzte Burg und der Ausfall aus der Burg Mittel der Herrschaftsübung über eine zum Teil feindlich gesonnene Bevölkerung und der Verteidigung gegenüber feindlich eingebrochenen Heerfahrten oder Raubzügen. In dieser Hinsicht paßten sich die Kreuzfahrer der byzantinischen, armenischen und islamischen Übung an. Sie lernten vom lokalen Burgbau. Die Burg war bald Symbol kreuzritterlicher Präsenz. Die Burgkirche war ihr Herz.

Zur Zeit der Eroberung gab es wohl befestigte Küstenstädte, kaum aber Inlandfestungen. Bald waren von den zwölfhundert bewohnten Orten Palästinas einhundert befestigt. Rund um den ägyptischen Fußhalt in Askalon, das man 1099 zu nehmen versäumt hatte, und von dem alle gefährlichen ägyptischen Angriffe ausgingen, entstanden die Burgen Ibelin, Blanchegarde und Gibelin. Gaza wurde 1149 befestigt. Ebenso wurde das muslimisch gehaltene Tyrus in eine Muschel von Burgen gesteckt: Chastel Neuf und Toron (um

1106) und Casal Imbert (um 1123). Bei der Ausweitung des König-reichs entstanden an der Straße der Mekkapilger und der Handels-karawanen die großen Anlagen von Montreal und Kerak. Keraks Feuersignale waren in Jerusalem zu sehen. Damit waren zugleich die Wasserplätze der Beduinen unter Kontrolle. Gegen Damaskus wurde die Stadt Baneas (Cäsarea Philippi) befestigt, südlich davon die kleine Balduinburg angelegt. Der Ort der Taufe Jesu am Jordan wurde von einer kleinen Templerburg geschützt, ebenso der Jordan-übergang, den man »Brücke der Töchter Jakobs« nannte (Chastellet 1178). Von hervorragender strategischer Lage war am Westufer des Jordan die Johanniterburg Belvoir. Von deren Höhe konnte man das Jordantal bis nach Beit Schean (Skythopolis) einsehen. Rund um Jericho machten die griechisch-orthodoxen Klöster, die nach dem Willen ihrer Stifter in unzugänglicher Berglage gegründet waren, einen Festungsbau überflüssig.

Zur Beherrschung des Reichsinneren folgten die Kreuzritter dem byzantinischen Muster. Safed, schon 1102 gegründet, wurde in der zweiten Hälfte des zwölften Jhs. zu einer der stärksten Burgen aus-gebaut. Im 13. Jh. bot das mit doppelter Umwallung gesicherte Kloster auf dem Taborberg einen wichtigen Rückhalt. Das kleine Kreuzfahrerdorf Buria am Fuß des Berges wurde ummauert.

Zu den befestigten Sitzen, die rund um das unentbehrliche Akkon errichtet wurden, zählte Montfort. Doch hatte die Burg mehr noch der frommen Retraite der Deutschen Ordensritter zu dienen. Unter den kleinen Forts gewann die »Pilgerburg« der Templer, von der aus man ein Karmeltal einsehen konnte, unter den Bedingungen des späteren Rumpfgebiets hohe Bedeutung.

Abendländisches Eremitentum, wie es im 11. und 12. Jh. im Gegen-satz zu den Wohlstandsklöstern in den Wäldern Lothringens, Nord-italiens und Kalabriens neu zur Blüte gekommen war, siedelte damals ins Königreich Jerusalem herüber. Jakob de Vitry berichtete davon: »Heilige Männer entsagten der Welt und wählten entsprechend ihren verschiedenartigen Neigungen ... Orte zum Wohnen aus, die ihrer Absicht und Frömmigkeit zusagten. Einige, die vom Beispiel des Herrn besonders angezogen waren, wählten jene ersehnte Wild-nis aus, die Quarantena genannt war, wo unser Herr nach seiner Taufe vierzig Tage gefastet hatte, um dort als Einsiedler zu leben, und dienten in bescheidenen Zellen auf höchst tapfere Weise Gott. Andere führten in Nachahmung des hl. Anachoreten, des Propheten Elia, am Berg Karmel ein Einsiedlerleben, besonders in jener Ge-gend, die über der Stadt Porphyria liegt, die heute Haifa genannt wird, in der Nähe der Quelle, die Eliasquelle heißt, nicht weit weg vom Kloster der hl. Jungfrau Margareta (das von griechischen

Mönchen besiedelt war), wo sie in bienenkorbförmigen bescheidenen Zellen gleichsam als Bienen des Herrn wie Honig geistliche Süßigkeiten bereiteten.«

Als die Kreuzfahrer später nur noch den Küstenstreifen bei Akkon beherrschen konnten, blieb den Eremiten lediglich eine einzige Landschaft, in der sie ihrer Berufung leben konnten, der Karmel. Sie ließen sich von dem in Akkon residierenden Jerusalemer Patriarchen Albert, der bisher als Bischof von Vercelli gewirkt hatte und 1204 von den Kanonikern des Heiligen Grabes zu ihrem Patriarchen gewählt worden war, eine Regel geben – irgendwann vor dem Jahr 1214, denn damals wurde der Patriarch am Fest der Kreuzerhöhung während einer Prozession erstochen. Das war der Ursprung des Karmelitenordens, der sich durch Rückwanderung der Karmelmönche in allen europäischen Nationen ausbreitete. Die vom Patriarchen Albertus aufgestellte formula vitae ahmte den Lebensstil der palästinensischen Mönche in den Lavren des 5. Jhs. nach.

Bedeutendste Innovation, die sich im kirchlichen und politischen Leben des Königreichs Jerusalem auswirkte, war die Gründung der Ritterorden. Mönche, verfügbar durch ihre Gelübde der Armut, Keuschheit und des Gehorsams, zugleich Kämpfer, die nicht wie sonst menschliches Blut um irdischer Vorteile willen vergossen, stellten sie dem Königreich einen ständig bereiten, im Kriegshandwerk geübten Bestand von Kriegern. Ihre Disziplin machte einen kollektiven Einsatz auf dem Schlachtfeld möglich – im Gegensatz zum Stil des Einzelkämpfers, den die Feudalherrn pflegten.

1070 hatten fromme Bürger von Amalfi in Jerusalem ein Hospiz zur Versorgung armer Pilger gegründet. Der damalige ägyptische Statthalter hatte dem Amalfischen Konsul die Wahl eines Bauplatzes gestattet. Die erste Institution war dem hl. Johannes Eleemon geweiht, dem aus Zypern gebürtigen Patriarchen Alexandrias aus der Zeit des Persersturms – in Jerusalem beliebt, weil Patriarch Sophronios mit ihm zusammengearbeitet und seine Vita verfaßt hatte. Meister Gerhard, der die Amalfischen Mönche leitete, die im Hospiz Dienst taten, war von der ägyptischen Besatzung aus der Heiligen Stadt gewiesen worden, ehe die Belagerung durch das Kreuzheer begann. Den neuen Herren war er durch seine Ortskenntnisse hilfreich und bewog sie, seinem Hospital Stiftungen zuzuwenden. So viele Pilger traten den »Hospitalitern« bei, daß es gut war, diese Mönchsgruppe aus der Vormundschaft der Benediktiner zu entlassen und als selbständigen Orden zu organisieren. In Jerusalem fanden Tag um Tag nahezu 2000 Kranke ihre Versorgung im Hospital. Gerhards Nachfolger, Raimund von Le Puy, fand es aber nicht genug, kranke Pilger zu pflegen. Man müsse kämpfend die Pilgerstraßen offenhalten. Die Hauptaufgabe lag jetzt eher bei den kämpfenden Mönchen. Man vertraute sich statt dem ostkirchlichen hl. Eleemon (dem Barmherzigen) dem Evangelisten Johannes als himmlischem Schützer an.

Die Entwicklung der Johanniter zum Ritterorden erfuhr den ideologischen Einfluß der Tempelherren, die eine Generation später entstanden, genannt nach ihrer Niederlassung auf dem Tempelplatz. Das Ideal eines »reinen« Rittertums leuchtete auf. Der Kämpfer war von der christlichen Gesellschaft ethisch akzeptiert. Die Kirche legitimierte sein Waffenhandwerk durch eine Definition der Zwecke. In der Regel der Templer hieß es in Artikel 9: »Oh ehrwürdige Brüder! Gott ist mit Euch, denn Ihr habt gelobt, die verräterische Welt zu verachten um der ewigen Gottesliebe wegen. Schreckt nicht davor zurück, unmittelbar aus dem Gottesdienst, erfüllt und geheiligt vom eucharistischen Leib Gottes, gestärkt durch die Gebote des Herrn in die Schlacht zu gehen, vielmehr haltet Euch bereit für die Märtyrerkrone.« Der theologische Traktat des Bernhard von Clairvaux, De laude novae militiae, der dessen Predigt zum zweiten Kreuzzug zusammenfaßt, war von der Regel der Templer bestimmt. Die Ordensgründung fällt in die Zeit Balduins II.

Um 1118 hatte sich eine kleine Gruppe mönchischer Krieger um Hugo von Payens geschart, welche Pilger auf dem Weg von Jerusalem zum Hafen von Jaffa oder zum Jordan eskortierte. Als mehr innere Sicherheit im Königreich entstand, wurde dieser Dienst überflüssig. So wurde die Aufgabe ausgeweitet auf die Verteidigung des Königreichs an den Grenzen.

Der erste Anlauf zu einem ethnisch abgegrenzten Ritterorden geht darauf zurück, daß die deutsche Minorität unter den Kreuzfahrern nicht willens war, sich von der französischen Kultur des Königreichs absorbieren zu lassen. Man unterhielt ein deutsches Hospital, womöglich unter der Obhut der Johanniter. Gegründet wurde der Deutsche Ritterorden erst, als sich das christliche Europa zum dritten Kreuzzug aufraffte. Friedrich von Schwaben unterstützte die Anfänge, die Bestätigung durch Papst Clemens III. wurde 1191 erreicht. Die Deutschen übernahmen die Regeln der Templer.

Daß die Ordensritter nur gegenüber dem Papst zum Gehorsam verpflichtet waren, schuf keine Konflikte mit dem König, wohl aber entstanden Spannungen zur lokalen Hierarchie. Die Päpste zögerten nicht, die Privilegien der Orden stetig zu vermehren. Das begann mit der Bulle Paschalis II. Piae postulatio voluntatis von 1113 zu Gunsten der Johanniter und der Bulle Innocenz II. für die Templer 1139 Omne datum optimum. Die Ausnutzung dieser Privilegien war für die Orden eine ständige Versuchung. So ließen sie die

Affiliation ansässiger Edelleute ohne Mönchsgelübde zu, die bisher Wohltäter der Kirche waren, jetzt zu Spendern der Orden wurden. Ordenskapellen maßten sich Parochialrechte an und beraubten damit die Ortsgemeinden ihrer Einkünfte. Der Johanniterfriedhof wurde bei Begräbnissen vorgezogen. Der Patriarch, der die Anfangsgruppe der Templer gesegnet und auf Stützung seiner Autorität durch den Orden gehofft hatte, war enttäuscht, als er merken mußte, daß ihm keinerlei Weisungsgewalt zugestanden war. Der Heilige Stuhl bekam auf dem III. Laterankonzil eine Flut von Klagen über die Orden zu hören.

In den Ritterorden fand das mittelalterliche Rittertum seine Identität. Rekrutierten sich die Orden auch aus dem Kleinadel Europas, der in einer Ordenskarriere Aufstiegschancen sah, und besaß er bald auch Häuser im Abendland, so blieben doch die Führungszentren im Heiligen Land. Die rund 670 Ritter, die im Königreich ansässig waren und zu deren Lehenspflicht der Kriegsdienst gehörte, hätten nie den Anforderungen des Dauerkriegs genügen können. Mehr und mehr besetzten die Ordensritter die Kreuzfahrerburgen. Das fing damit an, daß König Fulk 1137 den Johannitern Gibelin übergab. 1152 wurde Gaza den Templern ausgehändigt und schließlich Askalon. Alle neuen Burgen des 13. Jhs. gehörten den Orden. Das Königreich war viel zu arm geworden, selbst Neubauten zu stiften und zu unterhalten. Die Pilgerburg, deren Bau 1218 begann, und Safed, das 1240 errichtet wurde, waren Templerburgen.

Eine bedeutende Rolle spielten die Frauen des Königshauses. Königin Melisende wandte sich im Alter frommen Werken zu. Für ihre jüngste Schwester Joveta, für die kein Gatte gefunden wurde, und die als Nonne ins St. Annen-Kloster eintrat, wurde beim Dorf Bethanien am Fuß des Ölbergs zu Ehren des Lazarus und seiner beiden Schwestern ein Kloster gegründet, das durch die Schenkung der Weinberge von Jericho sich zum reichsten Kloster des Heiligen Landes entwickelte. Joveta, die 24jährig zur Äbtissin gewählt wurde, nahm während ihres langen Lebens eine achtenswerte Position als Äbtissin ein. In ihrem Kloster erzog sie ihre Großnichte, die künftige Königin Sybille.

Unberührt von der lateinischen Präsenz bestand die orthodoxe Mönchsgemeinschaft von Mar Saba weiter. Um 1163 wurde auch wieder eine griechisch-orthodoxe Klerikergemeinschaft an der Grabeskirche zugelassen. Dahinter stand der wachsende Einfluß des byzantinischen Kaisers Manuel I. Komnenos (1143–1180), der nach dem Fall von Edessa spürbar war. Der Kaiser sandte Mosaikkünstler ins Heilige Land.

Während die Kreuzfahrer die orthodoxen Christen – mochten sie hellenisiert oder arabisiert sein – ihrer eigenen Kirche zugehörig fanden, waren ihnen die nonchalcedonensischen Kirchen, auf die sie im Heiligen Land trafen, fremdartige und unbekannte Größen. In den Kreuzfahrerstaaten von Antiochien und Edessa waren die armenischen und syrisch-jakobitischen Christen den griechisch-orthodoxen in der bodenständischen Bevölkerung – abgesehen von den Küstenstädten – numerisch überlegen. Die Kreuzritter, denen zu gehorchen sie nun gezwungen waren, hielten diese Kirchen frei von jeder Unterstellung unter ihre lateinische Hierarchie. Da der armenische Katholikos (damals in Kilikien) und der jakobitische Patriarch (meist in Mardin oder Diarbekir residierend) gut erreichbar waren und diese Kirchenfürsten auch über Christen zu gebieten hatten, die unter muslimischer Herrschaft standen, waren die herrschenden Kreuzfahrer darauf aus, die armenischen und jakobitischen Bischöfe günstig zu stimmen. Sie gewährten ihren Kirchen weitestgehende Toleranz.

Die Lage im Königreich Jerusalem war gänzlich anders. Hier saßen zwar gewisse nonchalcedonensische Führungsinstanzen, Katholikos und Patriarch aber waren nicht erreichbar. Die Zahl der Gläubigen war anfangs klein, und das aus folgendem Grunde: Die Kopten, die angesichts der Tatsache, daß sich die fatimidische Herrschaft Ägyptens auch über das Heilige Land erstreckt hatte, eine bedeutende Position innegehabt hatten, wurden zur Abwanderung nach Ägypten veranlaßt, als das Kreuzheer zum Sturm auf die Heilige Stadt ansetzte. Ein Rest zog mit den ägyptischen Truppen ab, syrische Jakobiten mit ihnen. So wurden die nonchalcedonensischen Gemeinschaften Jerusalems kurzerhand dem lateinischen Patriarchen unterstellt. An der Grabeskirche verloren sie alle Rechte. Zahlreiche syrische Klöster gingen in lateinische Hände über. Mit koptischem Landbesitz wurde Ritter Gauffier belehnt.

Doch nicht auf Dauer wurden die Kopten, weil sie sich zu den ägyptischen Truppen gehalten hatten, von den Kreuzrittern als Feinde angesehen und aus dem Heiligen Land verwiesen. Die Kopten kamen ins Königreich zurück und erhielten auf Königin Melisendes Intervention einen Großteil ihrer früheren Besitztümer zurück. – In den ägyptischen Armeen der Ayubiden, die seit 1187 die Heilige Stadt und weite Teile des Landes besetzt hielten, befanden sich wieder so zahlreiche Kopten, daß sich daraus die Notwendigkeit ergab, einen koptischen Bischof in Jerusalem einzusetzen. Die berühmte Koptenfamilie Awlad al-Assal besaß jetzt ein Haus in Damaskus.

Die koptische Kirche hatte bisher nie eine Auslandsgemeinde besessen. Die Niederlassungen in Palästina und Syrien waren eine Neuerscheinung. So ernannte der koptische Patriarch Kirillos III.

ibn Laqlaq (1235–1243) im Jahre 1237 einen koptischen Bischof für Jerusalem. Der syrisch-jakobitische Patriarch Ignatios (1222–1252) protestierte dagegen: »Wir sind gleichen Glaubens und schon immer existiert ein syrischer Bischof in Jerusalem, der vom Patriarchat Antiochia abhängig ist. Warum jetzt diese Neuerung?« Der koptische Patriarch Kirillos antwortete: »Ihr habt im syrischen Kloster der ägyptischen Wüste Deir es-Suryan nur eine kleine Gemeinde von 40 Mönchen und ihr ernennt für sie doch einen Abt. Warum wehrt ihr euch dagegen, daß wir für die koptische Gemeinde von Jerusalem und die ganze palästinensische Küste einen Bischof ernennen?« Es wurde erkennbar, daß das kanonische Prinzip »an einem Ort nur *ein* Bischof« infolge der Kirchentrennungen außer Gebrauch geriet, daß aber die syrischen Jakobiten sich mit den Kopten noch als *eine* Kirche verstanden. Der Kopte Kirillos stellte das Prinzip in Frage, weil die kulturellen und sprachlichen Unterschiede die Seelsorge an den Kopten im Heiligen Land erschwerten.

In einer Gegenaktion weihte der syrische Patriarch den äthiopischen Mönch Thomas zum abun (Metropoliten) Äthiopiens, obwohl doch die Weihe des äthiopischen Metropoliten kirchenrechtlich dem Stuhl von Alexandria zustand. So gab es Ende des 13. Jhs. zwei Metropoliten in Äthiopien. Freilich konnte sich der von den Syrern geweihte Hierarch nicht lange halten.

Unter allen Bevölkerungsgruppen Palästinas waren es die Armenier, die die günstigste Position in den Kreuzfahrerstaaten gewannen. Ihre Fürstentöchter wuchsen in die Königsfamilie von Jerusalem hinein. Der Herrscher von Edessa, Thathoul, hatte Balduin eingeladen, mit seinem Heer nach Edessa vorzurücken, und ihm seine Tochter in die Ehe gegeben. In der Landschaft von Edessa siedelten keine Ritter. Die Untertanen in diesem Landstrich waren Armenier. Sie nahmen die Herrschaft der europäischen Ritter deswegen hin, weil ihnen Katholikos Nerses das Buch Daniel dahin auslegte, daß vom Volk der Franken die Erlösung komme. Freilich nötigte Balduin I. seine armenische Frau später, sich in ein Kloster zurückzuziehen. Glücklicher war die Ehe Balduins II. mit der Armenierin Morphia. Deren Tochter Melisende gewann bestimmenden Einfluß. Ihre Hand verschaffte Fulk von Anjou die Königswürde. – Als man im Heiligen Land bäuerliche Siedler benötigte, versprach Fürst Thoros, armenische Bauern zu senden. Doch die lateinische Kirche bestand darauf, daß diese zur Zahlung des Zehnten verpflichtet sein müßten wie muslimische Untertanen. Daran scheiterte dieser Plan. Der größte Einstrom von Armeniern in Jerusalem kam mit der Welle der Flüchtlinge von Edessa, darunter fähige Handwerker. Akkon, der Haupthafen der Kreuzritter, besaß jetzt eine armenische

Kolonie, die den Handel mit Kilikien in der Hand hatte, vor allem mit dem Hafen Ajas. Die Armenier besaßen in Akkon ein Hospiz nahe dem Nikolaustor, das Guido von Lusignan freilich 1192 dem Deutschen Ritterorden übergab. In Cäsarea war die armenische Volksgruppe so stark, daß es sich lohnte, für sie einen Bischof zu ernennen. Einer der dortigen Vasallen hatte sich als »Georg der Armenier« einen Namen gemacht.

Als 1142 die Omarmoschee als Kirche des Templerordens geweiht und ein zweites Jerusalemer Konzil einberufen wurde, das auf Sion gehalten werden sollte, kam der armenische Katholikos Grigor Pahlavuni nach Jerusalem. Der Katholikos unterzeichnete bei diesem Anlaß ein Credo. Fürst Thoros wurde von König Amalrich I. in aller Pracht in der Heiligen Stadt empfangen.

Auch Georgier und Russen kamen in das Königreich der Kreuzfahrer. Der Kantor der Grabeskirche Anseau berichtete nach Paris, die Witwe des georgischen Königs David, »dessen Königreich für uns wie ein Wall gegen die Meder und Perser« ist, habe ihr Haupt geschoren, das religiöse Gewand angelegt, habe die Kreuzreliquie aus dem Königsbesitz, auch viel Geld mit sich genommen und sich mit Begleiterinnen nach Jerusalem begeben. »Einen Teil des Goldes, das sie mitgebracht hatte, schenkte sie den Klöstern der Heiligen Stadt und gab davon den Armen und Pilgern Almosen. Dann trat sie auf den Rat des Patriarchen in eine Kongregation frommer Georgierinnen in Jerusalem ein und einige Zeit danach übernahm sie auf Bitten der Schwestern und des Patriarchen die Leitung der Ordensgemeinschaft.«

Als frühester Pilger aus dem russischen Land langte Abt Daniil 1106 in Jerusalem an. In der Beschreibung seiner Pilgerfahrt hieß es: »Ich, der unwürdige Igumen des russischen Landes, Daniil, der schlimmste aller Mönche, gedemütigt durch die Menge meiner Sünden, der ich kein gutes Werk getan hatte, wurde von meinem Bewußtsein aufgefordert, und mit Ungeduld habe ich es gewollt, die heilige Stadt Jerusalem, das Gelobte Land und die heiligen Stätten zu sehen ... Mit Gottes Gnade«, so fährt er fort, »gelangte ich zu den heiligen Stätten in Frieden, und mit eigenen Augen sah ich die heiligen Stätten und besuchte das ganze Gelobte Land, durch welches Christus, unser Gott, selbst mit seinen Füßen geschritten, und wo er viele Wunder getan hatte.«

Als König Fulk 1143 bei einer Jagd so unglücklich mit dem Pferd stürzte, daß er an den Wunden starb, ließ sich Königin Melisende zusammen mit ihrem noch unmündigen Sohn Balduin III. an Weihnachten 1143 in der Geburtskirche von Bethlehem durch den damaligen Patriarchen Wilhelm von Messines krönen. So wurde die

Herrschaftsfolge gesichert, wenn es auch einer Frau weniger gut gelingen konnte, die Lehnshoheit über den nördlichen Kreuzfahrerfürstentümern aufrechtzuerhalten.

Daß Edessa in muslimische Hand fiel, schreckte Europa auf. Bernhard von Clairvaux predigte in Vezelay und im Zug durch Deutschland und Frankreich das Kreuz. Der deutsche König Konrad und der französische Herrscher Ludwig brachen zum zweiten Kreuzzug auf. Nachdem sie ihre Mannschaften, die auf dem Heereszug in Bedrängnis durch die Türken geraten waren, im Stich gelassen und zur See nach St. Symeon oder Akkon gefahren waren, langten sie mit ihrem Hofstaat in Jerusalem an. Ihre Anwesenheit gab dem Hof der Königin Melisende besonderen Glanz. Doch der unkluge und schnell gescheiterte Heereszug gegen Damaskus, der bei einer Beratung der Fürstlichkeiten in Akkon beschlossen wurde, ließ die Unternehmung des zweiten Kreuzzuges versanden.

Im Jahre 1183 verschoben sich die christlich-muslimischen Machtverhältnisse im Vorderen Orient. Saladin gelang es, die muslimischen Reiche vom Tigris bis zur Cyrenaica zu vereinigen, während Balduin IV., der über das Königreich Jerusalem zu gebieten hatte, so jung an Jahren am Aussatz dahinsiechte. Die Barone erfüllten den Wunsch des sterbenden Königs, daß der Sohn seiner Schwester Sybille zum Nachfolger gewählt werden solle. Patriarch Heraclius krönte das Kind in der Grabeskirche. Doch das Kind starb, noch nicht neun Jahre alt, und Sibylles Gatte Guido von Lusignan ergriff die Macht – ungeeignet für seine Aufgaben. Die Barone, in Nablus versammelt, sahen sich durch einen Eid an den tüchtigen Raimund von Tripoli gebunden, den Balduin der Aussätzige als Regenten für das kleine Kind eingesetzt hatte. Doch Patriarch Heraclius schloß gegen sie die Stadttore Jerusalems und krönte unter Mißachtung des Eides Sybille und ihren zweiten Gatten Guido – dies an einem Freitag des Jahres 1186. Der Chronist stellt fest: »Niemals war in Jerusalem ein König an einem Freitag gekrönt worden, nie auch bei geschlossenen Toren.« Vorahnungen kommender Katastrophen kamen auf.

Saladin hatte zwar den Waffenstillstand mit den Kreuzfahrern, der Palästina einen neuen Wohlstand verschaffte, 1187 für weitere drei Jahre verlängert. Doch Rainald von Chatillon, Herr in Kerak, konnte sich nicht versagen, die an seiner Burg vorüberziehenden Karawanen der Mekka-Pilger auszuplündern, ja, auch ihre Schiffsgeleitzüge abzufangen. König Guido konnte den mächtigen Fürsten nicht zur Rechenschaft ziehen. So rief Saladin den heiligen Krieg, den Itihad, gegen die Kreuzfahrer aus.

Das Ritterheer griff Saladin vor Tiberias auf einem steinigen Gelände ergebnislos an; dann zog es sich zur Nacht auf den Berg Hattin – vermeintlicher Ort der Bergpredigt Christi – zurück, erschöpft von Hitze und Wassermangel. Saladin ließ das Buschwerk am Hügel anzünden und versetzte das Christenheer in Rauchschwaden. Nach einem heldenhaften Kampf und vergeblichem Ausbruchsversuch ließen sich die Ritter apathisch niederhauen. Die Reliquie des heiligen Kreuzes, die sie mit sich geführt hatten, ging verloren. Noch am Abend des zweiten Schlachttages wurden Nazareth und das Kloster auf dem Tabor-Berg zerstört. Die Christen von Nazareth, die sich in die Marienkirche geflüchtet hatten, wurden niedergehauen. Am 18. September 1187 begann die Belagerung Jerusalems. 60 000 Menschen, überwiegend Frauen und Kinder, waren eingeschlossen. Der militärische Schutz war ungenügend. Absonderliche Bußriten sollten das drohende Unheil abwehren. Prozessionen unter Führung des Patriarchen Heraclius zogen durch die Stadt. Doch schon nach wenigen Tagen gelang muslimischen Pionieren, einen Abschnitt der Nordmauer zum Einsturz zu bringen, gerade an der Stelle, an der vor 88 Jahren die Kreuzfahrer durchgebrochen waren. Seitdem hatte an dieser Stelle ein weithin sichtbares Kreuz gestanden, das nun mit Getöse herabstürzte. Als der Kampf hin und her wogte, verhandelte Saladin mit Ritter Balian von Ibelin, der der Schlacht von Hattin entronnen war und die Verteidigung Jerusalems leitete, und stimmte einer Regelung zu, die lateinischen Christen, die sich freikauften, freien Abzug gewährte. 1500 Christen, die den vereinbarten Abschlag nicht aufbringen konnten, wurden in die Sklaverei verkauft.

Daß das christliche Abendland nach der vernichtenden Niederlage, die Saladin 1187 den Kreuzrittern bei Hattin bereitet hatte, den Versuch unternehmen konnte, das Königreich Jerusalem wieder herzustellen, beruhte allein darauf, daß Tyrus als eine der befestigten Städte des Reiches – gegen die zögernd unternommenen Versuche Saladins, die Stadt zu stürmen – gehalten werden konnte. Mit dem Festland nur durch eine schmale, sandige Halbinsel verbunden, über die ein mächtiger Wall gezogen war, war der Hafenstadt mit den Belagerungsmaschinen Saladins schwer beizukommen. Zehn Tage nach der Katastrophe von Hattin war das Schiff des Konrad von Montferrat, des Bruders des ersten Gatten der Königin Sibylle eingelaufen. Konrad hielt die Stadt, bis Hilfe aus dem Westen kam.

Königin Sybille hatte sich nach Tripolis begeben. Als Saladin in seiner großzügigen Art König Guido gegen den Schwur, nach Frankreich zurückkehren und nie wieder gegen Muslime kämpfen zu wollen, freigab, eilte der König zu seiner Frau. Ein Kleriker entband ihn unverzüglich von seinem Eid, der unter Druck und einem Ungläubigen gegenüber geleistet sei. In Tyrus wurde Guido freilich nicht wieder als Herrscher akzeptiert. Daß er tollkühn nach Akkon weiterzog, um diesen Hafen wieder in christliche Hand zu bekommen, leitete lange erbitterte Kämpfe der von Seeseite unterstützten Christen und Saladins herangerücktem Heere ein. Der innere Zwist auf seiten der christlichen Mächte mußte beendet werden. So fanden sich Hierarchen bereit – ohne auf die kirchlichen Kanones zu achten –, sowohl Sibylles Tochter Isabella als auch Konrad von Montferrat aus ihren bisherigen Ehebündnissen zu lösen und zu verkoppeln, um Konrad zum legitimen König von Jerusalem zu erheben. – Die abendländischen Monarchen Richard Löwenherz und König Philipp von Frankreich, die zur Rettung des Heiligen Landes anlangten, fanden nicht zu ungetrübter Zusammenarbeit, da Philipp die Thronanwartschaft von Konrad unterstützte, Richard aber mit der Sache Guidos verbunden blieb. Als Akkon rückerobert und die dortigen Kirchen gesäubert und neu geweiht waren, wurde unter dem päpstlichen Legaten Adelard von Verona die Königsfrage so gelöst, daß Guido bis zu seinem Lebensabend regieren und Konrad sein Nachfolger werden sollte. Als Konrad durch zwei Assasinen heimtückisch ermordet wurde, veranlaßte man Isabella, deren Hand jedweden Gatten zur Königsherrschaft berechtigte, Heinrich von der Champagne zu ehelichen.

16 Monate lang kämpfte Richard Löwenherz mit Bravour für die christliche Sache. Nie wieder befand sich auf dem Boden Palästinas eine so glänzende Schar von Fürsten. Doch wurde nicht mehr erreicht als ein Küstenstreifen von 90 Meilen in christlichem Besitz, nie tiefer ins Land reichend als 10 Meilen. Immerhin war das Königreich kräftig genug, um ein Jahrhundert weiter zu bestehen.

Der Friedensvertrag, den Richard Löwenherz mit Saladin am 2. September 1192 schloß, gewährte den Pilgern freien Zutritt zu den heiligen Stätten. Jetzt kamen einzelne Gruppen des Kreuzheeres unbewaffnet mit Geleitbrief nach Jerusalem. Tröstlich war, daß der syrische Bischof von Lydda im Feldlager des englischen Königs ein Bruchstück des Kreuzes Christi, das er gerettet hatte, vorweisen konnte. Bald teilte der Abt des griechischen Klosters Mar Elias mit, wo er ein weiteres Stück vergraben hatte. Schließlich vermachte Saladin, der lange in Jerusalem residierte, um die Verwaltung Palästinas zu ordnen, wiederum der Grabeskirche die Kreuzesreliquie, die er oft den Christen höhnisch gezeigt hatte.

Als Patriarch Heraclius gestorben und sein Nachfolger sich als unfähig erwiesen hatte, wählten die Domherren des Heiligen Grabes den Erzbischof Aymar von Cäsarea als Nachfolger des Patriarchenthrons. König Heinrich, der mit dieser Wahl nicht einverstanden war, verhaftete kurzerhand die Kapitelsherren. Doch da er nicht von einem Patriarchen gekrönt worden war, sprach man ihm das Recht zu solcher Handlungsweise ab. Der Papst rügte den Jerusalemer König.

Der 5. Kreuzzug, dessen Organisation Papst Innocenz III. selbst in die Hand genommen hatte, da die spontane Bereitschaft der Feudalherren nachgelassen hatte, lenkte die abendländische Heeresmacht gegen Ägypten. Wenn die Muselmanen aus dem Niltal vertrieben seien, besäßen sie keine Flotte und kein Korn mehr. 1218 stand das Ritterheer in Damiette Saladins Neffen, dem Sultan Malik el-Kamil, gegenüber.

Hier nun ereignete sich ein Zwischenspiel, das langwährende Folgen fürs Heilige Land gewann. Mitten in den Kämpfen um Damiette erschien 1219 der hl. Franz von Assisi im Kreuzfahrerlager. – Die große Neuerung der Kapitelstagung des Franziskanerordens von 1219 war es gewesen, daß Missionen in den Ländern der Ungläubigen beschlossen wurden. Als Franz im Hafen von Ancona bei den zur Kreuzfahrt bereitliegenden Schiffen anlangte, fand die große Zahl von Brüdern, die ihn begleitet hatten, nicht Platz an Bord. »Da die Matrosen sich weigern«, sagte Franz zu ihnen, »Euch alle mitzunehmen, und ich, der ich Euch alle gleich liebe, nicht das Herz habe, eine Auswahl zu treffen, so laßt uns Gott bitten, uns seinen Willen kundzutun.« Er rief ein Kind, das am Hafen spielte, herbei und ließ es mit dem Finger aufs Geratewohl zwölf Brüder bestimmen, mit denen sich der Heilige alsbald einschiffte. Unter ihnen befand sich der ehemalige Jurist Peter von Catania, Bruder Barbaro, einer der ersten Anhänger, und die beiden ehemaligen Ritter Illuminatus und Leonhart. Am 24. Juni 1219, dem Johannestage, ging man unter Segel und lief zunächst Zypern an. Als Bruder Barbaro in einem Wutanfall einen Mitbruder beschimpfte, stopfte er sich, um sich selbst dafür zu bestrafen, Eselsmist in den Mund. Man erreichte Akkon Mitte Juli und verband sich dann mit der Hauptmacht der Kreuzfahrer vor Damiette. Als Franz am 29. August früh morgens von Angriffsplänen erfuhr, sagte er zu seinen Gefährten: »Der Herr hat mir geoffenbart, daß die Christen einen Mißerfolg erleiden werden. Soll ich sie davon benachrichtigen? Wenn ich rede, werden sie mich wie einen Irrsinnigen behandeln. Wenn ich schweige, wird mir mein Gewissen Vorwürfe machen. Was hältst Du davon, mein Bruder?«. »Das Urteil der Menschen ist bedeutungslos«, antwortete der Gefährte, »schließlich giltst Du nicht erst von heute an als ein Narr!«Die Kreuzfahrer machten sich über Franzens Ankündigungen lustig. Der Angriff kostete das Kreuzheer 6000 Tote.

Das Vorhaben des Heiligen, die Muslime in Liebe zu bekehren, statt sie zu erschlagen, erschien den Kreuzfahrern verrückt. Kardinal Pelagio, der mit Verstärkungen in Damiette ankam, ermutigte Franz in seinem Plan keineswegs. Doch der Bischof von Akkon, der das Kreuzfahrerlager oft besuchte und als Chronist die Ereignisse beschrieb, berichtet, daß viele Feudalherren das Waffenhandwerk oder einen hochgestellten geistlichen Rang aufgaben, um Minderbruder zu werden. »Dieser Orden«, schreibt er weiter, »erinnert an die ursprüngliche Kirche, insofern als seine Mitglieder genauso leben, wie die Apostel gelebt haben. Magister Regnier, Prior von St. Michael, ist ebenso beigetreten wie Klaus von England, unser Schreiber, und Herr Matthias, dem ich die Sorge für die heilige Kapelle übertragen habe. Michael, Heinrich der Vorsänger und viele andere, deren Namen mir entfallen sind, haben ebenso gehandelt.«

Franz beschloß, wie ein Überläufer die feindlichen Linien zu überqueren und den muslimischen Feinden zu predigen. Den Bruder Illuminatus nahm er mit sich und begab sich auf die feindlichen Linien zu. Er sang: »Und wandelte ich unter dem Schatten des Todes, so fürchte ich doch nichts, denn Du, Herr, bist bei mir« (Ps 23). Um seinen unsicheren Gefährten zu stärken, wies er auf zwei Schafe, die in dieser gefährlichen Gegend friedlich weideten: »Mut, mein Bruder, setze Dein Vertrauen auf Ihn, der uns wie Schafe mitten unter die Wölfe schickt.«

Unterdessen erschienen muslimische Wachposten auf der Szene, stürzten auf die beiden Ordensleute und schlugen sie. Da Franz, so laut er konnte, den Namen des Sultans anrief, hielten die gegnerischen Krieger die Mönche für Parlamentäre und brachten sie gefesselt ins Lager. Franz erklärte französisch, er wolle den Sultan mit dem Evangelium bekehren. Anderswo hätte eine solche Forderung ihm den sofortigen Tod gebracht, aber am Hof des Malik el-Kamil zählte man manche Zweifler, die gern über den Vorrang von Koran oder Evangelium stritten. Der Sultan ließ die Minderbrüder vorführen. Um sie aber in Verlegenheit zu bringen, ließ er vor seinem Thronsessel einen Teppich ausbreiten, der mit Kreuzen übersät war. Wenn sie mit dem Fuß auf die Kreuze träten, so meinte der muslimische Herrscher, so haben sie den Akt vollzogen, mit dem abtrünnige Christen ihre Apostasie bezeugen. Wenn sie sich mir des Kreuzteppichs wegen nicht nähern wollen, kann ich sie wegen Verweigerung der Huldigung strafen. Doch Franz trippelte fröhlich über den Teppich und antwortete auf die Vorhaltung des Sultans: »Du müßtest wissen, daß es auf dem Kalvarienberg mehrere Kreuze gegeben hat, dasjenige Christi und die der beiden Verbrecher. Was diese anlangt ... haben wir keine Bedenken, darauf herumzustampfen.«

Malik el-Kamil empfand Zuneigung zu dem kleinen Armen und lud ihn ein, sich bei ihm niederzulassen. »Das werde ich gerne tun«, antwortete Franz, »wenn Du bereit bist, Dich mit Deinem Volk zum Christenglauben zu bekehren.« Franz bot an, die Feuerprobe zu bestehen. Von den Geschenken, die ihm reichlich angeboten wurden, nahm Franz nichts außer einem Horn (Shofar), das ihm später im Heiligen Land dazu diente, die Menschen zur Predigt zusammenzurufen. Der Sultan ließ die Mönche mit Achtungsbezeugungen ins christliche Lager zurückführen.

Als es mit einer neuerfundenen Kriegsmaschinerie – Türmen, mit Leder umkleidet, auf Schiffe montiert – am 5. November 1219 gelang, Damiette zu erobern, sah man mitten unter den siegestrunkenen Kreuzfahrern den hl. Franz bei den Leichen auf den Straßen hocken und Tränen vergießen. Jetzt schiffte er sich nach Akkon ein. Dort weilten schon Minderbrüder. Bruder Aegidius, den es zum Heiligen Land zog, war in Brindisi beim Warten auf ein Schiff als Wasserverkäufer durch die Stadt gelaufen, um seinen Lebensunterhalt zu finden. In Akkon hatte er Körbe geflochten und verkauft oder Tote zum Friedhof getragen. 1215 hatte er die Grabeskirche besucht. Nach ihm kam Elias da Cortona, der 1217–1221 im Heiligen Land seinen Dienst tat. Ihn hatte Cäsar von Speyer getroffen, Schüler des Domdekans Konrad von Reifenberg, eines päpstlichen Kreuzzugspredigers. Cäsar war aus Deutschland geflüchtet, um den erbitterten Eltern der Ritter zu entkommen, die er einst für die Kriegsfahrt geworben hatte. Die Predigt des Elias hatte ihn zum Eintritt in die franziskanische Bruderschaft gewonnen. – Franziskus traf mit den Brüdern im Heiligen Land zusammen. In Akkon erfuhr er vom Martyrium von fünfen seiner Söhne, die unter den Muslimen Marokkos ihr Leben hingegeben hatten. – Es ist übrigens durchaus denkbar, daß Franziskus in seinem Eifer, Christen und Muslime zu evangelisieren, an den Heiligen Stätten vorbeilief.

Jacques de Vitry, ursprünglich Kanonikus von Oignies und dort Teilhaber an der Frömmigkeitsbewegung der hl. Maria von Oignies, 1216 vom Papst nach Perugia berufen, damit er als Bischof von Akkon geweiht werde, war schon bei diesem Anlaß in Berührung mit den Franziskanern gekommen. Als Bischof von Akkon stellte er den Minderbrüdern ein beredtes Zeugnis aus.

Dank eines Passes, den der Herrscher von Damaskus – ein Bruder des Sultans Malik el-Kamil – dem Heiligen ausstellte, konnte Franziskus, ohne Zoll zu zahlen, durch das ganze Heilige Land reisen. Doch im Sommer 1220 mußte Franz seinen Aufenthalt im Orient jäh abbrechen. Bruder Stephan kam als Abgesandter der Portiuncula und überbrachte schlimme Nachrichten, wie die Vikare in Italien den Orden auf die falsche Bahn lenkten. Man saß gerade in einer syrischen Stadt zu Tische. Als Franz von den strengen asketischen Regeln hörte, die man seinen Söhnen in Italien auferlegen wollte, äußerte er als erstes: »Wir wollen heute Fleisch essen.«

Die Anordnungen, die Franziskus für das Wirken unter den Sarazenen gab, lauten so: »Die Brüder, die hinziehen, können auf zweierlei Art geistlich unter ihnen weilen. Die eine Art ist, daß sie weder Wortwechsel noch Streitigkeiten erregen, sondern aller menschlichen Kreatur untertan sind um Gottes willen und bekennen, sie seien Christen. Die andere Art ist, daß sie, wenn sie es Gott gefallen sehen, das Wort Gottes verkünden: sie sollten glauben an Gott, den Allmächtigen, Vater und Sohn und Heiligen Geist, den Schöpfer des Alls, an den Sohn als Erlöser ... und sollten sich taufen lassen ... Denn wer nicht wiedergeboren ist aus Wasser und Heiligem Geist, der kann in Gottes Reich nicht eingehen ... Und alle Brüder, wo sie auch sind, seien eingedenk, daß sie für den Herrn Jesus Christ sich hingegeben und ihren Körper abgetan haben und Ihm zuliebe ihn den Feinden aussetzen müssen.«

Franziskus nahm nach Italien den Bruder Elias und Cäsar von Speyer mit. Doch die Franziskaner gaben die im Heiligen Land gestellten Aufgaben nie wieder auf.

Nachdem Cäsar von Speyer den Auftrag erfüllt hatte, die von Franz aufgestellte Franziskanerregel mit Bibelzitaten zu versehen, wurde er als erster Provinzialminister nach Deutschland gesandt. Er, der auf den Spuren Christi im Heiligen Land gewandelt hatte, baute nun von Augsburg aus das Netz der deutschen Minoritenniederlassungen auf. Tragisch war sein Ende: An Christi Armut gebunden, konnte er die Aufweichungen im Armutsleben der Brüder nicht hinnehmen; der gleiche Elias, der ihn für den Orden gewonnen und im Heiligen Land begleitet hatte, verstieß ihn darum. In einem italienischen Kerker wurde Cäsar von einem Gefängniswächter niedergeschlagen.

Noch einmal gelang den abendländischen Mächten, Jerusalem in Besitz zu nehmen. 1229 brach Kaiser Friedrich II. in den Orient auf. Durch friedliche Verhandlungen – die Heeresmacht im Hintergrund – kam die Heilige Stadt in lateinische Hand zurück. Den christlichen Pilgern wurden bestimmte Rechte gesichert. Wie zwiespältig das christliche Urteil über Friedrichs Erfolg ausfiel, zeigt der Konflikt des Kaisers mit den Franziskanern von Akkon. Papst Gregor IX. erkannte die Bestimmungen der »Konvention von Jaffa« vom 18. Februar 1229 nicht an, in denen Friedrich II. dem muslimischen Partner gegenüber auf die Rückerstattung früherer lateinischer Besitztümer verzichtete. Es waren die Franziskaner, die den päpstlichen Brief überbrachten. Während sich Friedrich in der Grabeskirche selbst zum König von Jerusalem krönte, verlasen sie in Akkons Kirchen seine Exkommunikation. Daher entbrannte des Kaisers Zorn gegen die Franziskaner der Stadt. Am Palmsonntag holte er sie von den Predigtkanzeln, ließ sie auf dem Boden vor sich prosternieren, sie ihres geistlichen Gewandes berauben und führte sie wie gefangene Räuber durch die Stadt.

Im Sommer 1244 ging Jerusalem den Christen endgültig verloren. Choresmische Reiterhorden, dem Ost-Iran entstammend, 10 000 an Zahl, waren an Damaskus und Tiberias vorbei auf Jerusalem zugeritten. Der neugeweihte lateinische Patriarch Robert eilte mit den Großmeistern der Templer und Hospitaliter zur Verstärkung der Besatzung herbei. Als es aber ernst wurde, wagten sie nicht, dort zu bleiben. Am 11. Juli brachen die Choresmier ein. In Straßenkämpfen erzwangen sie sich den Zugang zum Jakobus-Kloster und machten die armenischen Mönche nieder. Die Besatzung der Jerusalemer Zitadelle hielt stand. Als die Choresmier jedoch, da die Franken muselmanische Verbündete herangebeten hatten, unsicher wurden und freien Abzug aus der Zitadelle gewährten, zogen 6000 Christen zur Küste hin ab. Als sie auf die Stadt zurückschauten und Kreuzesfahnen auf den Zinnen sahen, verfielen sie dem Irrtum, ein Ersatzheer sei angelangt. Wer daraufhin zurückkehrte, wurde unterhalb der Stadtmauer niedergemacht. Nur 300 erreichten das von den Kreuzfahrern gehaltene Jaffa. Alte lateinische Priester, die sich in Erfüllung ihrer Priesterpflicht die Grabeskirche zu verlassen weigerten, wurden von den Choresmiern am Altar, an dem sie zelebrierten, niedergestoßen.

Den französischen König Ludwig den Heiligen hatte sein Bruder Karl von Anjou auf dem Kreuzzug nach Damiette und Akkon 1248/49 begleitet. Herr von Neapel und Sizilien, hatte Karl von der antiochenischen Fürstin Maria das Anrecht aufs Königreich Jerusalem 1277 gekauft. Daß der blutige Aufstand der Sizilianer vom 30. März 1282 – die sogenannte »Sizilianische Vesper« – den Traum von einer umfassenden, von Neapel gesteuerten und Akkon und Tyrus einbeziehenden Mittelmeermacht – verwehen ließ, wirkte sich in den Kreuzfahrerstädten aus. Roger von San Severino, der in Akkon im Namen Karls von Anjou regierte, sah sich plötzlich ohne Rückendeckung und kehrte nach Italien zurück. Jetzt suchte König Hugo von Zypern sein Festlandkönigtum zurückzugewinnen. Er fand in Beirut und Tyrus gute Aufnahme. Wenn auch die Tempelritter in Akkon lieber bei der unauffälligen Herrschaft Anjous und bei einer Waffenstillstandspolitik geblieben wären, so wurde König Heinrich II. von Zypern doch 1286 vom Erzbischof

Bonnacorso von Gloria, dem Amtsvertreter des Patriarchen, in Zypern gekrönt.

Ein Bündnis mit den Mongolen, die sich in Persien festgesetzt hatten, und in deren Reihen nestorianische Christen bestimmten, hätte für die abendländischen Mächte eine Chance für den Fortbestand des Königreichs Jerusalem bedeutet. Doch der nestorianische Botschafter Rabban Sauma, der mit den abendländischen Monarchen und dem Papst verhandelte, erkannte richtig, daß den Herrschern Europas die Klärung ihrer Rivalitäten vorrangig schien. Als italienische Neuankömmlinge in Akkon muslimische Kaufleute und Bauern niedermetzelten, sahen die Mameluken dies als einen Bruch der Waffenstillstandsverträge an. Am 6. April 1291 begann die letzte Belagerung von Akkon. König Heinrich, der mit 40 zypriotischen Schiffen zur Hilfe eilte, konnte die muslimische Übermacht nicht ausgleichen. Beim Sturm auf die befestigte Stadt fiel der Großmeister der Tempelritter, Wilhelm von Beaujeu, der Großmeister der Johanniter wurde verwundet von seinen Leuten gegen seinen eigenen Widerspruch aufs Schiff gebracht. Der greise Patriarch Nikolaus von Hanape wurde verwundet auf ein kleines Boot gerettet. In seiner Barmherzigkeit erlaubte er aber so vielen Flüchtlingen zuzusteigen, daß das Boot sank und alle ertranken. Es waren viel zu wenig Schiffe, um alle zu retten. Die Muselmanen verschonten niemanden, den sie antrafen. Viele verkauften sie auf den Sklavenmärkten. Akkon wurde zerstört.

Die Besatzungen von Tyrus und Beirut flohen auf die Schiffe. Die Reliquien der Beiruter Kathedrale nahmen sie mit sich. Die Klöster im Karmel wurden niedergebrannt und ihre Mönche ermordet. Daß die Titel eines Königs und eines lateinischen Patriarchen von Jerusalem auf Zypern weitergeführt wurden, änderte nichts daran, daß der letzte Rest von Kreuzritterherrschaft in Palästina vernichtet war.

Die schöne Vorhalle der St. Andreaskirche Akkons, wurde nach Kairo geschafft, um die Moschee zu zieren, die zu Ehren des siegreichen Sultans errichtet wurde. In den verfallenden Mauern der Kirche des hl. Dominikus blieb das Grabmal des Jordan von Sachsen stehen, denn die Muslime hatten beim Blick in den Sarkophag den Leichnam unverwest gesehen.

Das zarte Kapitell in dem von den Kreuzrittern gestalteten Coenaculum, das den Pelikan zeigt, der sich von seinen Jungen das Herzblut aussaugen läßt – Symbol des Blutopfers Christi –, wurde von den Muslimen mit Gips verschmiert. Bis zur Gründung des Staates Israel blieb den Christen das Coenaculum – ältester Ort christlicher Sammlung in der Apostelzeit – unzugänglich.

V. Das Heilige Land unter mamelukischer und osmanischer Herrschaft

Orthodoxe, Lateiner und Nonchalcedonenser in dem von den Mameluken beherrschten Jerusalem

In das von Saldin beherrschte Jerusalem zog erneut ein orthodoxer Patriarch ein. In der Zeit nach dem Tod des Patriarchen Symeon 1099 hatte es überhaupt keine orthodoxen Titelträger gegeben. Dann aber war zwischen Kaiser Manuel Komnenos und dem Kreuzfahrerkönig ein Vertrag geschlossen worden, der die Weihe eines zuständigen Hierarchen für diejenigen Teile der Bevölkerung ermöglichte, die doch nicht einen lateinischen Kult akzeptieren wollten. Der Titelträger aber war in Konstantinopel ansässig geblieben. Von diesem Datum her rührte der Brauch, daß der Basileus von Konstantinopel sich die Ernennung des Jerusalemer Patriarchen anmaßte. Das orthodoxe Patriarchat Jerusalem besaß nun keine eigene kirchenpolitische Linie mehr. Man war verpflichtet, Konstantinopel zu folgen. Auf dem Konzil von Florenz (1439–41), das eine Union zwischen der Römischen und der Byzantinischen Kirche besiegeln sollte, ließ sich der orthodoxe Patriarch Joakim von Jerusalem freilich vom Metropoliten Markus von Ephesus, dem leidenschaftlichsten Bestreiter einer Union, vertreten; er votierte also entgegen der offiziellen Linie Konstantinopels schroff antiunionistisch. Anders hätte das Patriarchat auch nicht in Symbiose mit den muslimischen Mächten leben können.

In Konstantinopel lief das Gerücht um, Richard Löwenherz, der in Vertragsverhandlungen mit Saladin stand, sei auf Latinisierung der Kirchen Jerusalems aus. Man war beunruhigt. Der byzantinische Kaiser Isaak Angelos ließ eine Gesandtschaft zu Saladin reisen und bitten, der Orthodoxie wie zu fatimidischen Zeiten die unbeschränkte Befugnis über die heiligen Stätten zurückzugeben. Doch der muslimische Herrscher wies diesen Antrag ab. Niemandem wollte er einen Vorrang zugestehen. So konnte sich die Orthodoxie in der Heiligen Stadt nicht der lateinischen Konkurrenz entledigen. Der lateinische Patriarch begleitete die abziehenden Kreuzritter erst nach Antiochien, dann nach Akkon. Bis 1291 blieb diese Stadt lateinische Patriarchenresidenz.

Daß dem byzantinischen Kaiser noch immer das Bestätigungsrecht für den Patriarchenthron von Jerusalem zustand, obwohl dieser nicht mehr im byzantinischen Reich gelegen war, konnte zu schweren Verwicklungen führen. Den Patriarchen Athanasios III. hatte ein Beirat des ägyptischen Sultans schon im Amt bestätigt. Als er 1315 zur Bestätigung seiner Wahl auch durch den Basileus nach Konstantinopel reiste, formulierte während seiner Abwesenheit der griechische Bischof von Cäsarea/Philippi, Gabriel Broulas, Vorwürfe gegen Athanasios. Damit gelang es ihm in Konstantinopel die Anerkennung durch den Kaiser zu erreichen und den gesetzmäßigen Patriarchen vom Thron zu stoßen. Erst 1330 wurde Patriarch Athanasios wieder in sein Amt eingesetzt.

1334 wurde Patriarch Lazaros für den Sitz in der Heiligen Stadt gewählt. Er brach anschließend nach Konstantinopel auf, um die Bestätigung des Kaisers Andronikos zu erlangen. Da nutzte der Mönch Gerasimos die Abwesenheit des Patriarchen aus, gegen Lazaros feindselige Erfindungen auszustreuen, ließ sich selbst zum Patriarchen wählen und brach gleichfalls nach Konstantinopel auf. Der Kaiser hielt beide Kandidaten fest und sandte eine Botschaft an den Sultan in Ägypten. Unterwegs in Palästina sollten die Abgesandten ihrerseits Auskünfte einziehen. Der Sultan erklärte sich zwar für Lazaros; doch am 15. Juni 1341 war Kaiser Andronikos gestorben, und der Konstantinopler Patriarch Johannes Kalekas hatte als Vormund des unmündigen Kaisersohns die Macht an sich gezogen. Dieser verbannte Lazaros, weil er an der Ausrufung des Johannes Kantakuzinos als Gegenkaiser Anteil genommen hatte. Er weihte den Gerasimos zum Patriarchen der Heiligen Stadt.

Als Lazaros 1347 mit dem Aufstieg des Johannes Kantakuzinos den Jerusalemer Thron zurückgewonnen hatte, waren doch seine Leiden nicht zu Ende. Der ägyptische Sultan Salah ed-Din unterdrückte die Orthodoxie in seinem Herrschaftsgebiet, nur die koptischen Christen nahm er aus. Den Patriarchen Lazaros ließ er foltern, um ihn zur Verleugnung Christi zu zwingen. Mit Wunden bedeckt schmachtete der Patriarch in ägyptischen Gefängnissen. Insgeheim leistete ihm der koptische Patriarch Beistand.

Als 1453 die Kaiserstadt Konstantinopel in osmanische Hand fiel, scheint dies die Mameluken in Kairo nervös gemacht zu haben. Die Griechen des Jerusalemer Patriarchats bekamen dies zu spüren. Auf Anordnung der Mameluken wurden zahlreiche Klöster und orthodoxe Wohnviertel zerstört, insbesondere die Kirchen auf dem Berge Sion und in Bethlehem. Das sogenannte »Grab Davids« wurde in muslimischen Besitz genommen, die Gräber auf dem griechischen Friedhof wurden profaniert. Die lateinischen Mönche wurden insofern begünstigt, als sie auf dem Sion bleiben durften. Doch wurde ihnen verboten, zum Wiederaufbau der zerstörten Bauten Hand anzulegen. In dieser Lage erlangte der Jerusalemer Patriarch Athanasios historischen Ruhm, indem er in heimlicher Flucht nach Konstantinopel eilte und sich dem osmanischen Eroberer Mehmet Fethi präsentierte. Der Jerusalemer Patriarch übertrug die Funktionen, die bisher der christliche Basileus innehatte, auf den neuen muslimischen Herren. Athanasios wies Sultan Mehmet Fethi die Garantiebriefe Omars vor und ließ sich die Besitzrechte an den Jerusalemer Heiligtümern bestätigen. – Im Jerusalem Saladins war die Grabeskirche zwei muselmanischen Familien anvertraut worden, die berechtigt waren, Eintrittsgebühren zu kassieren. Diese Ordnung bestand bis zum Einrücken Ibrahim Paschas 1831.

Nicht immer war das nachbarliche Zusammenleben von Christen und Muslimen friedlich. Die Kreuzfahrerfestung von Bethlehem, die immer noch bestand, wurde bei einem Zusammenstoß der bethlehemitischen Christen 1489 mit Muslimen, die von Hebron heranzogen, zerstört.

Soweit und solange palästinensische Städte in Kreuzfahrerbesitz waren, unterhielten Franziskaner dort ihre Konvente. Als 1268 Jaffa in muslimische Hand fiel, wurde das Franziskanerkloster der Stadt, das Ludwig der Heilige 1252 gestiftet hatte, zerstört. 1291 wichen die Mönche mit den letzten Rittern vorübergehend nach Zypern aus. Aber schon im Jahre 1333 gründete der Franziskanerorden seine Custodia Terrae Sanctae im von den Mameluken beherrschten Heiligen Land. 44 Jahre nach dem Abzug der letzten Kreuzritter durften die Söhne des hl. Franz, für die der Königshof von Neapel bei den Mameluken in Kairo gutsprach, gefördert von den Avignonensischen Päpsten, in Palästina einziehen und die Wacht an den Heiligtümern übernehmen. Für 12 Brüder wurde beim Coenaculum auf dem Sion die franziskanische Niederlassung geschaffen. Die Königin von Neapel bezahlte den Bau. Mit der Bulle Gratias agimus vom 21. November 1342 bestätigte Clemens VI. dem Franziskanergeneral und dem Kustoden, der auch den Titel Guardian des Berges Sion annahm, die neue Gründung. Nach 20 Jahren kam die Florentinerin Sophia degli Arcangeli ins Heilige Land und gründete beim Franziskanerkonvent ein Hospital mit 200 Betten für Pilger und Arme, das unter die Jurisdiktion des Kustos gestellt wurde. Tertiarierinnen übernahmen die Pflege; viele holten sich dabei den Tod. Die Zahl der Brüder und Schwestern mehrte sich. Der Pilger von Breydenbach traf 1483 24 Minoriten und 6 Pflegeschwestern an.

Die Brüder hatten oft unter den Verhältnissen des mamelukischen Palästina zu leiden. Als Fra Niccolo da Poggibonsi, der sich 1346 eingeschifft hatte, nach einem halben Jahr der Wirksamkeit als Kaplan in Zypern zum Dienst an der Grabeskirche nach Jerusalem kam, forderte der Pascha von ihm die Bezahlung einer willkürlichen

Taxe. Als Niccolo die franziskanische Armut erklärte, ließ der Pascha den Übersetzer verprügeln, und der Bruder erwartete schon dieselbe Behandlung. »Ihr werdet totgeschlagen oder ihr bezahlt!« herrschte der Pascha den Franziskaner an. Zum Glück traf dieser einen Zyprioten, der für ihn die geforderte Summe aufbrachte.

Als Bruder Wilhelm von Castellamare 1364 in Gaza gegen den Islam predigte, wurde er erst bedroht, um ihn zum Übertritt zum Islam zu bewegen, dann in Stücke gehauen und sein Leichnam verbrannt.

Am 14. November 1391 wurde der Franziskaner Nikolaus Tavelić mit seinen drei Genossen Deodato da Rodez, Stefano da Cueno und Pierre von Narbonne in Jerusalem hingerichtet. Sie waren unzufrieden gewesen damit, daß die Christen, sofern sie den Islam nicht angriffen, nur gerade soweit geduldet wurden, daß sie dahinvegetieren konnten. Sie suchten daher ein Mittel, das Evangelium wie der serafische Ordensgründer in direkter Predigt zu den Muslimen zu bringen. Die vier Franziskaner erhielten von ihren Oberen die Erlaubnis, sich den Muslimen in vollem Wissen, was sie zu erwarten hatten, zu konfrontieren. So präsentierten sie sich vor dem Kadi von Jerusalem und einer Menge von Mohammeds Anhängern. Als Beleidiger des Koranglaubens bezahlten sie ihren Missionsversuch mit ihrem Blut. 1970 wurden Tavelić und seine Genossen kanonisiert. Da mit diesem Minderbruder aus Šibenik ein erster Heiliger aus dem kroatischen Volk zur Ehre der Altäre erhoben wurde, strömten 15000 Kroaten zum Akt der Heiligsprechung nach Rom.

Die Päpste vermehrten die Privilegien der Franziskaner der Kustodie, von denen so positive Nachrichten anlangten. Mit der Bulle Sicut de damnabili von 1375 gewährte Gregor XI. den Franziskanern das Recht, Apostaten zum Islam, die reumütig zurückkehrten, mit der Kirche zu versöhnen. Die Bulle erwähnt, daß solche Fälle nicht selten waren. 1421 faßte Martin V. in der Bulle Salutare Studio, gerichtet an den Kustos des Heiligen Landes, das Werk der Franziskaner mit folgenden Worten zusammen: »Wir haben die lobenswerten Taten der Frömmigkeit und Liebe vor Augen, die Ihr und Eure Brüde ohne Aufhören, sei es durch das Ministerium der Predigt zur Erbauung und zur Stärkung des Glaubens, sei es durch Empfang, Führung und Tröstung der Pilger, die die Heiligen Stätten besuchen, ausübt.«

Gegen Ende des 15. Jhs. diente der Franziskanerkonvent von Beirut dazu, die Renegaten, die sich reumütig bei den Brüdern einfanden, in christliche Länder abzuschieben, da sie im Fall der Aufdeckung ihrer Rückkehr mit der Todesstrafe bedroht waren.

Mit den äthiopischen Mönchen Jerusalems vertraut, sandte die

Kustodie den Fra Battista von Imola mit einigen Brüdern zur Mission nach Äthiopien. Da die Missionare zur Zeit eines Wechsels auf dem äthiopischen Thron anlangten, fiel es ihnen schwer, zu Ergebnissen zu gelangen.

Ein deutscher Adliger, der beim Eintritt in den Orden alle seine Güter weggegeben hatte und als Bruder Johannes in Jerusalem Dienst tat, pflegte wallfahrende Adlige zur Grabeskirche zu geleiten und in Anknüpfung an Bräuche der Kreuzzugszeit dort zum »Ritter des Heiligen Grabes« zu schlagen. So fand im Jahr 1480 die moderne Grabesritterschaft ihren Anfang. Die Erlaubnis, die der Papst dem Bruder Johannes gewährt hatte, ging für die nächsten vier Jahrhunderte auf den Guardian über.

Die Wallfahrten ins Heilige Land liefen damals nach folgendem Plan ab: Die Pilger bezahlten dem Kapitän eines Pilgerschiffes in Venedig für Hin- und Rückfahrt einen festen Betrag. Bei der Ankunft des Schiffes in Jaffa mußte der Guardian selbst die Pilger abholen und ihre Karawane geleiten. Als Wegstation auf der Reise nach Jerusalem diente das Franziskanerhospiz von Ramleh. Es war Brauch, die Kapitäne der Pilgerschiffe im Konvent auf dem Sion aufzunehmen. Pilgerinnen wurden den Klarissinnen anvertraut.

Die Kapitäne von Venedig erhielten Genueser Konkurrenz, als der Papst am 10. Mai 1447 Genua Pilgertransporte ins Heilige Land zu übernehmen gestattete. Waffenhandel und weitere gesperrte Waren wurden auf den Transporten ausgeschlossen. Den Genuesen wurde vom Papst erlaubt, von ihren Positionen in Chios, Famagusta und Pera aus sich ins Heilige Land zu begeben.

Auch im Staat Neapel blieb das Interesse am Heiligen Land lebendig. Als die Juden in Jerusalem 1429 das Davidsgrab auf dem Berge Sion mit Hilfe einer Bestechung der mamelukischen Herren besetzten, schröpfte Neapel die in Kalabrien siedelnden Juden; ferner wurden sie gezwungen, an ihre Genossen in Palästina zu schreiben, daß die Folgen auf die Juden Neapels fielen, wenn sie die Christen im Heiligen Land schädigten. 1439 wurde Gandulfus von Sizilien zum Kustoden ernannt. Dem Erzbischof von Messina gestattete ein Papstbrief Pilgerfahrten ins Heilige Land.

All diese Konkurrenz schmälerte kaum das Geschäft der venezianischen Kapitäne. 1429 beschaffte sich der Herzog von Bayern ein Darlehen, um von Venedig aus zu starten. Am 4. April 1432 charterte der Herr von Croy mit anderen Burgundern und Savoyarden ein venezianisches Pilgerschiff und erklärte, weder Genuesen noch Katalanen zu fürchten; man habe die Macht, gegen deren Stammländer Repressalien anwenden zu können. Im September 1436 zog Herzog

Friedrich der Junge von Österreich mit einem Gefolge von 100 Personen mit einer venezianischen Galeere auf Pilgerfahrt.

Die Franziskaner vom Sion entsandten stets zwei oder drei der Ihren nach Bethlehem, hier das gottesdienstliche Leben zu ermöglichen. Der Pilger Adorno berichtete 1470: »Sie wagten jedoch nicht, in der großen Kirche die Offizien zu halten wegen der Muslime, die dort ein- und ausgingen, als ob das ihr Haus und ihre Herberge sei. Wenn sie dort Brüder antrafen, provozierten und quälten sie sie.« Keine Kirche hat den abendländischen Pilger damals so begeistert, wie die Geburtskirche, deren Mosaiken noch im alten Glanz leuchteten.

An vielen von den Pilgern geliebten Orten lagen die Kirchen damals in Ruinen: So in Bethanien die Bauten beim Haus der Martha und der Maria Magdalena, die drei Kirchen auf dem Berge Tabor, die Petruskirche von Jaffa, die Georgskirche in Lydda. Die Kirche auf dem Hirtenfeld wurde von den Muslimen als Steinbruch benutzt. Das Lazarus-Grab diente zwar Muslimen als Wohnung, aber diese hielten das Grab selbst für einen heiligen Ort und sorgten für dessen Schmuck. Die große Kirche von Nazareth war fast ganz zerstört, nur ein Teil befand sich noch unter Dach. Doch die Marmorsäule war zu sehen, an die sich Maria bei der Engelsvision klammerte. Der Jakobsbrunnen war von Muslimen besetzt, die die Quelle verehrten. Den Christen war verboten, heranzutreten. Dem Pilger Adorno gelang es, nachts hinzuschleichen und von dem Wasser zu trinken. Auch die Patriarchengräber in Hebron waren in muslimischem Besitz. Die Christen traten nicht ein, sondern brachten ihre Anbetung vor der Pforte dar.

Die abendländischen Pilger zeigten eine gewisse Kontaktscheu gegenüber den »schismatischen« Christen. Pilger Adorno berichtet, das Kreuzkloster sei von Mönchen der georgischen Sekte bewohnt, ebenso Qarantal. Im Blick über das Tote Meer stellte der Pilger fest: Drüben in der Landschaft von Petra und Kerak wohnen 40000 Schismatiker. Die Annenkirche in Jerusalem ist zwar von muslimischen »Nonnen« besetzt, doch die Pilger besuchen die Kirche und erhalten von den Frauen ein »würziges Kraut als Geschenk«.

In der Vorstellungswelt der abendländischen Pilger sind bestimmte Akzentuierungen erkennbar. Die Legende der Himmelfahrt Mariens ist bei ihnen äußerst lebendig. Als ihnen das Mariengrab im Tale Josaphat gezeigt wird, betonen sie, der Leichnam der Gottesmutter hätte dort nur »einen Augenblick lang« gelegen. »Dieser sehr heilige Leichnam blieb hier nicht lange, sondern hat sehr schnell wieder Leben gewonnen und wurde verherrlicht.«

Man übernimmt von den Orthodoxen die Legende vom Marien-
gürtel und besucht den Ort, wo die Jungfrau dem Apostel Thomas
ihren Gürtel zuwarf. Er, der wie bei der Erscheinung des Auferstandenen auch zum Dormitio-Geschehen zu spät kam, sollte ein
Beweisstück für Mariens Himmelfahrt empfangen.

Die Steinigung des Stephanus wurde jetzt neu lokalisiert: im Tale
Josaphat. Dicht dabei wurde auch ein Grab des hl. Laurentius gezeigt, eines römischen Märtyrers. Auf dem Ölberg ließ man sich
den Ort zeigen, wo die hl. Pelagia, eine antiochenische Kommö-
diantin, büßend in einer Zelle lebte und begraben wurde. Über
ihrem Denkmal befand sich ein Stein, unter dem niemand hindurch-
gehen konnte, ohne zuvor gebeichtet zu haben. An den dem Ölberg
benachbarten Hängen ließ man sich den Ort zeigen, da sich Judas
erhängte, und den Acker, der für das Geld erworben wurde, mit
dem Christi Verrat bezahlt war. Zwei Bogenschuß weiter besuchte
man die Löwenhöhle, in der die 11 000 Christen beigesetzt wurden,
die der Perserkönig Chosroes II. abgeschlachtet hatte.

Nicht immer teilten die Abendländer den Glauben der lokalen Bevölkerung, mit dem sie bekannt wurden. Die Vorstellung, daß
Christus im Tale Josaphat zum Jüngsten Gericht erscheinen werde,
betrachteten sie jetzt kritisch; nicht anders das Hieronymusbild,
das ihnen in Bethlehem gezeigt wurde, und die orthodoxen Ikonen,
die man Acheiropoietoi nennt und von selbst entstanden sein
sollen.

Soziale Einrichtungen im Heiligen Land schätzten die Pilger hoch,
so die tägliche Brotverteilung, die in Hebron unter Nutzung des
Getreides erfolgte, das auf Abrahams Äckern gewachsen war. Befanden sich am Palmsonntag Pilger in der Heiligen Stadt, so nahmen
sie an der Kavalkade von Bethphage zum Sion teil.

Francesco Suriano, der zweimal das dreijährige Amt des Guardian
innehatte (1493 und 1512), drückte den Gewinn der Wallfahrt ins
Heilige Land mit folgenden Worten aus: »Hier ist kein Berg, kein
Tal, keine Ebene, kein Feld, keine Quelle, kein Strom, kein Sturz-
bach, keine Burg, kein Dorf, nicht einmal ein Stein, den der Heiland
der Welt nicht berührt hätte, mit seinen Füßen beim Wandern oder
mit seinen Knien, wenn er zum Vater betete ... oder mit seinem
Heiligen Leib, wenn es Schlafenszeit war, auf dem nackten Boden.«
Der Heiland habe den Boden mit seinem Schweiß, seinem Blut und
seinen Tränen benetzt. »Wie die Dinge, die Christus auch nur ein
wenig berührte, reichlich Kraft und Gnade empfingen, so empfängt
der, der innigeren Kontakt hält, ein größeres Maß von Gnade.«
In der Deutung der Franziskaner erlangte die Heiligkeit des Heiligen
Landes eine Absolutheit, die die frühe Kirche nicht gekannt hatte.

Je mehr Christus-Berührung, desto mehr heilvermittelnde Potenz der Dinge: »Wenn Er dem Kreuz, an dem er 6 Stunden hing, schon solche Gnade vermittelte, daß es den Kranken heilt, wenn Er dem Grab, in dem sein entseelter Leib für 36 Stunden lag, solche Kraft gab, daß es der ganzen Welt glorreich schien, was soll dann über das Heilige Land gesagt werden, in dem Er 30 Jahre ununterbrochen lebte? ... Heilig sind die Früchte, heilig die Bäume, heilig die Holz- balken, heilig die Weide, heilig das Brot, heilig das Wasser ...«

In den unstabilen Verhältnissen der späten Mamelukenzeit wech- selten für die Franziskaner Zeiten der Begünstigung jäh mit Zeiten der Unterdrückung. Unter dem Guardian Franziskus Rosso von Piacenza (1467–1472) lebten zwei Muslime im Jerusalemer Exil, denen von den Brüdern freundlich geholfen wurde: Qait Bey und Jechbek el-Faqih. Beide stiegen zu hoher Macht auf, Qait Bey zum Sultan, der andere zum Wezir. Unter ihnen genossen die Franziskaner sichere Protektion. Als jedoch 1510 die Ritter von Rhodos, verbunden mit portugiesischen Kräften, den Muslimen eine Niederlage beibrachten, warfen die Mameluken aus Rache die Franziskaner für 2 Jahre in ägyptische Gefängnisse. Bei ihrer Rück- kehr zum Berg Sion fanden sie ihr Kloster ausgeplündert. Als vorauszusehen war, daß das osmanische Reich sich das Heilige Land einverleiben werde, richtete Kustos Suriano ein Kloster auf Zypern als Zufluchtsort ein.

Trotz der Herrschaft muslimischer Mächte war Palästina bis zu den Kreuzzügen noch immer ein majoritär christliches Land geblieben. Das »Königreich Jerusalem« der Kreuzfahrer hatte noch einmal Zuzug christlicher Gruppen aus muslimisch beherrschten Nachbar- bereichen ausgelöst, etwa aus Damaskus oder dem Ostjordanland. Jetzt erst unter Mamelukenherrschaft und weil die einheimischen Christen sich den Kreuzfahrern zur Verfügung gestellt hatten und darum als minder zuverlässig galten, wurde das Christentum in die Minderheitssituation manövriert.

Die christliche Wissenschaftskultur Palästinas und der orthodoxe Gottesdienst der Grabeskirche blieb auch in der mamelukischen Periode griechisch. Auf dem Lande hatte sich eine aramäisch-syrisch- sprechende Kultur halten können, vielfach an Übersetzungen aus dem Griechischen genährt. Jedoch im benachbarten Syrien kam in Anpassung an die Kultur des Eroberers eine arabischsprachige christliche Kultur auf, die infolge der Einwanderung syrischer Mönche im Sabas-Kloster Einzug hielt. Bereits im 8. Jh. schrieb Johannes Damascenus in Mar Saba seine apologetischen Werke gegen den Islam in arabisch. Bald wurden hier auch arabische Über- setzungen aus dem Griechischen hergestellt.

Den aramäisch-syrischsprechenden Christen zuliebe die griechische Predigt in die syrische Sprache zu übersetzen, war schon im 4. Jh. eingespielt. Euseb erwähnt in seiner Geschichte der Märtyrer Palästinas einen »Übersetzer«, und die Pilgerin Ätheria erzählt gelegentlich: Der Priester spricht griechisch, aber dann wird übersetzt. Dieses syrische Christentum hielt sich erstaunlich zäh auch gegenüber der Arabisierung der Gesamtkultur. Ein syrisches Horologion des 17. Jhs. spricht dafür, daß in den Landgemeinden damals der Gottesdienst noch immer nicht in arabisch, sondern in syrisch gehalten wurde.

In den Jahrhunderten mamelukischer Herrschaft kamen die georgischen Klöster in volle Blüte. Die Kirche Georgiens war schon 607 unter Erzbischof Kyrion I. zur chalcedonensischen Orthodoxie zurückgekehrt und konnte darum in enge Zusammenarbeit mit den Griechen eintreten. Seit dem 13. Jh. wirkte sich aus, daß die Mameluken-Herrscher zu einem guten Teil kaukasischer Herkunft waren und die Georgier als ihre Landsleute förderten. Das Kloster des Heiligen Kreuzes in der Talsenke am Weg nach En Karem, das vermutlich schon vor der arabischen Invasion bestanden hatte, war von den Seldschuken zerstört und seine georgischen Mönche waren abgeschlachtet worden. Der Pilger Saewulf, der in der Kreuzzugszeit 1102 Jerusalem besuchte, sah es noch in Ruinen liegen, doch der russische Pilger Daniil sah es 1106 schon erneuert. In der Zeit der Kreuzzüge entstand die Legende, am Ort dieses Klosters sei der Baum gewachsen, aus dessen Holz Christi Kreuz gefertigt wurde. In der Mamelukenzeit wurde das Kloster des Heiligen Kreuzes mit seinen über 300 Zellen und trutzigen Mauern Herzpunkt des georgischen Lebens im Heiligen Land. Der georgische Dichter Rustaveli weilte an seinem Lebensende unter den Mönchen und fand hier sein Grab.

Schon 1240 bezeugt Jacob de Vitry, daß den georgischen Pilgern prunkvolle Einzüge in Jerusalem erlaubt waren und daß sie von den sonstigen Wallfahrern auferlegten Gebühren freigestellt wurden. – Jetzt wurden den georgischen Mönchen bedeutende Privilegien an der Grabeskirche zugesprochen: 1308 erlangten sie mit Unterstützung des byzantinischen Kaisers Andronikos II. die Herrschaft über den Golgathafelsen. Ludolf von Sudheim, der 1336–1341 in Jerusalem weilte, bestätigte, daß die Georgier die Schlüssel des Christusgrabs besitzen. Dies ist jedoch nicht als ein die anderen Orthodoxen exkludierendes Privileg zu verstehen: Der griechische Patriarch war es noch immer, der auch den Georgiern hierarchisch vorstand. Er nutzte die guten Beziehungen der Georgier zu den Mameluken für die gemeinsame Sache aus.

1365 ergab sich eine Konstellation, die es möglich machte, daß die georgischen Mönche in die wichtigsten Positionen einrückten. Die Lusignans auf Zypern hatten mit ihrem Angriff auf Alexandria die Mameluken so sehr gereizt, daß sie die auf Sion siedelnden Franziskaner gefangensetzten. 1368 wurden einige von ihnen abgeschlachtet. Die übrigen retteten sich nach Venedig. Auch die griechischen Niederlassungen im Heiligen Land gerieten in Bedrängnis. Da traten jene georgischen Mönche, die bisher im Kloster des Heiligen Kreuzes sich auf Übersetzungsarbeiten aus dem Griechischen konzentriert hatten, als Mitkämpfer den Griechen zur Seite.

Der Klosterbesitz der Georgier im Heiligen Land mehrte sich. Ihnen gehörte das Jakobuskloster, das Nikolauskloster, das Georgskloster, das Salvatorkloster in der Altstadt Jerusalem, nicht weit vom Heiligen Kreuz die Filiale Katamon an dem Ort, wo nach der Tradition der greise Symeon gehaust hatte, und oberhalb Jericho Qarantal. In der georgischen Heimat besaß man Metochien, die von einem Exarchen des Kreuzklosters verwaltet wurden. Wenn sich Obergeorgien und Niedergeorgien in Konflikten gegenübertraten, regierten auch im palästinensischen Kreuzkloster zwei Äbte, jeder einen Teil Georgiens vertretend. In der Klosternachbarschaft im Dorfe Malha betrieben georgische Siedler die Klosterlandwirtschaft.

In Erinnerung der positiven Erfahrungen, die die muslimischen Mächte mit der Loyalität der Kopten während der Kreuzfahrerherrschaft gemacht hatten, und in der Absicht, den griechischen Einfluß im Heiligen Land auszubalancieren, ließen die Mameluken die nonchalcedonensischen Gemeinschaften bedeutende Positionen gewinnen.

Den Kopten hatten die Kreuzritter ihren ältesten Konvent, Deir el-Malak (Erzengel-Kloster), weggenommen. Als Sultan Saladin dies so nahe bei der Grabeskirche liegende Kloster 1187 den Kopten zurückgab, erhielt es den Namen »Sultans-Kloster« (Deir es-Sultan). Die beiden Kirchen am Treppenabstieg zum Hof der Grabeskirche, dem Erzengel Michael und den »Vier himmlischen Wesen« geweiht, stellen die ältesten Heiligtümer des Klosters dar. Sie stammen aus der Ayubidenzeit (1102 nach koptischem Kalender) und zeigen den Stil von al-Muallaqah in Altkairo.

Die äthiopische Pilgerfahrt ins Heilige Land stand jetzt in schönster Blüte. Auf dem Weg durchs Nilland suchten die Pilger Qusqam auf, das Kloster Deir Muharraq, von dem die Sage geht, hier habe die Heilige Familie mit dem göttlichen Kind auf der Flucht nach Ägypten geruht. Das Blumenlied auf Maria besang die Liebe der Gottesmutter selbst zu den Eseln, die die Pilger trugen:

Maria, die du den Tieren,
welche die Qusqampilger auf dem Wege ritten,
die Füße mit des Segens Salböl zu salben nicht versäumtest,
ich bitt', du wollst auch mich
mit Salböl deiner Güte salben.
Nicht nur zu Menschen bist du gut, Maria,
bist milden Herzens gegen jedwèdes Geschöpf.

Die Pilgerscharen, die sich, mit Almosengaben versorgt, Jahr um
Jahr nach dem Timqat-Feste auf den Marsch begaben, wurden
selbst von den Räubern wieder freigegeben, die sie aufbrachten.
Saladin, Besieger der Kreuzritter, stellte 1187 die äthiopischen Wallfahrer von jeder Besteuerung frei. Welche Stätten im Heiligen Land
von Pilgern aufzusuchen seien, war festgelegt. Dem hl. Ewostate-
wos gab der in einer Vision geschaute Christus einen ganzen Katalog
von Orten an: »Mache dich auf, reise nach Jerusalem und geh' nach
Bethlehem, wo ich geboren bin, und nach Nazareth, wo ich erzogen
bin, und zum Jordan, wo ich getauft bin, und zum Kalvarienberg,
wo mich die Juden gekreuzigt haben.«
Das äthiopische Synaxarion und andere Hymnensammlungen preisen am Gedenktag, dem 5. Hamle einen der unzähligen äthiopischen
Jerusalempilger, die auf ihrer kühnen Fahrt das Leben verloren.
So wird dem Pilger Yishaq zugesungen:

Sei gegrüßt, so rufe ich Yishaq zu, dem jungen Mann,
einem christlichen Wohlgeschmack.
Er wurde zum Freudengewand für Äthiopien.
Auf seinen toten Leib fiel himmlisches Licht herab.
Durch das Schwert eines Söldners vollendete er sein Martyrium
in Gaza.

Die klösterlichen Niederlassungen mehrten sich und übertrafen an
Zahl die Besitzungen der Kopten. Damals bestand beim Coenaculum
ein äthiopisches Kloster. Das Vater-Abraham-Kloster, heute in
griechischem Besitz, blieb noch bis etwa 1730 von äthiopischen
Mönchen besiedelt. Auch bestätigten Pilger, daß ihnen die Kapelle
der Maria Aegyptiaca gehörte. Eine Zeitlang besaßen sie sogar die
Kapelle der Verspottung Christi bei der Grabeskirche und die
Helenenkapelle.
Von Bernhard von Breydenbach, der 1502 die Heilige Stadt besuchte,
hören wir: »Mit Eifer folgt das äthiopische Laienvolk der Feier
der Liturgie, besonders an den Festtagen, und dann beugen sich
Männer und Frauen in Prosternation, tanzen, klatschen mit den
Händen, stellen sich im Kreis auf und manchmal singen sie die
ganze Nacht hindurch, besonders in der Nacht der Auferstehung
unseres Herrn. Dann hören sie nicht mit dem Singen auf, bis die

Dämmerung aufkommt, und sind dabei so hingebungsvoll, daß sie am Schluß völlig erschöpft sind.«

König Zar'a Yaqob (1434–1468) versorgte die Jerusalemer Klöster mit Buchmanuskripten.

Als Saladin 1187 Jerusalem zurückeroberte, wurden zwar einige syrische Kirchen in Moscheen verwandelt und einige ihrer Schulen in Mädresen. Doch entsprechend einer muslimischen Tradition wurden die Syrer nicht unterdrückt. Sie waren es, die damals die Schäden der Grabeskirche reparierten. Die ihnen damals gewährten Rechte wurden ihnen bis heute nie abgestritten.

Die Syrer behielten unmittelbar hinter dem Christusgrab eine Kapelle, die durch die Gräber des Nikodemus und des Josef von Arimathia ausgezeichnet ist. Für die Armenier räumten sie zeitweise ihr »Haus des Markus«. Wohl wußten auch die Syrer, daß auf Sion Traditionen gepflegt wurden, denen zufolge dort Jesus den Jüngern die Füße wusch, das letzte Mahl hielt, daß hier das Obergeschoß zu finden war, zu dem sich der von seinen Fesseln befreite Petrus begab. Die Syrer jedoch fixierten diese Traditionen in ihrem Kloster.

Im 12. Jh. war die westsyrische Kirche soweit konsolidiert, daß ihre theologische Literatur noch einmal aufblühte. Man spricht von einem Zeitalter der syrischen Renaissance. Dionysios bar Salibi (†1171) und der Maphrian Bar Hebräus (1225–1286) sind die großen Theologennamen der Zeit. Dem Patriarchen unterstanden damals noch 20 Metropoliten und 100 Bischöfe. Doch da diese Kirche nicht eine wirkliche »Volkskirche« bilden konnte, schmolz sie zusammen. Römische Missionsorden zogen viele Anhänger unter die katholische Jurisdiktion. Im 13. Jh. wirkte die syrische Renaissance nach Palästina herein.

Saladin befand es als geschworener Lateinerfeind und immer mißtrauisch gegenüber den Griechen für gut, den Armeniern im Heiligen Land noch größere Privilegien zuzusprechen. Dennoch blieb während des 12. und 13. Jhs. das Interesse der königlichen Familie von Kilikien an der Heiligen Stadt wach. Als gar die Würde des Katholikos von Etschmiadzin nach Kilikien überführt war, schlossen sich die armenischen Institutionen des Heiligen Landes dort enger an, freilich nur so lange, bis die sich immer stärker abzeichnende latinisierende Tendenz des kilikischen Katholikosats die Armenier der Heiligen Stadt abstieß, besonders angesichts der Synode von Sis 1307, die nach Meinung der Jerusalemer Armenier die armenische Tradition verletzte.

Jerusalem konnte sich insofern leicht zum Hort armenischer Orthodoxie entwickeln, als man keine europäischen Schutzmächte benötigte. Bischof Sarkis, seiner Funktion nach Abt des Jerusalemer Jakobusklosters, lehnte darum das Drängen Kilikiens ab, die Beschlüsse des Konzils von 1307 zu akzeptieren. Doch mit der Mamelukenherrschaft mußte man sich ausgleichen. So erhob sich 1311 Bischof Sarkis mit Hilfe des Sultans an-Nazir ad-Din Muhammed selbst zum Patriarchen. Ihm wurde auch die Aufsicht über glaubensverwandte Christen anderer Nationalität anvertraut. Der Titel des Amtsinhabers war sekundär, wurde auch von Sarkis nicht immer benutzt. Katholikosatsrechte haben die armenischen Patriarchen Jerusalems nie beansprucht. Man fungierte nur im Bereich des ägyptischen Sultanats. Als das armenische Katholikosat im Jahre 1441 aus dem (bereits 1375 mamelukisch unterworfenen) Kilikien wieder nach Etschmiadzin übertragen wurde und gar 1477 die Arm-Reliquie des Illuminators, deren Besitz zur Myronweihe und zur Konsekration eines Katholikos berechtigte, mit List nach Etschmiadzin zurückgeholt war, orientierte sich das armenische Patriarchat von Jerusalem wieder nach Etschmiadzin.

Im 14. und 15. Jh. gewannen die in Ägypten beheimateten Armenier an Einfluß. Da sich die Jurisdiktion des Jerusalemer Patriarchen auf Ägypten erstreckte, ist es verständlich, daß zweimal aus Ägypten stammende Armenier auf den Patriarchenthron erhoben wurden: 1345 Patriarch Gregor, 1419 Mardiros, dem die Restauration der armenischen Kirche von Gethsemane zu danken war. Nicht weniger als fünf Mal reiste Mardiros nach Ägypten, um am Hof des Sultans durchzusetzen, daß der Kalvarienberg, der von georgischen Mönchen besetzt war, an die Armenier zurückgegeben wurde. Beim Klostertor St. Jakobus fällt das Auge auf den arabischen Erlaß des Mameluken-Sultans al-Zaher Abu Said Chakmak von 1437, das die armenischen Mönche von allen Steuern befreite.

Die Hellenisierung des Patriarchats bei Einverleibung Palästinas ins Osmanische Reich

Als im Dezember 1516 Sultan Selim I. das Heilige Land dem osmanischen Reich einverleibte, hatte ein arabisierter Christ mit Namen Athallah den Patriarchenthron von Jerusalem inne. Sofort machte sich bemerkbar, daß Palästina jetzt mit dem hellenischen Volk in einem zusammenhängenden Staatsgebiet lebte und an das Phanariotentum angekoppelt wurde. Das eröffnete für den Hellenismus des Patriarchats neue Aussichten. Das Patriarchat Jerusalem war nun einfach ein Teil des Rum Millet der Türkei. Das Heilige Land wurde in Sandschaks eingeteilt, die meist von Damaskus abhängig waren.

Doch war Galiläa gelegentlich dem Paschalik Sidon zugeschlagen. 1523 schenkte der Zypriote Philippos Phlatros der Grabeskirche ein Stück Land bei Paphos. Bald sollte der Gabenstrom aus der Orthodoxie des osmanischen Reichs in vorher unvorstellbarem Maße ins Fließen kommen. Es zeigte sich, daß die alten Bindungen der griechischen Nation an die Heiligen Stätten wiederhergestellt waren. Zahllose Pilger machten sich nach Palästina auf. Pachomios Rousanos verfaßte einen Traktat gegen die Meinung, eine Pilgerfahrt habe keine geistliche Bedeutung. Jetzt sehnte sich jeder Grieche, den Titel eines Proskynitis zu erwerben. 1526 traten die Patriarchen Jeremias I. von Konstantinopel und Joakim von Alexandria zu einer Synode in Jerusalem zusammen, um den Metropoliten Joanikios, der den Patriarchenthron von Konstantinopel usurpiert hatte, abzuurteilen. Seit 1443 hatte keine Synode mehr in der Heiligen Stadt zusammentreten können. Die hellenischen Jerusalempilger gründeten in ihrer Heimat »adelphata« und sammelten Gaben, die sie nach Jerusalem schickten. Wer kein Geld zur Verfügung hatte, schickte Korn und Öl. Im Patriarchatsarchiv finden sich ganze Listen solcher Bruderschaften. Klöster und Kirchen, die halb zerfallen waren, konnten mit dem übersandten Geld restauriert werden.

Als 1534 Patriarch Athallah starb, wurde der bisherige Abt des Sabas-Klosters, der peloponnesische Grieche Germanos auf den Patriarchenthron erhoben. Während seiner 45jährigen Regierungszeit wurde der Hellenismus des Patriarchats so gefestigt, daß er sich unerschütterlich durchhielt. Die Jerusalemer Grabesbruderschaft, nicht weniger dem Hellenismus verpflichtet, wurde so eng mit dem Patriarchat verwoben, daß hier ein vergleichsloses griechisches Herrschaftsinstrument entstand. Der Patriarch galt ex officio als Abt der Bruderschaft. 1765 erließ Patriarch Parthenios ein Statut, das die hagiotaphitischen Mönche einer strengen monastischen Disziplin unterwarf, von der nur der Dragoman ausgenommen war. Die Machtstellung des Patriarchats wuchs auch dadurch, daß seiner Jurisdiktion Kopten, Äthiopier, Georgier und Serben unterstellt wurden.

Im 17. Jh. entflammte der Streit der Kirchen um die Besitzrechte an den Heiligen Stätten in einer vorher nie gekannten Schärfe. 1604 hatte Frankreich in »Kapitulationen«, das heißt vertraglichen Zusicherungen der Hohen Pforte, eine Fassung seines Rechtes auf Protektion der Christen im Orient erlangt, in der auch die Heiligen Stätten erwähnt waren. Doch schon ein Jahr darauf erreichte Patriarch Sophronios IV. einen Firman des Sultan Achmet I., der die nördliche Hälfte des Kalvarienberges – also den Ort, an dem das Kreuz aufgepflanzt war – in griechische Hände gab.

In den 7 Jahren 1630–1637 ging der Besitz an den Heiligtümern sechsmal von einer Hand in die andere: 1630 gewährte Sultan Murad IV. nach einer Intervention des französischen Botschafters Graf Césy einen Firman, dem zufolge die Grabeskirche, der Stein der Salbung, die Geburtskirche und die Höhle Bethlehems den Lateinern gehören sollte. Im April 1632 wurde diese Entscheidung durch den Kadi von Jerusalem mit zwei Dekreten wieder aufgehoben: Die Griechen erlangten Zutritt zur Höhle und das Recht, dort vier Lampen und zwei Kandelaber anzubringen, auch in der Grabeskirche zwei Kandelaber beim Salbungsstein. Doch im Mai des gleichen Jahres erreichte der Kustos der Franziskaner durch den Konsul Venedigs die Wiederherstellung der lateinischen Rechte. Als jedoch der griechische Patriarch Theophanes 1634 die Gunst des Sultans mit einem Geschenk von 40000 Goldmünzen erkaufte und ihm angeblich »alte« Dokumente über griechische Privilegien vorlegte, lieferte ihm der Sultan alle Heiligtümer aus. Die Griechen beeilten sich, alle Spuren lateinischer Präsenz auszutilgen. Aber ein Jahr darauf war die Szene schon wieder verändert. Papst Urban VIII. mobilisierte alle abendländischen Fürstenhöfe. Am 21. März 1636 wurden die lateinischen Rechte wiederhergestellt. Freilich waren dafür 26000 Piaster fällig. Doch ein Jahr darauf, am 5. Oktober 1637 erlangten die Griechen einen Firman, der die lokalen Behörden Jerusalems anwies, die Franziskaner aus den Heiligen Stätten zu vertreiben. Nun schlossen die Griechen jeden von der Pilgerschaft zum Heiligen Land aus, der nicht die besondere Erlaubnis ihres Patriarchen erlangt hatte. Die Lateiner mußten den griechischen Patriarchen jeweils um Autorisation zur Abhaltung ihrer Gottesdienste ersuchen. Seit dieser Streitperiode waren die politischen Interessen der Mächte und die jeweiligen Interessen der verfeindeten Konfessionen miteinander verquickt.

Die Bruderschaft des Heiligen Grabes war mächtig genug, 1656 äthiopisches Eigentum in Besitz zu nehmen und 1658 sogar die Armenier für eine gewisse Zeit aus dem St. Jakobuskloster zu verweisen. Weiterer Zugewinn an orthodoxen Rechten war dem großen Patriarchen Dositheos und seinem Neffen und Nachfolger Chrysanthos zu danken, die mit dem Dragoman der Hohen Pforte, dem Phanarioten Alexandros Mavrokordato, zusammenarbeiteten.

Doch in dem Augenblick, als das Osmanische Reich im Versuch, Wien zu erobern, gescheitert war und nun von Österreich, Polen und Venedig bedrängt wurde, schlug das Pendel zurück. Die Pforte war darauf angewiesen, das Bündnis mit Frankreich zu suchen, das die lateinischen Rechte an den Heiligen Stätten wahrnahm. Daß die Situation sich geändert hatte, zeigte sich mit dem Firman vom

23. April 1660, der den Lateinern einen überlegenen Status zusicherte: Der Stein der Salbung, der halbe Kalvarienberg und die sieben Jungfrauenbögen wurden lateinisches Dominium. In die Fassung der Kapitulationen von 1740, die zwischen Ludwig XV. und Sultan Mahmud I. ausgehandelt wurde und als internationaler Vertrag zu gelten hatte, wurde dies hineingeschrieben. Das war fortan die magna carta der lateinischen Prärogativen. Unangefochten blieb dieser Status nicht. Schon 1757 zeichnete sich wieder eine de-facto-Begünstigung der Orthodoxen ab.

Eine Neubelebung halbvergessener Heiligtümer weitete den Schauplatz der orthodox-lateinischen Rivalitäten aus: Der Mönch Prosper erwarb auf dem Karmel ein Grundstück zur Neuanlage eines Karmelitenklosters. Die Franziskaner gewannen 1629 einen Fußhalt in Akkon und erwarben 1679 die Ruinen der Kirche der Visitation, das heißt, des Besuches Marias bei Elisabeth in En Karem. Die Griechen ihrerseits schufen Gebetsstätten in Kana und Nazareth.

Die Griechen Konstantinopels, die jetzt im Heiligen Land das Sagen hatten, kannten als gottesdienstlichen Text nur die Chrysostomus-Liturgie und für wenige Tage des Kirchenjahres die Basilius-Liturgie. So ging Jerusalems ureigenste Liturgie, die Jakobus-Liturgie, verloren. Nur bei den nonchalcedonensischen Syrern lebte Jerusalems gottesdienstliche Tradition fort.

Für das blühende georgische Klosterleben war die osmanische Eroberung ein katastrophaler Schlag. Mühselig behauptete man sich noch ein Jahrhundert lang. Die Hälfte des Kalvarienbergs hatte man 1492 den Lateinern eingeräumt; doch seit die georgischen Mönche 1510 versucht hatten, die Franziskaner bei der Feier ihrer Messe auf dem Golgathafelsen zu behindern, hatten sie die Lateiner zum Feind. 1640 fiel der Kalvarienberg an die Griechen. 1643 konnte Abt Nikephoros noch einmal mit Spenden des georgischen Königs Leon Dadian, die durch den Abt Joachim Tsokalasvili überbracht wurden, das Kreuzkloster restaurieren und mit Fresken schmücken. Doch 1685 erwarb der griechische Patriarch Dositheos das Kreuzkloster. Die Georgier wurden zwar nicht weggewiesen, aber sie mußten meist einem griechischen Abt gehorchen und hörten nur noch einmal im Monat die Liturgie in georgischer Sprache.

Die Juden, denen Julian Apostata die Rückkehr nach Jerusalem gestattet hatte, waren von den Kreuzfahrern wieder ausgetilgt worden. Nach Zerstörung des Kreuzfahrerreichs durften sie wieder in ganz Palästina siedeln.

Als die katholischen Majestäten 1492 die Judenschaft Spaniens vertrieben, nahm Sultan Bayazid die Exulanten großzügig im Osmanischen Reich auf. Unter den 70000 Sefarden, die sich in den türkischen

Häfen einfanden und in urbanen Zentren des Inneren ihre Kolonien schufen, waren vor allem religiös gestimmte Juden vertreten, die in der Kabbala lebten – jener mystischen Strömung, die anfangs des 13. Jhs. in der spanischen Stadt Gerona ihre bedeutenden Schriftsteller gefunden hatte. Im Heiligen Land gewann das Judentum dabei eine neue geistige Präsenz im obergaliläischen Safed – 40 Jahre nach der Austreibung.

In der spanischen Kabbala war die Erlösung nicht im Vorwärtsstürmen durch die Geschichte auf die Endzeit zu gesucht worden, vielmehr im kontemplativen Zurückwandern zu den Uranfängen. »Wer den Weg kannte, auf dem er gekommen war, konnte hoffen, imstande zu sein, ihn auch zurückzugehen.« – Der Zusammenbruch von 1492 veränderte das Gesicht der Kabbala gründlich. Das Interesse an Theogonie und Kosmogonie wurde vertauscht gegen apokalyptische Elemente. Das Pathos des Messianischen durchzog jetzt die Kabbala.

In Safed entwarfen Moses ben Jakob Cordovera (1522–1570) und Isaak Luria (1534–1572) ihre kabbalistischen Systeme, freilich Luria nur in mündlicher Lehre. Als ihn ein Schüler fragte, warum er kein systematisches Buch verfasse, antwortete er: »Das ist nicht möglich, weil alles miteinander verbunden ist. Kaum öffne ich meinen Mund, um die Dinge zu sagen, so ist es mir, als öffneten sich die Dämme des Meeres und überfluteten alles. Wie soll ich also das sagen, was meine Seele empfangen hat, und wie soll ich es gar in einem Buch niederschreiben?«

Die Vertreibung der Franziskaner vom Berge Sion

Daß sich die Lage der Franziskaner unter osmanischer Herrschaft bedrohlich verschlechterte, bekam Ignatius von Loyola bereits zu spüren, als er 1523 in Jerusalem bleiben wollte. Der Guardian bedeutete ihm, daß die Ernährungssituation der Patres so schlecht sei, daß man plane, einige Mönche mit den Pilgern zurückzuschicken. Ignatius wollte weder Essen noch Unterkunft von den Patres, doch der Guardian konnte das Wagnis einer solchen Existenz nicht mitverantworten. Andere, die den gleichen Wunsch gehabt, seien als Sklaven weggeschnappt worden. Dann habe der Orden die Verpflichtung, die Gefangenen loszukaufen. – Obwohl es im osmanisch beherrschten Jerusalem nicht mehr möglich war, ohne Begleitung eines türkischen Führers auf den Ölberg zu steigen, eilte Ignatius vor dem Abschied allein zum Ort der Himmelfahrt, die Fußspuren des Herrn im Fels noch einmal vor Augen zu haben. Als im Kloster bekannt wurde, daß Ignatius ohne Führer fortgegangen war, machten sich die Mönche zur Suche auf; als einer der sogenannten »Gürtelchristen« (Angestellte des Konvents) ihn vom Ölberg herunterkommen sah, packte er den Ignatius in Wut über sein gefährliches Unternehmen am Arm, drohte mit dem Stock auf ihn einzuschlagen und ließ ihn keinen Augenblick mehr los. In den Exerzitien finden sich später Spuren von Ignatius' Pilgerfahrt: Zu Beginn der entscheidenden Meditation über den Ruf des Königs legt er den Meditierenden nahe, »mit den inneren Augen« Städte und Burgen zu schauen, »durch welche unser Herr predigend hindurchzog«.

1551 wurden die Franziskaner der Kustodie »auf Anstiften von Juden« durch die türkischen Behörden aus ihrem Kloster beim Coenaculum am Berge Sion vertrieben. Zwei Jahrhunderte lang war dies ihr Stammhaus gewesen. Auf ihre Beschwerden hin sandte der König von Frankreich eine Botschaft an Suleiman den Prächtigen. Dessen Antwort war: »Wenn der König Frankreichs mir die Erlaubnis zum Bau einer Moschee in Paris und der Papst für eine andere in Rom gibt, ja, dann gebe ich Euch den Sion zurück.« Die heimatlosen Franziskaner fanden in der Erzengelskirche des armenischen Quartiers eine Zuflucht, bis die georgischen Mönche, die ihre Klöster nicht länger halten konnten, ihnen San Salvatore übergaben. Der Vorsteher der Kustodie aber behielt seinen Titel: Guardian des Sionberges.

Die osmanischen Behörden sahen nicht ungern, daß zwischen den einzelnen christlichen Gruppen im Heiligen Lande Konflikte aufkamen. Dadurch gewannen die Franziskaner eine gewisse Freiheit zu apostolischer Aktivität unter den anderen Gruppen. Die Kustodie konnte ein Register der Konversionen zum Katholizismus anlegen, das schließlich 388 Seiten mit Namen, Herkunftsland und früherer Religion der Bekehrten füllte. Das Register beginnt mit der Bekehrung eines gewissen Jean-Baptiste jakobitischer Religionszugehörigkeit am 3. August 1555. Unter dem Kustoden Aurelio Griano fügte sich 1562 die nestorianische Gemeinde von Jerusalem den »überzeugenden Argumenten« der franziskanischen Missionare und verleugnete ihr bisheriges Bekenntnis. Auch in Städten wie Bethlehem, Nazareth, En Karem wurden Einzelpersonen oder Familien oder ganze Gemeinden mit ihren bisherigen Seelsorgern gewonnen. Auf Seite 7 des Registers wurde mit roter Tinte vermerkt, daß sich der Sohn des äthiopischen Kaisers, Seine Hoheit Athanasios, am 29. Juni 1630 in Nazareth zum katholischen Glauben bekehrt habe und nach Rom weitergesandt worden sei. 1628 erkannte die Propaganda-Kongregation, die 6 Jahre zuvor gegründet worden war, den Franziskanern der Kustodie das Recht zur Pfarrseelsorge bei den Gläubigen zu, die sich schon als katholisch orientierte Zirkel um ihre Klöster in Jerusalem, Bethlehem und Nazareth gebildet hatten. Die Errichtung der Propaganda wirkte sich auch insofern günstig aus, als die franziskanischen Ordensoberen ermutigt wurden, drei Collegia zum Unterricht in orientalischen Sprachen, insbesondere im Arabischen zu stiften: St. Petrus in Montorio in Rom, Allerheiligen in Florenz, St. Bartholomäus auf der Isola in Rom. Jetzt konnten arabischsprechende Franziskaner in der Kustodie einrücken. Im 17. Jh. richtete dann die Kustodie selber in Bethlehem und Ramleh ein arabisches Sprachstudium ein.

1741 konnte in Nazareth ein bedeutender Gewinn verbucht werden: 30 Familienhäupter der dem griechischen Patriarchat unterstehenden arabisch sprechenden Gemeinde teilten dem Kustoden Bruno di Sulerio mit, sie hätten von einem Firman gehört, der es möglich mache, sich der franziskanischen Seelsorge zu unterstellen. Doch die alarmierten griechischen Mönche erreichten bei den osmanischen Behörden, daß acht der Antragsteller ins Gefängnis kamen, dazu der eine der beiden Priester, der sie unterstützt hatte. 12 Familienhäupter konnten noch ins franziskanische Kloster entschlüpfen, doch ihre Frauen und Kinder wurden aus ihren Häusern gejagt. Die Gefangenen wurden in Ketten nach Tiberias verschleppt.

Daß die Missionsarbeit für die franziskanischen Missionare Gefahren in sich barg, zeigt auch die Liste franziskanischer Märtyrer aus den Anfangsjahrzehnten der osmanischen Herrschaft. Bruder Juniper von Sizilien gab 1547 sein Leben hin, Johannes von Mantua 1557, Kosmas von St. Damian 1597.

Die franziskanischen Klöster mußten dann als besonders gefährdet gelten, wenn sie als Anlaufstellen von krypto-christlichen Muslimen genutzt wurden. Einen eigentümlichen Fall berichten die Archive der Kustodie aus dem Jahre 1634: »Die Brüder standen im Chor von San Salvatore zum Stundengebet, als ein Mann in Derwischkleidung hereinstürzte, seinen Kopfschmuck zu Boden schleuderte und sich mit dem Gesicht vor dem allerheiligsten Sakrament zur Erde niederwarf – zum Erstaunen von uns allen, die wir ihn für einen Türken halten mußten. Laut schreiend und unter vielen Tränen begann er: Miserere mei, Deus ... Non intres in iudicium cum servo tuo. Als das officium zu Ende war, fragten wir ihn, wer er denn sei. Er machte sich uns lateinisch verständlich: Er sei katholischer Christ gewesen, Pole mit dem Namen Rododoski. Undankbarerweise habe er den heiligen Glauben abgeschworen und viele Jahre als Türke gelebt. Doch habe ihn Gott in seiner Gnade erleuchtet. Klar erkenne er seinen Irrtum. So habe er sich heimlich in türkischer Tracht in diese Heilige Stadt eingeschlichen, um Hilfe bei den Fratres zu finden.

Neu in den Schoß der Mutterkirche aufgenommen, beichtete und kommunizierte er. Einige Tage später wurde er nach Sidon abgeschoben und konnte sich, mit dem nötigen Proviant versehen, in Richtung Christenheit einschiffen.«

Das arme Volk des Heiligen Landes wurde von Zeit zu Zeit von der Pest heimgesucht. 1619 wütete diese Seuche derart in Jerusalem, daß man jeden Tag 50 Tote zählte. Der Pascha erließ eine Anordnung, wenn man die Pesttoten zu Grabe trüge, dürfe nicht wie sonst gesungen werden. Unter Schweigen seien sie zu Grabe zu tragen. Die Fratres eilten häufig zur Grabeskirche ,um Gott anzurufen, daß er sie von der Pest verschone, und dabei die Erde zu küssen. Einige Türken, die das sahen, bespritzten den Boden mit dem Wasser, mit dem Pestleichen gewaschen worden waren. Dennoch bewahrte Gott die Brüder gesund.

Angesichts des Ärztemangels in Jerusalem gestattete Papst Clemens X. mit der Bulle Cum sicut dilectus 1670 den Franziskanern die Ausübung ärztlicher Kunst. Jedesmal, wenn die Pest aufflammte, galt die Anordnung der reclusio, das heißt, die Brüder durften das Kloster nicht verlassen, um Ansteckungen zu vermeiden. Immer aber gab es freiwillige Mönche, die zur Krankenpflege außerhalb des Klosters blieben. Man nannte sie »die Ausgesetzten«. Steckten sie sich bei den Pestkranken an, so mußten sie außerhalb des Klosters ohne jeden Beistand sterben.

Im 17. Jh. entwickelte die Kustodie ihr Schulwerk. Auf dem Generalkapitel des Ordens 1645 in Toledo wurde für die Franziskanerschulen in Jerusalem, Bethlehem und Nazareth die Ordnung festgelegt, daß den Zöglingen eine Mittagsmahlzeit gereicht werden sollte und daß sie bis über den Vespergottesdienst in der Schule zu bleiben hätten. Der Pilger d'Arvieux beobachtete 1660, daß die Christenkinder bei den Franziskanern Jerusalems in Musik, Gesang, Sprachen und Katechismus unterrichtet wurden. Ende des 17. Jhs. zählte man 14 Schulen der Kustodie. Zwischen 1727 und 1730 wurde das Schulwerk durch Ausbildung in Handwerken, etwa Metallbearbeitung und Tischlerei, ergänzt. Der Konvent von San Salvatore zählte Mönche zu den Seinen, die Schmiedemeister und Tischlermeister waren.

Die türkischen Beamten beuteten die Franziskaner der Kustodie, so gut sie konnten, zu ihrem Vorteil aus. Besuchte ein Pascha oder Kadi San Salvatore, so waren Geschenke fällig. Wurde der Kustode mit einer Gefängnisstrafe belegt, so mußte er freigekauft werden. Ein bewährtes Mittel, sich dem Druck der lokalen Behörden zu entziehen, war die Flucht des Kustoden zu den zentralen Verwaltungssitzen Damaskus oder gar Konstantinopel. Dort konnte man gegen die Ungerechtigkeit der lokalen Instanzen Klage führen. Nicht selten wurden bestechliche Beamte abgesetzt oder zu Haftstrafen verurteilt.

Belästigungen von seiten der Türken gehörten zum Alltag. Im Oktober 1573 langte Pater Jeremia von Brescia im Heiligen Land an. Man verdächtigte ihn, er habe Vermögenswerte bei sich versteckt, die mithelfen sollten, daß die Spanier sich in den Besitz der Heiligen Stadt setzen könnten. Die spanische Flotte hatte unter Don Juan d'Austria nämlich gerade den Türken bei Lepanto eine empfindliche Niederlage beigebracht. Der Pater wurde peinlich durchsucht. Ein Türke, der die Franziskaner besonders aufs Korn genommen hatte, klagte die Väter an, sie hätten seinen verstorbenen Sohn vergiftet.

Als die venezianische Flotte 1637/38 die Korsaren von Tunis besiegte, erhöhte dies die Spannung zwischen der osmanischen Bevölkerung und den Franziskanern, nicht anders der Kampf um Kreta 1645–1669. Als mit dem Verlust Kretas die Macht Venedigs im Orient gebrochen war, rückte Frankreich vollends in die Rolle eines Protektors der katholischen Christen im Heiligen Lande.

Auch für Frauen, die im Heiligen Land ein Apostolat wahrnahmen, war die Kustodie ein Rückhalt. 1575 wurde die portugiesische Pilgerin Maria durch die Palmsonntagsprozession so bewegt, daß sie beschloß, den christlichen Glauben auch muslimischen Kindern und Frauen zu erschließen. Sie lernte ein paar Brocken Arabisch. Man sah sie jetzt mit einem Kreuz in der Hand durch Jerusalems Straßen gehen. Den Kindern reichte sie es zum Kuß dar. Bei muslimischen Frauen versah sie Hebammendienste und stellte bei solchen Gelegenheiten Christus gegen Mohammed. Vor dem Kadi scheute sie nicht zurück; als ihre Sprachkenntnisse nicht ausreichten, ließ sie ihre Christusverkündigung durch einen Juden übersetzen. Ihr wurden Hände und Füße mit Nägeln durchschlagen. Auf dem Vorplatz der Grabeskirche wurde sie verbrannt.

Die Positionen der nonchalcedonensischen Kirchen

Kaum war Jerusalem in osmanische Hand gefallen, so gerieten die klösterlichen Niederlassungen der nonchalcedonensischen Nationalkirchen in Not. Die Wallfahrten aus den fernen Heimatländern zu den Heiligen Stätten kamen zum Erliegen, hauptsächlich infolge der erpresserischen Tributforderungen der lokalen osmanischen Behörden. Titus Tobler berichtete noch in der Mitte des 19. Jhs., »daß man unter dem Namen Tribut auf die empörendste Weise die Heilsbegierigen plünderte«.

In der osmanischen Periode absorbierte die arabischsprechende Christenheit des Heiligen Landes große Teile der nestorianischen, jakobitischen und armenischen Gläubigen, so daß Nonchalcedonenser und andere christliche Ethnien bald nur noch in Jerusalem und Bethlehem zu finden waren. Am wenigsten noch waren die Armenier betroffen. Bis zum 17. Jh. hielt sich die armenische Erzengelkirche in Gaza. De Thevinot sah sie noch im Jahre 1658. Sie diente mit ihrem Hospiz dem Pilgerstrom, der aus Ägypten kam. Die St. Johannes-Kirche der Armenier in Nablus, einst durch Königin Melisende begünstigt, zu deren Mitgift diese Stadt gehörte, wurde noch im Garantiebrief Selims I. aufgeführt, zuletzt noch vom armenischen Historiker Hanna anfangs des 18. Jhs. Der Georgskirche in der Festung Kerak, aus der sich der armenische Fürst Rupen einst die fränkische Ritterstochter als Ehefrau geholt hat, ließen die armenischen Könige auch noch nach dem Fall der Festung ihre Fürsorge angedeihen. Spätestens in osmanischer Zeit erlosch hier das armenische Leben. Das armenische Kloster am Hafen von Jaffa wurde womöglich erst im 17. Jh. gegründet. Das St. Georgs-Kloster in Ramleh – christlicher Eindringling in einer muslimischen Stadt – diente wie das Jaffa-Kloster der etappenweisen Pilgerfahrt nach Jerusalem. Beide Klöster blieben bis zur Gegenwart in armenischem Besitz.

Wenn es den Armeniern gelang, auch nach der türkischen Eroberung doch ihren Besitzstand an den Heiligen Stätten zu erhalten, so hatte dies zweierlei zur Ursache: das Zusammenspiel des Jerusalemer Patriarchats mit dem in Konstantinopel eingerichteten armenischen Patriarchat und mit der armenischen Kolonie, die vom türkischen Eroberer aus Sicherheitsgründen in den tornahen Quartieren der Konstantinopler Innenstadt anstelle der Griechen angesiedelt war; dann aber auch den Glücksfall, daß hervorragende Persönlichkeiten auf den armenischen Patriarchenstuhl von Jerusalem gelangten.

Ein sympathisches Bild vom armenischen Quartier in Jerusalem zeichnete der norddeutsche Lutheraner Rauwolf, der 1583 das Heilige Land besuchte. Er lernte die Armenier kennen als »frumme redliche leut, ainfeltig und eyfrig inn irer religion und sie gern fremdling, so zu ihnen kommen, auffnemen und beherbergen wie ich selb im durchziehen erfaren. Auch seind sie ganz genaigt, armen sklaven, so under dem türcken schwerlich gefangen mit hilff und rath beystand zu thun«. Man finde ihre Handelshäuser und Kirchen nicht nur in der ganzen Türkei, sondern so auch zu Jerusalem (»dahin sie mit hauffen ziehen«). Rauwolf rühmt die schöne Jakobus-Kirche und nahe der Schädelstätte eine verschlossene Kapelle. Er beobachtet: Die Armenier »haben gemeiniglich vor dem Chor ihrer Kirchen große Fürhäng, dahinter sich ihre Priester von der Gemeinde abgesondert verhalten«.

So verträglich sich die Armenier auch nach allen Seiten hin zeigten, so gerieten sie doch 1617 in einen ersten Konflikt mit den Lateinern, als es um das Recht an den Heiligen Stätten ging. Patriarch Grigor Baronder und der Kustode der Franziskaner hatten sich um die Zahl der Lampen auseinanderzusetzen, die jeder beim Stein der Salbung Jesu und auf dem Sionsberg aufhängen durfte.

Grigor Baronder (1613–1645) blieb auch als Kirchenfürst bei der strengen Lebensart eines Eremiten. In jeder Woche zog er sich in eine Höhle zurück, die sich auf einem armenischen Terrain beim Rahel-Grab befand. Unter der Regierung dieses asketischen Patriarchen entwickelte sich das armenische Mönchsleben besonders reich. Das bethlehemitische Kloster, das byzantinische Bauteile und Kreuzfahrerkonstruktionen umfaßte und die Geburtskirche festungsähnlich nach Süden hin abschloß, kam zur Blüte. Der Pilger Quaresmius sah hier 1628 noch die Säulenhalle, die Hieronymus als Vorlesungsraum gedient hatte.

Nicht minder bedeutend war die Wirksamkeit des Patriarchen Grigor »des Kettenträgers« (1715–1749). In der Periode der Verarmung seiner Kirche infolge der türkischen Steuererpressung zog der Patriarch, mit Ketten um den Hals, von einer armenischen Gemeinde zur andern und sammelte Hilfsgelder. Ihm war der Innenschmuck der Jakobuskathedrale zu danken. Ihm kam die enge Verbindung zu dem berühmten Patriarchen von Konstantinopel Hovhannes Golod zustatten, der die religiöse Akademie Konstantinopel ins Leben gerufen hatte und viele Studenten, die hier auch Sprachen erlernt hatten, zum Studium nach Europa sandte. Das Übersetzungswerk, welches Hovhannes der Kurze in der Akademie leisten ließ, bedeutete einen Einbruch westlicher Theologie und Beginn der armenischen Renaissance. Hovhannes hatte dafür Sorge getragen, daß der Kettenträger zum Patriarchen von Jerusalem erhoben wurde. Bèide Patriarchen werden in der armenischen Literatur stets wie Zwillinge aufgeführt.

Die Wirksamkeit der beiden Patriarchen Grigor Baronder und Grigor der Kettenträger blieb in Jerusalem so unvergessen, daß beider Namen in jeder Göttlichen Liturgie kommemoriert werden.

Wenig mehr als ein Jahr – 1749 bis 1751 – regierte Patriarch Hagob Nalian, der sich vom Patriarchenamt in Konstantinopel nach Jerusalem zurückzog, bedeutender Theologe, dem Predigtbücher zu verdanken sind. Sonst wechselten eher Jerusalemer Patriarchen nach Konstantinopel.

Patriarch Isai Garabedian, der 19 Jahre lang über das armenische

Quartier der Heiligen Stadt regierte (†1884) und es mit vorbildlichen modernen Institutionen ausstattete, gründete die reiche armenische Bibliothek mit ihrer kostbaren Manuskriptensammlung und das armenische Museum im Klosterkomplex. Die armenische Presse – die älteste in Palästina – wurde modernisiert. Patriarch Isai war auch leidenschaftlicher Fotograf. Er richtete das erste Fotoatelier Palästinas ein; die Sammlung seiner Jerusalemer Fotografien ist so beeindruckend, daß man jetzt an ihre Publikation in einem Bildband denkt.

Eine ungewöhnlich starke Stellung gegenüber den türkischen Behörden besaß Patriarch Harutiun Vehabedian. Als armenischer Bischof von Erzerum hatte er während des russisch-türkischen Kriegs einer Gruppe bedrängter türkischer Offiziere beim Vordringen der russischen Armee in seinem Bischofspalast Unterschlupf gewährt und auch die türkische Fahne auf seiner Residenz nicht eingezogen. Der russische General Melnikov verlangte die Auslieferung der Türken, konnte sich aber bei dem armenischen Bischof nicht durchsetzen. Sultan Abdul Hamid behielt dies immer im Gedächtnis. Als bei einer österlichen Zeremonie das türkische Stadtoberhaupt von Jerusalem Soldaten in der Grabeskirche postierte, verlangte der jetzt zum Patriarchen der Heiligen Stadt erhobene Harutiun den Abzug des Militärs und ohrfeigte den hohen Beamten, der nicht unverzüglich Folge leisten wollte. Der Sultan löste seinen Beamten ab.

Da sich das osmanische Reich Palästina und Ägypten in einem Zuge einverleibt hatte, blieb für koptische Pilger der Vorteil erhalten, daß sie ohne Grenzschwierigkeiten nach Jerusalem gelangen konnten. Man reiste zu Schiff. Doch die von den Türken erhobenen Gebühren erschwerten die Pilgerfahrt. Die Kopten nutzten eine Haft der Franziskaner, die die Wacht am Christusgrab innehatten, in türkischen Gefängnissen im Jahre 1540 aus, sich ein winzig kleines Kapellchen ans hintere Ende des Aediculum zu bauen. Seitdem nutzen sie diesen Platz. Obwohl dies in einer Zeit des Streites der Konfessionen um Besitzrechte geschah, kam es darüber doch nie zu einem Zwist. In den ersten Jahrzehnten des 19. Jhs. kam aber eine verdrießliche Auseinandersetzung mit äthiopischen Mönchen auf, welche die auf dem Dach der Helenenkapelle gelegene Partie von Deir es-Sultan besiedelten. Der Streit um die Besitzrechte in Deir es-Sultan, insbesondere um die beiden Kapellen, sollte sich nach der Trennung der äthiopischen Jurisdiktion von der koptischen im Jahre 1959 noch verschärfen.

Schon mit der türkischen Eroberung im Dezember 1516 erlitten die äthiopischen Mönchssiedlungen im Heiligen Land schwere

Einbußen. Pilger konnten die Steuern kaum aufbringen. Die Türken, die seit 1535 das muslimische Emirat Harar gegen das Reich des Negus unterstützten, um die christliche Bastion am Horn Afrikas zu vernichten, hatten kein Interesse, äthiopisches Leben zu fördern. So ging der mittelalterliche Besitz der Äthiopier an den Heiligen Stätten verloren. Die Armut der Mönche wurde so drückend, daß das griechische Patriarchat ihnen 1655/56 zahlreiche Besitzrechte abkaufte. Daß manche mönchische Gelehrte aus dem notvollen Leben in der Heiligen Stadt nach Europa herüberwechselten, gab den Anstoß zur europäischen wissenschaftlichen Äthiopistik.

Anfangs des 19. Jhs. wurde die Lage weiter erschwert. Der englische Missionar William Jowett berichtete vom November 1823: »Um die Mittagszeit empfingen die armen Mönche ihr tägliches Brot, das ihnen die Armenier spendeten.« Jowett zählte damals nur 5 Nonnen und 7 Mönche. Keiner vermochte sich in einer fremden Sprache auszudrücken. Einige hatten sich Mar Saba angeschlossen. Daß die äthiopischen Mönche 1837 an der Pest ausstarben, veranlaßte die Behörden zu einer Verbrennungsaktion, bei der auch alle Dokumente vernichtet wurden, die heute den Nachweis tradierter Besitzrechte ermöglichen würden.

Der preußisch-anglikanische Bischof Samuel Gobat tat das möglichste, den äthiopischen Mönchen zu helfen, war er doch 1829 selbst für 9 Jahre als Missionar in Äthiopien tätig gewesen. Der englische Konsul Fynn von Jerusalem unterstützte ihn dabei. Das richtete das äthiopische Augenmerk auf England als einer Macht, die in Jerusalem hilfreich sein könnte. Schon 1852 schrieben der Herrscher der Provinz Tigre, Dädjazmatch Wube, und der Herrscher von Däbrä Tabor, Ras Ali, an Queen Victoria. Kaiser Tewodros, der 1855 die äthiopischen Landschaften wieder geeinigt hatte, geriet freilich in Konflikt mit England und warf die englischen Missionare, die in Äthiopien tätig waren, ins Gefängnis. Die antienglische Animosität des Kaisers wurde 1864 noch dadurch gesteigert, daß der Abt des äthiopischen Klosters von Jerusalem am Hof des Kaisers in Däbrä Tabor anlangte und gegen den britischen Konsul der Heiligen Stadt Klage führte. Man hatte im Konsul den Beschützer der Mönche gegen türkische Willkür gesehen. Jetzt aber hatte er nicht genug gegen die Wegnahme des Klosters Deir es-Sultan durch die Kopten unternommen.

Dank der Initiative des Kaisers Yohannes IV., der für Deir es-Sultan Geld spendete, und des Jerusalemer Abtes Memhir Wäldä Sema'et Wäldä Yohannes wuchs der äthiopische Konvent wieder auf 60 Mönche. Die äthiopischen Kaiser der Epoche lebten im Bann der

Jerusalem-Idee. Noch in seinem letzten Brief an den englischen General Napier, der zum Sturm auf des Kaisers Festung Mäqdäla ansetzte, schrieb Tewodros 1868 in der für ihn kennzeichnenden apokalyptischen Perspektive: »Wenn ich alle meine Feinde in meinem Lande unterworfen hätte, wollte ich meine Armee gegen Jerusalem anführen und die Muslime vertreiben.« Sein Nachfolger setzte diese Linie fort. Kaiser Yohannes erklärte 1874 gegenüber Missionar Flad: »Meines Landes Grenze ist Jerusalem. Sobald ich Herr von Äthiopien bin, werde ich Ägypten und Jerusalem erobern.«

Deir es-Sultan blieb nicht einzige Mönchsbehausung der Äthiopier in der Heiligen Stadt. 1876 wurde unter Mithilfe des Schweizer Bankiers Ruttiger ein Gebäude nahe der achten Leidensstation der Via Dolorosa erworben, das freilich zunächst an eine katholische Schwesternschaft vermietet wurde, dann aber als Bischofsresidenz dienen konnte. Mitte des 19. Jhs. kam der Plan auf, sich auch außerhalb der Mauern anzubauen. 1884 wurde das Land erworben, auf dem die Kidanä Mihrät-Kirche und bald auch das »Haus der Taitu« gebaut wurde. Die ganze Anlage erhielt den Namen Däbrä Gennet – Berg des Paradieses.

Der Mönchsrat, der den äthiopischen Konvent von Jerusalem leitete, schloß mit Kaiser Menilek II. einen Vertrag, demzufolge der Kaiser den Vorsteher des Klosters zu entsenden hatte. Von dem Augenblicke an, da ein äthiopischer Bischof in Jerusalem residierte, ging die Funktion des Vorstehers auf diesen über. Doch fungiert unter ihm ein gewählter Abt, der vom Bischof zu bestätigen ist. Abt Yohannes Kahali kandidierte 1976 für das äthiopische Patriarchenamt.

Die Gegenwart ist beherrscht vom Streit zwischen der koptischen und äthiopischen Bruderkirche um die Schlüssel zum Treppendurchgang vom Helenendach zum Hof der Grabeskirche. Der äthiopische Erzbischof Filipos brachte ein Verfahren beim jordanischen Gouverneur in Gang, das 1961 dazu führte, daß jordanisches Militär einrückte, alle Türschlösser entfernte und die Schlüssel der neuen Schlösser den Äthiopiern aushändigte. Doch der koptische Patriarch Kyrill VI. lenkte die Aufmerksamkeit Präsident Nassers auf diese Frage und entsandte eine Bischofsdelegation zum jordanischen König Hussein, die die Suspendierung der vorgängigen Entscheidung erreichte. Am Palmsonntag 1961 konnte die koptische Prozession das äthiopische Kloster durchqueren.

Kaum aber war die Altstadt Jerusalems im Sechs-Tage-Krieg von den Israelis besetzt, so nutzte Kaiser Haile Selassie seine guten Beziehungen zu Israel aus, um die Verhältnisse noch einmal umzukehren. Der koptische Bischof Basilios verschmäht nun, weil ihm der direkte Abstieg verwehrt ist, aus Protest den Besuch der Grabeskirche. Aber bald erfolgte eine erneute Umkehrung der Verhältnisse. Die äthiopische Militärregierung hatte die diplomatischen Beziehungen zu Israel abgebrochen, während Präsident Sadat im Frühjahr 1980 solche Beziehungen aufnahm. In einem Prozeß, den die Kopten anstrengten, sprach sich das israelische Gericht zugunsten ägyptischer Besitzansprüche aus. Der Konflikt zwischen Kopten und Äthiopiern war damit keineswegs beendet. Das Gericht verschob die Ausführung seines Entscheids bis zu dem Zeitpunkt, wo eine historische Forschungskommission ein Gutachten über die Besitzverhältnisse angefertigt haben wird.

Eine gewisse Unruhe, die das äthiopische Leben der Heiligen Stadt kennzeichnet, zeigte sich auch darin, daß in den vergangenen zwölf Jahren fünfmal sowohl das Bischofsamt als auch das Abtsamt wechselte. Dankbar erinnern sich die Mönche des Abuna Josef, der sieben Jahre lang von 1965 bis 1972 den äthiopischen Klöstern präsidierte. Abuna Matthias, von der äthiopischen Revolutionsregierung als Bischof in Jerusalem eingesetzt, verweigerte die Rückkehr nach Addis Abeba, als er wegen eines Diebstahls der Klosterguthaben zurückbeordert wurde, und ging 1981 in die Emigration nach London. Der als Nachfolger geweihte Abuna Barnabas ließ sich gar nicht erst in Jerusalem blicken. Statt seiner amtiert seit 1983 der junge Erzbischof Salama, der in den traditionellen Kirchenschulen von Gondar seine Bildung erfahren hat.

Die syrische Gemeinde Jerusalems wurde im Jahre 1587 von einer Katastrophe betroffen, deren Folgen auch nie wieder aufgehoben werden konnten. Nahe beim Teich Bethesda, also im syrischen Viertel der Heiligen Stadt, besaßen die Syrer das sogenannte Linsenkloster al-Adas. Noch der Pilger Bonifaz, der 1555 in Jerusalem eintraf, gab eine genaue Beschreibung dieses Klosters, dessen Geschichte sich bis ins 4. Jh. zurückverfolgen läßt.

Die Klosterkirche war längst in eine Moschee verwandelt, als der syrische Bischof Gregorius Yousef al-Korrchi 1532 mit viel Geld sie zurückkaufte und als Patriarchensitz herrichtete. 1587 wurde nun der dort residierende Bischof Mar Youhana al-Karkari von den Türken getötet. Dahinter stand eine Intrige seines Sakristans. Dieser hatte sein Patenkind heiraten wollen und den Bischof um Dispens gebeten. Im Blick auf die Kanones verbot der Bischof diese Ehe. Der Sakristan rächte sich, indem er auf die Sohlen der liturgischen Pantoffeln des Bischofs den Prophetennamen Mohammed schrieb, dann zur Scharia, dem muslimischen Gericht, lief und den Bischof anzeigte. Auf das Christuskreuz oder auf den Prophetennamen treten galt ja als Symbol der Absage gegenüber einer Religion. Der Bischof geriet in den Verdacht, daß er stets, wenn er die Messe feierte, auf den Prophetennamen trat. Die Untersuchung bestätigte die Anzeige, und Bischof Mar Youhana wurde im Klostertor des Linsenklosters gepfählt. Die Unruhe in den syrischen Kreisen der Stadt wurde so groß und die dadurch ausgelöste türkische Verfolgungswelle so heftig, daß jetzt viele Syrer zum Islam übertraten oder bei den Lateinern und Griechen Unterschlupf suchten.

Die syrische Gemeinde Bethlehem, die heute 2000 Gläubige zählt, führt ihre Anfänge auf solche Syrer zurück, die damals aus Jerusalem auswichen. Erst aus Zuwanderern im 18. Jh. gewann sie ihre jetzige Kraft. Das Linsenkloster selbst wurde wieder in eine Moschee umgewandelt. Auch das St. Markus-Kloster in der Altstadt von Jerusalem verödete unter der osmanischen Herrschaft und wurde eine Zeitlang von armenischen Mönchen besetzt.

Die Beziehungen der Jerusalemer Patriarchen zur Gesamtorthodoxie

Von den ersten Jahrzehnten des 17. Jhs. an haben die großen Patriarchenpersönlichkeiten Jerusalems über die Grenzen des Osmanischen Reiches hinaus in Entwicklungen der Orthodoxie der Donaufürstentümer, der orthodoxen Ostgebiete Polens und des russischen Zarenreichs eingegriffen. Zunächst intensivierten sich ihre Beziehungen zu den rumänischen Fürstentümern der Moldau und Walachei, die zwar unter osmanischer Suzeränität, aber doch frei zur Eigengestaltung lebten. Eine postbyzantinische Kultur blühte dort. Hohes Verantwortungsbewußtsein für die Orthodoxie des Heiligen Landes war erwacht. Die Jerusalemer Patriarchen, die meist im nahen Konstantinopel residierten, kamen zu Besuch. Als Form der Unterstützung spielte sich ein, daß rumänische Feudalherren Klosterbesitz dem Jerusalemer Patriarchen übereigneten, der alsdann das Kloster mit griechischen Mönchen besetzte, die die erwirtschaftete Bodenrente nach Jerusalem abführten.

Erste Beziehungen wurden durch den Jerusalemer Patriarchen Theophan geknüpft, der 1617 am Hof des Mikael Radu in Jassy erschien. Ihm wurde zur Unterstützung seines Kampfes um die bedrohte Orthodoxie das von Petru Schiopul gegründete Kloster Galata in Jassy geschenkt. Als Theophan 1628 erneut in die Moldau kam, in der jetzt Miron Voda Barnoschi regierte, wurde ihm die Dormition-Kirche mit ihren Gutshöfen Toporauți und Sipot übereignet. Beim dritten Besuch empfing er aus der Hand des Leon Tomsa das Dorf Poeni, dazu 20000 Taler zur Wiederherstellung der Geburtskirche in Bethlehem. Als Patriarch Nektarios 1643 vom

Fürsten Vasile Lupu empfangen wurde, schenkte der Bruder des Herrschers, der Großpatarnik Gheorghe, die Kirche Mariae Himmelfahrt in Ismailia.

Als nachfolgender Patriarch von Jerusalem wurde gar ein in der Moldau beheimateter Kleriker gewählt, nämlich der Abt des Klosters Galata in Jassy. Schon zuvor hatte er die Funktion eines Exarchen des Jerusalemer Patriarchats in der Moldau wahrgenommen. An seiner Inthronisation am 25. März 1645 nahm der rumänische Bischof Atanasie von Roman teil.

Reich floß die rumänische Unterstützung während der Herrschaftsperiode des Fürsten Gregorie Ghica. Ein ehemaliger rumänischer Jerusalempilger, der Heilige Mihalache, ließ 1664 die Georgskirche von Galatz mit den Skit Dealul und Dumbraviţa in Jerusalemer Eigentum übergehen.

In der Herrschaftsperiode des großen Jerusalemer Patriarchen Dositheos kamen die rumänisch-palästinensischen Beziehungen auf den Höhepunkt. Wie liebte Dositheos die Konzelebration mit rumänischen Hierarchen, um die orthodoxe Zusammengehörigkeit zum Ausdruck zu bringen! 1670 weihte er mit den Hierarchen von Bukarest und Siebenbürgen in der walachischen Hauptstadt das Mironöl. Bei einer Hochzeit im Fürstenhaus Brâncoveanu Herbst 1692 wirkte der Patriarch als Trauzeuge mit, beim Tod des Fürsten Constantin Cantemir hielt er eine Panichida. Eine Liste aller rumänischen Stiftungen anzulegen, wäre ermüdend. Doch darf nicht übergangen werden, daß der Patriarch von seinem engen Freunde, dem moldauischen Metropoliten Dosoftei, die Stätte seiner einstigen Mönchsweihe – das von Petru Rareş gegründete Kloster Probota – empfing.

Als die türkischen Behörden im 17. und 18. Jh. den Streit zwischen Orthodoxen, Lateinern und Armeniern um möglichst umfassende Privilegien an den Heiligen Stätten schürten und sich ihre behördlichen Entscheidungen mit hohen Bestechungssummen abkaufen ließen, halfen die rumänischen Fürsten dem Jerusalemer Patriarchen in dieser prekären Lage. Beispiel: 1673 war den Türken von katholischer Seite eine hohe Geldsumme angeboten, um Rechte am Heiligen Grab zu erwerben. Dadurch sah sich Fürst Ghica zu einer Reise nach Jerusalem veranlaßt, um mit rumänischem Kollekten-Geld die Privilegien wieder zurückzukaufen. Der Fürst setzte sich durch, indem er sogar die Verpflichtung zu einer jährlichen Rente von 1000 Piastern an eine Moschee übernahm. Der muntenische Fürst Şerban Cantacuzino übergab 1686 dem Patriarchen Dositheos 2650 Taler, um eine Reparatur der Grabeskirche zu sichern, und beschaffte dafür von den türkischen Behörden den nötigen Firman.

Das Verlangen des Dositheos, in Druckwerken die Wahrheit der Orthodoxie zum Leuchten zu bringen, kam zum Zuge, als es ihm 1681/82 gelang, mit Hilfe des Gheorghe Duca eine griechische Druckerei im Kloster Cetatuia zu gründen, die vom Hieromonachen Metrophan – dem künftigen Bischof von Huşi, später von Buzau – betrieben wurde: Die zweitgegründete griechische Druckerei im Orient, wenn man die von Kyrillos Lukaris gegründete, von den türkischen Behörden bald beschlagnahmte Druckanstalt als erstgegründete rechnet. Hier wurden nicht nur liturgische Bücher gedruckt, sondern auch apologetische Werke gegen katholisches oder protestantisches Proselytentum. So erschien 1682 die vom Jerusalemer Nektarios geschriebene »Antwort« auf den Primatsanspruch des Papstes im Druck, 1694 der Sermon des Johannes Eugenikos gegen die Florentiner Union, 4 Jahre später der Tomos der Liebe, in dem Stellungnahmen griechischer Theologen wie Gregor Palamas, Mark Eugenikos, Nikephoros Gregoras, Patriarch Gennadios II. zu Kontroversthemen gesammelt waren. Als 1688 die erste rumänischsprachige Bibel (Şerban-Bibel) herauskam, war sie mit einem Vorwort des Dositheos versehen, damit dem Werk höhere Autorität verliehen sei.

Die Nutzung der rumänischen Druckereien für die Herausgabe liturgischer Bücher hatte weittragende Folgen für das Heilige Land. In der arabischsprechenden Bevölkerungsmehrheit lebend, wurde der christliche Volksteil zunehmend arabisiert. Aber in der orthodoxen Kirche war Aramäisch (Syrisch), also die Sprache Jesu, Liturgiesprache geblieben. Dadurch, daß die Patriarchen in Rumäniens Druckereien arabische Liturgiebücher drucken ließen und nun diese Druckwerke die alten syrischen Manuskripte verdrängten, kam das Syrische in den dem Patriarchen unterstellten Gemeinden außer Gebrauch. Es fehlte nicht an konservativen Gemeinden, die lieber syrische handschriftliche Bücher neu herstellten als die ihnen zugelieferten arabischen Werke zu benutzen.

Daß des Dositheos Neffe Chrysanthos den Jerusalemer Patriarchenthron erlangte, war der Mithilfe des rumänischen Fürsten Constantin Brâncoveanu zu danken. Chrysanthos weihte am 29. Juli 1707 die neuerbaute Kirche des hl. Gheorghe des Neuen, die dabei dem Heiligen Grab gewidmet wurde. Als Brâncoveanu 1714 wegen seiner österreichischen Verbindungen von den Türken mit allen seinen Söhnen in Istanbul hingerichtet und von nun an die Herrschaft in den rumänischen Fürstentümern den Phanarioten anvertraut wurde, war infolge des gemeinsamen Hellenismus das Zusammenspiel des Jerusalemer Patriarchats mit den rumänischen Fürsten noch erleichtert. So erlangte Chrysanthos die Zusage der Fürsten für eine jährliche Lieferung von 150 Maßeinheiten Salzminen. Der Patriarch brachte in den rumänischen Druckereien das Werk seines Onkels Dositheos über die Geschichte der Jerusalemer Patriarchen, ein zweibändiges Werk von 1240 Seiten, heraus (Bukarest 1732) und ließ dem ein Werk über Jerusalems Superiorität folgen.

Vor genau 300 Jahren begann dann auch die rumänische Wallfahrt ins Heilige Land. 1682 erschien Constantin Cantacuzinos Gattin, Mutter des Şerban, begleitet von einer starken Militäreskorte in Jerusalem, bald darauf auch der walachische Metropolit Varlaam und zahlreiche Mönche. Vor dem Zweiten Weltkrieg entdeckte Marcu Bezu im Schatz der Grabeskirche zahlreiche liturgische Geräte und Manuskripte rumänischer Herkunft, die in dieser Periode ins Heilige Land gelangten.

Die Jerusalemer Patriarchen wirkten in dieser Epoche über die Grenzen der Donaufürstentümer hinaus in die Ukraine hinein, wo die autochthone Orthodoxie bedroht war. Der ukrainische Adel hatte, um Sitze im polnischen Sejm zu gewinnen, die an katholisches Bekenntnis gebunden waren, seine Vettern auf den ukrainischen orthodoxen Bischofssitzen veranlaßt, 1596 in die Union von Brest einzuwilligen, das heißt einer Unterstellung der bisher orthodoxen Eparchien der polnischen Adelsrepublik unter die päpstliche Jurisdiktion zuzustimmen. Damit war die orthodoxe Hierarchie der Ukraine nahezu erloschen. In dieser Lage machte sich der Jerusalemer Patriarch Theophanes III. im Jahre 1620 zu einer Rundreise in die Ukraine auf und weihte, wo er hinkam, neue, mit den Unierten konkurrierende Bischöfe. Dadurch kam der Metropolitensitz von Kiev, der nun dank der Hilfe des Jerusalemer Patriarchen von Iov Boreckij – Gegenbischof für den unierten Metropoliten Iosif IV. – eingenommen wurde, in enge Verbindung mit dem Jerusalemer Stuhl. Der in das Kiever Höhlenkloster 1627 aufgenommene Moldauer Fürstensohn Petrus Mogilas, der infolge der Förderung des Metropoliten Iov bereits nach einem Vierteljahr zum Archimandriten aufstieg, ließ hier ein neues Ausstrahlungszentrum der Orthodoxie erstehen – unter Mithilfe der Jerusalemer Patriarchen. Zum Dank, aber auch, um dem römischen Primatsanspruch eine Gegeninstanz entgegenzusetzen, betonte Petrus Mogilas in seiner Ekklesiologie die einzigartige Vorzugsstellung der Kirche Jerusalems unter allen Ortskirchen. Petrus Mogilas preist diese Kirche als »die Mutter aller Kirchen und die erste«, weil von ihr die Ausbreitung des Evangeliums ihren Anfang genommen habe. Kiev als die »Mutter der russischen Städte «ließ sich nun bei dem Ehrennamen eines »zweiten Jerusalem« nennen. So konnte eine Aufwertung Jerusalems geeignet sein, auch das Ansehen Kievs zu erhöhen. Womöglich war es auch der Jerusalemer Theophanes III., der 1633 den Petrus Mogilas zum Metropoliten von Kiev weihte.

Der Kiever Metropolit befähigte nun 1642 durch die Herausgabe seiner Confessio Orthodoxa als erster den in der damaligen Periode von katholischer und protestantischer Seite in Frage gestellten orthodoxen Glauben, authentische Orthodoxie in den Denkformen der abendländischen Scholastik auszudrücken. Niemand trug mehr dazu bei, daß die Confessio des Petrus Mogilas sich in der Gesamtorthodoxie durchsetzte, als die Jerusalemer Patriarchen Nektarios (1660–1669) und Dositheos II. (1669–1707): Nektarios versah die Confessio, die zum Druck befördert werden sollte, am 20. November 1662 mit einem engagierten Vorwort und bemühte sich darum (freilich umsonst), daß der Dragoman der Hohen Pforte die Druckkosten übernähme, damit die Exemplare kostenlos verteilt werden könnten; Patriarch Dositheos, schon vor Abdankung des Nektarios dessen rechte Hand, versah 1699 die vom Priestermönch Anthimos dem Iberer – dem berühmten Antim Ivireanul – in seiner im Kloster Snagov eingerichteten Druckerei herausgebrachte griechische Fassung der Confessio mit einer umfangreichen Vorrede.

Patriarch Dositheos II. nahm sich nun auch selber der Aufgabe an, die durch die Confessio des Petrus Mogilas angezeigt worden war: die authentische Orthodoxie gegenüber den calvinisierenden Elementen, die der Ökumenische Patriarch Kyrillos Lukaris in seine Lehrweise aufgenommen hatte, ebenso gegenüber katholisierenden Einflüssen, die vom französischen Gesandten in Konstantinopel ausgingen, abzugrenzen. 1672 ließ Dositheos ein Konzil in Jerusalem zusammentreten, das die Protestantismen schroff ablehnte, aber auch die katholischen Einflüsse in der Wandlungslehre abwies. Die Confessio fidei orthodoxae des Dositheos, damals verfaßt und angenommen, hatte ihre Auswirkungen in der gesamten Orthodoxie. Im Rußland des 19. Jhs. wurde sie in Massenauflagen gedruckt, als Oberprokuror Protasov im Kontrast zur religiös-schwärmerischen Ära Alexanders I. die russische Kirche auf konservative Bahnen drängte. Im Glaubensbekenntnis des Dositheos war den Laien das Lesen der Heiligen Schrift unter Hinweis auf die Römerbriefstelle »fides ex auditu« verboten. Das Heil komme vom Hören, nicht vom Lesen. Das Lesen sei also schädlich. Diese Bemerkung des Dositheos konnte in Rußland jetzt mit der Spitze gegen die Arbeit der russischen Bibelgesellschaft, die seit 1812 billige Bibeln verbreitet hatte, angewendet werden.

Patriarch Dositheos II. wurde für die in die Krise geratene russische Orthodoxie ein wichtiger Bundesgenosse. Als im Jahr 1700 der Moskauer Patriarch Adrian gestorben war, hatte Zar Peter der

Große keine Gelegenheit zur Neuwahl eines hierarchischen Oberhaupts gegeben. Er suchte die russische Kirche auf den Status einer obrigkeitsfrommen Staatskirche herunterzudrücken und nötigte ihr 1721 mit dem Erlaß seines Regulament eine Verfassung auf, derzufolge die Kirche des Zarenreichs von einer Behörde in der neugegründeten Hauptstadt St. Petersburg geleitet wurde, an deren Spitze ein juristischer Beamter, der Oberprokuror, stand. 200 Jahre lang – bis zur Revolution 1917 – existierte die russische Kirche in das petrinische System eingepreßt. Damit, daß der Zar 1701 den sogenannten Monastirskij Prikas – das heißt, eine staatliche Gesamtverwaltung der Kirchengüter – einrichtete, machte er die Kirche vollends vom Staat abhängig. Die russische Kirche erhob sich nicht unmittelbar gegen solche Vergewaltigungen, rief jedoch den hochangesehenen Jerusalemer Patriarchen zu Hilfe.

Dositheos hatte schon seit längerem mit dem Zaren im Briefwechsel gestanden. Er hatte darüber Klage geführt, daß Frankreich, welches im Osmanischen Reich das Patronat über die christlichen Bevölkerungselemente übernommen hatte, den orthodoxen Patriarchen fast gänzlich aus der Grabeskirche verdränge. Der russische Zar, der im Krieg mit der Türkei siegreich geblieben war, hätte doch auch auf die Türken Druck ausüben können, daß sie dem orthodoxen Patriarchen sein Recht an der Grabeskirche gegenüber den Lateinern sicherten. Das hätte in den Friedensvertrag von 1701 hineingehört. Aber Peter kümmerte sich nicht um die Anliegen der Orthodoxie in Jerusalem. Dositheos stellte dem Zaren militärische Hilfe der von den Türken unterjochten Balkanvölker in Aussicht, wenn er nur durch Druck auf die Türken der Orthodoxie Erleichterung verschaffe. Umsonst!

Da schlug Patriarch Dositheos, angestachelt durch seine russischen Freunde, einen aggressiveren Ton in seiner Korrespondenz mit dem Zaren an. Er warnte Peter vor den gewalttätigen Strukturveränderungen, denen er die russische Kirche unterwarf. Der Zar könne doch nicht einfach ein Patriarchenamt annullieren! Als Dositheos' Nachfolger auf dem Jerusalemer Thron, Patriarch Chrysanthos (1707–1731), die russischen Hierarchen weiterhin stützte, kam es fast zu einem Bruch zwischen Peter und seinen Bischöfen – für den Zaren bedrohlich. Doch Peter gründete 1713 in seinem Petersburg ein neues Kloster, die Aleksander Nevski-Lavra, und erzog sich hier eine neue, ins System passende Hierarchie. Chrysanthos von Jerusalem blieb schließlich der einzige der ausländischen Patriarchen, der dem Regulament des Zaren von 1721 zäh die kanonische Anerkennung versagte.

Als 1625 Muhammed ibn-Faruk, ein Araberscheich aus Nablus, das Amt des Pascha von Jerusalem an sich riß, war bald erkennbar, daß sein einziges Interesse persönliche Bereicherung war. Seine Praxis war: die Notabeln der Religionsgemeinschaften gefangenzusetzen und nur gegen Lösegeld freizugeben. Die Juden, die mitbetroffen waren, erreichten beim Sultan seine Ablösung. In Galiläa besserten sich die Verhältnisse unter Dahr al-Omar, dem Scheich eines Beduinenstammes (1735–1775). Er baute sich als seine Residenz Tiberias wieder auf. Sein Nachfolger Achmed al-Schazzar (1775–1804) regierte wieder wie ein Tyrann. Als Gerichtsherr sprach er selbst Todesurteile und nahm eigenhändig grausame Exekutionen vor. Unter seiner Regierung trafen 1777 die ersten Chassidim aus Rußland in Palästina ein. Safed lebte wieder auf. Das dankten ihm die Juden, indem sie Napoleons Aufrufe mißachteten. Al-Schazzar, der die Kreuzritterfestung Akkon als seine Residenz wählte, hielt die Stadt gegen die französische Armee, deren leichte Feldkanonen den Befestigungsanlagen nichts anhaben konnten.

Das Elend der Christenheit des Heiligen Landes an der Wende vom 18. zum 19. Jh. läßt sich an drei Bildern illustrieren. Erstes Bild: Als die Expeditionsarmee Napoleons in Ägypten gelandet war, ihre Basis durch Einbeziehung von Palästina und Syrien zu erweitern suchte und 1798 bis Gaza gelangte, schließlich die Mauern von Akkon beschoß, zeigten sich die Jerusalemer Muslime beunruhigt. Sie fürchteten, daß Franziskaner, Armenier und Griechen eine Übergabe der Heiligen Stadt an die Franzosen betrieben. Die Muslime drangen ins Kloster der Franziskaner mit dem Vorwurf, die Fratres hätten den Franzosen geschrieben, nach Palästina vorzudringen, und hätten Waffen versteckt. Die lateinischen Mönche verschlossen sorgfältig ihre Tore. Es war damals üblich geworden, die Grundstücke in Jerusalem mit Eisengittern zu sichern. Als die Türken unter lautem Geschrei kamen, die Türen mit Äxten einzuschlagen, aber vor den Gittern scheiterten, schleppten sie Leitern herbei. Die Fratres aber entschlüpften ins benachbarte orthodoxe Erzengelkloster, wo sie sich verstecken ließen. Den griechischen Metropoliten Arsenios, den französischen Konsul und den Dolmetsch der Armenier warfen die Türken ins Gefängnis der Zitadelle. Beim Verhör, dem die türkischen Behörden die Vertreter der Patriarchate unterwarfen, erklärte Metropolit Arsenios von Skythopolis: »Da wir Christen sind, so sind wir, wenn wir uns auch von den anderen unterscheiden, doch ihre Brüder und Freunde.« Der armenische Patriarch fiel ein: »So nicht! Wir Armenier sind niemandes Freunde oder Brüder, sondern zuverlässig für die herrschende Macht und haben keinerlei Beziehungen zu Franzosen und Lateinern.« Darauf erklärte der Mufti: »Wenn ihr Freunde und Brüder der Franzosen seid, so seid ihr des Todes schuldig. Jetzt nehmen wir euch vorerst in sicheren Gewahrsam.«

So wurde die Grabeskirche als Gefängnis für alle orthodoxen Würdenträger eingerichtet. Die türkischen Behörden nahmen die Schlüssel der Kirche mit. Vor die übrigen Klöster wurden Wachmannschaften gestellt. Überall wurde nach Waffen gesucht, jedoch nichts gefunden. Bis in den November hinein diente die Grabeskirche als Gefängnis.

Zweites Bild: 1808 wurden die Gläubigen der Heiligen Stadt durch den Brand der Grabeskirche erschreckt. In ihrer Feindschaft gegen die Armenier beschuldigten die Griechen die armenischen Mönche einer absichtlichen Brandstiftung. Der Mönch Prokopios, der Bruderschaft des Heiligen Grabes zugehörig, hielt dies Geschehnis in einem umfangreichen Gedicht fest:

> Wo soll ich doch beginnen? Hand erlahmet.
> Feder entfällt der Hand, Seel' und Verstand erstarr'n.
> Ein Strom von Tränen heiß entströmt den Augen.
> Doch daß das Böse recht gebrandmarkt werde
> dieser Armenier, die die Schuld dran tragen,
> damit auch später ihre Arglist gut bekannt,
> will ich durch dein Gebet mich kräft'gen, hoher Patriarch!
> Im Jahre 1808 nach unsres Heilands Kommen
> fiel dieses Feuer in das Gotteshaus
> der Auferstehung dessen, der die Welt erschuf.
> Am 30. September geschah es damals,
> am Tage, da wir das Gedächtnis des Gregorius feiern.
> Da haben Gotteslästerer aus neid'gem Herzen
> ohn' große Mühe Feuer angelegt im Tempel.
> In achter Stunde dieser Nacht: Ein Feuerstrahl.
> Oh schreckliches, erschütterndes Geschehnis, Wahnsinn!
> Wir folgten damals all dem Gottesdienst
> in Geist und Herzen auf den Herrn gerichtet
> in der Kapelle unsrer Bruderschaft.
> Von da aus kann man ganz genau
> das Grab des Herrn sehen.
> Grad sangen wir die fünfte Ode,
> da hörten wir, sie klopften und sie schrieen.
> Ganz überrascht sahn wir der Lohe Schein.

Aufs schnellste eilten wir zur Kirch' hinaus
und jeder eilte, Hilfe herzubringen.
Die einen riefen türksche Wächter aus den Häusern.
Aus den Zisternen schleppten andre Wasser her.
Aber das Feuer weitete sich meteorenhaft.
Ganz offensichtlich war, es ist recht aussichtslos,
von außen irgendetwas zu bewirken,
denn diese üblen Leute, die nicht wollten, daß man lösche,
vergossen Alkohol (Raki), daß sich das Feuer mehre.
Als die Türhüter kamen, öffnet man die Tore.
Aber sie brannten innenseitig schon,
war'n sie doch trocken wie das Heu.
Viel von den Vätern stürzten sich ins Gotteshaus,
außer sich vor solchem Ungeheuren.
Fromme Lateiner wurden auch gefunden, viere,
die anstürmend sich ins Heiligtum begaben ...

Noch bis zum heutigen Tag nehmen die Griechen an, mit Vorsatz
hätten die Armenier diesen Brand gelegt. In Wahrheit brach das
Feuer aus, weil damals Holzbauten in der Grabeskirche zur Auf-
bewahrung liturgischer Gewandung und zum Aufenthalt der Mönche angelegt waren, und ein armenischer Mönch bei seinem Heizofen
eingeschlafen war. Der Mönch selbst verbrannte. In der Aufregung,
die angesichts des Brandes entstand, zertrümmerten Orthodoxe die
Sarkophage der »Könige von Jerusalem«, Gottfried von Bouillon
und Balduin I., die seitlich der Vorhalle ihre Stätte hatten – so brach
sich der seit Kreuzfahrerzeiten aufgestaute Haß Bahn. Chateaubriand
war der letzte Pilger gewesen, der noch die Grabeskirche vor dem
Brand und die unzerstörten Königsgräber sah. »Ich grüßte die Asche
der Kreuzritterkönige, die wahrhaft verdienen, bei dem unvergleich-
lichen Grab zu ruhen, das sie befreit hatten«, schrieb er. Das Epitaph
Balduins trug die erstaunliche Inschrift: »Ein zweiter Judas Makka-
bäus, Hoffnung des Vaterlands, Stärke der Kirche, Kraft von beiden,
dem die Zeder des Libanon und Ägypten, Dan und das menschen-
mordende Damaskus zitternd ihre Gaben und Tribute darbrachten
– oh Schmerz! –, eingeschlossen in diesem engen Grab.«

Die Botschafter der westlichen Mächte unterbreiteten 1811 der
Pforte den Vorschlag, daß die Lateiner, wenn sie die brandzerstörte
Kirche restaurierten, auch neue gottesdienstliche Rechte erwerben
müßten. Die Pforte gewährte daraufhin einen orismos, mit dem die
Diplomaten zu Suleiman-Pascha in Ptolemais (Akkon) gingen, der
alsbald einen analogen Erlaß herausgab. Da das orthodoxe Patriarchat mit einer Steuerschuld von 150000 Talern in Kreide stand,
aber nur 3000 hatte bezahlen können, war der Pascha dem Ansinnen

der Abendländer gegenüber offen. In einer Moschee Jerusalems wurde die Verfügung bekanntgegeben. Die Lateiner sollen daraufhin die orthodoxen Kandelaber weggerissen und das Holzkreuz vom Golgathahügel zerschlagen haben.

Drittes Bild: Der Chronist des Patriarchats, Hieromonach Neophyt von der Grabes-Bruderschaft, verdeutlicht, wie sehr das griechische Patriarchat Jerusalem von türkischen Reaktionen auf den griechischen Aufstand von 1821 betroffen war. Unter dem Siegel der Verschwiegenheit war vom Epitropen des Patriarchats der Jerusalemer Synode die Nachricht vom Aufstand zugespielt worden. Doch schon am Karfreitag hatte der Mufti durch Briefe aus Jaffa gleiche Nachrichten erhalten. Den beschwor man mit Bestechungsgeschenken, über Ostern den Mund zu halten. Sonst würden die türkischen Massen das Fest der Christen stören. Die traditionelle Prozession der Pilger zum Jordanufer wurde beschleunigt. Schnell wurden die Scharen zu ihren Schiffen nach Jaffa abgeschoben. Doch die Zuletztkommenden mußten sich bereits nach Waffen durchsuchen lassen. Der russische Konsul Georgios Mostras half zum Abtransport der Pilger.

Jetzt rückte das Militär ein. Ein Erlaß des Sultans Mahmud verdächtigte alle Christen der Untreue. Janitscharen durchwühlten das Patriarchat, dann alle Klöster und Christenhäuser, nicht anders in Bethlehem und im Sabaskloster. Als der Konstantinopler Patriarch Gregorios V. an der Pforte des Phanar erhängt wurde, verbreitete sich in Jerusalem die Schreckensnachricht, der Patriarch der heiligen Stadt Polykarp sei mit umgebracht worden. Alle weinten. Zum Glück stellte sich diese Nachricht nach zwei Wochen als Irrtum heraus. Das niedere Volk benahm sich jetzt herausfordernd gegenüber allen Christen. Jeder fand einen Grund, Christen zu berauben. Am schlimmsten benahm sich ein mit den Muslimen kooperierender Jude, Suleiman Effendi. Dann schlug wie eine Bombe die Nachricht von der Erhängung der griechischen Hierarchie auf Zypern ein, von den Massakern auf Chios und auf der Halbinsel Kassandra bei Thessaloniki.

1822 sandte ein verbrecherischer Pascha eine Gruppe von 30 geschändeten jungen Mädchen, die er während der Massaker aufgelesen hatte, in seinen Jerusalemer Harem. Zwei von ihnen, Achtzehnjährige, fanden eine gute Gelegenheit zur Flucht. Die Türken suchten nach ihnen innerhalb und außerhalb der Stadt und sagten, die Nazarener – so nannten sie die Würdenträger des Patriarchats – hätten sie gestohlen.

Ende des Jahres geschah auch dies: Ein albanischer Türke schleppte zwei geschändete christliche Mädchen, die er in Kreta gefangen hatte, nach Jerusalem. Der Türke fand heraus, daß er einen höheren Preis erziele, wenn er die Mädchen an Christen verkaufe. Heimlich ließ er dieses Angebot dem Patriarchat zukommen. »Als wir die Mädchen sahen, die weinten und uns im Namen Gottes anflehten, daß wir sie doch kaufen möchten, empfanden wir Mitleid und Sympathie. Da wir auch wußten, daß sie unausweichlich türkisiert würden, wenn die Türken sie kaufen würden, kauften wir sie unter Mithilfe barmherziger Wohltäter für 16 000 Taler und schoben sie noch in der Nacht (unter Einschaltung des französischen Konsuls) in ein christliches Land ab. Als am nächsten Morgen die Jerusalemer Türken die Mädchen kaufen wollten und sie nicht mehr vorfanden, wurden sie gegen den Albaner gewalttätig. Als sie schließlich erfuhren, daß wir die Mädchen gekauft hatten, kamen sie zornerfüllt und wollten sie bei uns herausholen. Sie sagten: Ihr seid selber Sklaven und erkühnt euch, Sklaven zu kaufen?«

Angesichts der kriegerischen Auseinandersetzungen in der Ägäis versiegte der österliche Pilgerzustrom. 1828 zählten die Armenier 4000 Pilger in der Heiligen Stadt, die Griechen nur 253, und diese waren nur aus Anatolien und Ägypten angereist. Die Abneigung der türkischen Behörden gegen die orthodoxen Griechen wirkte sich auch darin aus, daß 1828 Abdullah-Pascha den arabischen katholischen Mönchen die Erlaubnis gab, in Palästina und in der Heiligen Stadt in orthodoxer Mönchstracht einzuziehen und Klöster zu gründen.

Unter den wenigen Europäern, die damals das Heilige Land besuchten, waren nun schon solche Personen zu finden, die von der Bewegung des Philhellenismus erfaßt waren. So kam 1826 ein philhellenisch orientierter Kanonikus an, ließ sich im lateinischen Kloster nieder und gab dem notleidenden orthodoxen Patriarchat einen Geschenkbetrag von 10 000 Talern. Mit Bitterkeit vermerkt der Chronist des Patriarchats: Als die Fratres dies erfuhren, drohten sie dem Kanonikus, ihn aus ihrem Kloster auszuweisen. Sie hielten ihm entgegen: »Du willst ein Katholik sein! Wie kannst du den Schismatikern solche Schätze schenken, die doch unsere Feinde sind?« So kam der Spender wiederum zum Patriarchat, forderte das Geld zurück; als es ihm nicht erstattet werden konnte, wandte sich die Leitung der Fratres beschwerdeführend an die türkischen Autoritäten.

Jetzt richtete der in evangelikalen Kreisen Englands erwachte Missionswille sein Augenmerk auf Palästina. Die frühzeitigste missionarische Aktion ging von der London Society for promoting Christianity amongst the Jews (LJS) aus. Die Gesellschaft, 1808 ins Leben gerufen, konnte 1819 den bekehrten Rabbinersohn Joseph

Wolff als ihren Mann gewinnen. Nach 2 Jahren Cambridge-Studium brach Wolff 1822 nach Jaffa und Jerusalem auf. Hier erschien er wie ein Meteor. Seine Berichte fielen farbig aus. Nirgends jedoch hinterließ er fortbestehende Institutionen. In einem Zuge durchreiste er Ägypten, Palästina, Syrien, Mesopotamien, Persien, Turkistan, Indien, oft bei Juden gut aufgenommen, bewandert in vielen Sprachen, überall Missionschancen erspähend. Unter dem Einfluß des Millenariers Henry Drummond, der aus seinem Freundeskreis in Albury Parc die Katholisch-Apostolische Kirche entstehen ließ, schärfte sich bei Wolff die Orientierung auf das Eschaton.

Der Chronist des orthodoxen Patriarchats karikierte Wolffs Arbeitsweise so: »Damals tauchten in Arabien und besonders in Jerusalem Missionare der Gemeinschaft der Kalvinisten oder Protestanten auf. Sie brachten für die unerfahrenen Leute Bibeln mit. Als erster kam ein gewisser Josef Wolff, Jude von Herkunft, wohnte im Kloster der Armenier und begann Evangelien mit Psalmen kostenlos zu verteilen – in den verschiedensten Sprachen, meit in Hebräisch. Er traf sich mit den Juden Jerusalems und diskutierte mit ihnen über Christus. Über 1000 hebräische Evangelien verteilte er unter ihnen. Diese Christusbekämpfer und Verspotter durchbohrten die Bibelbücher. Einige verkauften sie an die Türken, die Pfeffer und andere Gewürze darin einwickelten. Andere zerrissen sie oder verwandten sie, wie es ihnen gerade beliebte. Die übrigen sammelten die Synagogenvorsteher ein und verbrannten sie vor der Chabra. Wolff verteilte auch Bibeln in Arabisch an die orthodoxen Araber und in Armenisch an die Armenier. Die lateinischen Fratres ermahnten ihre arabischen Anhänger, daß sie solcherlei Bibeln nicht in die Hand nehmen sollten.«

Wolff trug doch Sorge, daß das Werk der Bibelverteilung im Heiligen Land weitergehen könnte. Nach seinem zweiten Jerusalemaufenthalt schrieb er am 28. August 1823 aus dem Libanon an die British and Foreign Bible Society (BFBS): »Ich traf einen Priester in Jerusalem, dessen Name Papas Isa Petrus lautet, griechischer Kirchenzugehörigkeit und Curate einer Jerusalemer Kirche. Dessen glühendes Verlangen ist es, der Society und ihrer Zielstellung, ohne irgendwelchen irdischen Lohn dafür zu verlangen, nützlich zu sein. Er hat mit im vergangenen Jahr bei der Verteilung des Gottesworts in der Heiligen Stadt beigestanden.« Einen Brief dieses orthodoxen Priesters an BFBS legte Wolff seinem Schreiben bei. – Als LJS 1823 nachstoßen wollte und einer ihrer potentesten Stifter, Lewis Way, in den Orient fuhr, kam doch auch jetzt keine kontinuierliche Arbeit zustande. Der griechische Aufstand hatte das Klima verdorben. Als Way die verlassene Jesuitenstation Antoura im Libanon mietete, um hier Judenmissionare für Palästina auszubilden, brach bei der maronitischen Hierarchie Unmut aus und legte ihm das Handwerk. Ein Firman verbot 1824 Bibel- und Traktatverteilung.

Da die Antoura-Pläne gescheitert waren, entsandte LJS den Missionar Lewis und den Arzt Danton nach Jerusalem. Bald mußte Lewis bei den Juden »Mangel an Bereitschaft zum Zuhören« beklagen. Sie seien »keineswegs reif für das hebräische NT«. Um die Bibelimportsperre des Firmans durchbrechen zu können, setzte Lewis seine Hoffnung auf die Placierung eines englischen Konsuls in der Heiligen Stadt. »Laßt uns darauf vertrauen, daß britischer Einfluß für uns dieselben Privilegien durchsetzen wird, die Angehörige anderer ausländischer Nationen (sprich: die Katholiken!) genießen.« LJS setzte für die christlichen Ziele das politische Prestige Englands ein. Man nutzte die guten Beziehungen zu einflußreichen Persönlichkeiten in England, um die Entsendung eines Konsuls zu erreichen.

Am 3. Januar 1826 ergänzte der Schleswiger Johannes Nicolayson das Team der Judenmissionare. Seine Methode war: Auf Reisen nach Safed, Tiberias, Kairo individuelle Gespräche mit Juden anzuknüpfen und ein hebräisches NT an den Mann zu bringen. Erst 1833 wählte Nicolayson Jerusalem als feste Residenz. Unter Nutzung einer Presse plante er einen Frontalangriff mit Tracts auf den Talmud. Da er mit den hochgebildeten spanischen Juden nicht vorankam, schwenkte sein Interesse auf die geringere Zahl der Aschkenasi um.

Von Anfang an war auch Safed, das Zentrum jüdischer Geistlichkeit, missionarisch besetzt. Als 1837 England als erste europäische Macht mit Konsul William Young ein Konsulat in Jerusalem einrichten konnte, jubelten die LJS-Missionare. Die Verbindung zwischen englischer Judenmission und englischem Konsulat wurde so eng, daß die Christuskirche der Mission und das Konsulatsgebäude in dem gleichen Komplex hinter dem Jaffator gebaut wurden. 1840 hatte Nicolayson den Grundstein gelegt, ohne eine Regierungserlaubnis abzuwarten. Sofort wurde der Bau vom Jerusalemer Gouverneur gestoppt. Als der englische Botschafter nun eine Erlaubnis zu erlangen versuchte, wurde ihm diese verweigert. Erst als der Konsul den Bau für eine »Konsulatskapelle« ausgab, erreichte er die Genehmigung für den Kultraum der Judenmission. Nachdem die »Christ Church« endlich 1849 vollendet war, wurde allmorgendlich die Mette nach dem ins Hebräische übersetzten Common Prayer Book gehalten.

Als 1846 Konsul Finn nach Jerusalem kam, dem die zusätzliche Aufgabe der Protektion der Juden gestellt war, weitete der Konsul seinen Auftrag noch aus, indem er wie ein Schiedsrichter Konflikt-fragen zwischen Juden und Muslimen schlichtete. Finn war mit der Tochter des Gelehrten McCaul, einem konvertierten Juden ver-heiratet, der zuerst fürs Jerusalemer Bischofsamt vorgesehen war. Finn gehörte zum Vorstand der LJS und war durch eine Publikation von Studienergebnissen über die Sephardim und über eine Orphan Colony of Jews in China hervorgetreten. Aus Rußland einwandernde Juden, deren Paß nach sechs Monaten ablief, nahm er unter englische Protektion und hielt enge Verbindungen mit dem russischen Vize-konsul, der selbst russischer Rabbi war.

1828 erschienen Rev. Jonas King und Pliny Fisk, Missionare des American Board of commissioners for foreign missions. Auch sie suchten bei den Armeniern Unterkunft und begannen mit der Ver-teilung von Alten und Neuen Testamenten. Der griechisch-ortho-doxe Chronist schildert, wie eine anfänglich vielversprechende Zu-sammenarbeit mit der Orthodoxie alsbald scheiterte.

»Mit uns befreundet, empfanden (die Missionare) Mitleid mit unserer Notlage, zeigten sich als Philhellenen und unterstützten die Grabes-bruderschaft. Sie bewohnten jetzt zwei bis drei Zellen im orthodoxen Erzengelkloster. Dort übten sie Wohltätigkeit: Den bedürftigen Kindern stifteten sie in der Schule eine Morgen- und eine Mittags-mahlzeit. Doch dann fingen sie an, die Schulkinder anzuweisen, die Ikonen nicht mehr zu verehren.« So kam es zum Bruch. Die Missio-nare mußten ihren Stützpunkt im Erzengelkloster aufgeben.

Das armenische Kloster in Jerusalem war für die neue Möglichkeit, durch Bibelverbreitung geistlich zu wirken, offener als andere kirch-liche Instanzen. Das zeigte sich daran, daß bald nach dem Besuch von Fisk und King der armenische Patriarch von Jerusalem in der BFBS-Agentur Smyrna 100 armenische NT erbat, Venediger Aus-gabe, und 50 weitere, in denen das klassische Armenisch mit dem modernen zusammengebunden war. BFBS-Agent Barker bemerkte dazu: »Das ist ein Umstand, der Freude macht, daß Prälaten von solcher Distinktion selbst die Verteilung der Heiligen Schrift in die Hand nehmen. Auf diese Weise führen wir das Wort Gottes, ohne auf Widerstand zu stoßen, in Palästina ein.« Ein Firman, der gegen die Einfuhr türkischer Schriften erlassen war, wurde damals von den römisch-katholisch orientierten Zollangestellten an der palästi-nensischen Küste zum Vorwand genommen, die Einfuhr auch andersprachiger Bibeln zu verhindern. Doch Barker fand einen Armenier, der die Bibeln ins Heilige Land transportieren und ver-sichern konnte, »daß die Bibeln in des Patriarchen Hand kom-men«.

Die Verhältnisse besserten sich erst, als sich Ägypten gegenüber

dem Osmanischen Reich unter dem Khediven Mohammed Ali ver-
selbständigt hatte und eine guttrainierte Armee unter Ibrahim
Pascha nach Palästina und Syrien in Marsch setzte, mit größerem
Glück als Napoleon Akkon bestürmte und während einer neun-
jährigen Herrschaft (1831–1840) ein System echter Toleranz im
Heiligen Land verwirklichte. Sogleich 1832 blühte das orthodoxe
Pilgerwesen wieder auf, seit 1834 auch unter merklichem Zustrom
orthodoxer Russen.

Doch auch unter Ibrahim Pascha erlitt das orthodoxe Volk Palästinas
Schreckenerregendes. Der Herrscher wollte die Zeremonie des
Osterfeuers am Karsamstag in der Anastasis miterleben und hatte
sich mitsamt seinen Soldaten eingefunden. Bei der stürmischen Be-
wegung, die unter den dicht gedrängt stehenden Menschen entstand,
als das Feuer aus dem Aediculum herausgereicht und von schnellen
Läufern zu den Gläubigen getragen wurde, die ihre Kerzenbündel
daran entzündeten, meinten die ägyptischen Soldaten, Ibrahim
Pascha sei in Gefahr, und bahnten ihm mit ihren Bajonetten eine
Gasse durch das Volk zum Ausgang. Annähernd 300 Leichen von
erstochenen oder niedergetrampelten Gläubigen wurden auf den
Vorhof der Grabeskirche hinausgetragen.

VI. Die Wandlungen seit der Mitte des 19. Jahrhunderts

Das anglikanisch-preußische Bistum Jerusalem

Als sich der osmanische Sultan um Hilfe gegen Ibrahim Pascha an
die europäischen Mächte wandte, drängten diese den Pascha unter der
Drohung von Kanonen und Kriegsschiffen nach Ägypten zurück.
Weder vorher noch nachher hatten die europäischen Mächte das
Heilige Land so in der Hand wie damals, als Ibrahim Pascha von
ihnen gezwungen wurde, das Land an den Sultan herauszugeben.
Der einzige, der Anstrengungen unternahm, diese Lage im christlichen Sinn zu nutzen, war König Friedrich Wilhelm IV. Der Roman-
tiker auf dem preußischen Thron war der Erweckungsbewegung
verbunden, alsbald Neugründer des Johanniterordens unter dem
preußischen Adel. Er entwickelte die Idee, Jerusalem zu einem
gemein-christlichen Protektorat zu erheben – eine Idee, noch heute
(in abgewandelter Weise) als Lösungsmodell der Nahostkrise leben-

dig. Doch vergebens regte Friedrich Wilhelm die Großmächte an, eine gemeinsame Garnison in die Heilige Stadt zu legen. So schrumpften des Königs Vorschläge darauf zusammen, wenigstens in Gemeinschaft mit der Church of England ein Bistum in Jerusalem zu errichten. Dabei spielte der Gedanke eine Rolle, die ökumenische Einigung der Christenheit in der Heiligen Stadt beginnen zu lassen (ein ähnlicher Gedanke, wie er für Papst Paul VI. bestimmend wurde, als er sich in Jerusalem mit dem Ökumenischen Patriarchen Athenagoras traf).

Die Instruktion, die König Friedrich Wilhelm IV. seinem Unterhändler Josias Ritter von Bunsen mitgab, zeigt, welches subtile Einfühlungsvermögen in fremde Denkweisen und welch exakte Information der König besaß – sowohl vom englischen Partner (er tippte sofort auf die Schwierigkeit der Ordinationsfrage, weil er die Konsequenzen der in der anglikanischen Kirche geltenden Logik der apostolischen Sukzession des Bischofsamtes kannte), als auch von den Strukturprinzipien des Osmanischen Reiches: Er wollte seine Gründung ins türkische Millet-Prinzip hineinschieben. Auch wollte er die Missionserfolge des American Board of Commissioners for foreign Missions nutzen. Die Zersplitterung der evangelischen Missionsarbeit im Vorderen Orient wollte er auffangen. Dem hochkirchlich orientierten König fielen Zugeständnisse an den Anglikanismus nicht schwer: Der künftige Jerusalemer Bischof, den Canterbury und Berlin abwechselnd zu bestimmen haben sollte, sollte in jedem Fall anglikanisch geweiht sein, nicht anders die Pfarrer und Missionare, die unter seiner Jurisdiktion wirken sollten.

In der Kirche der altpreußischen Union war stets ein Widerstreben gegen die Jerusalemer Pläne des Königs zu spüren, dies um so mehr, als der Erzbischof von Canterbury den 1841 zustandegekommenen englisch-preußischen Vertrag in seinem statement of proceedings als Anfang einer »essential unity of discipline as well as of doctrine between our own church and the less perfectly constituted of the Protestant Churches of Europe« ansprach. »Less perfectly constituted« – so wollten die preußischen Oberkirchenräte ihre Kirche nicht qualifiziert sehen. Sie verweigerten die Kollekten für die Pläne des Königs.

Auch in England rief die kirchliche Zusammenarbeit mit der preußischen Kirche Protest hervor. Bunsen fand zwar die Unterstützung seiner Freunde Thomas Arnold und William Gladstone, doch die Bewegung der tractarians sparte nicht mit Kritik, ja ihr Inspirator, John Henry Newman, sah sich auch im Blick auf diese Maßnahme der Staatskirche zur Konversion zur römischen Kirche gedrängt. Auch sahen die tractarians ungern einen missionarischen Eingriff in den Zuständigkeitsbereich der altkirchlichen orthodoxen Patriarchate. In der Stiftungsurkunde hieß es freilich: »Der Bischof wird Beziehungen christlicher Liebe mit anderen in Jerusalem vertretenen Kirchen, insbesondere der griechisch-orthodoxen, aufnehmen. Besonders wird er sich bemühen, sie zu überzeugen, daß die Kirche Englands weder sie zu stören noch zu spalten noch sich irgendwie einzumischen gesonnen ist.«

Das Recht zur Ernennung des Erstbischofs stand England zu. Dort wurde geltend gemacht, der Sitz Jerusalem gebühre einem Sohn Abrahams. So fiel die Wahl auf den damals bedeutendsten Judenchristen, Professor Michael Salomon Alexander, gebürtig aus Posen, in England konvertiert. Am 21. Januar 1842 traf Alexander in Jerusalem ein. England und Preußen hatte die Pforte über die Einrichtung des Bistums in Kenntnis gesetzt. So fand in einer Moschee eine Kundgebung statt, in der ausgerufen wurde: Wer den englischen Bischof antaste, werde angesehen, als ob er den Augapfel des Padischah antaste. Alexander war bald überall beliebt – hatte er doch ein offenes Ohr und einen offenen Geldbeutel. Seine Tätigkeit war fast ganz auf Judenmission beschränkt. Als er nach knapp vier Jahren auf einer Dienstreise in der ägyptischen Wüste starb, war dies ein harter Schlag.

Jetzt war der preußische König an der Reihe, einen Bischof zu ernennen. Seine Wahl fiel auf den französischen Schweizer Samuel Gobat. Er war auf dem Basler Missionsseminar ausgebildet und hatte als Pioniermissionar der CMS seit 1829 in Äthiopien gewirkt. Acht Jahre hatte er sich dort gehalten, immer den der äthiopischen Kirche inhärenten Biblizismus verstärkt und von da aus mit gelegentlicher Polemik den Marienkult attackiert, bis er vertrieben wurde. Als Bunsens Brief, der die Berufung nach Jerusalem aussprach, im März 1846 auf Malta eintraf, wo Gobat zur Ausbildung von Orientmissionaren tätig war, war Gobats erste Reaktion: Unmöglich! »Ich ließ den Brief zu Boden fallen und rief aus: Nein, nimmermehr!« Doch die Freunde rieten dem demütigen Mann so sehr zu, daß er dem Absagebrief an Bunsen einen zweiten Brief folgen ließ.

Die anglikanische Ordination zu empfangen, war insofern für ihn gar nicht einfach, da hochkirchliche Anglikaner eine Anklageschrift von achtzehn Folioseiten gegen ihn vorlegten mit »Irrtümern«, die sie aus seinem »Abessinischen Tagebuch« herausgezogen hatten. Vor allem hieß es hier, »er nimmt nichts an außer dem, was in der Bibel steht«. Als sich Gobat König Friedrich Wilhelm IV. vorstellte, bekannte dieser, er sei selten einem Mann begegnet, der ihm so vollkommenes Vertrauen eingeflößt habe.

Mehr als dreißig Jahre waltete Gobat in Jerusalem seines Amtes, bis er 1879 80jährig starb. Alle Zweige evangelischer Tätigkeit im Heiligen Land wurden von ihm inspiriert. Der preußische Konsul Rosen entwarf von ihm ein liebevolles Porträt: »Ein väterlicher Freund und Berater der Armen, von sorgfältigster Wahrhaftigkeit im Umgang, gastfrei, aller Eitelkeit abhold. Was man bei oberflächlicher Bekanntschaft an ihm vermissen mochte, war ein gewinnender Enthusiasmus. Gobat scheute sich, Hoffnungen zu erregen, deren Verwirklichung nicht gesichert war. Gobat verwirklichte viel: Eins seiner Prinzipien, das er in der Schularbeit der Londoner Judenmission im Heiligen Land ebenso wie später im sogenannten Syrischen Waisenhaus durchsetzte, war: Lehrt die Kinder ein Handwerk, damit sie ihr Brot verdienen können.« Bei der Konstituierung einer judenchristlichen Gemeinde galt: Nur taufen, wenn einer ein Handwerk gelernt hat, damit man sich in der Gemeinde nicht einen Haufen von frommen Bettlern großziehe. Dazu wurde das Industriehaus geschaffen mit Werkstätten der Druckerei, Schreinerei, Korbflechterei. Auf diese Weise wurde in die arabische Gesellschaft eine neue Schicht eingefügt, die vorher fehlte – Handwerk und Mittelstand.

Die anglikanischen hochkirchlichen Kreise hatten guten Grund, darüber zu wachen, daß Gobat, der auf äthiopischem Boden unter Orthodoxen missioniert hatte, nicht auch unter den arabischen orthodoxen Christen Mission trieb. Seine Kolporteure, die er mit Bibel und Traktaten in Städte und Dörfer schickte, ließ er nicht an orthodoxen Haustüren vorbeigehen, und das fiel auf guten Boden. Gobats Parole lautete: »Mein Möglichstes tun, um ihnen in ihrem Suchen der evangelischen Wahrheit behilflich zu sein. Doch könnte ich es nicht billigen, daß sie sich von ihrer Kirche trennten.« Es ist deutlich, daß Gobat von der damals typischen Sauerteig-Theorie geleitet war.

Zu einem ersten Konflikt mit dem griechischen Patriarchen kam es, als Bischof Gobat 1847 einen Bible reader im orthodoxen Milieu von Nablus etablierte, dafür ausgedehnte Räumlichkeiten anmietete und schließlich am 10. September 1848 mit 21 Knaben eine Schule eröffnete. Der Patriarch sprach sofort sein Anathema gegen »die englische Schule« aus. Seitdem stand das Patriarchat dem anglikanisch-preussischen Unternehmen feindselig gegenüber. Um seine Mission unter Orthodoxen, die von den Dienstanweisungen nicht gedeckt war, zu tarnen, tat Gobat in offiziellen Äußerungen unschuldiger als er war. Man entschuldigte die evangelischen Gemeindegründungen damit, daß für die vom Patriarchat Gebannten Auffanggemeinden gebildet werden müßten. Dafür wurde die Zustimmung des vorgeordneten Erzbischofs von Canterbury erlangt. Für diese »Mission« zog Gobat die Church Missionary Society (CMS) heran.

Die Evangelisierung der orthodoxen Araber erhielt jetzt auch eine Legalisierung durch einen Firman der türkischen Regierung, 1850 unter dem Druck protestantischer Mächte erlassen, der die Konversion von türkischen Untertanen zum Protestantismus zuließ. Gobat interpretierte die Mission unter Christen dahingehend, sie ziele letzten Endes auf eine Missionierung der Muslime, die im ottomanischen Reich noch verboten war. CMS berief sich gegenüber den englischen Hochkirchlern darauf, daß ihre Gesellschaft nicht an die begrenzten Zwecke der Stiftungsurkunde des Jerusalemer Bistums gebunden sei.

Die Weiterentwicklung im Heiligen Land verdankte sich dem Zusammenspiel ganz weniger Männer, die sich gut kannten und verstanden. Dazu gehörte Spittler, Sekretär der Deutschen Christentumsgesellschaft in Basel, der zahlreiche Institutionen ins Leben gerufen hatte, z. B. die Basler Mission (von daher mit Gobat vertraut), schließlich 1840 die Ausbildungsstätte missionierender Handwerksgesellen von St. Chrischona. Der junge Berliner Theologe Strauß, der sich vor dem Aufbruch zu einer Pilgerfahrt nach Jerusalem mit Spittler beriet, kam mit der Anregung zurück: Stiftet doch in Jerusalem ein Brüderhaus von St. Chrischona! Spittler folgte diesem Wink. Als das Brüderhaus nach einer Krise 1854 wieder eröffnet wurde, nahm es diejenigen St. Chrischona-Brüder auf, die sich unter Gobats Leitung zu neuem Missionseinsatz in Äthiopien ausbilden lassen sollten. Gobat, der die äthiopische Aufgabe nie aus den Augen verlor, nutzte die Bestimmung des englisch-preußischen Vertrages, die auch Äthiopien in die Jerusalemer Jurisdiktion einbezog.

Mit den für Äthiopien bestimmten Brüdern kam als Leiter des Brüderhauses der bisherige Hausvater von St. Chrischona, Johann Ludwig Schneller, nach Jerusalem. Er erwarb ein Grundstück eine halbe Stunde nördlich der Altstadt in einer Felswüste und erbaute auf dem billigen Grund ein Haus – ohne genau zu wissen, wofür; »ein Netz«, wie er sagte, »in dem man allerlei Gattung fängt«. In der Nacht nach der Einweihung wurde das Haus schon zum erstenmal überfallen. Erst als die Türken längs der Straße Wachtürme errichteten, konnte man dort sicherer wohnen. Als 1860 das Massaker der Drusen unter den maronitischen Christen des Libanon die christliche Welt erschreckte (30 000 Christen wurden getötet!), schrieb Spittler an Schneller, ob er sich nicht der maronitischen Waisen annehmen wolle. Aber wenn man dachte, alle Waisen würden sich zu diesen

Plätzen drängen, so war dies ein Irrtum. Die Flüchtlinge hielten die Kinder zurück, als Schneller unter ihnen warb. Mit nur 9 Kindern wurde in dem Bau nördlich von Jerusalem das sogenannte Syrische Waisenhaus eröffnet. Das größte Glaubens- und Liebeswerk der evangelischen Christenheit im Orient war entstanden.

Die Gründung eines Diakonissenhauses in Jerusalem konnte Bischof Gobat bei Fliedner anregen, als er im April 1846 im Hause des preußischen Botschafters Josias von Bunsen mit dem Kaiserswerther Diakonissenvater zusammentraf, der vier seiner Diakonissen für das deutsche Hospital der englischen Hauptstadt einzuführen gekommen war. Vier Jahre darauf besuchte einer von Gobats Judenmissionaren, Reichard, seine Tante, die eine der ersten Diakonissen in Kaiserswerth gewesen war. Dabei konnte er einen Brief Fliedners, der das in London gegebene Versprechen erneuerte, mitnehmen. Am 4. Mai 1851 konnte Fliedner, der eigens nach Jerusalem gekommen war, das Jerusalemer Diakonissen-Hospital einweihen. Dem König berichtete Fliedner persönlich über sein Jerusalemer Engagement.

Eng gestaltete sich die Zusammenarbeit zwischen dem Jerusalemer Bischofsamt und der Britischen Bibelgesellschaft (BFBS). Als 1844 das jüdisch-spanische NT in Athen fertiggestellt war, bestellte Bischof Alexander sogleich 100 Exemplare. BFBS-Agent Leeves aus Athen brach mit Erlaubnis des Londoner Komitees nach Palästina auf, um mit allen Missionaren zu konferieren. Bischof Gobat berichtete 1850 nach London, wie er mit der Bibel das Leben der verschiedensten Kirchen in Jerusalem verlebendigen könne: »An verschiedenen Orten tun sich Leute zusammen, das arabische NT zu lesen und zu beten. Nie vorher gab es eine solche Bewegung ... Die Äthiopier hier, jetzt zwischen 60 und 70, treffen sich täglich zwei- oder dreimal zur Bibellektüre, und obwohl sie sehr sehr langsam im Begreifen sind und es nur Zeile um Zeile, hier ein bißchen, da ein bißchen vorangeht, haben doch einige einen guten Schatz an Bibelkenntnis erworben, der, wie ich glaube, zu seiner Zeit Frucht bringt.«

Um den Analphabeten mit der Bibel zu dienen, sandte Bischof Gobat »Bibelvorleser« aus. Dadurch wurde in Nazareth eine erstaunliche Entwicklung in Gang gebracht. Hier wurde durch solche Vorleser der Anstoß gegeben, daß sich 13 Familienhäupter zu einer protestantischen Gemeinde zusammenschlossen. Auf Anregung Pinkertons organisierte Gobat die Verteilung russischer Bibeln an die russischen Pilger, und zwar schon gleich bei der Ankunft in Jaffa. Der Bischof berichtet über seine Erfahrungen: »Die Russen nehmen dankbar alles an, was man ihnen anbietet. Einer rief: ›Ich bin Buchdrucker und wenn ich heimkomme, will ich von diesem einen Buch eine Vielzahl machen.‹« Auch der syrisch-jakobitische Erzbischof von Jerusalem erhielt einen Fond, damit ein Bibeldruck für seine Kirche ermöglicht sei.

Der Londoner Sekretär der BFBS Bergne – der erste der Sekretäre, der auf Visitationsreisen zog – bemerkte in Jerusalem die sinnige Einrichtung, daß bei der Buchhandlung, in der die Bibeln zum Verkauf liegen, »ein kleiner Nebenraum« eingerichtet sei »für solche, die keine Bibeln besitzen, aber danach verlangen, sie still für sich zu lesen«.

Freilich stieß die Bibelverbreitung auch auf Widerstände. Gobat berichtet 1851 von einem Zwischenfall in Jaffa, wo einige armenische Mönche den Kolporteur von ihrem Kloster abwiesen und das Volk gegen ihn aufhetzten, so daß er nur durch Flucht entkam. Sie sagten dem Volk, sie wollten keine von den verdammten protestantischen Büchern. »Durch das Lesen riskierten sie ihr Seelenheil.« 1856 entdeckten katholische Priester Bibeln in der Hand ihrer Gläubigen. »Sie forderten Ablieferung, ohne zu sagen, wozu und verbrannten sie. Das machte einen peinlichen Eindruck auf ihre eigenen Gläubigen. Manche verweigerten die Herausgabe.«

Unter Gobats Regiment kam es 1852 endlich auch zur Gründung einer deutschsprachigen evangelischen Gemeinde in Jerusalem – ein Jahrzehnt, nachdem im preußisch-englischen Vertrag die Rechtsstellung einer solchen Gemeinde festgelegt worden war. Die Notwendigkeit dafür war durch die Entsendung der Kaiserswerther Diakonissen und der St. Chrischona-Brüder nach Jerusalem aufgekommen. Die Wahl des preußischen Königs war auf Pastor Friedrich Peter Valentiner gefallen. Bei der Niederschlagung des Schleswig-Holsteinischen Aufstandes hatten die dänischen Truppen die Kleinstadt Tönning besetzt, und Valentiner hatte (wie viele Schleswig-Holsteinische Pastoren) seiner deutschen Gesinnung wegen sein Amt verloren. Daß ihn der Schleswigsche Generalsuperintendent Godt ordiniert hatte, wurde im Falle Valentiner als bischöfliche Ordination gewertet, da dies innerhalb der dänischen Kirche geschehen war, die als Inhaberin apostolischer Sukzession galt. Jedenfalls erkannte Bischof Gobat, nachdem Valentiner die 39 Artikel der anglikanischen Kirche unterschrieben hatte, die Ordination Valentiners an. Der Erzbischof von Canterbury konnte nun nicht umhin, ein Gleiches zu tun.

Valentiners Wirkungsstätte war die Christuskirche der Engländer am Jaffa-Tor – heute als älteste anglikanische Kirche Jerusalems geehrt–, die von der Londoner Judenmission zur Verfügung gestellt wurde. Wie großzügig Gobat den deutschen Pfarrer wirken ließ, geht aus folgendem hervor: als 1861 die erste Konfirmation zu vollziehen war – ein Akt, der nach anglikanischer Ordnung hätte vom Bischof vollzogen werden müssen – ließ er doch den deutschen Pfarrer selbständig konfirmieren.

In der 14 Jahre umfassenden Amtszeit des P. Valentiner wuchs die Gemeinde beständig. Ihre Zahlen überflügelten bald die der Engländer. Auf einer Urlaubsreise in seine schleswig-holsteinische Heimat 1866, die seit dem Sieg der Truppen des Deutschen Bundes über das dänische Heer bei den Düppeler Schanzen als befreit gelten konnte, wurde Valentiner die Pfarre seines Geburtsorts Pronstorf angetragen. In Jerusalem wurde nun der Sohn des Berliner Generalsuperintendenten D. Wilhelm Hoffmann, des Vorsitzenden des von den Dompredigern ins Leben gerufenen »Jerusalem-Vereins«, sein Nachfolger. Drei Jahre später wurde der deutschen Gemeinde eine unerhoffte Entfaltungsmöglichkeit eröffnet: Der osmanische Sultan schenkte am 7. November 1869 dem preußischen Kronprinzen Friedrich, der auf der Reise zu den Festlichkeiten der Suezkanal-Eröffnung Jerusalem besuchte, das Grundstück des Muristan, auf dem – so nahe der Grabeskirche – der Bau der Erlöserkirche und der Lutherischen Propstei errichtet werden konnte (seit 1980 auch Sitz des arabischen lutherischen Bischofs). Valentiners Wirken in der Heiligen Stadt blieb in lebendiger Erinnerung. »Man nannte ihn the peace-maker, weil es seiner friedlichen Stimmung und freundlichen Milde immer wieder gelang, die Gegensätze auszugleichen.«

Daß der englisch-preußische Vertrag, auf dem das Bistum Jerusalem beruhte, 1886 aufgelöst wurde, so daß fortan eine anglikanische Kirche selbständig neben einer lutherischen deutschen stand, lag an der Unvereinbarkeit der Intentionen der beiden Partner. Zunächst traten der Theologe Dr. Charles Hales der amerikanischen Episkopalkirche und Canon Henry Parry Liddon, die beide bei einem Jerusalembesuch die Hospitalität des orthodoxen Patriarchats genießen und die Eucharistie in der orthodoxen Abrahamkapelle feiern durften, dafür ein, auf eine Neubesetzung des Bischofsamtes der Heiligen Stadt von anglikanischer Seite zu verzichten und den griechischen Patriarchen als den allein zuständigen Bischof Jerusalems zu achten. Doch noch waren die beiden Missionsgesellschaften CMS und LJS auf dem Plan. Sie verlangten vom Erzbischof von Canterbury, daß er einen anglikanischen Nachfolgebischof ernenne. Erzbischof Bensons Wahl fiel auf den bisherigen Erzdiakon von Rangoon, George Francis Popham Blyth, der nun in völlig abgewandeltem Stil bis 1914 die anglikanische Arbeit im Heiligen Land leitete. Blyth stand soweit unter dem Einfluß des Oxford Movement, daß er froh war, daß in seiner Bestallung die umstrittene Floskel, »andere protestantische Gemeinden« sollten unter seiner Autorität stehen, ausgelassen war. Bischof Blyth nahm als selbstverständlich an, daß alle bisher vom preußisch-englischen Bistum gegründeten Gemeinden zur Church of England gehörten. Er wies sie an, in ihren Gottesdiensten den Rubriken des Book of Common Prayer zu folgen. Aller Proselytenwerbung war nun ein Ende gesetzt, nur den Nichtchristen konnte missionarische Aktion gelten. Arabischen Gemeindegliedern, die in der orthodoxen Kirche des Chrisma teilhaftig geworden waren, verweigerte Blyth die Konfirmation mit Auflegung seiner Hände.

Konflikte mit CMS konnten bei dieser Praxis nicht ausbleiben. Ihre Missionare sorgten dafür, daß die Konfirmationsfrage den Erzbischöfen von Canterbury und York und dem Bischof von London vorgelegt wurde. Bischof Blyth wurde angewiesen, solche Gemeindeglieder, die ihr Gewissen trieb, eine Konfirmation zu begehren, auch zu konfirmieren. Jetzt führte der Bischof die Praxis ein, die noch heute von der anglikanischen Kirche im Heiligen Land befolgt wird: Er allein war für eine Aufnahme in die Kirche zuständig; und er war es, der jeden Einzelnen unter Darlegung seiner Auffassung, daß Chrismatisierung und Konfirmation einander entsprächen, nach ihrem Gewissensstandpunkt befragte.

Die Missionare von CMS und LJS übten mit Approbation des Bischofs Priesterdienst in den Ortsgemeinden. Manche waren vom Bischof ordiniert. Auf diese Weise besaß er kanonische Autorität über sie. Doch gleichzeitig standen die Missionare unter der Leitung ihrer Missionsgesellschaften, deren Hauptquartiere außerhalb der Diözese lagen. Ungern wollte Blyth dies respektieren. Als der Bischof die lokale Missionarskonferenz von CMS präsidieren wollte, rebellierten die Missionare. Sie wandten sich an ihre Gesellschaften und suchten den Bischof von ihren Sitzungen auszuschließen.

Im Fall Odeh trat der Gegensatz mit aller Schärfe zutage. Rev. Nazir Odeh, syrischer Herkunft, in Islington College in London ausgebildet, mit einer Engländerin verheiratet und ganz anglisiert, fungierte als Vertreter des Leiters des Eingeborenenklerus. Der Leiter der CMS-Missionare, Charles Wilson, warf nun Odeh eine Predigt vor, die den Überzeugungen der englischen Evangelikalen völlig widersprach. Hier war die Eucharistie als Opfer qualifiziert worden. Odeh lehnte es ab, sich vom Native Church Council, das seit 1884 die einheimische Priesterschaft zusammenschloß, richten zu lassen. Dieses Council trat aber doch in Nablus zusammen und war von den CMS-Missionaren beherrscht. Der Deutsche Theodor Wolters verlangte Odehs Entlassung. In der Tat entließ Wilson den umstrittenen Pastor aus dem Dienst an der Sankt Pauls-Kirche wegen Gehorsamsverweigerung und stellte die Gehaltzahlung an ihn ein. Jetzt rief Odeh am 19. November 1889 den Entscheid des Bischofs an. Blyth verlangte die Aufhebung dieser Anordnung und nutzte den Fall Odeh als Testfall, ob er seine Autorität durchsetzen könne. Um eine eigene Truppe gegen die evangelikal orientierte Mission zur Verfügung zu haben, rief der Bischof die »Jerusalem and East Mission« ins Leben, die er selbst kontrollieren konnte.

Die London Society for Promoting Christianity among the Jews erfreute sich freilich weiterhin bischöflicher Sympathien. Ihre Stellung war bereits durch Eröffnung des English Mission Hospital 1879 merklich gestärkt.

1906 entmächtigte sich CMS dadurch selbst, daß die Gesellschaft eine Anzahl ihrer Institutionen den anglikanischen Arabern aushändigte (dem Palestine Native Church Council). Das waren Anfänge einer selbständigen arabischen Kirche innerhalb der Anglican Communion.

Die Arabisierung der anglikanischen Kirchenführung im Heiligen Land wurde perfekt, als Erzbischof Mac Innes an Epiphanias 1958 den arabischen Geistlichen Najib Cuba'in zum Bischof für Jordanien, Libanon und Syrien weihte. Die arabischen Bischöfe, die in St. Georg residieren, waren für den gesamten Anglikanismus ihres Jurisdiktionsgebiets zuständig. 1974 beim Abschied des englischen Erzbischofs George Appelton wählten die 17 Gemeinden Bischof Faik Haddad als Hierarchen.

Nur ein Erbstück aus der Zeit des gemeinsamen englisch-preußischen Bistums blieb als gemeinsamer Besitz erhalten: Der Friedhof unterhalb des Davidgrabes, den Bischof Gobat 1848 eingerichtet hatte und der bis zum Ausbruch des israelisch-arabischen Krieges 1948 bereits 100 Jahre lang der anglikanischen und deutschen Gemeinde Jerusalems als Begräbnisplatz gedient hatte. Noch immer sind an seiner Verwaltung der anglikanische Erzbischof und der evangelische deutsche Propst beteiligt. Die bemerkenswerte Art, wie Bischof Gobat in den Besitz des neuen Grundstücks gelangte, schildert ein Zeitungsbericht vom 17. August 1854: »Als nämlich eine muhamedanische Leiche zugleich mit einer protestantischen (jeweils auf dem einander benachbarten muslimischen und evangelischen Friedhof beim Jaffator) beerdigt wurde, fürchteten die Muhamedaner, ihre Gebete möchten auch der christlichen Leiche zugute kommen und drangen drauf, daß die Protestanten einen andern Begräbnisplatz einnähmen.« Der am Sionsberg gefundene Platz, der als schönster Friedhof Jerusalems galt, war auch der Gunst Zarif Paschas zu danken. Ein Stück des erworbenen Geländes wurde 1853 für ein

Schulgebäude verwendet, später Besitztum von CMS. Als Wakf blieb der Friedhof steuerfrei. Auf dessen Grabsteinen kann man ein Stück Geschichte Jerusalems ablesen.

1898 erreichten die gegeneinander verselbständigten anglikanischen und deutschen Zweige der protestantischen Arbeit im Heiligen Land ihr Wunschziel: Sie konnten je einen imposanten Kirchenbau einweihen, die Lutheraner die Erlöserkirche im Muristan, Bischof Blyth die Kollegiatkirche St. George the Martyr (18. Oktober 1898) in Jerusalem-Nord mit einer imponierenden Bischofsresidenz und Chorschule mit Waisenheim. Daß die gesamte Anglican Communion dieses Werk als ihr eigen ansah, kam dadurch zum Ausdruck, daß 6 Bischöfe der anglikanischen Gemeinschaft (darunter die aus Kanada, Australien, Südafrika und Indien) bei der Weihe anwesend waren und den Rang eines Kanonikus von St. Georg empfingen.

Die deutsche lutherische Erlöserkirche wurde am Reformationsfest unter Anwesenheit von Kaiser und Kaiserin durch Oberhofprediger Dryander geweiht. Für das Grundstück im Muristan, dem Johanniter-Hospiz der Kreuzzugszeit, hatte der berühmte Berliner Architekt Friedrich Adler auf kaiserlichen Befehl den Entwurf geschaffen. Rechtlicher Träger des Unternehmens war die Evangelische Jerusalemstiftung, deren Kuratorium 1889 vom Kaiser ernannt worden war, damit ein Rechtsnachfolger des kurz zuvor aufgelösten anglikanisch-preußischen Bistums zur Stelle sei. Beim Abräumen des acht Meter hohen Schutts wurden Reste der mittelalterlichen Bauten freigelegt, die für den Neuentwurf mitbestimmend wurden. In der Ansprache, die Wilhelm II. nach der Schlüsselübergabe an D. Dryander vom Altar aus hielt, betonte der Kaiser, die hochgebaute Stadt Jerusalem bezeuge uns »die gemeinsame Wahrheit, welche alle Christen über den Konfessionen und Nationen im Apostolischen Glauben eint«. Von hier aus sollten »reiche Segensströme zurückfließen in die gesammte Christenheit«. Auf dem Altar »aus weißem, bei Bethlehem gebrochenem Marmor«, der »von einigen begabten Fellachen« bearbeitet war, »deren Lehrmeister der Baumeister und zwei deutsche Steinmetze waren«, waren die Stammwappen des Kaisers und der Kaiserin angebracht.

Der Aufbau des Lateinischen Patriarchats

Die Etablierung des preußisch-anglikanischen Bistums Jerusalem 1841 wirkte so, daß man vergleichsweise sagen könnte: eine Lawine wurde losgetreten. Jetzt wollte jede Konfession, jede christliche Nation eine Vertretung in der Heiligen Stadt besitzen. Ergebnis:

Um die Jahrhundertmitte war die kirchliche Multikonfessionalität und Multinationalität Jerusalems perfekt.

Daß die Errichtung des lateinischen Patriarchats durch die Bulle Nulla celebrior Pius' IX. vom 23. Juli 1847 mit dem Auftauchen eines preußisch-anglikanischen Bischofs in Jerusalem zusammenhing, läßt sich erweisen. Der englische Kardinal Acton hatte am 3. Mai 1847 an die Propagandakongregation geschrieben, »die Entsendung eines preußisch-anglikanischen Pseudobischofs nach Jerusalem« – Ergebnis einer Vereinbarung zwischen »den Protestanten Preußens und denjenigen in England, die eine Art von Episkopat kennen« – habe als Ziel, »lateinische und orientalische Katholiken, Schismatiker und Häretiker, Einheimische und Ausländer zu pervertieren«.

Als erster Patriarch der neuen Reihe wurde ein schon sieben Jahre im Libanon und in Mesopotamien erprobter Orientmissionar gewählt, Josef Valerga. Als Pius IX. Valerga empfing, machte er lächelnd dem Bart des Missionars ein Kompliment: »Schon dieser Bart allein verdient eine ganz spezielle Auszeichnung!« Aus den Händen des Papstes empfing Valerga die Bischofsweihe. In Jerusalem nahm der neue Patriarch die Gastfreundschaft der Franziskaner an.

Valerga war von dem für das 19. Jh. typischen Missionswillen getrieben. Seine erste Missionsstation suchte er 1853 ausgerechnet in einem traditionell orthodoxen Dorf anzulegen, in Beit Jala bei Bethlehem. Hier hatten sich allerdings einige christliche Familien 1676 den Franziskanern von Bethlehem angeschlossen. Das hatte die vorherrschende Orthodoxie des Dorfes nicht auf Dauer beunruhigt, zumal ein Firman des Sultans von 1695 die Konversionsbewegung eingedämmt hatte. Valerga gab jetzt dem Dutzend Katholiken mit dem Franzosen Moretain einen tapferen Priester und kaufte für ihn durch Vermittlung des in Bethlehem beheimateten Priesters Abdallah Kommandari ein Haus, dessen früheren Besitzer man im Erdgeschoß wohnen ließ. Auf den festen Mauern baute man ein oberes Stockwerk und transportierte die Gerätschaften auf fünf Kamelen heran. Das mobilisierte die orthodoxen Christen von Beit Jala. Sie jagten die Kamele mit ihren Lasten in Richtung Bethlehem davon. Der ursprüngliche Hausbesitzer ließ sich herbei, sein Haus ein zweites Mal, diesmal an die orthodoxe Grabesbruderschaft zu verkaufen. Das bot den Orthodoxen einen Rechtstitel, gegen die Lateiner vorzugehen.

Da die Lage in Beit Jala kritisch wurde, erschien Patriarch Valerga selbst auf der Szene. Als bewaffnete Scharen von Orthodoxen heranstürmten, ließ er Fenster und Türen des Hauses von Dienern – Gewehr im Anschlag – besetzen. Zwölf Notablen des orthodoxen Patriarchats forderten jetzt, begleitet von schreienden Landsleuten, vom alten Pascha den Abzug des lateinischen Patriarchen. Die Drohung des französischen Konsuls Botta, den Vorfall bei der Hohen Pforte zu melden, schüchterte den Pascha aber so ein, daß er den aufdringlichen Haufen der Orthodoxen auseinandertrieb. Insgeheim ließ er den Patriarchen bitten, sich um des lieben Friedens willen zurückzuziehen. Damit kam er aber bei Valerga an den falschen Mann. Der lateinische Patriarch war sich bewußt, daß er die erste Missionsgründung durchstehen mußte, um ein umgreifendes Missionssystem zu ermöglichen. Er riskierte dabei sein Leben. Die orthodoxen Notabeln mobilisierten einen muslimischen Scheich der Nachbarschaft. Am 9. Dezember 1853 drängten sich bewaffnete Araber in den Hof und stürzten sich mit gezückten Säbeln auf den Patriarchen. Doch Priester, mit denen sich Valerga gerade unterredet hatte, fingen die Streiche ab. Steine zertrümmerten die Fenster, mit Äxten wurde die Tür bearbeitet.

Jetzt richtete Konsul Botta ein Ultimatum an den Diwan des Pascha: Die Schuldigen seien zu bestrafen, andernfalls werde er zum Zeichen des Protestes Jerusalem verlassen. Als keine positive Antwort einging, holte der Konsul, begleitet von einem Reitertrupp, Valerga aus Beit Jala ab und begab sich mit ihm demonstrativ nach Jaffa. Die europäische Presse berichtete die sensationellen Vorfälle. Die französische Regierung wurde bei der Hohen Pforte vorstellig. Das brachte dem zielsicheren Valerga den Sieg. Im Blick darauf, daß im gerade entzündeten Krimkrieg französische Soldaten für die Sache des Osmanischen Reiches eingesetzt waren, fertigte der Sultan dem lateinischen Patriarchen einen Firman aus, der ihn autorisierte, in Beit Jala eine Mission zu gründen und eine Kirche zu erbauen. Mit orientalischem Glanz zog der lateinische Patriarch wieder in Jerusalem ein. Sein Prestige war jetzt gesichert.

Der neugotische Kirchbau auf dem vom Sultan geschenkten Grund in Beit Jala konnte 1858 geweiht werden. Bald konnte das Weltpriesterseminar des Patriarchats zur Bildung eines einheimischen lateinischen Klerus dorthin verlegt werden. Daß der Patriarch die einheimischen arabischen Priesterkandidaten zu den Jesuiten von Ghazir im Libanon zum Studium sandte, war nunmehr überflüssig. Das Große Seminar wurde der Lateranuniversität in Rom affiliert.

Patriarch Valerga und seine Nachfolger, allesamt Italiener, überzogen das Heilige Land mit einem Netz lateinischer Missionsstationen und brachten es dahin, daß das Patriarchat die Verantwortung für rund 50 000 Gläubige gewann. Im Dorf Jifne wurde die zweite

Missionsstation ins Leben gerufen. Ein junger Seminarist aus Beit Jala namens Jasminah erzählte in den Dörfern begeistert von Valergas Heldentaten und wie der Sultan den Patriarchen mit einem Grundstücksgeschenk in Beit Jala geehrt habe. In dem bis dahin rein orthodoxen Dorf Jifne nördlich Jerusalems fragte er die Bauern, warum sie nicht auch einen lateinischen Priester verlangten. Am 30. Oktober 1855 konnte Valerga der Propaganda berichten: »Ich empfing eine zahlreiche Abordnung von Orthodoxen aus dem Dorf Jifne, die mich baten, einen lateinischen Priester zu schicken, um sie im katholischen Glauben unterrichten zu lassen.« Doch der Patriarch wollte keine neuen Tumulte provozieren. So sandte er vorläufig nur einen in Jerusalem herangebildeten Katechisten, der denen, die sich bei ihm meldeten, die Grundelemente darlegen und Kinder unterweisen sollte. – Nächste Stufe: Jeden Sonntag erschien ein Priester aus Jerusalem zum Messelesen. Eine feuchte Grotte diente ihm zum Übernachten. Pater Maria Alphons Ratisbonne – konvertierter elsässischer Jude, Initiator katholischer Judenmission – war während seines ersten Jerusalemaufenthaltes zu gelegentlicher Vertretung bereit. Daß Ratisbonnes Pferd bei dem Ritt nach Jifne stürzte, legte Valerga nahe, 1856 den 30 Erwachsenen, die sich am Weihnachtsfest in die katholische Kirche aufnehmen ließen, einen permanenten Priester zu gewähren. Auch das schuf Reibungen mit orthodoxen Kräften. Valerga berichtete: »Von seiten der orthodoxen Griechen hat man alles getan, um diese Bewegung zu ersticken.« 1860 griff die Missionsbewegung nach Ramallah aus. Etwa 200 Orthodoxe dieser Stadt waren sich der seelsorgerlichen Vernachlässigung in ihrer angestammten Kirche bewußt geworden und baten um Aufnahme in die römische Kirche. Daraus erwuchs eine der blühendsten katholischen Gemeinden, bald von Geldspenden des »Deutschen Vereins vom Heiligen Land« gestützt. Diesmal wurde muslimische Reaktion spürbar. In einer Maiennacht fällten Feinde der katholischen Bewegung 80 Feigenbäume im Garten eines Konvertiten und, als sie straflos blieben, zwei Nächte später alle Ölbäume. Der Neukatholik sagte zu seinem Priester: »Jetzt habe ich nichts mehr von meinen Feinden zu befürchten.«

Der Oberhirte Valerga wandte seine Aufmerksamkeit sogleich auch der Schularbeit zu. Bald war mit jeder katholischen Pfarrei eine Knabenschule verbunden. Um Mädchenschulen zu stiften, die es bisher im Heiligen Land überhaupt noch nicht gab, rief der Patriarch die Lehrschwestern der Kongregation St. Joseph de l'Apparition herbei, die in einer Missionsbewegung Südfrankreichs wurzelte, mit der die Gläubigen die Greuel der Französischen Revolution hatten sühnen wollen (1832 im Tard gegründet). Bereits am 14.

August 1848 eröffneten die Schwestern eine erste Schule in einem von den Franziskanern bereitgestellten Raum. Ein Jahrhundert später zählte die Kongregation 15 Niederlassungen im Heiligen Land, 12 Schulen, 3 Krankenhäuser, 8 Polikliniken. Als es 1858 um die erste Gründung eines Krankenhauses ging, schrieb man aus der Kanzlei des Patriarchen: »Ein Hospital ist hier gleichsam die Vorhalle …, ein Schlüssel, der alle Herzen und Türen öffnet.«

Die Missionsbemühung Valergas richtete sich auch auf die nonchalcedonensischen Kirchen, die im Heiligen Land ansässig waren. 1855 erbat sich der Patriarch von dem im Libanon residierenden armenisch-katholischen Patriarchen die Entsendung eines Priesters, um mit ihm ein armenisch-katholisches Vikariat in Jerusalem zu gründen. Der armenisch-katholische Vikar Serobe Tavitian bewohnte bis 1885 das lateinische Patriarchat. Seit 1903 konnten aufgrund der Bemühungen des lateinischen Patriarchats auch die mit Rom unierten Chaldäer ein Jerusalemer Vikariat ihr eigen nennen.

Eine innerkatholische Problematik ergab sich, als es für das lateinische Patriarchat darum ging, das rechte Verhältnis zur franziskanischen Custodia Terrae Sanctae zu finden. Diese hatte bisher, organisiert in der Form, wie 1342 von Papst Clemens VI. festgelegt, fünf Jahrhunderte lang die lateinische Alleinvertretung im Heiligen Land innegehabt. Auch jetzt war das Patriarchat von finanziellen Beiträgen der Kustodie abhängig, mußte 14 seiner Gemeinden von franziskanischen Mönchspriestern versorgen lassen und stand mit seinen 80 Weltpriestern der Kustodie mit ihren 330 Franziskanern in einer Minoritätssituation gegenüber. Vor allem in der Frage der Laienbeteiligung in Gemeindeleitung und Führung der Diözese vertraten Kustodie und Patriarchat unterschiedliche Tendenzen. Das Patriarchat half sich, indem es auch andere Kongregationen ins Heilige Land zog und die Gründung der einheimischen Kongregation der »Schwestern des allerheiligsten Rosenkranzes« begünstigte. Damit wurde den Franziskanern die Stellung des alleinprivilegierten Ordens genommen. – Um die Kompetenzkonflikte zwischen Kustos und Patriarch zu beschwichtigen, grenzte Rom mit dem Dekret Licet vom 9. September 1851 die Zuständigkeiten der beiden lateinischen Instanzen gegeneinander ab. Erst im April 1923 waren alle kirchenrechtlichen Fragen hinreichend geklärt. Zur Entspannung half, daß Rom in der Person der Patriarchen Piavi (1889–1905) und Gori (†1969) Franziskaner als Patriarchen berief, die bereits das Kustodenamt innegehabt hatten.

Schwieriger noch als das Verhältnis zur Custodia war für das lateinische Patriarchat die Beziehung zur melkitischen Kirche zu ordnen. Diese Kirche war im orthodoxen Milieu Syriens entstanden, wo seit 1625 französische Karmeliten, Kapuziner und Jesuiten missionarisch tätig geworden waren. Da das im Osmanischen Reich gültige Milletsystem die traditionellen Jurisdiktionen als dem Staate verpflichtete Einheiten zusammenhielt, war eine Aussonderung der katholischen Missionsgewinne erschwert. Zunächst entstand ein mit Rom uniertes einheimisches Ordenswesen, dessen Novizen die Chance geboten wurde, in Rom zu studieren. Als den bedeutendsten Schüler bildete das Colleg der Propaganda Cyrill Tanas aus. Als Missionar umherziehend, sorgte er für eine katholische Orientierung im Gebiet von Akkon. 1724 wurde Cyrill zum orthodoxen Patriarchen von Antiochien gewählt. Hätte nicht der Ökumenische Patriarch in der Person Sylvesters einen orthodoxen Gegenpatriarchen geweiht, wäre das antiochenische Patriarchat in seiner Gesamtheit in die Union eingegangen.

Die Jurisdiktion des melkitischen Patriarchen, der seinen Amtssitz in Damaskus fand, blieb nicht auf die alten Grenzen des Patriarchats Antiochien beschränkt. Die Gebiete der Patriarchate Jerusalem und Alexandria wurden dem Melkiten unterstellt und diesem 1838 der Titel auch eines Oberhauptes dieser Sitze verliehen. Der in der Mitte des 19. Jhs. regierende melkitische Patriarch Maximos Mazloum empfand mit Recht die Gründung des lateinischen Patriarchats Jerusalem als einen Eingriff in die ihm zustehenden Rechte. Zwar lebte damals nur eine geringe Zahl melkitischer Familien in der Heiligen Stadt. Doch Maximos Mazloum begründete in offener Konkurrenz zum lateinischen Patriarchat ein melkitisches patriarchales Vikariat Jerusalem, baute sich 1848 eine melkitische Kathedrale und berief 1849 eine Bischofssynode ausgerechnet nach Jerusalem ein. Dieses Konzil wurde freilich von Rom nie bestätigt. Mit seinen in zehn Plenarsitzungen beschlossenen 140 Kanones wollte Patriarch Maximos III. Mazloum die innere Disziplin seiner Kirche sichern. Während des Konzils erreichte der Konflikt mit dem melkitischen Metropoliten von Beirut Agapius Riachi seinen Höhepunkt. Von ihm wurde verlangt, einen Teil seines Jurisdiktionsgebiets an den bisherigen Rektor des von den Drusen zerstörten Seminars abzugeben. Für diesen mußte ein neuer Posten gefunden werden; er sollte darum als Bischof von Kana eingesetzt werden. Riachi lehnte ab, ja, klagte in Rom. Maximos Mazloum wollte ihm daraufhin die bischöflichen Rechte absprechen. Doch die Synodalen zogen nicht mit. So lief das Konzil auseinander.

In Galiläa, wo es dem schon 1759 gegründeten Bischofssitz Akkon gelungen war, starke melkitische Gemeinden aus der orthodoxen Substanz herauszuschneiden, kam es denn auch zum ersten Konflikt zwischen melkitischer Kirche und lateinischem Patriarchat. Dem lateinischen Patriarchen wurden bei einem Besuch in Nazareth 50 orthodoxe Gläubige zugeführt, die in die lateinische Kirche aufgenommen zu werden wünschten und nicht den Hinweis befolgen wollten, daß sie ja am Ort schon eine melkitische, auch eine mit Rom unierte maronitische Gemeinde finden könnten. Jetzt stieß sich Valerga an der seit der Enzyklika Benedikts XIV. Allatae sunt vom 26. Juli 1755 gültigen Ordnung (umgesetzt in ein Dekret der Propagandakongregation), die den Konvertiten aus der Ostkirche die Wahl eines beliebigen ostkirchlichen Ritus zwar freiließ, aber nicht den lateinischen Ritus dafür freigab. Valerga schrieb am 30. Oktober 1855 an den Präfekten der Propaganda Franzoni, es scheine ihm, »daß das Dekret wenigstens für die Diözese Jerusalem, wo die Lateiner viel zahlreicher sind als alle anderen Katholiken«, aufgehoben werden solle. Außerdem verhindere das Dekret viele Konversionen. In der Tat, das Verbotsdekret wurde bald umgangen. Viele arabophone Konvertiten wurden latinisiert. Wären sie zu den Melkiten gestoßen, die die ostkirchliche Liturgie unverändert feierten, wären sie ihren Ursprüngen nicht in gleicher Weise entfremdet worden.

Als ein Streit um den richtigen Kalender die melkitische Hierarchie spaltete, hatte Patriarch Valerga, der jetzt auch zusätzlich die Funktion eines apostolischen Delegaten für Syrien wahrnahm, Gelegenheit, hilfreich zu intervenieren. Zum 1. Januar 1857 hatte der melkitische Patriarch Klemens Bahouth den für den Orient neuen gregorianischen Kalender eingeführt. Der Metropolit von Beirut Agapius Riachi trat an die Spitze einer Opposition. Vier seiner Chouëriten-Mönche entsandte er zu dem melkitischen Mönch Gibora, der in Ägypten gegen den gregorianischen Kalender predigte, damit sie vom melkitischen Patriarchat dissentierende Kirchen eröffneten. Auf einer Synode in Zahle wurde eine Petition an den Sultan beschlossen, den Patriarchen Bahouth durch einen in der Kalenderfrage konservativeren Prälaten zu ersetzen. Doch der römische Standpunkt setzte sich durch. Stütze der römischen Partei war Erzbischof Athanasios von Tyrus, dem auch das Bistum Akkon und damit die galiläischen Gemeinden unterstanden. Pius IX. ließ sich nicht in seinem Ziel beirren, die mit Rom unierten Melkiten auf den gregorianischen Kalender festzulegen und damit für alle mit Rom unierten Christen im Heiligen Land einen einheitlichen Festkalender zu sichern. Den widerstrebenden Bischof Riachi beorderte er nach Rom. Patriarch Bahouth war des Streites so überdrüssig, daß er um Entlassung aus seinem Amt bat und ins mönchische Leben zurückkehrte. Die Schrecken des Drusenmassakers von 1860 ließen die Kalenderfrage vergessen.

Die melkitische Kirche wuchs zur größten Kirche im Heiligen Land, der einzigen, deren Mitgliederbestand auch noch nach 1948 zunahm. Bestimmend dafür war, daß französische Weisse Väter 1882 in St. Anna ein Priesterseminar der melkitischen Kirche eröffneten, welches den Priestern einen überragenden theologischen Ausbildungsstand vermittelte. Das Grundstück war von der Hohen Pforte der französischen Regierung zur Verfügung gestellt worden und wurde dem großen Missionsstrategen der Epoche, Kardinal Lavigerie, angeboten. Von allen Konzeptionen, die Lavigerie im Kopf hatte, wurde nur der Seminarplan verwirklicht, den der Kardinal 1880 bei einer Durchreise in Jerusalem mit dem melkitischen Patriarchen Gregor Jussif besprochen hatte. Bei der Eröffnung konnten bereits 20 Priesterkandidaten aufgenommen werden. 1890 erfolgten die ersten Ordinationen in St. Anna. Die im Maison Carrée (Algerien) herangebildeten Weissen Väter gaben dem melkitischen Priesterstand derart lebendige Impulse, daß die Gemeinden nicht nur im Heiligen Land, sondern auch in Syrien, im Libanon, in Jordanien und in Ägypten zu blühen anfingen. Die Zeitschrift Proche Orient Chrétien, die in St. Anna herausgegeben wurde, gedieh zur besten Informationsquelle über das kirchliche Leben des Nahen Ostens. Die Arbeit in St. Anna ließ Spezialisten heranreifen, die wie Henri Musset fähig waren, mit ihren Kenntnissen über den Nahen Osten die Lücken des abendländischen Kirchengeschichtsbildes auszufüllen (Histoire du Christianisme Spécialement en Orient I–III 1948/49), oder wie Père Dupray im römischen Sekretariat für die Einheit der Christen eine bestimmende Rolle zu spielen.

Das Ringen der Kirchen um ihre Privilegien an den Heiligen Stätten, das die vergangenen Jahrhunderte bestimmt hatte, verschärfte sich noch angesichts der vermehrten Präsenz abendländischer Institutionen im Heiligen Land. Die Lateiner empfanden ihre Rèchte durch den orthodoxen Vorstoß von 1757 beträchtlich geschmälert. Alle Proteste der abendländischen Mächte bei der Hohen Pforte waren bisher vergeblich gewesen. Daß die Griechen 1847 den von den Lateinern gestifteten Silberstern entfernten, der in der Geburtshöhle von Bethlehem den Ort der Jesusgeburt anzeigte und die lateinischen Rechte an diesem Ort manifestierte, sprengte vollends die Eintracht zwischen den Konfessionen. Unterstützt von Konsul Botta setzte sich Patriarch Valerga allen Beraubungen entgegen. Seine Reise nach Konstantinopel, Rom, Paris im September 1849 diente diesem Kampf. Jetzt unternahm die Zweite Republik Schritte in Konstantinopel. Dem wirkte freilich der Zar, von den Orthodoxen mobilisiert, entgegen. Schließlich legte ein Firman der Hohen Pforte vom 8. Februar 1852, an den Gouverneur von Jerusalem gerichtet, die

Rechte jeder einzelnen Kirche an den Heiligen Stätten in einem Status quo fest. Beim Abschluß des Pariser Friedens nach der Besiegung Rußlands im Krimkrieg 1856 wurde eine Revision des Textes versäumt. Das Protokoll der Berliner Konferenz von 1878 bestätigte den Status quo. Diese Regelung der Rechtsverhältnisse an den Heiligen Stätten blieb das letzte Wort. Tatsächlich handelte es sich um eine bloße Beschreibung der Gebräuche, wie sie sich historisch eingespielt hatten. Ein Versuch, 1902 den Status quo in eine Kodifikation umzumünzen, mißlang. Die bisherigen Rechte der Kustodie gingen auf das lateinische Patriarchat über. Die Forderung der Franziskaner, daß das Aediculum der Grabeskirche, die obere Geburtsbasilika in Bethlehem und das Mariengrab im Josaphattal zurückgegeben würden, die 1757 den Lateinern genommen waren, blieb unerfüllt.

Auch den nonchalcedonensischen Kirchen – den Armeniern, Kopten und Syrern – spricht der Status quo bestimmte Rechte zu. So besitzen die Kopten das Recht, Tag und Nacht in der Grabeskirche zu räuchern und bestimmte Lampen aufzuhängen, etwa am Salbungsstein 2 Lampen, außerdem in der Karwoche in Prozession das Christusgrab zu umschreiten. In Fastenzeiten dürfen die Kopten täglich eine Eucharistie in der Grabeskirche feiern, sonst zweimal in jeder Woche. Am Himmelfahrtstage dürfen sie im Imbomon ihr Zelt aufschlagen und einen eigenen Altar errichten. Auch in Bethlehem und am Mariengrab besitzen die Kopten bestimmte Rechte.

Jede der im Status quo privilegierten Kirchen wachte eifersüchtig darüber, daß die Partner ihre Grenzen in den im Vertrag einbezogenen Stätten nicht überschritten und die im Text nicht aufgeführten Kirchengemeinschaften ausgeschlossen blieben. Da der Status quo katholischen Institutionen nur insofern Rechte zuerkennt, als diese sich an das lateinische Patriarchat ankristallisieren, sind die mit Rom unierten Christen ausgeschlossen. Unierte Kleriker dürfen in der Grabes- und der Geburtskirche nicht einmal privat zelebrieren. Als 1888 der Präsident der Russischen Palästina-Gesellschaft, Großfürst Sergij, und seine Gattin Elisaveta Jerusalem besuchten, erfolgte insofern ein Übergriff über die vom Status quo gezogenen Grenzen, als der russische Archimandrit auf dem Kalvarienberg für die hohen Herrschaften in Kirchenslawisch zelebrierte. Beim Eucharistischen Kongreß, den die katholischen Christen vom 15.–20. Mai 1893 nach Jerusalem einberiefen, ließen die Lateiner, was im Status quo nicht vorgesehen ist, die mit Rom unierten Ostchristen an diesem Ort feiern. Als im Jahre 1960 der syrisch-katholische Hierarch Ephräm aus Mossul am lateinischen Altar in der Geburtsgrotte zelebrierte, prügelte ihn ein griechischer Mönch – mitten in der Messe – hinaus.

Andere Orthodoxe eilten hinzu und zerstörten den »Altar der Magier«.

Der Festigung des lateinischen Patriarchats gegenüber der Kustodie kam zustatten, daß es dem Patriarchat gelang, katholische Kongregationen in großer Zahl ins Heilige Land zu ziehen. In den Kongregationen Deutschlands, Frankreichs und Italiens wurden mit Eifer neue Projekte entworfen. Vergleichslos ist die Dichte der monastischen Institutionsgründungen in den 27 Jahren von 1863 bis 1890. Kongregationen, die einmal im Heiligen Land Fuß gefaßt hatten, schufen sich ein eigenes Netz von Filialgründungen. Einige Beispiele seien angeführt.

Ordensfrauen, die bei der Gründung ihrer Kongregation in Frankreich geradezu providentiell den Namen Notre Dame de Nazareth gewählt hatten, faßten 1854 in der Heimat Jesu Fuß. Sie verstärkten die Bemühungen um christliche Mädchenerziehung, die von den Schwestern des hl. Joseph de l'Apparition begonnen war. Bald zählte man fünf Gründungen in Galiläa.

Jetzt kam auch das Lateinische Patriarchat zu einer eigenen Mission unter den palästinensischen Juden – 32 Jahre nach der anglikanischen Judenmission. Der elsässische Jude Maria Theodor Ratisbonne hatte sich taufen und 1830 zum Priester weihen lassen. Aufs tiefste war er davon berührt, daß auch sein Bruder Alfons einer Marienvision gewürdigt und für den katholischen Glauben gewonnen wurde. Das ließ in den Brüdern die Überzeugung reifen, ihre Berufung sei, für die Wiedergeburt Israels zu wirken. Unter ihrem Einfluß erwuchs 1850 die Frauenkongregation Notre Dame de Sion. Am 12. September 1855 erreichte Alfons Ratisbonne mit einem Pilgerzug Jerusalem. Als er den Patriarchen hier nicht antraf, drängte er ungeduldig auf eine Weiterreise nach Nazareth und suchte Valerga noch in der Nacht auf. Er erhielt die Antowrt: »Ich gewähre Ihnen meine volle Autorisation.« Auf der Suche nach Ruinen, die an das Leiden des Herrn erinnern, ließ sich Ratisbonne auf den Ecce-homo-Bogen weisen. Am 3. April 1868 konnte Patriarch Bracco – Valergas Nachfolger – die Basilika der Sionsschwestern weihen. Später kam es zu der imposanten Gründung der männlichen Niederlassung Ratisbonnes in Jerusalem West.

Die Karmeliten konnten 1853 ihr Kloster Stella Maris bei der Elia-Höhle auf dem Karmel vollenden. Das Kloster trug diesen Namen, weil Elia im Meeresnebel die Gottesmutter geschaut haben soll. Als Napoleon die Belagerung Akkons hatte aufgeben müssen, hatte er seine Verwundeten der Pflege der Karmeliten anvertraut. Die Türken rückten ein, massakrierten die Verwundeten, mißhandelten die Mönche und machten das Kloster unbewohnbar. 1821 hatte der

Pascha die Steine für seinen Palastbau am Rande des Vorgebirges abtransportieren lassen. Doch schon 1816 beschloß der Orden den Neubau und begann 1827 mit den Arbeiten dank einer Unterstützung Louis' XV.

1872 wurde bei der Grotte auf dem Ölberg, in welcher Jesus die Apostel gelehrt und das Vaterunser übermittelt haben soll, durch Prinzessin Aurelie von La Tour d'Auvergne ein Neubau des Eleona-Klosters begonnen und später von Karmelitinnen bezogen. Daß sich dieser Orden im Heiligen Land ausbreitete, war Schwester Marie de Jesus Crucifié zu danken, einer Araberin aus dem galiläischen Dorf Abellin. Das 1846 geborene Mädchen war früh verwaist und erlitt ein grausames Kindheitsgeschick. In niedrigen Dienststellungen kam sie nach Alexandria, dann nach Beirut, schließlich nach Marseille. 1867 wurde die junge Araberin als Novize im Karmel von Pau angenommen. Ihre zarten Dichtungen wurden von Maurice Barrès, Francis Jammes und René Schwob bestaunt. In ihren Visionen, im Zungenreden, in Heilungen und Levitationen zeigte sich Schwester Marie als Charismatikerin. 1870 war sie bereit, zur Gründung eines ersten Karmels mit nach Mangalore in Indien zu gehen. 1874 ermöglichte eine Spenderin, Berthe Dartigaux, Schwester Maries Heimkehr in das Heilige Land zur Gründung eines Karmels in Bethlehem. Durch einen Taubenflug veranlaßt, ließ sie den Karmel turmrund auf einem Hügel erbauen. Am 21. November 1876 konnte der erste Karmelitinnenkonvent im Heiligen Land bezogen werden. Schon 1877 erhielt Schwester Marie de Jesus Crucifié die Erlaubnis zum Bau eines Karmels in Nazareth. Doch erst 1910 konnte das gewaltige Werk vollendet werden. Der lateinische Patriarch und der franziskanische Kustos widersetzten sich den Plänen. Doch als Demoiselle Dartigaux vor dem Papst niederkniete, erklärte der Heilige Vater sein Placet. Auf ihrem Totenbett 1878 sagte die arabische Nonne im Blick auf die Karmelpläne von Nazareth: »Im Himmel ist es schon ein Factum. Infolgedessen wird es sich auch auf Erden verwirklichen.« Da die »Priester des Hl. Herzens von Betharram« die Seelsorge am Karmel von Pau ausübten, suchte Schwester Marie diese Väter auch für den Karmel von Bethlehem zu gewinnen. So begleitete sie ihr Seelsorger Père Estrate. Auf diese Weise gelangten die Väter von Betharram ins Heilige Land.

Die wichtigste Unterstützung der Pionierarbeit Patriarch Valergas war in dem erzieherischen Wirken der Salesianer des Don Bosco zu sehen. Don Bosco, der mit vielen Hindernissen zum Priestertum gelangt war, hatte im Winter 1841 in Turin einen verkommenen Proletarierjungen aufgelesen, andere dazugesammelt und ihnen eine familiäre Atmosphäre geschaffen. Ohne Zwangsmittel hatte er neuen Fehltritten vorbeugen können und die Jungen zur Mitarbeit gewonnen – alles möglich, weil sich Don Bosco charismatisch in die jungen Menschen einfühlte. Visionen und Wunder hatten ihm den Weg gewiesen.

Die Grundlegung des salesianischen Werkes im Heiligen Land ist dem italienischen Theologieprofessor Antonio Belloni zu danken, der 1859 als Dozent ans Priesterseminar des lateinischen Patriarchats in Beit Jala berufen wurde. Belloni fing an, arabische Waisenkinder zu sammeln – nicht anders als Bruder Ludwig Schneller, der damals die Waisenkinder des Maroniten-massakers zu versorgen unternahm. Im Engagement für die arabische Jugend befreundeten sich Belloni und Schneller über die Kirchengrenzen hinweg. 1863 gründete Belloni, um seine Kinder zu versorgen, eine Gemeinschaft: die »Brüder der heiligen Familie«, und schuf mit ihnen im nahen Bethlehem sein Orfanotrofio. Heute sind in dem imposanten Baukomplex 50 interne Schüler untergebracht. 150 Externe kommen zum Unterricht hinzu. Belloni ließ die Schüler Souvenirs für Besucher des Heiligen Landes herstellen, Holzarbeiten und Schuhe, um das Werk zu finanzieren. Doch die Kräfte reichten nicht. So besuchte Belloni 1890 den Nachfolger Don Boscos in Italien, Pater Rua, und verabredete den Zusammenschluß seiner »Heiligen Familie« mit den Salesianern. Seit 1891 kommen nun die salesianischen Kräfte aus Italien.

Bei Kriegsausbruch 1914 wurden alle Italiener im Heiligen Land durch die türkischen Obrigkeiten interniert und für vier Kriegsjahre im Gebäudekomplex der Salesianer festgehalten. Die Lehrkräfte der 1902 auf der Höhe von Nazareth gegründeten Schule (1907 durch einen monumentalen Kirchenbau geziert) wurden mit eingesperrt.

1876 machten sich die Schulbrüder in Palästina ansässig. Damit den Arabern der Westbank, die sich nach dem Sechstagekrieg im israelischen Staat einrichten mußten, der Weg zur akademischen Bildung nicht abgeschnitten sei, nahmen sie 1979 das Risiko auf sich, in Bethlehem eine arabophone Universität zu gründen.

1880 rief der Sekretär des lateinischen Patriarchen Joseph Tannous den einheimischen Orden der Schwestern vom Rosenkranz ins Leben. Tannous war der Überzeugung, daß den lateinischen Missionaren weibliche Hilfskräfte zur Seite stehen müßten, kirchlich erzogene Arabermädchen, in den Dörfern unentbehrlich für die Mädchenbildung. Bald standen rund 270 Rosenkranzschwestern im Dienst.

1884 kam es zur Niederlassung französischer Klarissinnen, gestützt auf die franziskanische Kustodie in Nazareth. Treibende Kraft war die energische Äbtissin der Klarissinnen von Périgueux (seit 1873), die einen solchen Zustrom von Novizinnen erfuhr, daß sie 1878 eine neue Gründung in Paray-le-Monial durchführte und alsbald an eine weitere Gründung im Heiligen Land denken konnte. Als eine reiche Postulantin das dafür nötige Geld mitbrachte, sah man am 7. Mai 1848 Mutter Elisabeth du Calvaire mit ihren 15 Klarissinnen im Hafenheiligtum von Marseille – Notre Dame de la Garde – auf den Knien im Gebet für das Gelingen ihrer Reise. Die Kustodie bot den Schwestern ein Gelände an der Durchgangsstraße von Nazareth an. In zwei Jahren war das Klostergebäude erstellt. Beim Kriegsausbruch 1914 hatten die Schwestern bittere Erfahrungen durchzumachen. Türkische Soldaten plünderten ihr Kloster. Sie wurden außer Landes gewiesen. Doch kaum war der Weltkrieg zu Ende, sah man die Schwestern im Juni 1919 zurückkehren. Ihr usprünglicher Bau wurde einer arabischen Familie überlassen und 1968 das neue Kloster auf einer der Altstadt gegenüber liegenden Anhöhe errichtet. 1888 konnte eine zweite Klarissinnenniederlassung beim Coenaculum errichtet werden. Dabei half die Tochter des berühmten sozialkatholischen französischen Industriellen Léon Harmel mit den Mitteln ihrer wohlhabenden Familie.

1890 gründeten Trappisten des französischen Klosters Sept Monts am Rande der judäischen Hügelkette mit dem Blick auf die Sharon-Ebene die imposante Klosteranlage von Latrun, einfach deshalb, weil die Mönche im Heiligen Land leben wollten. Treibende Kraft war Dom Sebastian Viart. Dieser ließ durch einen vertrauten Weltpriester den Grund der Kreuzfahrerfestung Toron aufkaufen, an dessen Rand man den pompösen Klosterbau errichtete. Novizen haben die Trappisten aus dem Libanon gewinnen können, nie aber einen palästinensischen Christen.

Die englische Polizeiwache nordwestlich des Klosters – wie hundert weitere Wachen in der Mandatszeit auf die Empfehlung von Sir Charles Tegard erbaut und darum Tegard-Festung genannt – war im Dezember 1947 von arabischen Kämpfern eingenommen worden, die von der Anhöhe die jüdischen Fahrzeuge auf dem Weg nach Jerusalem beschossen hatten. Im jordanisch-jüdischen Krieg hatte die arabische Legion von Ramallah her die Front bis Latrun ausbuchten können und gefährdete von hier aus Tel Aviv, das nur noch 30 km entfernt war. Damit war die Straße nach Jerusalem gesperrt. Beim Versuch der Israelis, die Straße über Latrun wieder zu öffnen, wurden schwere Verluste erlitten. Als die Tegard-Festung schließlich genommen werden konnte, hielten die Legionäre doch das Kloster und weitere Anhöhen.

Den Schwestern des hl. Joseph de l'Apparition gelang auf dem beherrschenden Hügel von Kirjat Jearim die Gründung eines Klosters der Gottesmutter als »Bundeslade«. Dabei spielte Schwester Josephine Rumèbe eine entscheidende Rolle. 1901 hatte der gelehrte Dominikaner Lagrange der Schwester Josephine mitgeteilt, daß die Forschungen der Ecole biblique den Aufenthaltsort der Bundeslade vor deren Einbringung in Jerusalem identifiziert habe. Hier müsse ein neues Heiligtum errichtet werden. Bald fanden die Archäologen der Ecole biblique die Reste einer byzantinischen Basilika. Schwester Josephine kaufte den Hügel als Erholungsort für ihre Ordensschwestern und als Pflegestation für die umliegenden arabischen Dörfer. Angesichts der aufreibenden Arbeit im Hospital St. Louis für Krebskranke in Jerusalem und im Hospital St. Joseph in Jordanien, ihrer Schularbeit beim lateinischen Patriarchat, in Jaffa und Nazareth sollten die Schwestern hier Erquickung finden. Als Schwester Josephine bei Kriegsausbruch 1914 ausgewiesen wurde, war das Wohngebäude schon in halbe Höhe hochgezogen und die Grundmauern der Basilika waren gelegt. In ihrer Jugend hatte Josephine die Vision von einem Berg in Flammen. Als Lagrange ihr seine Mitteilung machte, war sie überzeugt, daß dies der visionär geschaute Berg sei.

1886 wurde, die Mauer der Altstadt Jerusalem flankierend, die weiträumig angelegte französische Pilgerunterkunft Notre Dame de France errichtet. Dahinter stand die von den Assumptionisten Picard und Baïlly erweckte Bewegung der Bußwallfahrten, mit denen das katholische Frankreich die Sünden sühnen wollte, die zur Niederlage von 1871, wie man meinte, geführt hatten. Richteten sich diese Wallfahrten auch zuerst auf die Orte der Marienerscheinung in La Salette und Lourdes, so führte man sie seit 1882 nach Jerusalem. Beim ersten Aufruf des Pater Picard meldeten sich nicht weniger als tausend Wallfahrer, für die man zwei Transportschiffe chartern mußte. P. Bailly, der nicht weniger als 28 Wallfahrten ins Heilige Land organisierte, gründete 1883, von Jerusalem bestimmt, die bedeutende Tageszeitung La Croix. Um in den ehemaligen Pilgern die geistige Erfahrung ihrer Wallfahrt wachzuhalten, wurde seit 1890 »Echos de Notre Dame de France à Jerusalem« herausgegeben – ein Blatt, das dann unter dem Titel »Echos d'Orient« hohen Rang gewann.

Als der Pilgerstrom aus Frankreich nachließ, wurde Notre Dame de France an die israelische Regierung verkauft. Doch bald vom Vatikan für 800 000 Dollar wiedererworben, wurde der Komplex als katholisches Zentrum ausgebaut. Das Pilgerhospiz war nun nur noch eine Sektion.

1893 kaufte Graf Bielat ein mit Feigenbäumen bestandenes Grundstück auf dem Ölberg, damit die Benediktinerinnen von Notre Dame du Calvaire hier ihr Kloster errichten könnten. Die Kongregation war durch die Initiative der Antoinette von Orléans und des Pater Josef von Tremblay schon im Jahr 1617 entstanden, schon damals mit dem Blick nach Jerusalem. Seit 1620 mußte je eine Nonne eine Viertelstunde sich in das Gebet versenken pour le recouvrement des Saints Lieux de Jérusalem, consacrés par la vie et la passion de Notre Seigneur (für die Wiedergewinnung der Heiligen Stätten von Jerusalem, die durch das Leben und die Passion unseres Herrn geheiligt sind).

Für die Aktionen des deutschen Katholizismus im Heiligen Land wurde die Symbiose, die zwischen Lazaristen und Borromäerinnen zustande kam, von weittragender Bedeutung. Die Schwestern des hl. Karl Borromäus, die in Teschen beheimatet waren, hatten schon 1883 in Alexandria Fuß gefaßt. Von dort rückten drei Jahre später drei Schwestern in das deutsche Hospiz vor dem Jaffa-Tor ein, dessen Bau gerade nach den Plänen des Architekten Sandel fertiggestellt war. An der Kapelle, die den deutschen Pilgern diente, zog man heimlich eine vom lateinischen Patriarchen geweihte Glocke hoch und läutete sie –was verboten war –, ohne deshalb Schwierigkeiten zu bekommen.

Das Hospiz erhielt neuen Auftrieb, als 1890 der Lazarist Wilhelm Schmidt, der sich schon 17 Jahre lang in Tripolis bewährt hatte, die Leitung übernahm. Sein perfektes Arabisch brachte ihn den Einheimischen nahe. Auch die Mädchenbildung, deren sich die Borromäerinnen von Anfang an angenommen hatten, entwickelte sich unter Schmidts Impulsen positiv. W. Schmidt ließ sich von dem Bestreben leiten, die jungen Araberinnen nicht zu minderwertigen Europäerinnen zu bilden, sie also nicht ihrem Brauchtum zu entfremden, ihnen dabei dennoch etwas vom deutschen Geist zu vermitteln. Lobredner der Schule waren nicht nur die Einheimischen, sondern auch die deutschen Gäste, so der Rottenburger Bischof von Keppler. Als der Bau vor dem Jaffa-Tor weder für die Pilgerzüge aus Deutschland, die der Deutsche Verein vom Heiligen Land seit 1888 heranführte (schon vorher gab es »Münchener Pilgerkarawanen«), noch für die Mädchenschule reichte, legte man 1902 den Grundstein für das imposante Gebäude gegenüber dem Damaskustor, das 1908 das »Paulushospiz« aufnahm. Der Bau, in dem während der Mandatszeit die Royal Air Force untergebracht war, wurde 1950 dem Deutschen Verein vom Heiligen Land zurückgegeben. Nach dem jüdisch-arabischen Krieg zog auch die »Schmidtschule« dahin um. Lazaristen und Borromäerinnen, die hier lehrten, waren der arabischen Sprache mächtig. Unter ihnen ragte der Lazarist P. Sonnen hervor. Als er nach einem Wirken von 57 Jahren starb, äußerte König Hussein: Wir haben einen Vater der Nation verloren.

Der Plan, die mit den Lazaristen verschwisterten Vincentinerinnen ins Heilige Land zu ziehen, wurde von der Niederlassung dieses Frauenordens in Beirut vorangetrieben. Die hier stationierte Schwester Gélas (1897†, Spitzname »Orientperle«) prüfte 1855 Etablierungsmöglichkeiten. Am 30. März 1885 bat die Vorsitzende des Œuvre Ste Geneviève den Erzbischof von Paris Guibert, ihre Bitte an Papst Leo XIII. zu unterstützen, den Vincentinerinnen eine Niederlassung in Jerusalem zu gestatten. Am 3. Mai 1886 trafen 5 Schwestern in Jerusalem ein zu Hausbesuchen mit Armenapotheke und zur Aussätzigenpflege. Ein Bericht lautet: »Sie ziehen in alle Richtungen, um auf Eselchen ihre Arzneien zu den Kranken Palästinas zu bringen. Die Unglücklichen kennen sie alle und nennen sie (wegen ihrer Haube!) ›die großen weißen Vögel‹.«

Die revanchesüchtige Feindseligkeit, die nach dem verlorenen Krieg 1870/71 die Franzosen den Deutschen gegenüber beherrschte, führte auch im Heiligen Land zu Konflikten. Die deutschen Borromäerinnen, die 1888 in Haifa am Fuß des Karmel ein weiteres Hospiz eröffnet hatten, wiesen an Festtagen wie Kaisers Geburtstag ihr Deutschtum durch das Hissen der deutschen Fahne vor. Als Beschwerden des französischen Konsuls 1892 nichts fruchteten, intervenierte die französische Regierung und forderte von P. Schmidt, daß sich die deutschen Anstalten gefälligst unter die traditionelle französische Protektion stellten. Bei Nichtbefolgung wurde damit gedroht, daß der französische General-Superior in der rue de Sèvres in Paris die Lazaristen aus den deutschen Anstalten zurückziehe. Der Deutsche Verein vom Heiligen Lande, der den Hl. Stuhl und die deutsche Reichsregierung mobilisierte, auch die türkische Regierung klärten das Recht Deutschlands auf Schutz der deutschen katholischen Anstalten im Orient.

Die Borromäerinnen in Haifa pflegten ein Verhältnis gegenseitiger Hilfe zu den in der Nachbarschaft siedelnden Templern. Von ihnen erwarben sie auch 1935 das in duftigen Gärten gelegene Grundstück in der Nachbarschaft der Karmelitinnen von Nazareth – ein idealer Unterschlupf für deutsche Pilger.

Dem Deutschen Verein vom Heiligen Lande gelang es, Kaiser Wilhelm II. 1898 beim Anlaß seiner Palästinareise für den Plan zu gewinnen, auf dem traditionellen Grund des Berges Sion eine katholische deutsche Niederlassung zu gründen. Der Kaiser ließ sich von Sultan Abdul Hamid das Grundstück schenken, auf dem die Dormition-Kirche erbaut werden konnte. Wenn es auch nicht gelang, das Coenaculum selbst zu erwerben, so war es doch nachbarlicher Boden. Am 21. März 1906 konnte Abt Fidelis Freiherr von Stotzingen von Maria Laach im Pontifikalamt die deutschen Benediktiner in Dormition einführen. Die Mönche zeigten ökumenische Weite, als sie 1973 begannen, im Anschluß an St. Anselmo in Rom katholische und evangelische Theologiestudenten in einem Studienjahr im Heiligen Lande in biblische Topographie einzuführen. Seit 1979 leitet Abt Nikolaus Egender, der von Chevetogne die Liebe zu orthodoxen Traditionen mitbrachte, den Konvent.

Die zweite Hälfte des 19. Jhs. brachte mit dem Einstrom der Kongregationen eine neue Welle von Kirchengründungen an biblischen Gedenkstätten, vergleichbar mit der byzantinischen Zeit. Rund um Nazareth liegen, auf Fußmärschen erreichbar, eine Vielzahl neutestamentlich bezeugter heiliger Stätten. Die Pilgerorte, an denen man die heilsgeschichtlichen Ereignisse lokalisierte, konnten wechseln. Um an die Stätte des Weinwunders zu gelangen, pilgerte man im Altertum nach Chirbet Qana; als aber die griechischen Orthodoxen 1566 im Dorf Kafr Kenna eine Kirche errichteten, siedelte die Tradition dahin um. Kafr Kenna wurde, weil es bequem am Pilgerwege lag, seit 1640 auch von den Franziskanern als das biblische Kana genommen. Die Wortbedeutung »Dorf der Schwiegertochter« macht es unwahrscheinlich, daß die Identifikation mit Kana historisch stimme. In Kafr Kenna errichtete der österreichische Priester Egidius Geisler, der 25 Jahre an diesem Ort verbrachte, auf den Ruinen einer Moschee (wie er meinte, der Kirche, von der der hl. Willibald 726 berichtet hatte) 1879 eine Kirche, die die Bauformen der Kathedrale von Salzburg im Kleinformat wiederholte. 1965 wurde dabei eine Grotte freigelegt. In Rivalität zum katholischen Werk mußte die orthodoxe Kirche 1885 ihr eigenes großes Gotteshaus erbauen. Unter den 8000 Bewohnern von Kafr Kenna zählt man 2500 Christen. Unter ihnen wird die Streitfrage diskutiert: Geschah das Wunder Jesu hier oder dort? In Nain wurde eine lateinische Erinnerungskirche gegründet.

In Rivalität der Konfessionen entstand auf dem Tabor unter Nutzung alter Mauerreste eine katholische Kirche und, inspiriert vom Jerusalemer Patriarchen Kyrillos, ein orthodoxer Neubau (1862 vollendet), der den Chor von 715 (errichtet nach der Perserzerstörung) wieder verwandte. Das Ikonastasion mußte aus Holz des Tabor-Berges geschnitzt werden, denn zur Zeit des Baus bestand noch kein Transportweg.

In der Unterstadt von Nazareth überwölbt die katholische Rotunde, dreistöckige Zementburg mit Unter- und Oberkirche und logenähnlichem Zwischengeschoß (1957 begonnen) Mariens Haus – Ort der Verkündigung –, archäologisch präpariert. Pilgergruppen verschiedener Nationen sammeln sich zwischen dem alten Mauerwerk zur Messe. Daß Papst Paul VI. bei seiner Pilgerfahrt hier kniete, ehe der Bau vollendet war, ist in Bildern festgehalten.

Die Selbstverteidigung der Orthodoxie und ihre Förderung durch die Russische Geistliche Mission

Um 1830 waren ungefähr 90% aller Christen des Heiligen Landes der Jurisdiktion des griechischen Patriarchen unterstellt. Nur wenige Syrer, Armenier, Kopten und Äthiopier und kleine Zirkel, die sich um die Franziskaner gebildet hatten, erkannten den Patriarchen nicht als ihr geistliches Oberhaupt an. Ende des 19. Jhs. war das Patriarchat auf 30% der palästinensischen Christenheit reduziert. Heute fragen sich lateinische und protestantische Christen, ob es recht war, das Patriarchat – die Mutter der Kirchen – so zusammenschrumpfen zu lassen.

Die Orthodoxie reagierte auf den Einbruch lateinischer und anglikanisch-preußischer Hierarchen und ihrer Missionare und der griechenfeindlichen Russen nicht nur mit Tumulten, Steinwürfen und Axthieben. Sie verteidigte sich, indem sie ihrerseits analoge Aktivitäten entfaltete, wie sie von den fortschrittlichen Ausländern vorexerziert waren. Eine den Kampf anführende orthodoxe Persönlichkeit fand sich in Patriarch Kyrillos II., der 27 Jahre lang von 1845 bis 1872 seines Amtes waltete. Kirchen bauen, Klöster restaurieren, erzieherische und philanthropische Werke stiften – das war nun auch des Patriarchen Kyrillos Anliegen, aber er betrieb es zunächst aus der Ferne. Noch bis 1860 residierte der Jerusalemer Patriarch wie viele seiner Vorgänger in Konstantinopel.

Als erstes gründete Kyrill 1855 im Kreuzkloster eine Orthodoxe Theologische Schule. Dahinter stand freilich auch russisches Geld, das Archimandrit Porfirij vermittelt hatte. Für seine Seminargründung stand Kyrillos in Dionysios Kleopas ein fähiger Theologe zur Verfügung. Zum ersten Mal seit undenklichen Zeiten besaß die Heilige Stadt in ihren Mauern in Kleopas einen ausgewiesenen Theologen. Das Unglück wollte nur, daß innerhalb der Grabesbruderschaft Kräfte vorherrschten, die den Sprung nach vorne nicht mitvollzogen. Von dieser Seite erfuhr Kleopas ständige Belästigungen. Man witterte die Gefahr von Neuerungen. Ein Lehrer der Schule, Kyrillos Athanasiadis, gab sich als Instrument der Kleopas-Feinde her. Umsonst versuchte der Patriarch seinen Mann zu stützen, bereicherte auch die Seminarbibliothek. Kleopas konnte seine Arbeit nicht lange fortsetzen. Der Patriarch wollte ihn nun mitsamt der jungen Schule abgetrennt von der Grabesbruderschaft in Jerusalem halten. Doch Kleopas ging im August 1856, berufen durch den König von Hellas, als Universitätsprofessor nach Athen – dort eine Leuchte theologischer Lehre, seine Hörer begeisternd. Zusammen mit seinem Kollegen Konstantin Kontogonou wirkte er als Inspirator einer neuen Bewegung in Griechenland und betätigte sich als Herausgeber der theologischen Zeitschrift Evangelikos Keryx, in der er dann auch noch Veröffentlichungen über Jerusalem brachte. Der nachfolgende Seminardirektor J. Nikodimos muß freilich auch eine gewisse Begabung mitgebracht haben. Man berief ihn als Bischof von Kyzikos; der dritte in der Reihe der Rektoren, Germanos Grigoras, wurde bald als Rektor nach Chalki geholt. 1858 lehrte der Patriarch selbst an der Schule. Ein Jahr darauf rückten die ersten nun besser gebildeten Absolventen in priesterliche Ämter ein. Damals war die Ausbildung in Jerusalem ranggleich zu Chalki. Langsam erlahmte die Opposition der Grabesbruderschaft gegen das Seminar.

Ein zweites Moment griechisch-orthodoxer Selbstverteidigung ist darin zu sehen, die Ruinengrundstücke der berühmten Klöster der judäischen Wüste und des Jordangrabens neu zu erwerben, wo doch auch die fremden Eindringlinge sich in deren Besitz zu setzen versuchten. Zur Freude der Grabesbruderschaft gelang es der zähen Bemühung des Rektors der Theologischen Schule Fotios, das Ruinenfeld des Koinobions des Theodosios zu kaufen. In den drei letzten Jahrzehnten des 19. Jhs. verband sich damit eine Revitalisierung des orthodoxen Mönchtums. Die Orte des asketischen Kampfes der Wüstenväter erhielten jetzt geistliche Nachfolger. 1874 wurde das Kloster, das Chariton in den Jahren 340–345 zur Behausung gedient hatte, vom griechischen Patriarchat neu gebaut. 1878 begann ein griechischer Eremit mit der Restauration der Lavra von Khoziba, am alten Weg nach Jericho gelegen. Die neuen Zellen wurden zwar 1917 von den Türken zerstört, doch bald wiederhergestellt. Einsiedler ringsum gesellten sich zu den Gottesdiensten, die jetzt Prior Amphilochios leitete. Seit 1942 hausten die Eremiten Daniel und Gabriel in den Höhlen. 1881 wurde das Prodromos-Kloster nahe der Taufstelle am Jordan auf den Grundmauern des 6. Jhs. wieder erbaut. Im nicht weit davon entfernten Kalamon-Kloster, in dem sich 1875 griechische Mönche neu eingerichtet hatten, konnte 1885 ein Neubau begonnen werden (jetzt Gerasimos-Kloster genannt). Schließlich kaufte das russische Athos-Kloster Panteleimon 1903 die Stätte der Lavra von En Pharah, an der Chariton 330 die älteste Lavra errichtet hatte, Ausgangspunkt der mönchischen Blütezeit. Neue Gründungen kamen dazu: in Bethanien, in Jericho (Elisäus-Kloster).

Daß dem orthodoxen Patriarchat nicht mehr gelang, war der Beengtheit der Finanzmittel zuzuschreiben. Von der Säkularisierung der dedizierten rumänischen Klöster durch Oberst Cuza 1863 wurde Jerusalem hart betroffen. Bald waren auch die Einkünfte aus dem Zarenreich gefährdet. Das hing mit der Frage zusammen, ob sich das Jerusalemer Patriarchat in der Behandlung der bulgarischen Emanzipationsbewegung, die 1858–1860 in das entscheidende Stadium trat, nach den russischen Wünschen richten oder an der Position des Ökumenischen Patriarchen orientieren würde.

Für das Jerusalemer Patriarchat wurde die bulgarische Frage auch noch in anderer Hinsicht zu einer Schicksalsfrage. Das Verlangen der orthodoxen Bulgarennation, an seine gloriose Geschichte anzuknüpfen und seine Identität wiederzufinden, rief unter den orthodoxen Arabern des Jerusalemer Patriarchats eine analoge Emanzipationsbewegung wach. Patriarch Kyrillos sah sich veranlaßt, sich in dieser Frage an der Position des russischen Botschafters in Konstantinopel Graf Ignatiev zu orientieren. Der Graf aber wechselte brüsk seine Position. Das macht das verblüffende Umschwenken des Jerusalemer Patriarchen verständlich, der anfänglich wie die gesamte griechische Hierarchie das bulgarische Selbständigkeitsstreben verurteilte.

Bei den ersten Bulgarenunruhen von 1858 hatte sich Patriarch Kyrillos, auf den »heiligen Kanones der Kirche« basiert, noch gegen die Bulgaren gestellt. Diese Stellungnahme, die er 1861 dem Konstantinopler Patriarchen Joakim II. ausdrückte, wiederholte er 1864 dem Patriarchen Sophronios III. Noch am 24. Januar 1869 verurteilte Kyrillos die rebellischen Bulgaren als »skandalöse Menschen und treue Teufelsdiener«. Das entsprach damals genau der Stellungnahme des Russischen Sinod vom 19. April 1869 an die Adresse des Ökumenischen Patriarchen. Als Graf Ignatiev in der Bulgarenfrage umschwenkte, ließ er durch Vermittlung des Patriarchenratgebers Konstantinidis auch Kyrillos umpolen. Konstantinidis mußte dem Patriarchen die Gefahr vor Augen malen, die bei einem den russischen Interessen zuwiderhandelnden Votum für die Beschlagnahme der bessarabischen Grundstücke, von denen das Jerusalemer Patriarchat lebte, drohen würde. Auch mußte Konstantinidis dem greisen Patriarchen die Idee in den Kopf setzen, daß er im Falle von Gefälligkeiten für die russischen Bulgarenziele mit russischer Hilfe zum Ökumenischen Patriarchen erhoben werden könnte. Um für die Entfernung des Kyrillos von Konstantinopel während der Tagung des mit der Bulgarenfrage befaßten Konzils von 1872 eine plausible Begründung zu finden, wurde von Ignatiev mit viel Lärm eine Reise des russischen Großfürsten Nikolaus ins Heilige Land inszeniert, die des Patriarchen Anwesenheit in der Heiligen Stadt notwendig machte. Der griechische Nationalismus der Bruderschaft, der nun aufflammte, zwang den Patriarchen zum Amtsverzicht. Schon bei der Jerusalemer Synodaltagung vom 20. September 1872, die sich mit der bulgarischen Frage befaßte, trat der Gegensatz zwischen den Synodalen und dem Patriarchen zu Tage. Die Erzbischöfe Prokopios von Gaza, Neophytos von Lydda, Joasaph von Neapolis, Theoklitos vom Jordan, Gregorios vom Berge Tabor und Nektarios von Tiberias taten sich zusammen und forderten ihn am 7. November 1872 auf, den Oros von Konstantinopel zu unterzeichnen oder auf den Patriarchenthron zu verzichten. Der rebellischen Grabesbruderschaft wurden die aus Rußland fließenden Geldmittel, z. B. die Einkünfte aus den in Bessarabien gelegenen Gütern, gestrichen. Jetzt war Jerusalem so verarmt, daß die Theologische Schule im Kreuzkloster und das vom Patriarchen eingerichtete Krankenhaus nicht weiter betrieben werden konnten.

Nun standen auch die arabischen Gemeinden im Heiligen Land auf. Sie fochten den Absetzungsbescheid der Bruderschaft an und bedrohten die Mönche. Der Sultan konnte dem Streit dadurch ein Ende setzen, daß er Patriarch Kyrillos nach Konstantinopel deportierte. Die arabischen Kirchenglieder, jetzt erst recht mobilisiert, verlangten Stimmrecht bei der anstehenden Patriarchenwahl und Mitkontrolle der Eigentumsverwaltung. Dem widerstand das Patriarchat mit dem Argument, daß der Patriarch allein und in vollkommener Weise die Gesamtinteressen des Patriarchats vertrete und daß das Patriarchatseigentum aus Stiftungen frommer Griechen für griechische Heiligtümer herrühre. Wenn davon etwas für die lokale Kirche aufgewendet werde, so sei das als pures Geschenk zu verstehen. Doch ohne sich diese Argumentation zu eigen zu machen, erließ die Hohe Pforte am 13. März 1875 ein Statut für das Patriarchat, das den örtlichen Arabern gewisse Rechte zusprach. Das Patriarchat seinerseits brachte jedoch dies Statut nie zur Anwendung.

Patriarch Gerasimos' (1891–1896) philanthropische und erzieherische Institutionsgründungen zeigten, daß die griechische Orthodoxie die Praktiken ihrer Rivalen einzuholen vermochte. Der Patriarch gründete Schulen als Gegenstück zur Expansion des russischen Schulwesens im Heiligen Land. Da Patriarch Damianos

(1897–1931) diese Politik fortsetzte, entstanden in kurzer Zeit nicht weniger als 83 Patriarchatsschulen.

Auch Patriarch Damianos scheiterte an der Grabesbruderschaft, als er dem Aufflammen des arabischen Nationalismus, der durch die jungtürkischen Erfolge von 1908 angeheizt war, durch einige Konzessionen gerecht werden wollte. Basiert auf einen Artikel der osmanischen Verfassung vom 24. Juli 1908 hatten die orthodoxen Araber des Patriarchats ein 40köpfiges Nationalkomitee gegründet, das ein Mitspracherecht bei der Verwaltung der Kirchengelder verlangte. Damianos war dieser Forderung ausgewichen mit dem alten Argument, daß die Gelder den Heiligtümern gehörten. Daraufhin hinderten die Araber den Patriarchen am 5. November 1908 an der Zelebration in der ihnen zugewiesenen St. Jakobus-Kirche. Die Griechen mußten türkisches Militär herbeirufen, um die aufgeregte Menge zu beschwichtigen. Am 19. Dezember flammte der arabische Protest erneut auf, als ein orthodoxer Mönch – konvertierter Jude, der sich dem Hellenismus verschworen hatte – angesichts der Belästigung durch junge Araber im Basar die Pistole zog. Als der Großwesir die Erfüllung gewisser Minimalforderungen der Araber verfügte, trauten die Hagiotaphiten ihren Ohren nicht, als der Patriarch in der Jerusalemer Synode den Text des Großwesirs verlas und bejahte. In ihrem leidenschaftlichen Hellenismus setzte die Jerusalemer Synode Damianos ab und erhob den Bischof von Tiberias Meletios zum neuen Patriarchen. Aber Damianos, der durch seine Haltung Popularität gewonnen hatte, wich nicht zurück. Der griechische Abt von Jaffa wurde von der arabischen Gemeinde verjagt, als er in der Göttlichen Liturgie den abgesetzten Damianos zu kommemorieren unterließ. Die Regierungspolitik wies nun die Priester des Patriarchates an, des Damianos in allen Gottesdiensten zu gedenken, suchte aber unter der Hand Damianos dazu zu bestimmen, daß er sich zurückziehe, verbot ihm sogar die Weihnachtsprozession 1909 vom Eliaskloster nach Bethlehem. Erst als Meletios starb, kam es zur Aussöhnung zwischen Damianos und der Synode. Als mit Beginn des Ersten Weltkrieges Jerusalem Frontgebiet wurde, verschleppten die Behörden den Patriarchen ins Zwangsexil nach Damaskus.

Die russische Schwesterkirche empfand im 19. Jh. zunehmend ihre Verantwortung für die Orthodoxie im Heiligen Land. Jerusalemsehnsucht hatte stets russische Fromme ins Heilige Land pilgern lassen. Zur verbreitetsten Erbauungsliteratur des Volkes gehörte die Beschreibung des Abtes Daniil aus dem frühen 12. Jh. von seiner Wallfahrt: Choždenie Daniila, igumena Ruskoj Zemli vo svjatuju zemlju. 1811 hatte sich eine neue Welle russischer Pilger im Heiligen

Land gezeigt. Die Wallfahrer legten nach Untertauchen im Jordan ein neues weißes Leinenhemd an und hoben es lebenslang auf, um sich darin begraben zu lassen. Die Zahl der Pilger aus dem Zarenreich wuchs schließlich bis auf 8000 im Jahre. Daß einer der Anführer der orthodoxen Reaktion gegen die religiöse Liberalität Alexanders I., der Hieromonach Anikita (Fürst Sirinskij-Šichmatov), seine Berichte über die Wallfahrt nach dem Athos und nach Jerusalem vom Jahre 1834 in der Petersburger Gesellschaft kursieren ließ und 1838 der Pilgerbericht des Regierungsbeamten A.S. Norov in Petersburg gedruckt wurde, fachte das geistliche Interesse an Jerusalem bei allen Russen an.

In den Friedensverträgen von Kütschük-Kainardji von 1774 und Jassy von 1792, die das siegreiche Zarenreich der Türkei auferlegen konnte, hatte Rußland bestimmte Rechte im Heiligen Land erworben. Von russischen Pilgern sollten keine Weggebühren erhoben werden. Die Wiederherstellung baufälliger Kirchen und der Bau neuer Gotteshäuser müsse gestattet sein. Das machte fortan russische Einmischung möglich. Im 19. Jh. rivalisierte der russische Anspruch auf Schutzrechte für die Christen in Palästina mit dem französischen.

Seit 1839 berichtete das russische Konsulat in Beirut (frisch eingerichtet) über die ungünstige Lage der russischen Pilger, verursacht durch den Mangel an passenden Herbergen. Daraufhin schlug Oberprokuror Graf Protasov – also der oberste Beamte der orthodoxen Kirche – Kaiser Nikolaus I. vor, in Jerusalem Gebäude zur Einrichtung eines Pilgerasyls zu kaufen, etwa ein leerstehendes griechisches Kloster. Da die russische Botschaft in Konstantinopel bei Verwirklichung dieser Pläne Verstimmungen beim Jerusalemer Patriarchat befürchtete, glitt die Verfolgung dieses Projektes in die Hände der Diplomaten. Graf Nesselrode wandelte den Plan dahin ab, daß sich ein russischer Hieromonach unter dem Anschein, als Pilger gekommen zu sein, in Jerusalem einnisten und der russischen Regierung auf dem Kanal über den Beiruter Konsul seine Beobachtungen berichten solle. Unter des Konsuls Leitung solle er auch die griechische Geistlichkeit durch nützliche Ermahnungen auf den erwünschten Weg bringen, dies aber als seinen persönlichen Ratschlag ausgeben. Der russische Geistliche könne auch die rechte Verwendung der russischen Spendengelder durchs Jerusalemer Patriarchat kontrollieren. Nesselrode fand am 12. Juni 1842 für diesen Entwurf die Bestätigung des Zaren. Ein bestimmendes Motiv war dabei die russische Beunruhigung über das 1841 in Jerusalem errichtete anglikanisch-preußische Bistum, nicht weniger über die Erfolge der Werbung für die Union mit Rom, die sich auch auf die »häretischen« Kirchensplitter im Heiligen Lande ausdehnte. Die Kirche des Zaren, in der das Bewußtsein vorhanden war, daß sie die Rechtgläubigkeit besser bewahre als das Griechentum, dem nicht die gleiche Zuverlässigkeit zuzutrauen sei, machte sich zum Schutz der Orthodoxie ins Heilige Land auf.

Der Heilige Sinod nominierte den Archimandriten Porfirij Uspenskij, Zögling der Petersburger Geistlichen Akademie, zuletzt russischer Botschaftsgeistlicher in Wien, für das Jerusalemer Amt. Die Instruktionen, mit denen Porfirij in seine Aufgaben eingewiesen wurde, entsprachen freilich nicht dessen Vorstellungen vom strikt kirchlichen Verhältnis der russischen Christenheit zur Orthodoxie des Heiligen Landes. Das nötigte ihn in einen Kampf mit den Vertretern des diplomatischen Systems hinein, in das er eingespannt war.

Die Ankunft des Archimandriten Porfirij in Beirut am 23. Oktober 1843 leitete eine neue Epoche russischer Beziehungen zu den Patriarchaten des Ostens ein. Seine Gespräche mit den griechischen Hierarchen auf der einen Seite, mit den hohen russischen Beamten auf der anderen Seite determinierten alle späteren Verhaltensweisen der russischen Orthodoxie zu den orthodoxen Instanzen von Nahost. Zwei Monate nach der Ankunft notierte er in seinem Tagebuch: »Porfirij! Denke an die Ewigkeit, bewahre Glauben, Hoffnung und Liebe und diene der Wissenschaft; alles andere ist nichts.« Seine Tagebücher spiegeln seine impulsive Natur. Doch in seinen amtlichen Berichten und Denkschriften zeigt sich Besonnenheit: Wie ein Gelehrter sichtete er, was er gesehen oder gehört hatte.

Schon vor der Ankunft Porfirijs wurde dem russischen Konsul in Beirut bekannt, daß der in Konstantinopel residierende Jerusalemer Patriarch und seine Jerusalemer Geistlichkeit genaue Kenntnis über die Ziele der Entsendung des Archimandriten besaßen. Bald war Porfirij klar, daß die Griechen der Begründung einer selbständigen russischen Mission ablehnend gegenüberstanden. Nicht ohne Grund! Die slawischen Pilger würden sich künftig zur russischen Mission halten – eine finanzielle Einbuße für die Griechen. Dem Hellenismus der östlichen Patriarchate konnte ein Schlag versetzt werden.

Als der Jerusalemer Patriarch Athanasius V. im Dezember 1844 in Konstantinopel starb, weilte Porfirij gerade in der Stadt am Bosporus und geriet in die Auseinandersetzungen über den Kandidaten für den verwaisten Patriarchenstuhl. Bisher war üblich, daß der Jerusalemer Patriarch durch Testament seinen Nachfolger bestimmte. Doch der Ökumenische Patriarch und seine Synode suchten auch Einfluß auf die Wahl. So hintertrieben die Konstantinopler Instanzen die Erhebung des Hierotheos, bisher Metropolit vom Berge Tabor, den sich Athanasios V. als Nachfolger gewünscht hatte, und schwärzten ihn als russophil bei der türkischen Regierung an. Erst am 2. April 1845 konnte in Kyrillos II., dem Metropoliten von Lydda, endgültig ein Jerusalemer Patriarch gewählt werden.

In einer Denkschrift, die Porfirij dem russischen Botschafter Titov in Konstantinopel vorlegte (O položenii ierusalimskoj cerkvi), kritisierte Porfirij die Spaltung zwischen griechischer und arabischer Geistlichkeit. Die Griechen, so hieß es, stünden den religiösen Nöten der arabischen orthodoxen Bevölkerung mit Gleichgültigkeit gegenüber. In der Mission der Katholiken und Anglikaner witterte Porfirij Gefahren für die Orthodoxie. Wegen ihrer hellen Intellektualität seien die Araber noch eher zum Protestantismus geneigt. Die Kirche leide unter dem administrativen Druck der türkischen Regierung, vor allem unter den käuflichen Beamten. Als dringendste Maßnahme riet Porfirij an, daß der Jerusalemer Patriarch wieder ständig in der Heiligen Stadt residiere. Das werde seine Autorität stärken und den griechischen Klerus besser unter Aufsicht halten. Den Arabern müsse Zugang zu den höheren geistlichen Würden im Patriarchat eröffnet werden. Zur Rettung der palästinensischen Kirche müsse die russische eine kirchliche Mission, am besten unter bischöflicher Leitung, entsenden.

In einer zweiten Denkschrift »Über die Heiligen Stätten« kritisierte Porfirij den Streit der Konfessionen um Rechtstitel, hauptsächlich durch die käuflichen Beamten verursacht, die widersprechende Privilegien verteilten. Die künftige russische Mission müsse durch ihr Beispiel den Konfessionen »gegenseitige Achtung« einflößen. Von jeder der drei Konfessionen – Orthodoxe, Katholiken und Armenier – sollten abwechselnd Kuratoren zur Verteilung der Gottesdienstzeiten an den heiligen Orten eingesetzt werden.

Das Projekt der »kirchlichen Mission« geriet im Zarenreich in die Hände des Außenministeriums. Dadurch war der Erlaß der Richtlinien für die Mission Sache der russischen Diplomatie. Die erste »kirchliche Mission« unter Porfirij weilte nur vom 18. Februar 1848 bis 7. Mai 1854 in Jerusalem. Dann war sie genötigt, die Heilige Stadt im Blick auf den Ausbruch des Krimkrieges zu verlassen. Durch seine finanzielle Unterstützung konnte Porfirij den Patriarchen Kyrillos II. bewegen, nicht nur das geistliche Seminar, sondern auch eine Druckerei zur besseren Bildung des arabischen Klerus ins Leben zu rufen.

Nach dem verlorenen Krimkrieg 1856 war die russische Machtstellung so geschwächt und die griechische Geistlichkeit so scheu, Unterstützung von russischer Seite anzunehmen, daß eine Wiederherstellung der russischen Mission in Jerusalem nicht geraten schien. Doch das Außenministerium unter Gorčakov wollte gerade durch eine erneuerte Mission das russische Ansehen heben.

Auch der Bruder Zar Alexanders II., Großfürst Konstantin, Inhaber des Marineamtes, zeigte Interesse am Heiligen Land. Nicht nur, daß er regelmäßige Schiffsverbindung mit Palästina zum Pilgerverkehr organisierte. Er entsandte einen Beamten des Marineamtes, Mansurov, zum Studium der Verhältnisse nach Palästina, dessen Denkschrift die russische Kirche als Gegenkraft gegen die griechische Hierarchie und ihre systematische Unterdrückung der orthodoxen Slaven und Araber aufbot. Das gab Anstoß zur Gründung eines »Palästinakomitees«, das sich alsbald als Nebenbuhler des Ministeriums in die Tätigkeit der russischen Mission einmischte, schließlich 1882, zur »Kaiserlichen Orthodoxen Palästinagesellschaft« weiterentwickelt, zur bestimmenden Instanz im Heiligen Land wurde. Daß Archimandrit Porfirij nicht auf Belebung arabischen Widerstandes gegen die griechische Hierarchie angesetzt und ungenügend mit Geldmitteln ausgestattet worden war, wurde dem Außenministerium in spitzer Kritik angekreidet.

Als Leiter der zweiten Mission, über die nur mit der Pforte, nicht mit dem Jerusalemer Patriarchen verhandelt wurde (was Patriarch Kyrillos II. bitter vermerkte), wurde im Herbst 1857 von Außenminister Fürst Gorčakov der junge Kirill Naumov im Range eines Bischofs – »weil auch die anderen Konfessionen ihre Bischöfe hatten« – bestellt. Damit wurde die kanonische Regel verletzt, die einem Bischof verbietet, im fremden Sprengel tätig zu sein. Dem Bischof Kirill wurde in einer Instruktion empfohlen, die kirchlichen Fragen im Heiligen Land »nicht durch das griechische Prisma zu betrachten«, sondern »direkt für die wirklichen Interessen Rußlands zu sorgen«. Um die orthodoxen Araber dem Einfluß der lateinischen Missionare zu entreißen, sollte die Mission mit denselben Mitteln vorgehen wie die westlichen Konfessionen: mit Errichtung von Spitalen, Asylen, Druckereien und Schulen (Art. 6). Zur besseren Aufsicht über die Mission wurde ein russisches Konsulat auch in Jerusalem errichtet. Während die Mission früher streng auf Jerusalem beschränkt war, sollte sie jetzt nach Art. 8 der Instruktion als Drehscheibe der gesamten russischen Nahostpolitik dienen, sich bis nach Ägypten erstrecken.

Bereits Porfirij Uspenskij hatte Beziehungen zu den Jerusalemer Institutionen der nonchalcedonensischen Kirchen aufgegriffen. Das setzte ihn instand, 1866 in mehreren Fortsetzungen eine Artikelserie Vostok Christianskij herauszubringen, in der er die in der russischen Kirche bisher als häretisch beurteilten orientalischen Kirchen nacheinander darzustellen unternahm. Wegweisend für die künftige Kirchenpolitik des Zarenreichs gegenüber Äthiopien war dabei Porfirijs Deutung der äthiopischen Position – die früheste russische Publikation zu diesem Thema überhaupt. Alle Angaben des Archimandriten beruhten dabei auf Auskünften, die ihm seine Freunde unter den äthiopischen Mönchen gaben, die auf dem Dach der Helenenkapelle hausten. Pauschal stellt Porfirij fest: Die Äthiopier »sind keine Häretiker. Im Gegenteil, sie lehnen die Häresie des Arius, des Makedonius, des Nestorius und Eutyches ab und halten am Glauben des hl. Athanasius und des hl. Kyrill fest. In ihrem Gottesdienst und in ihren Bräuchen ist eine reine Orthodoxie erkennbar, wie in den abessinischen Seen der leuchtende Himmel zu sehen ist«. Den Beweis schöpfte Porfirij aus den äthiopischen liturgischen Texten. Der in den Mysterien beheimateten russischen Orthodoxie mußte es wichtig sein, gemeinsame Auffassungen vom sakramentalen Geschehen zu finden. So betonte Porfirij: »Die abessinischen Priester und Bischöfe vollziehen alle sieben Sakramente richtig.« Dabei prüfte Porfirij Einzelheiten wie die, ob das Taufwasser zuvor geweiht werde. Auch in der Heiligenverehrung wurde ein Consensus verbucht. In apostolischer Sukzession stünden die Äthiopier durch Vermittlung des koptischen Metropoliten, des von Kairo entsandten Abun. »Man kann gar nicht genug den Selbstverzicht und die Friedlichkeit der Abessinier bewundern, mit der sie freiwillig einwilligen, ausländische Hierarchen für sich anzunehmen.«

Die Verbindung zu den jakobitischen Syrern intensivierte sich, als Archimandrit Sofonij, bisher Botschaftsgeistlicher in Konstantinopel, der bereits 1853 dem Allerheiligsten Sinod Gutachten über die dogmatischen und kultischen Besonderheiten der syrischen Kirche vorgelegt hatte, 1858 in den Dienst der Jerusalemer Mission trat. Sofonij erlernte die syrische Sprache und übersetzte die jakobitischen Liturgietexte ins Russische. Als Sofonij 1871 zum Bischof von Turkestan ernannt wurde, erlitt die Annäherungsarbeit freilich einen nicht wiedergutzumachenden Verlust.

Die Russische Geistliche Mission wurde jetzt auch Trägerin der Verbindung zum koptischen Patriarchat in Kairo. Dort waren bisher keine Fortschritte zu erzielen gewesen. Bei Patriarch Petrus VII. (1809–1852) war zum ersten Mal ein zarischer Abgesandter erschienen. Als er das verarmte Patriarchat in Kairo betrat, fand er einen Mönch auf einer Kameldecke beim Lesen. Er forderte den vermeintlichen dienenden Bruder auf, ihn bei Seiner Heiligkeit, dem Patriarchen, zu melden. Der Russe stand jedoch vor dem Patriarchen selbst. Da begann der Abgesandte die Armut der Kirche Ägyptens zu bedauern und die Fürsorge seines Zaren zu empfehlen. Darauf der

Patriarch: »Lebt Euer Kaiser ewig? Wir stehen in der Obhut eines unsterblichen Königs-Gottes!« Der Khediv Mohammed Ali, dem die vom Patriarchen eingehaltene Linie am besten in seine Politik gegenüber den Großmächten paßte, erschien noch am gleichen Tage bei Petrus VII., um ihm persönlich zu danken. Wenige Jahre später zeigte sich Petrus' Nachfolger, der 110. koptische Patriarch Kyrill, bei einem Besuch des Vertreters der Jerusalemer russischen Mission für eine Zusammenarbeit mit der Kirche des Zaren weit offener. Durch die russische Einwirkung ermutigt, nahm der koptische Patriarch Verbindungen mit dem Vardapet der Armenier und dem für die Griechen verantwortlichen dyophysitischen Patriarchen von Alexandrien, Kallinikos Olympios, auf. Die Verbindung wurde so eng, daß Kallinikos dem Patriarchen Kyrill die Vertretung in seinen Patriarchengeschäften während einer Konstantinopel-Reise übertrug. Als die die unterschiedlichen Jurisdiktionen vertretenden Kirchenführer zu Beratungen nach dem Antoniuskloster unterwegs waren, unternahmen die konsularen Kreise der westlichen Mächte einen Vorstoß beim Khediven und trugen ihm die Geheimnachricht zu, Kyrill wolle sich auf russische Einwirkung der Orthodoxie anschließen, um als Gegengabe die Anerkennung als alleiniger Patriarch Ägyptens zu erhalten. Der griechische Patriarch und der armenische Vardapet sollten für ihre Sprachgenossen unter seine Jurisdiktion treten. Noch während die Würdenträger am Nil auf die Wüstenkarawane warteten, wurde Kyrill durch eine dreimalige Ordonnanz zum Hof beordert. Am 31. Januar 1861 starb Kyrill. Es besteht Verdacht, daß er vergiftet wurde, um den westlichen Vorstellungen zu entsprechen und den Erfolg der russischen Diplomatie zunichte zu machen.

Die russische Mission in Jerusalem kam lange nicht aus der Krise heraus. 1859 besuchte Großfürst Konstantin die Heilige Stadt und übertrug die Aufsicht über die Bauten der Mission der russischen Schiffahrtsgesellschaft. Die sarkastischen Berichte des Bischofs Kyrill Naumov wurden in Petersburg ungern gelesen. Leonid Kavelin, Hieromonach aus Optina Pustinj, schon früher Mitglied der Jerusalemer Mission, löste ihn ab, hatte jedoch unter der Bevormundung seines Konsuls bitter zu leiden. Erst unter Antonin Kapustin, der 1869 die Leitung übernahm, stärkte sich die russische Mission in der Heiligen Stadt. Kapustin kannte die Kirchen des Ostens gut, war er doch neun Jahre lang Vorsteher der russischen Botschaftskirche in Athen gewesen, drei weitere Jahre in Konstantinopel. So konnte er die Illusion der Petersburger Instanzen, man könne die griechische Orthodoxie umbilden, nicht teilen. Seine Beziehungen zu den Beamten des Ministeriums waren von Anfang an gespannt.

Aber Kapustin hatte bald einen Trumpf in der Hand: Dank seiner Einfühlung in griechische Stimmungen konnte er eine positive Beziehung zum Jerusalemer Patriarchen und der Grabesbruderschaft herstellen. Das stärkte seine Position gegenüber dem russischen Konsul. Daß dies einen Rückschlag erfuhr, ist aus einer interorthodoxen Konfliktsituation zu erklären, die mit der Lage Jerusalems nichts zu tun hatte: Patriarch Kyrillos, zu dem Kapustin in so freundschaftlichem Verhältnis stand, war 1872 von der Grabesbruderschaft zum Amtsverzicht genötigt worden, da er die Verurteilung der bulgarischen Emanzipationsbewegung nicht unterschrieben hatte. Der an seiner Stelle zum neuen Patriarchen erhobene Prokopios II. aber war nach Kapustins Meinung nicht in kanonischer Weise, weil ohne Beteiligung des arabischen Klerus, gewählt. Der russische Botschafter Graf Ignatiev empfahl darum ihm gegenüber Zurückhaltung. Die Amtszeit des Patriarchen Prokopios endigte infolge seiner Reibereien mit der arabischen Geistlichkeit 1875 durch Amtsverzicht. Sein Nachfolger Hierotheos starb unerwartet im Juli 1882. Der alsdann gewählte erstaunlich junge Archimandrit Photios Peroglu – damals 29 Jahre alt – wurde vom zarischen Ministerium des Äußeren für »zu gefährlich« eingeschätzt und deshalb aufgrund einer Intervention des russischen Botschafters von der Pforte nicht bestätigt. Der begabte Kleriker wurde 1900 zum Patriarchen von Alexandrien erkoren. Jetzt richteten sich die Blicke des einflußreichen Petersburger Außenministeriums auf einen damals in Rußland weilenden Hierarchen, den Metropoliten Nikodemos vom Berge Tabor. Die orthodoxe Kirche des Tabor-Berges war bereits dem russophilen Griechen zuliebe mit reichen Gaben aus dem Zarenreich ausgestattet worden. Nikodemos leitete eine neue Periode der Kooperation mit dem Petersburger Außenministerium ein (1882–1891). Da das Ministerium wissen konnte, daß jetzt ein seinen Einflüsterungen zugänglicher Patriarch in Jerusalem amtierte, drang es mit seiner Umstrukturierung der russischen Vertretung im Heiligen Lande leichten Spieles durch: Die als politisch unbotmäßig eingestufte »Mission« wurde entmachtet, statt dessen das Palästina-Komitee des Großfürsten Konstantin, das 1864 unter dem Namen Palästina-Kommission als Unterabteilung ins Ministerium eingegliedert war, als bestimmende Instanz eingesetzt.

Doch nun wachten – nicht zuletzt durch die unermüdliche Berichterstattung aus der Feder des Archimandriten Kapustin mobilisiert – gesellschaftliche Kräfte im Zarenreich auf, die die russische Arbeit im Heiligen Land zur eigenen Sache machten: Die »Kaiserliche Orthodoxe Palästina-Gesellschaft« (Imperatorskoe Pravoslavnoe Palestinskoe Obščestvo) wurde ins Leben gerufen, unter das Protektorat des Sergij Aleksandrovič, eines Bruders Alexanders III., gestellt, bald in allen Gouvernementsstädten durch Zweigstellen unter der Aufsicht des Eparchalbischofs vertreten. Auch hier geriet der russische Eifer vor die Alternative: Entweder unter griechischer Jurisdiktion arbeiten oder ein unabhängiges Werk aufbauen! Als die Palästinagesellschaft Schulen und Kirchen zu errichten begann, hoffte sie, daß der Jerusalemer Patriarch dieses Werk segnen werde. Im März 1883 konnten die ersten drei Schulen eröffnet und einige Kirchen mit dem Geld der Gesellschaft wiederhergerichtet werden. Aber der Patriarch schritt prompt ein. Schließlich wurden in 93 Schulen für arabisch-orthodoxe Kinder über 10000 Schüler von 417 Lehrern unterrichtet. Ein Lehrerseminar der Gesellschaft bildete die arabischen Lehrer aus. Nur 25 Russen fanden sich im Lehrerkorps. Freilich, die Lehrerbildung war gerade erst angelaufen, als durch den Ersten Weltkrieg der Abbruch erzwungen war. Ziel dieser Gründung war, ein unabhängiges arabisches Schulwesen zu ermöglichen.

Der erste Sekretär der Gesellschaft, V. Khitrovo legte in seinem weitverbreiteten Buch »Orthodoxie im Heiligen Land« zum Verdruß der Griechen die Grundsätze dar, nach denen den arabischen Priestern und Gläubigen geholfen werden sollte. Aber auch die Hilfe, die nun den russischen Pilgern zugute kam, war beachtlich. 1905 besaß die Gesellschaft sieben Pilgerherbergen. In ihren fünf Spitälern wurden 135000 Kranke verpflegt. Die russischen Pilger pflegten ihre eigenen Bräuche. In Tabgha setzten sie sich in Gruppen zusammen, wie es im Johannesevangelium geschildert ist, und aßen Brot miteinander, das sie eigens dafür aus Jerusalem mitgebracht hatten. Dann lasen sie die Brotkrumen auf, als spielten sie wie Kinder das damalige Wunder.

Im März 1893 war eine Gruppe von 531 Frauen und 233 Männern, geleitet von dem Mönch Divanov, zur Galiläa-Fahrt aufgebrochen, meist alte Leute, vom Fasten geschwächt. Am Jakobsbrunnen schliefen sie auf offenem Feld. Angesichts eines Wetterumschlags auf dem Berg Tabor marschierten ihrer Hundert nach Jerusalem zurück, die übrigen aber wollten nicht auf den Besuch des Sees Genezareth verzichten. Durch Matsch stampfend gelangten sie zu den elenden russischen und griechischen Quartieren von Tiberias. Als sie sich nach Jerusalem zurückwendeten, brach ein solches Kälte-Unwetter aus, daß viele beim Dorf el-Libban im Schnee erfroren. Manche wurden von den Eingeborenen niedergestochen und ausgeraubt.

Die Zahl der russischen Pilger, denen die Gesellschaft zur jährlichen Pilgerfahrt verhalf, erreichte 1914 die Zahl von über 15000. Was die Pilger erfuhren, hat ein russischer Archimandrit, der die Pilgerschar begleitete, in der Dreifaltigkeitskathedrale von Jerusalem zum Abschluß der Fahrt gesagt: »Der Weg war lang und schwer, wir hatten Meere zu durchfahren und viele von uns waren so alt, daß wir kaum hoffen konnten, unser Ziel zu erreichen ... Wir waren in Bethlehem, wo Er als Kind geboren wurde, und in Nazareth, wo Er 30 Jahre gelebt hat. Wir haben unsere sündigen Leiber in den heiligen Fluten des Jordan reingewaschen, wo Er getauft wurde. Wir haben den Tabor erklommen, wo Er verherrlicht ward. Wir waren auf dem Ölberg, von wo aus Er zum Himmel fuhr. Wir lebten und pilgerten in Jerusalem, wo Er gekreuzigt und begraben wurde und von den Toten auferstand. Die Namen der Heiligen Orte, an denen wir sangen und beteten, haben unsere Herzen erzittern lassen ...«

Für manchen Bereich blieb die »Mission« zuständig, vor allem für kirchliche Bauten. Archimandrit Kapustin hat nicht weniger als 13 Grundstücke aufgekauft. 1860 war der Grundstein für eine erste russische Kirche gelegt worden. Bald bestanden in und um Jerusalem fünf russische Gotteshäuser, ein weiteres in Jaffa, im Dorf En Karem ein russisches Nonnenkloster, bei der Abrahameiche Hebrons ein Männerkloster. Als 1890 die Maria-Magdalenenkirche am Fuß des Ölbergs einzuweihen war, pilgerte Großfürst Sergij, Vorsitzender der Kaiserlichen Palästinagesellschaft, dorthin. Seine Gattin Elisaveta Feodorovna begleitete ihn – eine Schwester des Hessischen Großherzogs, die damals in der Hoffnung, »eine bessere Christin werden zu können«, zur Orthodoxie übertrat. In welche Tiefe der religiöse Ernst des Großfürstenpaars reichte, zeigte sich, als Sergij, Kommandant von Moskau, 1905 durch die Bombe eines terroristischen Studenten zerrissen wurde. Elisaveta sammelte die blutigen Stücke des Leichnams aus dem Schnee zusammen, verschenkte und verkaufte ihre Habe und gründete – basierend auf den Statuten der Kaiserswerther Diakonissen – einen neuartigen Frauenorden zur Krankenpflege der Armen in Moskau (Marfo-Marijanskaja Obščina). – Elisaveta Feodorovna übernahm als Nachfolgerin ihres Gatten die Präsidentschaft der Palästinagesellschaft. Als Angehörige der Zarenfamilie wurde sie 1918 von den Revolutionären lebendig in einen sibirischen Kohlenschacht gestürzt. Ihr Leichnam wurde später von den Truppen Admiral Koltschaks herausgeholt, mit Hilfe der englischen Regierung 1920 auf dem abenteuerlichen Weg über Peking–Suez nach Jerusalem verbracht und in der Maria-Magdalena-Kirche in Gethsemane beigesetzt. Am 1. November 1981 wurde Elisaveta mit allen Neomärtyrern von der russischen Exilkirche als Heilige kanonisiert. In der Maria-Magdalena-Kirche von Gethsemane wurde bei diesem Anlaß ihr Reliquienschrein geöffnet.

Nach der Oktoberrevolution 1917 wurden die russischen Einrichtungen im Heiligen Land von der russischen Exilkirche weitergetragen. Metropolit Anastasij, der den Metropoliten Antonij in der Leitung der Exilkirche ablöste, war mit Jerusalem vertraut. Er hatte 1932 den späteren Jerusalemer Patriarchen Timotheos zum Bischof geweiht. Die politische Teilung Palästinas nach dem jüdisch-arabischen Krieg 1948 brachte es mit sich, daß fortan zwei russische geistliche Missionen bestehen: Die exilrussische und die des Moskauer Patriarchats. Das Gebiet, das damals jordanisch wurde, blieb der Auslandskirche unterstellt, deren jetziger Ersthierarch Filaret die Heilige Stadt zweimal besuchte. Das Aleksander Nevskij-Hospiz nahe der Grabeskirche blieb Sitz des Leiters der Exiljurisdiktion, jetzt Archimandrit Antonij Grabbe, dem 250 Priestermönche, Diakone, Nonnen und Gläubige unterstehen. Geistliches Zentrum der Mission sind die russischen Frauenklöster des Ölbergs. Das obere (Eleona-) Kloster wurde 23 Jahre lang von Äbtissin Tamara, Tochter des Großfürsten Konstantin Konstantinovič geleitet, die am 28. August 1979 fast 90jährig starb. Der klösterliche Gottesdienst wird von Archimandrit Dimitrij, einem ehemaligen Mönch des Kiewer Höhlenklosters, in besonderem Glanz vollzogen. Unter der mütterlichen Obhut der Äbtissin leben nicht nur die betagten russischen Schwestern, sondern auch 25 junge orthodoxe Araberinnen, die sich hier geborgen fühlen und sich in die kirchenslawische Liturgiesprache eingewöhnen. Auch in dem Kloster der Salbenträgerin Maria Magdalena am Fuß des Ölbergs leben mit den russischen Schwestern junge Araberinnen, meist Absolventinnen der einzigen noch bestehenden russischen Mädchenschule Bethanien.

Die Russische Geistliche Mission des Moskauer Patriarchats konnte 1948, als die Sowjetunion die Staatsgründung Israels anerkannte, die innerhalb der israelischen Staatsgrenzen liegenden russisch-orthodoxen Niederlassungen unter Ausweisung der bisherigen Exilgeistlichkeit übernehmen – von sowjetischen Behörden im Blick auf die während des »Großen vaterländischen Krieges« bewährte Staatstreue der Kirche gefördert. Als ihren Sitz wählte sie – wie vor 1914 – die 1872 geweihte Dreifaltigkeitskathedrale in der Jerusalemer Neustadt, für die Gläubigen noch heute eine »Gottesstadt auf dem Berge«. Von Bedeutung war, daß zum Frauenkloster En Karem etwa 50 Nonnen aus der Sowjetunion anreisen konnten. Die wenigen Alten, deren Händen der reiche Ikonenschmuck der Klosterkirche zu danken war und die das geistliche Leben in En Karem immer aufrechterhalten hatten, wurden von ihnen liebevoll bis an ihr Lebensende gepflegt. Da Gottesdienstbesucher ausblieben, mußten Gruppen der Nonnen von En Karem als Chöre zum »Petrus-

und Tabitha-Kloster« in Jaffa, zum Elias-Kloster in Haifa und zur Kathedrale in Jerusalem abgeordnet werden.

Leiter der Mission, die ihre rund um die Kathedrale gelegenen Häuser 1964 an die israelische Regierung verkaufen oder vermieten mußte, war zunächst Archimandrit Jeronim, bis er zum Patriarchen-vertreter ins Kloster Zagorsk berufen wurde, dann der Absolvent der Leningrader Geistlichen Akademie Kliment, schließlich Archi-mandrit Nikolaj, der 1982 zum Bischof von Potschajev erhoben wurde. Archimandrit Pawel und Hieromonach Innokentij über-nahmen 1981 die Leitung der Russischen Geistlichen Mission. Wie Patriarch Aleksij 1946 und wieder 1960 der Jerusalemer Mission einen Besuch abstattete, so der nachfolgende Patriarch Pimen so-gleich nach seiner Weihe 1972. Die Geistliche Mission konnte fünf vom Jerusalemer Patriarchat vorgeschlagenen Theologen griechi-scher Nationalität Stipendien des Moskauer Patriarchats für das Studium an der Geistlichen Akademie Leningrad vermitteln. Ara-bische orthodoxe Theologiestudenten konnten jedoch nur aus dem Patriarchat Antiochia gewählt werden.

Treffen sich Moskauer und exilrussische Kleriker und Nonnen bei Einladungen des griechischen Patriarchen, so hält ein Fraterni-sierungsverbot sie schmerzlich auseinander.

Die russische Präsenz stellt nicht die einzige Vertretung autokephaler orthodoxer Kirchen im Heiligen Lande dar. Als sich in der zweiten Hälfte des 19. Jhs. die Zahl der rumänischen Pilger mehrte, kam der Gedanke auf, in Jerusalem eine rumänische Niederlassung zu grün-den. 1906 konstituierte schließlich Professor Teodor Buranda von Jassy den »Ausschuß für den Bau einer rumänischen Kirche in Jerusalem«, sammelte im Einverständnis mit dem Hl. Synod Geld-mittel und erwarb 1912 ein Grundstück in der Heiligen Stadt; wenn der Erste Weltkrieg nicht dazwischen gekommen wäre, hätte man alsbald den Bau begonnen. So aber verzögerten sich die Anfänge, bis Patriarch Miron 1927 nach Rückkehr von einer Pilgerreise Kirche und Hospiz in der Heiligen Stadt und eine Täuferkirche nahe dem Taufort Jesu projektierte. 1935 legte Bischof Lucian Triteanu von Roman in Anwesenheit von 150 Pilgern den Grundstein der Kirche bei Jericho, die Patriarch Justinian vom Bukarester Maler Vinatoru mit Fresken schmücken ließ. Die St. Georgskirche nordwestlich der Altstadt Jerusalem – im Brâncoveanu-Stil entworfen – war 1939 fertiggestellt, wurde jedoch im israelisch-arabischen Krieg 1948 so schwer beschädigt, daß Patriarch Justinian sie erneuern mußte.

Die geistlich gewichtigste rumänische Präsenz im Heiligen Lande verdankt sich Mönchen, die im Geiste des Paisij Veličkovskij lebten. Die Mönche Irinarch Roset und Nektarie Banu stifteten auf dem

Berge Tabor ein orthodoxes Kloster, das später von griechischen Klerikern weitergeführt wurde. Auch im Kloster des hl. Georg von Khoziba im tiefeingeschnittenen Wadi Qelt leben rumänische Mönche: der Asket Ioanikios schon 45 Jahre, sein Mitbruder 14 Jahre lang. Sie hüten den unverwesten Leichnam des rumänischen Asketen, des hl. Johannes des Neuen, der im gläsernen Sarkophag, in Mönchsgewandung, die Füße in Sandalen, in der gleichen Grabkapelle ruht, die auch die Reliquie des hl. Georg des Khozibiten birgt. Der hl. Johannes, im Kloster Neamts erzogen, diente bis 1913 in der Grabesbruderschaft von Jerusalem, dann in den Höhlen von St. Anna im Wadi Qelt. Noch hat das Jerusalemer Patriarchat die Kanonisierung des Johannes, der 1960 verstarb, nicht vollzogen. Das ist verständlich, da ein Jahrtausend lang keine Kanonisierung von Heiligen im Heiligen Land erfolgte. Im Patriarchat sagt man: Wir warten noch auf ein Zeichen Gottes.

Während die Mönche von Khoziba als Altkalendarier nach den Ordnungen des Jerusalemer Patriarchats leben, leiden die Archimandriten der rumänischen Niederlassung in der Heiligen Stadt darunter, daß das Faktum, daß die rumänische Kirche den neuen Kalender angenommen hat, die Konzelebration mit den Griechen erschwert.

Die Forschungsanfänge der biblischen Topographie und die Leben-Jesu-Romane in palästinensischer Szenerie

Kaum hatten die großen Konfessionsfamilien des Abendlandes – und damit auch die Großmächte – einen Halt im Heiligen Land gefunden, so zog, ausgerüstet mit modernen wissenschaftlichen Methoden, die Erforschung der biblischen Topographie ein. Kritisch setzte man sich von den lokalen Überlieferungen ab. Die Betrachtung des Schauplatzes der biblischen Ereignisse versprach die Erschließung einer zusätzlichen Quelle für die Exegese der biblischen Texte.

Der mit der Renaissance in Europa aufgekommene Forschergeist hatte sich schon lange um Lokalisierungen biblischer Orte bemüht. Eine gründliche Sichtung aller vorliegenden Quellen unternahm der Holländer Adrian Reland in seinem Handbuch: Palestina ex monumentis veteribus illustrata 1709. Dieses Buch befand sich auch im Reisegepäck des Eduard Robinson, eines New Yorker Theologieprofessors, der mit dem damals in Beirut stationierten Missionar des American board Eli Smith, ehedem Robinsons Schüler und durch seine berühmte Armenienreise in solchen Unternehmungen erfahren, im Frühjahr 1838 von Ägypten aufbrach, um über den

Sinai und Akaba forschend nach Jerusalem zu gelangen. »Die Szenen der Bibel« hätten »von Jugend auf tiefen Eindruck auf sein Gemüt« gemacht, schrieb Robinson. »In späteren Jahren waren diese Eindrücke zu einem dringenden Verlangen herangereift, selbst die in der Geschichte des Menschengeschlechts so merkwürdigen Orte zu besuchen. Kaum ist in irgendeinem Lande der Erde dies Gefühl so verbreitet als in Neu-England.« Jeder der beiden führte je ein besonderes Tagebuch. Eli Smith zeigte »seine Geschicklichkeit, den Arabern Auskunft über Einzelnes zu entlocken«. Aus der Kombination der beiden Tagebücher erwuchs das monumentale Werk: »Palästina und die südlich angrenzenden Länder«, von dem die späteren Forscher ausgingen. Als die Reisenden Hebron vor sich sahen, wird als Notiz ins Tagebuch eingetragen: »Hier wohnte Abraham und die anderen Patriarchen und gingen mit Gott um. Hier nahebei wurden sie und ihre Weiber begraben. Hier war auch sieben Jahre lang die königliche Residenz Davids; vor uns lag ›der Teich zu Hebron‹, über welchem er die Mörder seines Nebenbuhlers Isboseth aufhing. In Hebron dichtete er auch wahrscheinlich viele seiner Psalmen, welche jetzt noch die Seele erschüttern und zu Gott erheben. Unser Gemüth wurde von allen diesen Erinnerungen tief ergriffen.« Jerusalem schien dem amerikanischen Professor »so vertraut, als wenn ein früherer Traum nun wirklich ins Leben träte«. Bei Missionar Whiting wurden die Kamele entladen, wenige Türen weiter war in der Wohnung des Missionars Lanneau eine Bleibe bereitet.

Robinson und Smith identifizierten eine große Zahl biblischer Orte zum ersten Mal, z. B. am 4. Mai 1838 wenige Reitstunden nördlich Jerusalems mehrere alte Städte unter fast unveränderten arabischen Namen, am 10. Mai nicht weniger als 8 Städte in Südjuda. Der Schweizer Titus Tobler, der mit seinen eigenen topographischen Untersuchungen drei Jahre zuvor begonnen hatte, schrieb 1867: »Die Arbeiten von Robinson und Smith übertreffen alle früheren Beiträge zur Geographie Palästinas von der Zeit des Eusebius und Hieronymus bis zum Anfang des 19. Jhs.«

Der erste deutsche lutherische Pastor Friedrich Peter Valentiner, der 1851 unter Bischof Gobat sein Amt antrat, nutzte die 14 Jahre seines Aufenthalts im Heiligen Land zur wissenschaftlichen Bearbeitung von Fragen der biblischen Topographie. 1858 veröffentlichte er in der Zeitschrift der Deutschen Morgenländischen Gesellschaft eine Topographie des Stammes Benjamin. Ihm gelangen erste Lokalisierungen biblischer Ortslagen, die heute entweder einhellig so lokalisiert werden, wie er es tat, oder bei denen er eine Lokalisierung vertrat, die noch heute in offenen Kontroversen mit Gründen vertreten werden kann. Valentiner identifizierte das Gibea Sauls, Mizpa, Raba, Anatot, Nob. Die umfassendste Arbeit, die Valentiner zum Thema »Heiliges Land« herausgab, schrieb er jedoch erst nach Rückkehr in die schleswig-holsteinische Pfarre von Pronstorf: »Das Heilige Land, wie es war und wie es ist. Für Kirche, Schule und Haus.« Hier ist Topographie und Kinderkatechese miteinander verschmolzen. In Jerusalem hatte es zu Valentiners Amtspflichten gehört, den Kindern in der mit dem Hospital verbundenen Schule Religionsunterricht zu erteilen. Davon mag manches in Pronstorf weiterverwendet worden sein. Valentiner schrieb sein Buch in der Überzeugung, daß »durch Nahebringen aus eigener Anschauung der Glaube an die großen Tathen unseres Gottes wachsen müsse und dem unvermerkt sich einschleichenden Wahne gewehrt werden, als hätte sich die heilige Geschichte doch wohl nicht wirklich und wörtlich so zugetragen, wie es geschrieben steht«. Dem Autor ging es um eine Gegenwirkung gegen die Auffassung der biblischen Berichte als Mythen nach der Art des David Friedrich Strauß. Valentiner will »die durch eigenes Hineinleben in die heilige Geschichte auf dem heiligen Boden genossenen Segnungen auch Andern zugänglich machen«.

Damit die Kinder, die angeredet werden sollen, »an Ort und Stelle die Anschauung gewinnen«, kleidete Valentiner seine Ortsschilderungen »ins Gewand einer Reisebeschreibung«. Manchmal gleiten seine Sätze zur Kleinkindersprache ab: »Nicht wahr, solchen raschen Galopp hättet ihr den kleinen Eseln nicht zugetraut und mit den Eselstreibern, Knaben eures Alters, würdet ihr den Wettlauf schwerlich bestehen.« Oft schieben sich Milieuschilderungen des zeitgenössischen Palästina ein: »Welch ein Leben vor dem Thore, so viele Gruppen traulich beisammen Sitzender, da ist orientalische Muße. Sie rauchen und schlürfen ein kleines Täßchen schwarzen Kaffees und freuen sich ihres Lebens.« Konfessionspolitische Kritik an anderen im Heiligen Land vertretenen Kirchen fehlt nicht. Valentiner zeigt sich interessiert an »Arabern, welche die Irrtümer der morgenländischen Kirche erkannt« haben. Der eigentliche Wert seiner Arbeit besteht darin, daß er imaginativ den Boden des Heiligen Landes mit den biblischen Gestalten bevölkert.

Weiter trug der englische Ansatz. Als die Engländerin Angela Bourdedt-Coutts eine Wasserleitung für Jerusalem spendete, sah der mit der Ausführung beauftragte Captain Wilson von den Royal Engineers im Entwurf von Landkarten Palästinas eine unerläßliche Vorarbeit. Gleichzeitig erkannte der mit Lexikonartikeln über das Heilige Land für das Dictionary of the Bible befaßte George Grove, wie unbefriedigend der Erforschungsstand des Bibellandes sei. Besonders reizte die Fehlerhaftigkeit biblischer Ortsbestimmungen durch den in osmanischen Diensten stehenden Ingenieur Pierotti. Aus diesen Impulsen entstand 1865 unter Vorsitz des Erzbischofs von York der Palestine Exploration Fond, der eine systematischer angelegte topographische Forschung im Heiligen Land ermöglichen sollte. Neues Arbeitsmittel sollte die archäologische Ausgrabung sein. Damit, daß man – entgegen einer Anweisung des Großwesirs – doch beim Haram grub, zog man sich Aggressionen fanatischer Muslime auf den Hals. 1870 wurde eine amerikanische Schwestergesellschaft ins Leben gerufen, The American Palestine Exploration Society, die im Ostjordanland graben sollte.

Auch französische und deutsche Beiträge sollten nicht auf Dauer fehlen. Den französischen Dominikanern war die Gründung der bedeutendsten katholischen Forschungsstätte im Heiligen Land zu danken, der Ecole Biblique. Schon 1882 hatte die Dominikanerprovinz Toulouse an der Stätte der Steinigung des Stephanus, am Ort der Kirchenstiftung der Kaiserin Eudokia, ein Kloster gegründet. Der Orden wollte ein eigenes unverwechselbares Werk im Heiligen Land stiften. Patriarch Bracco insistierte beim Ordensgeneral in Rom, man möge fähige Dozenten für Jerusalem zur Verfügung stellen. Doch der Ordensgeneral zögerte, da er seine fähigsten Wissenschaftler als Dozenten für die gerade gegründete katholische Universität Fribourg benötigte. Da richtete sich die Aufmerksamkeit auf Père Lagrange, der damals orientalische Sprachen an der Universität Wien lehrte, und dessen Ordensvorsteher Colchen, ein Konvertit aus dem Judentum, in seiner besonderen Liebe zum Sion das palästinensische Werk zu fördern versprach. Am 5. Februar 1889 empfing Lagrange den Brief seines Provinzials, der ihm den Platz im Stephanuskloster zur Gründung einer Bibelschule einräumte. 1890 begann Lagrange, dessen wissenschaftliche Interessen durch die Auseinandersetzung mit den modernistischen Fragestellungen bestimmt waren, seine Arbeit in Jerusalem. Ein Jahr darauf war bereits die Revue Biblique gegründet, die immer auf Wahrheit aus war und von der Überzeugung geleitet blieb, daß der Glaube dadurch nicht in Gefahr geraten könne.

Daß im deutschsprachigen Kulturkreis Kräfte vorhanden waren, die auf wissenschaftliche Forschung im Heiligen Land drängten, hatte sich schon 1853 gezeigt, als Titus Tobler ausrief: »Das Heilige Land muß doch einmal als ein freies aller Religionsfreunde erklärt und darauf der gesamte Schatz von Alterthümern der Wissenschaft gegeben werden: nötigenfalls mit dem Donnerwort des Geschützes!« Als am 31. Oktober 1898 die Erlöserkirche in Jerusalem in Anwesenheit der Kaiserlichen Majestäten geweiht wurde, gipfelte die

Rede des bayerischen Oberkonsistorialpräsidenten in dem Gelübde, als Denkmal dieses einzigartigen Tages sei in Jerusalem ein Heim zur Pflege evangelischer Altertumswissenschaft zu gründen. Diesem Wink folgte die Eisenacher Kirchenkonferenz am 19. Juni 1900 mit der Stiftung des Deutschen Evangelischen Instituts für Altertumswissenschaft des Heiligen Landes. Ausgrabungen sollten dem 1853 gegründeten Deutschen Palästina-Verein vorbehalten bleiben, die Arbeit des Evangelischen Instituts darauf gerichtet sein, zwischen den Stätten der Heiligen Geschichte und den Gemeinden in Deutschland die Frömmigkeit belebende Beziehungen herzustellen. Seit 1903 suchte der erste Direktor, Gustav Dalman, in der palästinensisch-arabischen Volkssitte heute noch weiterlebende Formen aufzuspüren, die die biblischen Vorgänge klären helfen. Ziel war: »Die Vergangenheit in die Gegenwart hineinzudenken«, eigener Schwerpunkt: Die Nekropole Jerusalems und die Opferstätte Petra. Über die Exkursionen der Stipendiaten wurde 1905 berichtet: »Jeden Sonnabend sieht man die acht Herren des Instituts hoch zu Roß oder zu Esel mit flatternden Kopftüchern und wehenden Mänteln über die felsigen Halden Judäas dahinreiten.«

Der Erste Weltkrieg unterbrach Dalmans Arbeit. Er wechselte zum Deutschen Palästina-Institut nach Greifswald über. 1921 konnte der Alttestamentler Albrecht Alt, der schon im Ersten Weltkrieg als Sanitätsunteroffizier nach Jerusalem gekommen war, in zwei Räumen des Syrischen Waisenhauses die Institutsarbeit wieder eröffnen. Es verlagerte sich der Schwerpunkt der Forschung auf die historischen Prozesse, die im Heiligen Land spielten.

Anläßlich des kaiserlichen Besuchs von 1898 wurde die nach der Kaiserin zu benennende Auguste-Victoria-Stiftung auf dem Ölberg als Erholungs- und Kurszentrum aller deutschen evangelischen Missionen im Nahen Osten geplant. Der imposante Komplex, dessen Bau 1903 begann und 1911 eingeweiht und dem Johanniterorden übergeben werden konnte, hat diesem Zweck, weil der Weltkrieg ausbrach, nie dienen können. Das türkische Militärkommando, später der englische General Allenby und die Mandatsregierung zogen hier ein, schließlich der Lutherische Weltbund, der ein Hospital für Flüchtlinge einrichtete. Durch das Erdbeben von 1927 wurde der Kirchbau mit seinen Mosaiken gefährdet. Im Sechs-Tage-Krieg wurde das Hauptgebäude von der israelischen Seite aus in Brand geschossen, doch brannte nur das Dach ab. Der Schaden blieb so gering, daß der Lutherische Weltbund den Besitz halten konnte. Im Dezember 1981 bezog das Deutsche Palästina-Institut das Gebäude über dem Osthang, das nach dem Arzt Dr. Kanaan benannt ist.

Erst Ende des 19. Jhs. erbrachten archäologische Grabungen neue Erkenntnisse. Doch im Rückblick auf den Gang der Forschung lassen sich die zahlreichen Fehlansätze erkennen: Dem englischen Vermessungsoffizier Charles Warren, der 1897 zu Ausgrabungen entsandt wurde, fehlten noch gültige Kriterien für die Datierung von Mauerwerk und Keramik. So konnten Fehlschlüsse nicht ausbleiben: Das herodianische Mauerwerk des Haram wurde in die Zeit Salomos versetzt, die makkabäische Festung von Gibea für eine Schöpfung der Kreuzfahrer angesehen. Doch Warrens Landvermessung diente späterer Arbeit als Grundlage.

Die Ausgrabungen von Bliß und Dickie 1894–97 zeigten, daß unter dem Protektorat des Palestine Exploration Fund fachmännische Arbeit geleistet werden konnte. Mehr aber war noch den genialen Unternehmungen des jungen Franzosen Clermont-Ganneau zu danken, der als 21jähriger dem französischen Konsulatdienst in Palästina beigetreten war und die berühmte Inschrift entdeckte, die den Juden den Zutritt zum Tempelhof verbot. Ähnlich ergebnisreich war die geniale Arbeit des Engländers Flinders Petrie, der in Ägypten die Nutzung der Keramik zur Datierung gelernt hatte und durch den südwest-palästinensischen Ruinenhügel von tel el-chesi Vertikalschnitte zog.

Die deutsche Forschung zeitigte einen bedeutenden Erfolg, als man 1901 den Ruinenhügel von Thaanak südöstlich Megiddo durch Ernst Sellin untersuchen ließ. Ein Dutzend Keilschrifttafeln wurde zutage gefördert. Aber erst, als 1920 die britische Mandatsregierung ein Department für Altertümer unter John Garstang, einem erfahrenen Archäologen der Universität Liverpool, errichtete, gewann die archäologische Durchforschung des Heiligen Landes System. Der französische Dominikaner Vincent stellte sich allen als Berater zur Verfügung. Die schon 1900 gestiftete American School of Oriental Research begann 1926 unter Mitarbeit von C. S. Fisher und W. F. Albright erfolgreiche Grabungen im biblischen Mizpa und in Kirjath-Sepher.

Doch kam es noch immer auch zu völlig verfehlten Lokalisierungsversuchen. So wurden zweimal Bodenfunde irrtümlich mit dem biblischen Lachisch identifiziert. Zu den irrtümlichen Lokalisierungen zählt auch C. R. Conders Vermutung, eine künstliche Höhle, die er in einem isolierten Felsen vor dem Damaskustor westlich der Nablusstraße fand, sei in Wirklichkeit Christi Grab. Mehr Anklang fand die Annahme des englischen Offiziers Gordon, des späteren Verteidigers von Khartum gegen die aufständischen Mahdisten, eine Grabanlage am Westfuß des Ez-Zahire-Hügels sei Christi Grab. Englische Pietisten feierten seitdem die Auferstehung am Ostermorgen am »Garden Tomb«. Diese Anlage ist aber nachchristlichen Ursprungs; es läßt sich nachweisen, daß die Grabhöhle im Mittelalter als Stall benützt war, was auch bei nur leiser Erinnerung an Christi Grab ausgeschlossen gewesen wäre. Diese Lokalisierungen gingen von der Meinung aus, Christi Grab müsse doch außerhalb des Mauerrings der Altstadt zu suchen sein, und berücksichtigten nicht die Verschiebung des Stadtareals im Laufe der Geschichte. P. Vincent widerlegte mit seinem Buch »Der Mythos des Gordongrabes« die Vermutungen des Engländers mit überzeugenden Argumenten.

Schoß in die Erforschung der Schauplätze biblischer Geschichte dichterische Fantasie ein, so entstanden in jener Periode, da in der abendländischen Literatur der »historische Roman« blühte, »Leben-Jesu-Romane« unter dem unmittelbaren Eindruck des Heiligen Landes. Der französische Orientalist Ernest Renan war, ursprünglich zum katholischen Theologen bestimmt, 1845 22jährig unter dem Einfluß deutscher kritischer Theologie aus dem Priesterseminar von Saint Sulpice ausgeschieden. Er schrieb, nachdem er 1860/61 im Auftrag der französischen Regierung Ausgrabungen im historischen Phönizien durchgeführt und dabei häufig ins Grenzgebiet von Galiläa geraten war, »inspiriert von den Orten, die wir gerade durchmessen hatten«, in Ghazir im Libanon sein »Leben Jesu«. In glänzendem Stil zeichnete Renan vor die leuchtende morgenländische Kulisse den jungen Galiläer auf seinem Weg zum Anarchismus. Die romanhaft-sentimentale Darstellung, in der alles, was Jesus tat, als menschlich nachempfindbar aufgefaßt ist, widmete er seiner Schwester Henriette, die mit ihm das Leben in Palästina geteilt hatte, die er aber in Byblos im September 1861 hatte begraben müssen. »Still neben mir gekauert«, so schrieb Renan in der Widmung, »lasest Du Blatt für Blatt kritisch durch und fertigtest noch einmal eine Reinschrift, während der Ausblick aufs Meer, die Dörfer, die Schluchten, die Berge sich zu unseren Füßen entrollte.« Dann packte beide das Fieber und der Flügel des Todes streifte sie. Renan selbst genas. »Manches Mal«, so erzählt er in seiner Widmung, war die Schwester »über die engen Urteile des frivolen Mannes« erschrocken. Er aber habe sie jedes Mal überzeugen können, daß »wahrhaft religiöse Seelen schließlich dazu gelangen müßten, (an diesem Buch) Gefallen zu finden«. Renans »La Vie de Jesus« löste bei seinem Erscheinen 1863 einen solchen Sturm der Entrüstung aus, daß der Autor, damals Professor der semitischen Sprachen am Collège de France, unter dem Druck des französischen Episkopats seines Amtes enthoben wurde. Noch einmal 1917/1918 erschien ein Leben-Jesu-Roman auf dem deutschen Buchmarkt, der ganz aus der intimen Vertrautheit mit der Szenerie des Heiligen Landes gestaltet war. Sein Autor, Johannes

Lepsius, Sohn des Berliner Orientalisten Richard Lepsius, hatte in zwei Jahren Hilfspredigerdienst in Jerusalem die Landschaft Palästinas und die Lebensart seiner Bewohner kennengelernt. Die Tochter eines deutschen, in Nazareth tätigen Missionars, Maggie Zeller – Enkelin des Jerusalemer Bischofs Samuel Gobat –, führte er in die Ehe. Mit einer großartigen Landschaftsschilderung setzt der Roman ein: »Durch die Länge des Heiligen Landes ist eine Furche aufgerissen, die vom Fuß des Hermons bis zum Südrande des Toten Meeres tiefer und tiefer in die Erdrinde einschneidet. Gleich Schollen, die eine Pflugschar aufgeworfen hat, begleiten sie zu beiden Seiten langhingestreckte Gebirgszüge … Vom Westabhang des Judäischen Gebirges aus gesehen, wechselt die Farbe der jenseitigen Bergwand je nach dem Spiel des Sonnenlichts vom zarten Blau zu leuchtendem Rot und dunkelstem Violett.« Vom jungen Jesus in Nazareth wird erzählt: »Am meisten liebte er es, auf die Berge hinter der Stadt hinaufzusteigen. Da konnte man weit über das Land hinsehen …« Bei jeder Gelegenheit malt der Autor das ganze Panorama: »Eine seltsame Gestalt hatte der Berg Tabor, so rund, als hätte ein Drechsler ihn gedreht. Dahinter dehnten sich die Berge von Gilboa. Da spielte die traurige Geschichte vom Ende Sauls. Auf halber Höhe schimmerten die weißen Häuser des kleinen Fleckens Endor. Da lebte einst die Hexe …«

Die Jesus-Geschichte selbst wird damit eingeleitet, daß auf ein »jüdisches Mädchen von vornehmer Herkunft«, deren Familie »zum Priesteradel des Landes gehörte«, verwiesen wird, verlobt mit einem Joseph, »der sich noch vornehmerer Herkunft rühmen konnte. Er stammte in gerader Linie von König David ab und war der legitime Erbe der alten Dynastie«. Beim Engelsgruß waren in Maria »alle Hoffnungen und Träume, die im Grunde ihrer Seele schlummerten, aufgestanden«. Und als sie die Hochzeitsgäste von Kana musterte, stellte sie mit einem »stolzen Blick auf ihren Sohn« fest: »Er war doch der Vornehmste von allen.« Der Zehnjährige wird beim Tempelbesuch vom Vater belehrt, »daß einst sein Urahn Salomo den Tempel und sein Königshaus hier oben auf dem Berg errichtet hatte«. So beginnt Jesu Leben mit legitimen dynastischen Ansprüchen.

Die inneren Verhältnisse der Heiligen Familie werden dadurch dramatisiert, daß Maria »Mühe hatte, die Liebe für ihr Kind zurückzudrängen«, um auch den großen Stiefbrüdern »die gleiche mütterliche Fürsorge zu widmen«. Das Proprium Jesu kündigt sich damit an, daß, »so kindlich seine Art auch war, er immer sich nur durch seine eigene Empfindung leiten lassen wollte«. Seine Gegnerschaft zu den Priestern beginnt damit, daß er als Zwölfjähriger erlebt, wie roh sie bei der Opferung mit den Tieren umgehen.

Der Lepsiussche Roman ist, wo es die Darstellung nur irgend verträgt, mit Bibelworten gefüllt. Aber eine so angelegte Darstellung muß sich um die Exegese der Wunder Jesu herumdrücken. In den Krügen auf der Hochzeit zu Kana findet sich nur köstliches Quellwasser, das der himmlische Vater kredenzt und das von den Gästen mit guter Miene hingenommen wird. »Alle waren mit Jesus einverstanden, daß man ein gutes Gespräch auch bei einem Trunke frischen Wassers zu Ende führen könne.«

Seit 1853 und bis 1900 haben sich die von europäischen Kirchen unternommenen Aktivitäten des Heiligen Landes in ihrer jeweiligen Heimat Unterstützungsvereine organisiert. Mit ihren Zeitschriften hielten diese in einem interessierten Kreis die Anteilnahme am Heiligen Lande wach. Den ersten Verein dieser Art gründete der Prediger Friedrich Adolf Strauß 1853. Der Berliner Strauß hatte 1841 eine Reise ins Heilige Land unternommen und Basel passiert, um sich vom Leiter der Christentumsgesellschaft Spittler beraten zu lassen. Bei der Rückkehr versäumte der junge Hilfsprediger nicht, Spittler aufzusuchen und ihn anzuregen, in der Heiligen Stadt ein Bruderhaus gleichsam als Ableger von St. Chrischona zu gründen. Dieser Plan wurde in der Tat 1846 durch Entsendung zweier Brüder – Palmer und Schick – verwirklicht. Seine Eindrücke von der Pilgerfahrt ins Heilige Land teilte Strauß Spittler in Briefen mit, die 1847 in einer vielgelesenen Druckausgabe publiziert wurden.

Erstaunlich ist das tiefe Verständnis des orthodoxen Kirchenwesens, dem Strauß auf der Durchreise durch Griechenland und in Jerusalem begegnete. Während im Abendland bei allen glücklichen Entdeckungen am Reichtum der Hl. Schrift doch auch »viele Verirrungen« mit untergelaufen seien, sei die griechische Kirche »ganz beim Alten geblieben«, nämlich bei dem von Johannes Damascenus erreichten Status. »Dies hat im Verhältnis zu den Protestanten die wichtige Folge, daß sie sich auch nicht so entschieden gegen die Lehre von der Rechtfertigung allein durch den Glauben erklärt hat, der protestantischen Kirche also näher steht als die römisch-katholische. Auch hat sie nicht die Lehre von dem Fegfeuer.« Eine kritische Spitze wird bei Strauß nur gegenüber dem Brauch der Abendmahlsspendung an kleine Kinder nach der Taufe sichtbar. Dies sei »offenbar gegen das Gebot des Apostels, der eine Selbstprüfung vor der Feier verlangt«. Daß für die griechischen Geistlichen kein Zwangszölibat bestehe, »nähere die Griechen auch in diesen Beziehungen den protestantischen Kirchen«. Doch »ein eigentliches Forschen in der Schrift« sei ihnen unbekannt. Der durch seine Reise mit der Orthodoxie vertraute Strauß erklärt das »Zurückbleiben« der Griechen mit dem »schweren Druck der Muhamedaner, welche die griechischen Christen in immer engere Grenzen einschlossen ... So nahm ein Mangel an Bildung unter der Geistlichkeit überhand ... Die Predigt mußte mehr und mehr zurücktreten.« Ganz erstaunlich und im Gegensatz zu anderen landläufigen protestantischen Urteilen qualifiziert Strauß den orthodoxen Gottesdienst als »herrliche Liturgie« und »unübertreffliches Erbe der ersten Kirche«, freilich »dem Volke, das seine Sprache vielfach veränderte«, unverständlich.

Der Jerusalemverein, in Berlin gegründet, behielt seinen Sitz stets in dieser Stadt. 1893 konnte er in Bethlehem die »Weihnachtskirche« einweihen und nach den Armeniermassakern im Jahre 1898 das armenische Waisenhaus (später an die Regierung vermietet). Als die deutsche Gemeinde im Heiligen Land besonderer Fürsorge bedufte, wurde der Jerusalemverein 1889 durch die »Evangelische Jerusalemstiftung« ergänzt.

Katholische Kreise in Köln folgten der evangelischen Berliner Gründung auf dem Fuße. 1855 wurde der Deutsche Verein vom Heiligen Lande, damals noch unter dem Namen »Verein vom Heiligen Grabe«, vom Domkapitular Gottfried Strauß ins Leben gerufen. Nach seinen Statuten sollte der Verein den Lateinischen Patriarchen und die Kustodie durch Geld und Sachspenden unterstützen, kirchliche Bauwerke im Heiligen Lande unterhalten und deutsche Pilgerfahrten fördern. Kardinal von Geissel von Köln gewährte dem Verein 1856 die Karfreitagskollekte. Andere Diözesen folgten. Seit 1857 konnte die Zeitschrift »Das Heilige Land« herausgegeben werden. Durch seine Osterpilgerfahrt 1858 bahnte Strauß persönliche Beziehungen zu Patriarch Valerga an. Durch ein Breve Pius' IX. wurde den Mitgliedern, die bald auf 9000 anwuchsen (nach dem Zweiten Weltkrieg auf 11 000) am 20. August 1858 ein besonderer Ablaß erteilt. Rosenkränze und Kreuze, die am Heiligen Grab geweiht waren, wurden schon seit 1859 in Köln dargeboten.

Als im polnischen Volksteil Oberschlesiens ein lebendiges Interesse am Heiligen Land aufwachte, wurde das Vereinsblatt in der Stückzahl von 1500 auch in polnischer Sprache herausgebracht. Der oberschlesische Franziskaner Ladislaus Schneider proklamierte das Ziel, deutsche Katholiken im Heiligen Land anzusiedeln und gründete dazu 1884 einen eigenen Palästinaverein. Grundstücke in Jerusalem und Emmaus, die er erwarb, ließ er für seinen Protektor Landrat Janssen als Eigentümer eintragen. Tatsächlich gelang 1908 die Gründung einer deutschen Arbeiterkolonie in Magdala am See Genezareth. Daß zwischen beiden Vereinen eine gewisse Rivalität entstand, läßt sich, obwohl die Parole Viribus unitis ausgegeben wurde, nicht leugnen. So wurden denn 1895 beide Vereine unter

dem neuen Namen Deutscher Verein vom Heiligen Lande verschmolzen. Seit damals Kardinal Krementz von Köln die Präsidentschaft übernahm, blieb dieses Amt beim Kölner Erzbischof.
Durch die politischen Entwicklungen war der katholische Verein schwer betroffen. Als im Ersten Weltkrieg alle französischen und italienischen Ordensleute zur Abreise gezwungen waren, wurden die verbleibenden Deutschen sehr strapaziert. Als im Reich Hitlers die kirchlichen Institutionen zur Konzentration neigten, wurde der bayerische Pilgerverein kooperativ aufgenommen. Doch durch Versagung der Papierbewilligung war die Vereinsarbeit bald gedrosselt. Als beim Ausbruch des Zweiten Weltkriegs die drei österreichischen Lazaristen Sonnen, Kerls und Müller interniert wurden, gelang es dem Apostolischen Legaten Erzbischof Testa, ihre Freilassung zu erwirken. 1979 konnte P. Hugo Kerls, der 40 Jahre im Heiligen Land gearbeitet hatte, das Goldene Priesterjubiläum begehen. Nach der Gründung des Staates Israel waren die Besitzungen des Vereins auf zwei Staaten aufgeteilt.
Nachdem Papst Benedikt XIV. am 17. Januar 1746 den Kreuzfahrertraditionen pflegenden »Ritterorden vom Heiligen Grabe« mit neuen Satzungen reformiert und Pius IX. ihn 1868 approbiert hatte, begann auch für diesen Orden mit seinen in Westeuopa beheimateten Kadern eine moderne Geschichte. Das Recht, Ritter aufzunehmen, hat ursprünglich dem Franziskaner-Guardian in Jerusalem zugestanden. Pius X. aber nahm den Titel des Ordensgroßmeisters an und gab die Leitung des Ordens an den lateinischen Patriarchen von Jerusalem. Hier hat sich die katholische Kirche eine Möglichkeit geschaffen, führende Laien in den europäischen Nationen, die in wichtigen gesellschaftlichen Positionen stehen, zu ehren und untereinander zu einer geistlichen Gemeinschaft zu vereinigen. Auch ist das Spendenaufkommen dieser Gemeinschaft bedeutend.

VII. Die Kirchen unter britischer Mandatsherrschaft und in ihrer Einordnung in den Staat Israel

Die Reaktionen der Kirchen auf die Errichtung des britischen Mandats

Während des Ersten Weltkriegs war das Heilige Land Kriegsgebiet. Die englische Armee, von Arabern unterstützt, drückte die türkische Front mehr und mehr nach Norden. Am 8./9. Dezember 1917 kam es westlich von Jerusalem zu einer heftigen Schlacht. Nachdem der englische Heerführer Allenby seine Gegner geschlagen hatte, erschien er hoch zu Roß vor Jerusalems Toren, stieg aber dann vom Pferd, um zu Fuß die Heilige Stadt zu betreten. Die türkische Herrschaft war zu Ende.

Gegen Kriegsende 1917 hatte sich England, um die Unterstützung des Weltjudentums zu gewinnen, durch die Balfour Declaration vom Jüdischen Weltbund in Pflicht nehmen lassen, ein national home für Juden in Palästina zu errichten. Nach Kriegsende suchte die britische Diplomatie im Völkerbund, der sich in Genf konstituiert hatte, die Übertragung eines Mandats über Palästina durchzusetzen. Der katholischen Kirche waren diese Tendenzen wenig sympathisch. Der damalige deutsche Zentrumsabgeordnete Erzberger war während des Krieges in diplomatischer Mission in der Türkei unterwegs und hatte bereits eine Aufbesserung der katholischen Position im Heiligen Land in Sicht. Der Sultan sollte dem deutschen und österreichischen Kaiser die Grabeskirche schenken, die Majestäten alsdann den traditionsreichen Bau dem Papst übereignen. Sollte daraus nie etwas werden?

Als es nach Kriegsende um die Neuordnung der politischen Verhältnisse in Palästina ging, wandte sich die franziskanische Kustodie an die Friedenskonferenz in den Pariser Vororten mit einem Memorandum, das die Rückgabe der lateinischen Rechte, wie sie bis 1757 bestanden, dann aber durch »Usurpation« der orthodoxen Griechen weggenommen worden seien, verlangte. Auf der Berliner Konferenz von 1878 sei zwar, da Frankreich sich zurückhielt, mit Artikel 62 der ungerechte status quo bestätigt worden, das aber habe keineswegs einen katholischen Verzicht bedeutet.

Der Vorstoß der Kustodie wurde literarisch durch Pascal Baldi unterstützt. Jetzt, wo drei christliche abendländische Mächte – Frankreich, Italien und England – über Jerusalem zu bestimmen haben, könnten »die Katholiken der ganzen Welt mit Recht erwarten, daß den Lateinern die vor dem status quo zustehenden Privilegien zurückerstattet würden ... Heute haben die Nachfolger der Kreuzritter die Heilige Stadt wieder im Besitz. Sie nehmen sich zurück, was ihnen gehört.« Als auf der Friedenskonferenz die Frage der Heiligen Stätten erörtert wurde, argumentierte selbst der Antiklerikalist Clemenceau vom Besitzstand der Kreuzfahrer aus.

Das Militärregiment, das Allenby einrichtete, war provisorisch gedacht, dauerte jdoch bis Juli 1920, da die Mächte nicht so schnell eine Neuordnung zustande brachten. In allen wichtigeren Städten wurden Militärgouverneure der Occupied Enemy Territory Administration eingesetzt. Mit Ausnahme von Ronald Storrs, der bis 1926 als

Gouverneur Jerusalems fungierte, besaßen die Offiziere keine koloniale Verwaltungserfahrung. Einer der Generale schrieb in einem Privatbrief: »Gegenwärtig bin ich ein autokratischer Herrscher, nur dem Chef verantwortlich und der gibt mir freie Hand.«

Das Militärregime verwirklichte auch Gutes: Die Hungersnot wurde durch Importe aus Ägypten behoben, der Geldwert hergestellt, eine Wasserleitung nach Jerusalem gelegt. Doch als sich der arabisch-jüdische Konflikt abzeichnete, zeigten die Offiziere wenig politisches Fingerspitzengefühl. Clayton, Leiter der Militäradministration, früher für das Arabische Büro verantwortlich, schrieb im April 1918 an den High Comissioner in Ägypten: »Ich kann nicht mit gutem Gewissen eine politische Linie verfolgen, die gegen unsere Verpflichtungen den Arabern gegenüber verstößt.«

Das war ein typischer Ausdruck der Stimmung der Offiziere. Im März 1918 erschien Chaim Weizman als Vorsitzender der Zionistischen Kommision. Das war die künftige Regierung Israels im Embryonalzustand. Die englische Regierung erklärte, dieser Ausschuß solle unter der Autorität Allenbys die nötigen Schritte zur Verwirklichung des national home der Juden tun. Am Ort selbst wollte das englisch-zionistische Verhältnis nicht funktionieren. Die Offiziere hielten eine Bindung an den Zionismus für zu gefährlich für die englische Stellung in der muslimischen Welt. Clayton drang auf ein Treffen Weizmans mit König Feisal. Als die Begegnung am 4. Juni 1918 zustande kam, schien sich die Lage zu beruhigen. Weizman betonte, man strebe gar nicht die Regierung des Landes in jüdische Hand zu nehmen. Doch als die Juden am Jahrestag der Balfour Declaration jubelnd demonstrierten, ergriffen moslemische und christliche Araber einen zionistischen Fahnenträger und verprügelten ihn mit dem Fahnenschaft. Als im April 1919 die Moslemische Pilgerfahrt zum Nebi Musa mit dem jüdischen Passah zusammenfiel, zeigte sich eine gereizte Stimmung, und am Nebi Musa-Fest 1920 griffen arabische Krawallmacher das jüdische Viertel an. Es gab Tote und Verwundete. Daraufhin erbat Jabotinsky bei der Mandatsregierung die Erlaubnis zur Aufstellung einer jüdischen Armee, der Haganah. Schon im Ersten Weltkrieg hatte man in Ägypten ein jüdisches Bataillon formiert. Jabotinsky, der selber als Leutnant diente, erfüllte das Bataillon mit zionistischer Orientierung. Dieser Ansatz war weiterentwickelt worden. Die englische Ablehnung beendete jedoch die zionistische Aufrüstung keineswegs.

London zeigte eine glückliche Hand, als es Herbert Samuel als Leiter der Mandatsregierung entsandte: Jude von Herkunft, assimilierter Banker, der erste Ungetaufte in einem englischen Ministeramt, eine Persönlichkeit, die Bekenntnis zu den jüdischen Wurzeln mit altmodischem Gladstoneschen Liberalismus verband. Bis zum Mai 1921 gelang es Samuel die Ruhe im Land aufrechtzuerhalten. Als dann in Ramleh ein arabischer Angriff auf das Jüdische Immigrationshostel erfolgte und Samuel sich dahin entschied, die jüdische Einwanderung zu stoppen, war die Beziehung zwischen ihm und den Zionisten gebrochen. Jetzt suchte Samuel eine konstitutionelle Struktur für das Land zu schaffen. Eine Rede an Königs Geburtstag drückte seine Linie aus: Die Balfour Declaration meine nicht eine jüdische Herrschaft über die muslimisch-christliche Majorität des Heiligen Landes.

Seit 1929 in einer unglücklichen arabischen Aktion nicht-zionistische Juden in Hebron massakriert wurden, befand sich das Heilige Land im Zustand eines Dauerkonflikts. Lord Plumer hatte zugelassen, daß zuviel Macht in die Hand des Mufti Hadsch Amin el-Husseini gelangte.

Die englische Mandatsregierung hatte sich beim Vatikan insofern schlecht eingeführt, als sie dem lateinischen Patriarchen Camassei ein volles Jahr lang, nämlich bis November 1918, die Rückkehr ins Heilige Land verwehrte. Auch französischen Mönchen wurde die Rückkehr in ihre Häuser, die während des Krieges geschlossen waren, erschwert, gerade als ob man die französischen Positionen, die aus der Periode des französischen Protektorats stammten, einebnen wollte. Daraufhin erfolgte eine römische Initiative: Prälat Ceretti, vatikanische Kontaktperson für die Versailler Friedenskonferenz, besuchte im Januar 1919 den Erzbischof von Westminster Kardinal Bourne und den irischen Kardinal, um ihnen die Besorgnisse des Papstes vorzutragen. Bourne machte sich daraufhin zu einer Palästinareise auf. Anfang 1920 eilte – damit englische Katholiken nicht allein auf der Szene erschienen – der französische Kardinal von Rouën Dubois ins Heilige Land. Die Berichte liefen in Rom zusammen. Man schloß daraus, daß England im Zuge war, der französischen Nation im Orient den Rang abzulaufen. Im Blick auch darauf, daß die Christen im Heiligen Land – falls eine englische Mandatsregierung zur Verwirklichung eines israelischen Staates führte – in eine minoritäre Situation geraten würden, erteilte Papst Benedikt XV. in einer Konsistorialallokution im März 1919 dem Balfour-Plan eine glatte Absage.

Als Antwort auf den Teilungsbeschluß der Vereinten Nationen von 1947 und die Ausrufung des Staates Israel 1948 errichtete der römische Stuhl demonstrativ eine Apostolische Delegatur für Gesamtpalästina und verweigerte dem Staat Israel die Anerkennung.

Die römische Kirche wurde erneut mit dem Palästina-Problem konfrontiert, als es im II. Vatikanischen Konzil im November 1963 darum ging, innerhalb des damals diskutierten Ökumenismus-Schemas eine »Judenerklärung« unterzubringen. Das geplante Konzilsdokument würde einen Vorstoß in den politischen Raum bedeutet haben, wenn damit eine diplomatische Anerkennung des Staates Israel verbunden gewesen wäre. Das aber blieb vermieden. Schon bei der Ausrufung des Staates hatte der Osservatore Romano am 28./29. Mai 1948 erklärt, daß das neue Staatsgebilde nicht als Fortsetzung des Davididischen Reiches zu werten sei. Nicht auf das Alte Testament gründe sich der Staat Israel, sondern auf die Balfour Declaration; er sei von heute, vom 20. Jahrhundert, ein laizistischer Staat moderner Konzeption. Dennoch äußerte der lateinische Patriarch von Jerusalem, Alberto Gori, in der Konzilsaula die Befürchtung, eine Begünstigung der Juden gefährde die christlichen Minoritäten in zahlreichen arabischen Ländern, und stimmte damit in den Protest der orientalischen Bischöfe ein.

Hatten die Engländer auch Rom gegenüber einen schweren Stand, so setzte sich doch die anglikanische Kirche mit dem orthodoxen Patriarchat in ein gutes Verhältnis. Es war ein wichtiges Ziel anglikanischer Kirchenpolitik, bei den orthodoxen Kirchen die Anerkennung der anglikanischen Weihen durchzusetzen. Am 28. Juli 1922 hatte Konstantinopel im Blick auf eine anglikanische Erklärung, die Bischof Gore von Oxford beigesteuert hatte, die anglikanischen Weihen anerkannt. Mit einer Enzyklika vom 8. August 1922 wurden die anderen autokephalen Kirchen zu einem gleichen Schritt aufgerufen. Als zweites Patriarchat nach Konstantinopel erkannte Jerusalem am 12. März 1923 die anglikanischen Weihen an.

Bischof Graham-Brown, der 1932 das Jerusalemer Amt übernahm, hatte schon als Principal von Wycliffe Hall (Oxford) Sommerschulung für Studenten im Heiligen Land eingerichtet. Das Interesse an Bildungsförderung blieb für ihn kennzeichnend. Für christliche Lehrer nicht nur der anglikanischen Schulen, sondern auch der armenischen und der griechischen, richtete er in Ramallah sommerliche Schulungskurse ein. Die permanente Mandatskommission in Genf, in welcher Lord Lugard England vertrat, beglückwünschte den Erziehungsdirektor der Mandatsregierung für seine Erfolge. Dennoch fand der Bischof die kirchlichen Schuleinrichtungen des Bistums, die Staatszuschüsse empfingen, noch immer für unzureichend. Nur zwei Prozent der jüdischen Kinder lernten in christlichen Schulen, die Hälfte davon in elf protestantischen. Obwohl ein jüdischer Rapport vor christlichen Einflüssen durch die Schulen warnte, sei das Verlangen nach Schulaufnahme in jüdischen Kreisen groß. In Safed habe man nicht alle Bewerber aufnehmen können.

Bei den eingeschulten Araberkindern bemerkte der Bischof, daß sie sich aus nationalistischer Motivation gegen Versuche neutralisierten, durch die Schule auch den Charakter zu bilden. Graham-Brown wollte durch seine Schularbeit, vom Diözesanen Erziehungsboard unter Leitung von Miss Warburton unterstützt, verhindern, daß der »standardisierte Staatsschülertyp« vervielfacht werde. Dem vorzubeugen, hielt er es für erforderlich, durch seine Lehrerfortbildungskurse den »standardisierten Staatslehrertyp« zu überbieten. Als Schlußstein des Bildungsaufbaus visierte der Bischof die Gründung einer christlichen Universität an.

Als sich 1935/36 der italienische Aufmarsch zur kolonialen Unterwerfung Äthiopiens abzeichnete, intensivierte der anglikanische Bischof seine Beziehungen zu den äthiopischen Mönchen. Mit Vorliebe nahm er Äthiopier in seinen Schulen auf und besuchte alljährlich den äthiopischen Ostergottesdienst auf dem Dach der Grabeskirche. In den Stab der Sankt Georgs-Kathedrale holte er einen auf Äthiopien spezialisierten Chaplain, der die koptische und äthiopische Kirche besucht hatte und den Auftrag erfüllen sollte, eine volle Kooperation zwischen der Anglican Communion und der äthiopischen Kirche Jerusalems zu verwirklichen. Da der Apostolische Delegat in Jerusalem, der Italiener Testa, auch Äthiopien unter seiner Jurisdiktion hatte, erwog Graham-Brown eine Demarche bei Testa, um auf die Entwicklung der italienisch-äthiopischen Beziehungen einzuwirken. Der Bischof verzichtete auf diesen Schritt nur, weil er voraussah, daß er doch nur eine »diplomatische Antwort« hervorlocken könnte.

Als sich abzeichnete, daß der Zufluß von Finanzmitteln aus dem Dritten Reich für die Institutionen der deutschen lutherischen Propstei versiegte, nahm das anglikanische Bischofsamt im Bewußtsein der gemeinsamen Geschichte enge Beziehungen zum lutherischen Propsten auf. Im International Missionary Council setzte sich Graham-Brown für die Aufrechterhaltung der vom Ausbluten bedrohten deutschen Stationen durch internationale Hilfe ein.

Die englische Mandatsregierung hielt sich in den 30 Jahren ihrer Herrschaft mit Genauigkeit von jeder Begünstigung irgendeiner Religionsgemeinschaft zurück. Und doch besaß die anglikanische Kirche eine neue Anziehungskraft für die bodenständige Bevölkerung, denn Graduierte der englischen Schulen oder zur anglikanischen Kirche Übertretende hatten bessere Chancen für eine Anstellung in den Verwaltungen. Als 1918 Bischof MacInnes ins Heilige Land kam, mußte er den Stillstand der Arbeit während der Kriegszeit – infolge der Deportation englandfreundlicher arabischer Priester durch türkische Behörden – überwinden und dem Zerfall der Dorfschularbeit, welche von CMS getragen war, entgegenarbeiten. Das moderne Schulsystem, das die Staatsregierung einrichtete, ließ freilich den Ausfall der Kirchenschulen schnell vergessen. Trotz der Grenzsperren, die 1948 die Araber im Staat Israel von den jordanischen Arabern trennten, durften die arabischen Anglikaner Israels Kontakt zu Erzbischof MacInnes in St. George halten. Der Erzbischof residierte oft in Haifa und Galiläa.

Als sich die anglikanischen arabischen Gemeinden als selbständige Kirche formierten, konnte sich diese Kirche selbst erhalten, da ihr zahlreiche wohlhabende Araber angehörten. Doch der Verlust an Gemeindegliedern, den die Gründung des Staates Israel 1948 mit sich brachte, und die ständige Abwanderung der Reichen führte zur Verarmung. Die Mittel für Hospitäler, Schulen und Waisenhäuser wären nicht zusammenzubringen, wenn nicht Bischof Haddad auf Reisen Kollekten erbäte.

Die St. Georgs-Kathedrale, von einem Dean geleitet, blieb in englischen Händen. Sie diente jetzt der Aufgabe, die herbeiströmenden Touristen während ihres Besuches der Heiligen Stätten in die sakramentale Gemeinschaft aufzunehmen. Im St. Georges College wurden – unter der Obhut von Dean Rev. Todd und seinem Nachfolger Dr. Peterson – thematisch konzentrierte theologische Drei-Wochen-Kurse durchgeführt, in St. Georges School Kinder aus 45 Nationen unterrichtet.

Die Templer und Spaffords im Heiligen Land

Die zionistisch orientierten Juden stellten nicht die einzige Gruppe dar, die in der zweiten Hälfte des 19. Jhs. ins Heilige Land als Siedler kam. Auch christliche Siedlergruppen fühlten sich angezogen. Davon sind zwei zu nennen: Die schwäbische pietistische Tempelgesellschaft und die amerikanische Spaffordgruppe.

An der Wende zum 19. Jh. hatte sich im schwäbischen Pietismus eine Ablehnung des Kirchenregiments eingebürgert. Wilhelm Hahn gab die Parole aus: Es müsse eine Gemeinde gegründet werden, in welcher alle, die sich unter diesem Kirchenregiment im Gewissen beeinträchtigt fühlten, Asyl fänden. Der Bürgermeister von Leonberg, Gottlob Wilhelm Hoffmann, schritt zur Praxis. Um die Frommen von der Auswanderung zurückzuhalten, schlug er dem König eine Asylgründung vor. Rund 1200 Pietisten verzögerten darum ihre Auswanderung. Als endlich 1818, wenn auch mit Einschränkungen, die königliche Erlaubnis kam, wurde das Rittergut Kornthal gekauft. Damit war den Frommen im Lande ein Rückhalt gegeben.

Schon der Gründer von Kornthal, Hoffmann, hatte sich einmal mit dem Gedanken einer Siedlung im Heiligen Land getragen. Jedoch in seinem praktischen Verstande verfolgte er diesen Plan nicht. Doch sein Sohn Christoph, von dem der praktische Theologe Christian Palmers sagte, er sei so starrsinnig gewesen, daß ihn kein Mißerfolg von seinen Plänen abbringen konnte, führte die schwäbischen Pietisten nach Jerusalem im Gedanken, daß das Volk Gottes in der Heiligen Stadt zu sammeln sei. In der von ihm ins Leben gerufenen Tempelgesellschaft nahm eine nichtjüdische, pietistische Gruppe die alttestamentliche Verheißung des »Heiligen Landes« für sich in Anspruch.

Bei Christoph Hoffmann mischte sich ein Moment politischer Demokratisierung mit der pietistischen Grundströmung. Als im Revolutionsjahr 1848 das Frankfurter Parlament zusammentrat, setzte er im Ludwigsburger Bezirk seine Wahl als Abgeordneter durch. In der Paulskirche gab er seine Feindseligkeit gegen das Kirchenregiment kund und geriet damit an die Seite der Radikalen. Um Hoffmann sammelten sich, als die Reaktion einsetzte, einige pietistisch orientierte, von der politischen Entwicklung enttäuschte Demokraten. Christoph Hoffmann wollte sie mit allen wahren Christen als neues Israel nach Jerusalem führen.

1856 wurde auf dem Kirschenhardthof im Rems-Murr-Kreis eine Probesiedlung gegründet. Ziel war: Aufbau des eschatologischen Gottesreichs und Überwindung Babylons. Keine Bindung an Schrift oder Dogma! Das machte das Eintreten der amerikanischen Unitarier in Krisenzeiten der Tempelgesellschaft verständlich. Vier Jünglinge wurden zur Erlernung der Landessprache im voraus nach Palästina entsandt. Am 8. August 1868 brachen Hoffmann und Georg David Hardegg selber auf und gründeten eine erste Kolonie am Karmel. In Jaffa übernahm Hoffmann das von dem Baseler Metzler gegründete Krankenhaus und stiftete in einem bisher mormonischen Besitz eine Höhere Schule. Seit 1871 entstanden neben den ersten Handels- und Gewerbekolonien auch bäuerliche Siedlungen durch nachrückende Mitglieder, so das Gut Sarona. 1873 faßte die Tempelgesellschaft in Jerusalem Fuß. Außerhalb der Nordmauer, unterhalb von Notre Dame de France schufen sich die Templer ihre Häuser. Als Hoffmann aber 1877 die Schule von Jaffa dorthin verlegen wollte, kam es zum Bruch mit Hardegg, dessen Anhänger sich zum landeskirchlichen Christentum zurückwandten. Die theologische Akademie, die Hoffmann gründete, war ein kühner Vorausgriff auf die Zukunft, doch konnte sich die Institution nicht auf Dauer behaupten. Hoffmanns Sohn, der 1890–1911 als Tempelvorstand fungierte, erreichte durch Gründung einer »Zentralkasse« eine solide wirtschaftliche Basis. Kaiser Wilhelm II. zu Ehren, der 1898 das Heilige Land besuchte, wurde 1902 eine neue Bauernsiedlung »Wilhelma« (bei Lydda) benannt.

In der Tempelgesellschaft, die 1879 ihre Verfassung erhalten hatte, wurde statt der Taufe eine »Darstellung im Tempel« nach dem Vorbild der Darstellung Jesu begangen, statt des Abendmahls eine Agape. Der Paulinismus wurde hintangesetzt, die liberale Bibelkritik akzeptiert, die Weissagungen des Alten Testaments aber werden festgehalten.

Die Tempelgesellschaft erstrebte Unabhängigkeit von den türkischen Lokalbehörden, selbständige Führung ihrer Gemeindeangelegenheiten und festverbriefte Rechte bei Pachtung, Erwerb und Vererbung von Grundstücken. Die Stimmung ihrer Mitglieder war nicht viel anders als die von Ernst Haeckel, dem atheistischen Verfasser der »Welträtsel«, der nach dem Besuch der Templersiedlung von Jaffa niederschrieb, das Land werde aufblühen, »sobald das Türkenreich gefallen und die Herrschaft des Islam zurückgedrängt sein wird ... Was könnte aus diesem Lande wieder werden, wenn seine reichen, jetzt zertretenen und mißhandelten Fluren in deutschen Besitz übergingen!«

Die türkische Regierung zeigte sich mißtrauisch gegenüber den Templern, und Berlin ermutigte deren Bestrebung nicht. Die Templerkolonie drohte die deutsch-türkischen Beziehungen zu stören. Doch das Württembergische Königshaus, das den Siedlern zunächst aus religiösen Gründen ablehnend gegenübergestanden hatte, fühlte sich mehr und mehr für seine Landeskinder verantwortlich, die von Berlin vernachlässigt wurden. So übte Stuttgart Druck auf die Reichsregierung aus. Kommandanten deutscher Flotteneinheiten, die Haifa anliefen und mit ihren Besatzungen auch die Templersiedlungen besuchten, lieferten Berichte an die Admiralität, die bei Hofe in Berlin einflußreich war.

Erstaunlich positiv entwickelte sich das Verhältnis der templerischen Siedlungen zur jüdischen Siedlungsbewegung. Man stand in beiden Lagern vor der Herausforderung, die technischen Schwierigkeiten des Anfangs zu überwinden. Als die Juden 1870 die landwirtschaftliche Schule Miqweh Yisrael eröffneten, erkannten sie in den Templern ihre Bundesgenossen. Als jedoch neue jüdische Siedlerwellen infolge der russischen Pogrome im Heiligen Land anlangten, sahen sich die 2000 Templer plötzlich einer Majorität von 85000 jüdischen Siedlern gegenüber. Von da an empfanden sich die beiden Bewegungen als Konkurrenten.

Auch dem deutschen Katholizismus war der Siedlungsgedanke nicht fremd. Auf der Suche nach kolonisierbaren Grundstücken im Heiligen Land gelang es dem Deutschen Verein vom Heiligen Land, 1887 den Uferstreifen Tabgha am See Genezareth aufzukaufen. Zwei Jahre später waren die ersten vier Kolonisten zur Stelle. Mit einer Barke schafften sie ihre Ernten zum Verkauf nach Tiberias. 1891 wechselte Pfarrer Zephyrin Biever, der bisher die Pfarre in Madeba versehen hatte, nach Tabgha herüber. Seiner Initiative waren Schulgründungen, z. B. im benachbarten Dorf Moghar zu danken, die russischen Projekten zuvorkamen. Bald bestand ein ganzer Kreis von Schulen. Durch Zukauf entstand ein Territorium 2 km am Ufer entlang mit 4 km Tiefe. Das hätte für 30 deutsche Siedler gereicht. Als ein arabischer Großgrundbesitzer einbrach und mit seinen Ochsengespannen pflügte, griff der Wali von Beirut ein: der Gesetzesbrecher mußte mit einem Strick um den Hals den katholischen Priester um Vergebung bitten.

Die Siedler von Tabgha gingen an Malaria zugrunde. Erst nach der Sanierung des Gebiets konnten Olivenhaine gepflanzt werden. Als 1947 Pater Hieronymus Brisić OSB nach Tabgha kam, stand bei der klösterlichen Niederlassung noch kein Baum. Ihm ist die reiche Baumpflanzung zu danken.

Die Tradition lokalisiert in Tabgha (Heptapegai) Christi Wunder der Brotvermehrung. Auf den Fundamenten der byzantinischen Kirche des 5. Jhs. und unter Nutzung ihrer Fußbodenmosaike haben die Benediktiner vom Dormition eine neue Basilika errichtet, die 1982 durch Kardinal Höffner geweiht wurde.

Die »Amerikanische Kolonie«, die in Jerusalem eine bestimmende Rolle spielte, verdankt ihre Entstehung dem Horatio Spafford, der 1881 mit seiner Familie und einer Freundesgruppe von Illinois zum Heiligen Land aufbrach. Die Amerikaner kamen nicht in missionarischer Absicht, sondern auf der Suche nach einem Ort des Friedens. Sie wollten Gott die empfangenen Gnadengaben zurückerstatten in diesem trockenen Land, in dem Christus gelebt und gelitten hatte. Man bewohnte ein Araberhaus in der Altstadt mit stillem Innenhof, auf der Höhe des welligen Stadtgeländes gelegen, so daß man vom Dache aus die ganze Stadt übersehen konnte. Freundschaftliche Beziehungen ergaben sich zu den Adwan-Beduinen des Ostjordanlandes. 1899 siedelte die »Amerikanische Kolonie« in einen verlassenen Pascha-Palast um, nordwärts der anglikanischen St. Georgs-Kathedrale. Das wurde ein Treffort für Pilger und ein Zentrum caritativer Aktivitäten.

Als der mit den Spaffords befreundete Ismail Bey türkischer Erziehungsminister wurde, setzte er den Rat der amerikanischen Freunde, etwas für die Mädchenbildung zu tun, in die Tat um. Die 18jährige Spafford-Tochter, von den Arabern »Afifi« genannt, trat, als eine

Mädchenschule beim Felsendom eröffnet wurde, als headmistress in Funktion; da sie noch allzu jung war, mußte ihre Gouvernante sie unterstützen. Im Ersten Weltkrieg erklärten sich die Spaffords dem türkischen Befehlshaber Dschemal Pascha gegenüber bereit, verwundete Soldaten zu pflegen, obwohl die USA in den Krieg mit dem türkisch verbündeten Deutschland eintrat. Als 1917 die Engländer einrückten, dienten die Spaffords ihren Kranken mit der gleichen Hingabe. Afifi Spafford, deren bedeutendstes Werk die Gründung des »Spafford Memorial Childrens Hospital« war, wirkte in Jerusalem bis ins hohe Alter von neunzig Jahren, von allen »Mutter« genannt. Über der Stadtmauer östlich des Damaskus-Tors führte die American Colony ihr Kinderheim weiter.

Die Endgeschichte der Tempelgesellschaft ist mit der weiteren Geschichte aller Palästinadeutschen verwoben. Der Durchbruch des Dritten Reiches in Deutschland blieb nicht ohne Auswirkung auf die Lage der deutschen Aktivitäten im Heiligen Land. Der deutsche Generalkonsul Wolff, ebenso wie seine Frau eng mit der evangelischen Kirchenarbeit verbunden, wurde 1935 amtsenthoben, da er den nationalsozialistischen Anforderungen nicht entsprach. Eine NS-Ortsgruppe Jerusalem wurde gegründet. Sie stand unter der Leitung eines Junglehrers, der frisch aus Deutschland importiert an einer Schule der Tempelgesellschaft eingestellt wurde. Das Auswärtige Amt wies die amtlichen Dienste an, die »reaktionäre Propstei« in Jerusalem zu isolieren. Die Arbeit des Jerusalemvereins versiegte, da im Dritten Reich Geldüberweisungen aus der heimischen Missionsgemeinde abgeschnitten waren.

Als England am 3. September 1939 Deutschland den Krieg erklärte, wurden in Palästina alle Männer mit deutschen Pässen verhaftet und in ein Barackenlager nach Akkon verbracht. Freilich waren die Wehrpflichtigen noch mit einem in letzter Stunde gecharterten Dampfer davongefahren. Dem Propsten, der die Seelsorge im Diakonissenhospital ausüben durfte, blieb von seiner zweihundertköpfigen Gemeinde höchstens ein Viertel. Alles deutsche Eigentum wurde als Enemy Property beschlagnahmt. Den badischen Jugendpfarrer der zwanziger Jahre und engagierten Religiösen Sozialisten Heinz Kappes, der im Dritten Reich Redeverbot erhalten hatte und auch von der Karlsruher Kirchenbehörde gemaßregelt worden war und sich darum zum Exil entschlossen hatte, um eine von den Quäkern getragene Arbeit im Heiligen Land zu übernehmen, ließen die Engländer als Systemgegner aus Akkon frei. So konnte er die große Schule des Syrischen Waisenhauses übernehmen. Doch schon im Mai 1940 wurden die Gebäude des Waisenhauses zur Internierung der Deutschen genutzt. Kaum hatten sich die Gefangenen eingelebt, wurden sie wieder ausquartiert; erschreckt vom erfolgreichen Afrikafeldzug Rommels, evakuierten die Engländer ihre Familien aus Ägypten und brachten sie im Syrischen Waisenhaus unter.

Die deutschen Internierten wurden jetzt in den Landgütern der Tempelgesellschaft, den settlements zusammengepfercht, die mit Stacheldraht eingegrenzt wurden. Die Bauern der Tempelgesellschaft durften zwar nicht auf ihre Felder hinaus, aber sie konnten den arabischen Feldarbeitern am Lagertor Anweisungen geben. Leute, die bisher gar nicht in den Gesichtskreis der evangelischen Gemeinde getreten waren, wurden mit eingewiesen: Juden, die noch deutsche Pässe hatten, oder ihre Begleitpersonen, Deutsche aus dem Vergnügungsgewerbe der Hafenstädte. Gereiztheiten zu den andern ergaben sich, weil die Neuankömmlinge ihren Antinazismus zur Schau trugen und die Kirchlichen doch nicht mit ihnen auf den Sieg der Alliierten hoffen konnten. Im April 1941 erreichten diejenigen, die bezeugten, daß sie durch ties of sympathy mit der Sache der Gegner Deutschlands verbunden seien, ihre Freilassung. Als Rommels Afrikakorps näherrückte, wurden die jüngeren deutschen Familien nach Australien abgeschoben, vor allem die Mitglieder der Tempelgemeinde. So gewann die Tempelgemeinde auf dem australischen Kontinent eine neue Blüte. – Jüdische Partisanen überfielen eines der deutschen Interniertenlager, »Waldheim«, und richteten ein nächtliches Massaker an.

Ein Wiederaufbau deutschen evangelischen Lebens im jüdischen Bereich nach Kriegsende schien aussichtslos. Da griff das National Lutheran Council der USA stellvertretend und treuhänderisch ein. Die Amerikaner bewilligten ein Notstandsbudget für die bisher von den Deutschen versorgten arabischen Gemeinden und Schulen. Der Amerikaner Edwin Moll rettete damals viel. Die Erlöserkirche wurde zur Nutzung für die arabische lutherische Gemeinde freigegeben. 1980 wurde denn auch hier neben dem deutschen Propstenamt das arabische Bischofsamt des Bischofs Haddad eingerichtet.

Die Mädchenschule Thalita Kumi, die 1850 von den Kaiserswerther Schwestern in der Weststadt gegründet war, mußte, als man nach Ende des Zweiten Weltkriegs wieder beginnen wollte, nach Beit Jala umziehen, weil der alte Bau als deutsches Eigentum von der englischen Regierung 1939 beschlagnahmt worden war. Als nach dem Sechstagekrieg 1967 250 bisherige Internatsinsassen, die aus Jordanien und anderen arabischen Nachbarländern stammten, ausfielen, mußte man sich entschließen, day students aufzunehmen. Wie alle höheren Schulen für arabische Kinder steht auch Thalita Kumi vor dem Problem, daß jedes Jahr 12000 Abiturienten den Schulbesuch abschließen, aber nur für 3000 Studienplätze angeboten sind.

Die Aufrechterhaltung der Ordnung wurde für die britischen Behörden zunehmend schwieriger, denn jetzt stießen im Heiligen Land die zwei Nationalismen, der arabische und der jüdische Nationalismus aufeinander. Beide Bewegungen hatten sich im 19. Jh. entwickelt.

Die jüdische Nationalbewegung, die Teile des Judentums aus Europa, Rußland und den USA ins Heilige Land zurückstreben ließ, sah sich von der Balfour Declaration ermutigt, die im Kriegsjahre 1917 den Juden ein »national home« versprochen hatte.

Der »Zionismus«, aus der messianischen Zions-Sehnsucht der mittelalterlichen Juden erwachsen, von Einwanderern aus Rußland angesichts der Pogrome von 1881 praktiziert, war von dem Wiener Journalisten Theodor Herzl mit einer politischen Ideologie ausgerüstet worden. Herzl schrieb in »Der Judenstaat«: »Wir ziehen dahin, wo man uns *nicht* verfolgt. Durch unser Erscheinen entsteht dann die Verfolgung. Das ist wahr, muß wahr bleiben, solange die Judenfrage nicht politisch gelöst ist ... Wir haben überall ehrlich versucht, in der uns umgebenden Volksgemeinschaft unterzugehen. Man läßt es nicht zu ... Man gebe uns die Souveränität über ein für unsere gerechten Volksbedürfnisse genügendes Stück der Erdoberfläche!«

Herzl hatte Hoffnungen auf den deutschen Kaiser gesetzt. Als sein »Judenstaat« in den politischen Kreisen Deutschlands kritisch aufgenommen wurde, half ihm der englische Botschaftsgeistliche William Hechler in Wien weiter. Er führte Herzl bei Großherzog Friedrich von Baden ein, der alsbald des Kaisers Besuch in Karlsruhe benutzte, diesem das Palästina-Projekt nahezulegen. Zu den weitsichtigsten Köpfen zählte damals Dr. Johannes Lepsius, der mit der Lage in Palästina vertraut war. Vor dem ersten Zionistenkongreß 1897 in Basel hielt Lepsius ein Referat, in dem er voraussah, daß beim Zerfall des Osmanischen Reiches die Juden von Palästina Besitz ergreifen würden. Der deutsche Botschafter in Bern, von Tattenbach, nahm dies in seinen Rapport über Basel auf.

In der Aussicht, vom deutschen Kaiser während dessen Fahrt ins Heilige Land 1898 in Audienz empfangen zu werden und dabei ein deutsches Protektorat für die Gründung des palästinensischen Judenstaats zu erreichen, brach Herzl mit einer zionistischen Delegation nach Palästina auf. Bei der Ackerbauschule Mikwe Yisrael konnte er den Kaiser grüßen, doch die Audienz im Zeltlager von Jerusalem verlief für die zionistische Delegation enttäuschend. Im Manuskript der Ansprache Herzls war dessen Bitte um den Schutz des deutschen

Kaisers für die geplante »jüdische Landgesellschaft für Syrien und Palästina« gestrichen. Wilhelm II. versicherte in seiner Antwort nur sein Interesse an Plänen, die dem entwicklungsfähigen Land »Wasser und Schatten« brächten. Das Kommuniqué, das von deutscher Regierungsseite herausgegeben wurde, betonte die Respektierung der Souveränität des Sultans. Herzls erste politische Aktion war gescheitert. Der Eindruck des Heiligen Landes und der begeisterte Empfang in den jüdischen Pioniersiedlungen wie in Rechevot inspirierten Herzl zu seinem Palästina-Roman »Altneuland«.

Der Zionismus blieb keine innere Einheit. Martin Buber schuf gegenüber Herzl eine eigentümliche Variante. Auf dem V. Zionisten-kongreß konstituierte er eine »kulturell-demokratische Opposition«. Nach Buber geht es bei einer neuen Landnahme »nicht um ein klein winziges Machtgebilde mehr in dem Gewimmel. Es geht um eine Siedlung, die, vom Getriebe der Völker unabhängig und der äußeren Politik enthoben, alle Kräfte um den inneren Ausbau und damit um die Verwirklichung des Judentums versammeln kann«.

Auf dem Zionistenkongreß Karlsbad 1921 wies Buber eine jüdische Aufgabe an den palästinensischen Arabern auf. Er wollte damit das andersartige Wesen eines jüdischen Nationalismus herausmeisseln. Das vertiefte den Dissens innerhalb des Zionismus. Der Rußland-jude Vladimir Jabotinsky, der die Herzlsche Linie Buber gegenüber vertrat, spottete: Es gibt doch keinen Fall von Kolonisation mit Zustimmung der Eingeborenen! Jabotinsky war bereit, ein Frie-denscredo zu bekennen, sah aber, daß auf einer völlig anderen Ebene entschieden wird, »ob man die Verwirklichung von Friedensab-sichten mit Hilfe friedlicher Eintracht erreicht«. Auf dieser von Jabotinsky beschriebenen »anderen Ebene« aber hat die faktische arabisch-jüdische Geschichte stattgefunden.

Die Staatsgründungsurkunde vom 14. Mai 1948 ist ein für Israel verehrungswürdiges Dokument. Die Richtung des neuen Staats-wesens blieb zwischen Buber, Chaim Weizmann und ihren Freunden und den Anhängern Jabotinskys umstritten. Suchte Weizmann auch den arabischen Forderungen entgegenzukommen, so verlangte Jabotinsky doktrinär die Rückkehr zum ursprünglichen politischen Zionismus des Theodor Herzl, d.h. er verlangte die historischen Grenzen Palästinas unter Einschluß des Ostjordanlandes. Mena-chem Begin, Führer des Likud-Blockes in der Knesset, vertrat sein Erbe.

Auch auf arabischer Seite wandelte sich in der zweiten Hälfte des 19. Jhs. die Volksmentalität. Den Arabern wurde bewußt, daß sie unter dem Impuls der islamischen Religionsstiftung eine große eigene Kulturschöpfung vollbracht hatten. In der Herrschaftszeit

Ibrahim Paschas (1831–1840) hatten sie, frei von den Türken, im rein arabischen Kontext gelebt, und europäische Modernität war eingeströmt. In der Druckerpresse, die die amerikanischen kongregationalistischen Missionare des American Board nach Beirut gebracht hatten, konnten arabische Broschüren und Zeitungen gedruckt werden. In dem 1866 von den Amerikanern gestifteten College – alsbald Brutstätte des Nationalismus – entwickelten arabische Christen die neue Ideologie. Hier entdeckte der Melkit Nasif Yazeji die Schönheit der klassischen arabischen Literatur – damals eine verlorene Welt. In ihm formte sich ein Geschichtsbild – unentbehrlich für jeden Nationalismus. Der Maronit Butrus al-Bustani, Lehrer an einer amerikanischen Missionsschule, der den Amerikanern die Bibel ins Arabische übersetzen half und sich einen staunenswerten Bildungshorizont schuf, setzte seine Kenntnisse in zwei gewaltige Werke um: in ein arabisches Wörterbuch (1870) und eine arabische Enzyklopädie. Angesichts des Massakers, das die Drusen 1860 unter den Christen anrichteten, gründete al-Bustani die erste arabische Zeitschrift »Die syrische Trompete« und suchte damit die Einigung aller durch Bildungsfortschritt zu fördern und alle zur Annahme eines für alle gültigen Wertsystems zu führen. Darin steckte die arabische Nationalidee.

Diese beiden Männer, Nasif Yazeji und Butrus al-Bustani, hatten sich zusammengeschlossen. Die Koexistenz des evangelikalen Christentums der Amerikaner und des neuen arabischen Nationalismus erwies sich als auf Dauer unmöglich. Doch die neuen arabischen Dozenten, die sich die Amerikaner in ihrem strikt evangelisch geführten College erzogen – Yakob Sarrouf und Faris Nimr –, gründeten 1875 ihre radikale Geheimgesellschaft. Auch sie wurden entlassen (1882), als sie einen Revers zu unterzeichnen ablehnten, den die Leitung der American University allen Dozenten, um darwinistische Lehrweise auszuschließen, abverlangte. Als die mit arabischer Unterstützung 1917 in Palästina einrückenden Briten an die Erfüllung ihrer Zusage gingen, den Juden ein national home zu schaffen, war es Faris Nimr, der in Polemik gegen die Balfour-Erklärung den britischen Behörden deutlich machte, daß arabischer Nationalismus nie ein »religiöses Sektierertum« wie das sich zionistisch auffassende Judentum ertragen werde.

Ehe die englische Armee die Nahostgebiete unter ihre Kontrolle nahm, hatten die arabischen Nationalisten noch einen hohen Blutzoll zu entrichten. Dschemal Pascha, dem nicht nur die türkische Administration in Syrien und Palästina unterstand, sondern der auch die türkischen Verbände an der Front befehligte, hatte die Aktenbestände des französischen Konsulats in Haifa durchsuchen lassen.

Der englische Konsul hatte seine Akten klugerweise verbrannt. Aus den französischen Akten ließen sich Verbindungen zwischen einzelnen arabischen Nationalisten und Instanzen der alliierten Mächte erheben. Der schwedische Reisende Sven Hedin, der damals in Palästina weilte, berichtet, daß allein in Damaskus 33 Araber »aus den vornehmsten und reichsten Familien« als »Landesverräter« vom türkischen Kriegsgericht 1916 zum Tode durch den Strang verurteilt wurden.

Das Problem der christlichen Juden

Von allen christlichen Kirchen wird ihre religionspolitische Situation im Staate Israel als delikat angesehen. Jede ihrer Äußerungen wird von den politischen Gruppierungen daraufhin getestet, ob pro Israel geredet ist oder contra. Dabei ist es für die Kirche lebenswichtig, mit den Israelis *und* den Arabern ein gutes Verhältnis zu haben. Dazu sind die Stimmungen in den amerikanischen oder europäischen Heimatkirchen auch noch zu berücksichtigen. Obwohl die Orthodoxie und die römische Kirche seit je ihre Position im Heiligen Land hatten und auch die evangelischen Kirchen sich längst vor dem Beginn der jüdischen Massenimmigration etablierten, werden alle Christen als »foreign« eingestuft.

Wenn Israel in eine kritische Situation gerät, dann kritisieren die Juden das verdächtige Schweigen der Kirchen. Daß beim letzten Kriege 1973 der Weltrat der Kirchen und die kirchlichen Weltbünde keine Erklärungen abgaben, wurde von israelischen Politikern als »a deplorable fact« beurteilt. Stellvertretend taten sich die lokalen Kirchen in Israel zusammen und veröffentlichten am 13. Oktober 1973 ein statement, in dem es hieß: »Wir Mitglieder der christlichen Gemeinden in Israel, die wir des Landes Geschicke teilen, drücken unsere tiefste Betroffenheit angesichts des neuen Angriffs der arabischen Staaten aus. Daß dieser Angriff auf den Tag des Yom Kippur festgelegt wurde, beleidigt das humane und religiöse Empfinden.« Unterzeichner waren führende Figuren der römischen Kirche, der Chairman des United Christian Council in Israel (UCCI), in dem 20 evangelisch orientierte Kirchen zusammengeschlossen sind (im ganzen gibt es etwa 40 etablierte evangelische Gruppen), auch Vertreter von fünf weiteren Kirchen. Solche Erklärungen werden sofort als Anzeichen politischer Schlagseite zum Zionismus hin gewertet. Anläßlich der UCCI-Konferenz in Haifa 1974 erinnerte denn auch ein arabischer Kirchenführer die Protestanten daran, sie seien nur Gäste und hätten keine Erklärung zum Yom Kippur abzugeben.

Die israelischen Autoritäten behandeln christliche Araber etwas vertrauensvoller als die muslimischen, werden diese doch als eine Art Botschafter der westlichen Kirchen angesehen. Aber um im Aspekt der Araber nicht als Hätschelkinder Israels zu erscheinen, leugenen die Kirchen ihre Bevorzugung. Das ist das Dilemma der Kirchen: Wenn sie auf der einen Seite Solidarität mit Israel ausdrücken wie z.B. im Protest gegen die infame UNO-Resolution, die 1975 Zionismus als eine Form von Rassismus hinstellte, dann müssen sie auch im Interesse ihrer arabischen Gemeindeglieder ihre Anteilnahme zeigen, wenn die Rechte der Araber angetastet werden. So hielt es denn auch die Ecumenical Research Fraternity am 17. September 1976, indem sie sich gegen die Konfiskation arabischen Bodens in Galiläa wandte.

Die Lage der Judenchristen im Staate ist besonders problematisch. Ein Araber darf in Israel Muslim sein oder Christ. Ein Jude darf ein orthodoxer Jude sein oder glaubenslos oder Marxist oder Anhänger welcher Weltanschauung auch immer, aber nicht eigentlich ein Christ. Dann nämlich wird er leicht nicht mehr als Jude angesehen. Die Existenz von Judenchristen stellt das zionistische Basisprogramm in Frage. – Verantwortlich denkende kirchliche Kreise in Jerusalem behalten stets im Blick, daß mindestens 1000, höchstens 2000 von den 80 000 Christen in Israel Judenchristen sind. In der Zeit der israelischen Staatsgründung 1948 gab es wenige auf Christus orientierte Juden in Galiläa. Sie waren bereit, sich in die israelische Geheimarmee einzureihen. Rund 70 hebräische Christen, die in der Mandatszeit in enger Verbindung mit den Engländern gelebt hatten, zogen es vor, mit den Engländern außer Landes zu gehen.

Als das lateinische Patriarchat bemerkte, daß sich infolge der Einwanderung jüdisch-katholischer Mischehen aus Polen die Zahl der katholischen Bürger Israels mehrte, rief es 1955 das Opus Sancti Jacobi ins Leben, um die katholischen Ehepartner zu sammeln. Doch bald wurden neue Anstöße bemerkbar. Französische Dominikaner eröffneten für katholisch Orientierte in der Agron street Jerusalem-West das Zentrum St. Isaiah. Hier wird die Messe in einem synagogenähnlichen Raum in Hebräisch gefeiert. Pater Marcel Dubois, der dem Zentrum vorsteht und sich im Fernsehen durch pointierte Stellungnahmen zu Israels Lebensfragen großes Ansehen verschafft hat, hat als Christ doch eine Professur für Philosophie an der Hebrew University erlangt.

In Haifa wirkt der Priester Daniel Rufeisen, polnischer Jude, der den Weg zum katholischen Priestertum fand. Bei seiner Einwanderung in Israel hatte er durch Klage vor dem supreme court durchsetzen wollen, daß er als Jude aufgenommen werde – umsonst. Er konnte nur durch nachträgliche Einbürgerung die israelische Staatsbürgerschaft erlangen.

Evangelischerseits bestand zunächst nur eine aktive Briefkastenmission, die von einzelnen christlichen Juden unter Juden geleistet wurde. Dann sammelte sich in loser Anlehnung an die Baptisten eine Anzahl unabhängiger Gemeinden, in Jerusalem zum Beispiel in der Prophetenstraße. Eine Organisation als »Kirche« vermeiden die hebräischen Christen lieber, sie nennen sich »Messianische Versammlungen«, treffen sich an Sabbattagen und halten die Gebote der Beschneidung. Ihre hebräische Identität wollen sie nicht verlieren. Der Prediger einer messianischen Versammlung, der aus Georgia stammende Joseph Schullem, betont: »Wir wählen, von der Gnade gerettet, in Freiheit aus, was wir vom Gesetz halten wollen und was nicht. Denn das bestimmt nicht den Heilsstand.« An die Heidenchristen stellt Schullem die Frage, ob sie wohl den christlichen Juden die Freiheit geben werden, Hebräer zu bleiben?

Die junge Jews for Jesus-Bewegung, die Anfang der siebziger Jahre in den Vereinigten Staaten aufkam, wirkte 1972/73 nach Israel herüber. Doch viele ihrer Abgesandten zogen sich bald wieder zurück. Die judenchristliche Gruppe von Rosh Pinnah war von der amerikanischen Bewegung inspiriert. Sie mußte im Oktober 1977 feindselige Demonstrationen hinnehmen.

Um die auf Christus orientierten kleinen jüdischen Kreise mühen sich die unauffälligen katholischen und evangelischen Kommunitäten wie die Petites soeurs de Jesus, die Darmstädter Marienschwestern und die Jesusbruderschaft aus Gnadental im Taunus. Sie besuchen die jüdischen Familien in ihren Häusern als persönliche Freunde. Christus kann dann zum Thema werden. Doch wird auch eine vorbehaltlose Freundschaft angeboten.

Die Gefahr zeichnet sich ab, daß sich die europäischen Gemeinschaften zerspalten, wenn *ein* Zweig den Juden dient und der *andere* mit den arabophonen Christen sympathisiert. So ergeht es den Petites soeurs: Die Schwestern an der Via dolorosa verstehen sich schwer mit denen in Jerusalem-West, die sich für die israelische Seite erwärmen.

Ein Hort kreativer Gestaltung gottesdienstlicher Formen, die dem hebräischen Klima entsprechen, ist die trappistische Lavra von Natufa. Man ist sich dessen bewußt geworden, daß das Offertorium der nach dem Konzil erneuerten Messe von einem jüdischen Gebet inspiriert ist. Und hier hat man das hebräische Original wieder in Geltung gesetzt. In christlichen Kreisen hat es sich auch eingebürgert, das Laubhüttenfest mit den Juden zu feiern: Man baute sich beim Haus seine Laubhütte.

Christliche Mission unter Israelis berührt einen neuralgischen Punkt. So hatten sich alle Kirchen in Israel zusammengetan, um am 14. Juli 1963 eine Erklärung abzugeben, man wolle nicht die Armut einiger Bevölkerungskreise ausnutzen, um durch das Angebot materieller Vorteile Konversionen zu provozieren. Auch im Falle der christlichen Bekehrung eines Juden bleibe dieser Glied seiner Nation. Dennoch hielten es konservative Juden unter Führung des Rabbi Abramovits 1977 für nötig, in der Knesset ein Antimissionsgesetz durchzubringen (1. Lesung 5. Dezember 1977). Die Kirchen fanden sich zu einem Protestschritt zusammen. Der Vikar des lateinischen Patriarchats für Israel, der in Nazareth residierende Bischof Hanna Kaldani, machte darauf aufmerksam, daß die Erklärung von 1963 doch dem Staate genügen müsse. Der Staat zeigte bislang insofern eine maßvolle Haltung, als das Gesetz bisher noch nie zur Anwendung kam – dank einer Verfügung, daß Anklagen nur vom Generalstaatsanwalt eingebracht werden können. Diesem sind keine eklatanten Fälle bekannt geworden.

Die ökumenische Chance im Heiligen Land

Die melkitische Kirche, durch den Studienstandard in St. Anna zu theologischer Reflexion befähigt, wirkte mit ihrer Neubewertung orthodoxer Traditionen in die universale Kirche hinein. Der Eucharistische Kongreß, der für das Jahr 1893 nach Jerusalem einberufen wurde, war ein Markstein. Als Thema war gewählt: Die unterschiedlichen Liturgien der Ostkirchen und das Erfordernis, sie um des Unionsgedankens willen aufrechtzuerhalten. Das Thema war geeignet, die Weissen Väter von St. Anna zu Wortführern zu machen. Kardinal Lavigerie war als Vorsitzender des Kongresses ausersehen, starb jedoch wenige Monate vor Eröffnung und mußte durch Kardinal Langénieux ersetzt werden. In St. Anna prangte auf blauem Grund Leos XIII. Devise: »Ah combien me sont chères les Eglises d'Orient«.
Im Kongreßsaal saßen Kardinal Langénieux und das Oberhaupt der melkitischen Kirche, Patriarch Jussef, auf Thronen nebeneinander. Alle Bischöfe des Heiligen Landes – bezeichnenderweise mit Ausnahme des lateinischen Patriarchen Piavi – waren erschienen. Entscheidend war das meisterliche Referat des Pater Michel von St. Anna über »Die Sorge der Päpste für die Aufrechterhaltung der orientalischen Riten«, ganz auf päpstliche Dokumente abgestützt. Der Eindruck des Referates reichte so tief, daß die Anhänger der Latinisierung die Auseinandersetzung verloren hatten. Ein Jahr

nach diesem eucharistischen Kongreß bestätigte die päpstliche Enzyklika Ecclesiarum dignitas den neuen Kurs der römischen Kirche gegenüber den Ostkirchen. Anvisiertes Ziel war: Die orientalischen Schismatiker in die Union mit Rom zu ziehen durch die unierten Orientalen von gleicher Tradition.

Die melkitische Kirche sah sich 1938 von den Anhängern der Latinisierung herausgefordert, als Kanonikus Filippo Talvacchia in seinem Buch Rito Romano e riti orientali ein ganzes Arsenal von Argumenten zusammenstellte. Diesem Buch, das 1947 in Mailand in 2. Auflage herauskam, versagte Rom für eine 3. Auflage das Nihil obstat. Talvacchias Buch gegenüber schwiegen die Melkiten, von römischen Instanzen beschwichtigt. Doch als bei Einberufung des II. Vatikanischen Konzils Erwartungen auf eine neue Ordnung auch im Heiligen Lande wach wurden, wurde der latente innerkatholische Gegensatz zwischen dem lateinischen Patriarchat Jerusalem und der melkitischen Kirche, deren Patriarchat gleichfalls die Patriarchenwürde der Heiligen Stadt beanspruchte, neu akut. Rom zeigte sich bereit, die lateinischen Patriarchate von Antiochien und Alexandria aufzuheben. Sollte nicht im gleichen Zuge auch das lateinische Patriarchat Jerusalem fallen, dessen Bestand ein ökumenisches Ärgernis für die Orthodoxie darstellte? Die melkitische Bischofssynode stellte beim Konzil den Antrag auf Aufhebung des Patriarchats. Eine Broschüre lieferte dazu die Begründung.

In dieser Lage bekam das lateinische Patriarchat mit dem Professor des patriarchalen Seminars, P. Médebielle, Sekretär der patriarchalen Bischofssynode, einen beredten Apologeten. Es kam zu einem harten Schlagabtausch. Die melkitische Synode stufte die Einrichtung des lateinischen Patriarchats als einen Irrtum Roms ein. Dem lateinischen Patriarchen wurde »Eroberermentalität« und Orientfremdheit vorgeworfen. Das Patriarchat sei ein Hindernis echter Einigung der Kirchen. Den Konkurrenzkampf gegen die orientalische Kirche habe es vorrangig zu seinem Apostolat gemacht. Posthum griffen die Melkiten den Patriarchen Valerga an: Er sei entscheidender Berichterstatter der Kommission für die Missionen und die Ostkirchen im I. Vatikanischen Konzil gewesen. Er habe in der Straffung der Beziehungen des unierten Episkopats des Orients zum Heiligen Stuhl das Mittel gesehen, mit dem verhindert werden konnte, daß die unierten Patriarchen unter Druck von unten gerieten. Valerga sei »Pionier in der Anschwärzungspolitik des Ostens« gewesen. Nach Valerga seien die östlichen Patriarchen Usurpatoren kirchlicher Macht. Ihre Privilegien besäßen sie nicht aus eigenem Recht, sondern kraft einer Gewährung durch den römischen Stuhl. Das Konzil müsse ihre Zuständigkeiten beschneiden. In diesem Sinne habe auch

Valerga die Bulle Reversurus suggeriert, welche der armenischen unierten Kirche die tradierten Rechte beschnitt und dadurch eine Spaltung auslöste. Médebielle wolle das lateinische Patriarchat als Dauereinrichtung rechtfertigen, das – ganz gegen den Willen der jetzigen Päpste – Agent der Latinisierung im Osten sei. Im lateinischen Ritus sei das Gebet in eine Form gepreßt, in der ein eingeborener Christ nicht leben könnte. So seien für die latinisierten Christen des Heiligen Landes schwere geistliche Probleme erwachsen. Nie hätten die Missionare des lateinischen Patriarchats Konvertiten zur melkitischen Kirche gewiesen.

Wichtigstes Argument Médebielles zur Rechtfertigung des lateinischen Patriarchats war sein Hinweis auf den Text des Status quo von 1852, demzufolge die katholischen Rechte an den Heiligen Stätten einzig und allein durch das lateinische Patriarchat gesichert werden konnten. Bei Wegfall des lateinischen Patriarchats würden die katholischen Rechte im Heiligen Land dahinfallen. Es sei der lateinische Patriarch gewesen, der beim Abschluß der Friedensverträge 1918 und bei Gründung der UNO 1948 zur Sicherung der katholischen Rechte die Initiative ergriffen hätte. Im Status quo sei der lateinische Patriarch als Rechtsfigur eingetragen. Wenn in einzelnen Fällen das Patriarchat neben einer melkitischen Gemeinde eine lateinische eingerichtet habe, so sei dies damit gerechtfertigt, daß herrschende Stammesrivalitäten es unmöglich gemacht hätten, Konvertierte unterschiedlicher Stämme in ein und derselben Kirche zu vereinen. Nur mit dem Angebot unterschiedlicher Riten habe sich die Situation retten lassen. Im Fall Sahafa Amr 1876 und im Fall Main habe man jeweils eine Gruppe, die wegen eines Streites zwischen Clan und Clan von den Melkiten zu den Protestanten übergehen wollte, abgefangen. Médebielle rechnete den Melkiten vor, daß bei Gründung des lateinischen Patriarchats 1847 die melkitische Kirche weder in Jerusalem noch in Transjordanien präsent gewesen sei. Damals lebten in Jerusalem nur drei melkitische Familien – von auswärts kommende Beamte. 1913 zählte man erst 50 melkitische Gläubige in der Heiligen Stadt. In Transjordanien gab es bei Ankunft der lateinischen Missionare 1866 überhaupt keine Melkiten. Dagegen riefen 1847 bereits 800 lateinische Christen nach einem lateinischen Hierarchen, im ganzen Heiligen Land 4000. Der von Patriarch Maximos III. Mazloum 1838 für Jerusalem geweihte patriarchale Vikar Meletios Fendeh habe faktisch nie die Füße auf den Grund Jerusalems gesetzt.

Die Begegnung Papst Pauls VI. mit dem Ökumenischen Patriarchen Athenagoras 1964 in der Sommerresidenz des Jerusalemer orthodoxen Patriarchats hatte für die melkitische Kirche die Folge, daß ihre Mission unter den Orthodoxen im neuen ökumenischen Klima beendet werden mußte. Ein Jahr nach dem Treffen des Papstes mit dem Primas der orthodoxen Kirche besuchte der melkitische Patriarch Maximos Sayegh den Ökumenischen Patriarchen in Konstantinopel. Für die Einheit der Kirchen zu wirken, war das Lebenselement der melkitischen Kirche geworden. Tiefer noch veränderte der Sechstagekrieg 1967 das melkitische Dasein: Das Priesterseminar von St. Anna mußte seine Pforten schließen, da Priesteramtskandidaten aus den arabischen Nachbarstaaten Israels keine Zuzügserlaubnis nach Jerusalem erlangen konnten. Als Ersatz wurde für Zölibatäre eine Priesterausbildung in Damaskus eingerichtet. Auch wurden in reichlichem Maße Stipendien für das griechische Kolleg in Rom und für französische und belgische Studienplätze gewährt. Doch die melkitischen Jungpriester kehren von dort zu sehr verwestlicht in den Orient zurück.

In einer gewissen Gegentendenz wurde von orthodoxophilen westeuropäischen Theologen in der Erkenntnis, daß der melkitischen Kirche beim Gewinn theologischer Reflexion unter westlichem Einfluß gleichzeitig ein Proprium des Ostens verloren gegangen war, nämlich das meditative Leben, auf der Höhe über Nazareth das melkitische Verkündigungskloster gegründet. Die rumänischen Maler-Brüder Murosan wurden herbeigeholt, die Wände der Klosterkirche mit Fresken zu schmücken. Noch konnte es nicht gelingen, eingeborene Frauen für die Idee des Verkündigungsklosters zu gewinnen. Die sieben Schwestern, die sich eingefunden haben, sind Italienerinnen.

Spannungen, die zwischen den großen Religionen im Heiligen Land oder zwischen einzelnen christlichen Gemeinschaften aufkamen, führten punktuell zu harten Konfrontationen. Es kam zu Akten des Vandalismus gegen christliche Institutionen. Die Lavra von En Farah, älteste Mönchssiedlung in der judäischen Wüste, 330 vom hl. Chariton gegründet, 405 von Euthymios bewohnt, 1903 vom russischen Athos-Kloster aufgekauft und wieder aufgebaut, war stets von ein oder zwei russischen Mönchen bewohnt gewesen. Sie wurde von einer fanatisierten Gruppe zerstört. Später wurden die Ruinen in Brand gesteckt, um über den brutalen Zerstörungsakt durch Vortäuschung eines Brandes hinwegzutäuschen.

Am 30. November 1979 wurde der griechisch-orthodoxe Wächter des Jakobsbrunnens bei Sichem, Philoumenos Hasafis, tot und schändlich verstümmelt in der Krypta gefunden. Weiß man in diesem Falle nicht, welche Tätergruppe hier gehandelt hat, so kann man doch diejenige fanatische jüdische Gruppe identifizieren, die im Dezember 1979 zum fünften Male die Fenster der Dormition-

Basilika mit Steinen einwarf. Hier war die im Alten Testament verbotene, in den Glasfenstern aber gezeigte bildliche Darstellung der religiöse Grund für die Zerstörung. Hinter diesen Akten steht Rabbi Meir Kahane. In Tel Aviv schmierten extremistische Juden an das gemietete Haus der Petits frères de Jesus das Schimpfwort »Mission« und zündeten dann das Haus an. Am 6. Februar 1973 wurde auf Anstiften des Rabbi Meir Kahane, des Präsidenten der Liga für Verteidigung des Judentums, in einer christlichen Buchhandlung Jerusalems ein Brand gelegt, 1974 in der Bibliothek der baptistischen Niederlassung Jerusalems. Im Oktober 1982 wurde deren Kapelle zerstört.

Auch harte Strafmaßnahmen des israelischen Militärs, aus politischen Gründen gegen arabische Christen verhängt, konnten Auswirkungen auf das kirchliche Leben haben. Im November 1981 warf eine Gruppe Jugendlicher in dem sonst friedlichen Christendorf Beit Sahour (etwa 8000 Christen, teils Orthodoxe, teils Melkiten), gereizt durch die Einführung der israelischen Zivilverwaltung in diesem bisher nur militärisch besetzten Gebiet der Westbank, Molotow-Cocktails gegen einen vorüberfahrenden israelischen Autobus. Das Militär wies die Familien der jungen Übeltäter an, ihre Häuser samt Hab und Gut zu räumen, und sprengte die Gebäude. Die darauf folgenden Tage wurde das Dorf Schauplatz einer ungewöhnlichen Wallfahrt: Auch Israelis kamen nach Beit Sahour und legten Blumenkränze auf die Trümmer der Wohnstätten. Die Christen von Beit Sahour aber drückten ihren stummen Protest darin aus, daß sie dem Weihnachtsgottesdienst in der Geburtskirche von Bethlehem, dessen Besuch eine feste Tradition darstellt, fernblieben.

In das Bild der politisch erregten Szene gehören auch die Anfeindungen, die die melkitische Bischofssynode hinnehmen mußte, weil sie 1981 aus seelsorgerlicher Verantwortung für die melkitischen Gemeinden im Heiligen Land das Amt des Patriarchalen Vikars neu besetzen wollte. Der frühere Amtsinhaber, Bischof Hilarion Capucci – Syrer aus Aleppo, Priester seit 1947, Patriarchaler Vikar in Jerusalem seit 1965 –, war wegen Waffenschmuggels für arabische Terroristen im August 1974 verhaftet und im Dezember dieses Jahres vom israelischen Gericht zu 12 Jahren Zuchthaus verurteilt worden. Auf ein Gesuch Papst Pauls VI. war Capucci am 6. Dezember 1978 nach Rom entlassen worden, wo er sich von den Folgen seiner Haft im Gefängnis Ramleh erholen sollte. Nach einer Vakanz von 7 Jahren wählte die melkitische Bischofssynode den in Jerusalem gut eingeführten Archimandriten Lutfi Laham zum neuen Patriarchalen Vikar.

Das löste sogleich von der PLO inspirierte Proteste aus. Bischof Capucci erschwerte eine positive Lösung, indem er geltend machte, solange er lebe, habe er nach katholischem Recht als Bischof von Jerusalem zu gelten. In den kirchenpolitischen Auseinandersetzungen im Heiligen Land ist der sprachliche Unterschied, ob ein Hierarch als Bischof oder Patriarch »von Jerusalem« oder »in Jerusalem« bezeichnet wird, von höchster Relevanz. Folgt man orthodoxer Kanonistik, so kann sich nur der orthodoxe Patriarch und – weil jurisdiktionell selbständig – der armenische oder syrische Bischof als Hierarch »von« der Heiligen Stadt bezeichnen, während die Präposition »in« ausdrückt, daß es sich hier um einen klerikalen Funktionär handelt, dessen Residenz auswechselbar wäre. Diese Argumentation macht sich nun die melkitische Synode zu eigen und betonte, daß ihr Patriarchaler Vikar nur ein Bischof »in Jerusalem« sei. Obwohl von radikaler arabischer Seite Morddrohungen gegen Lutfi Laham ausgesprochen wurden, die man in den kirchlichen Kreisen des Heiligen Landes sehr ernst nahm, erklärte die melkitische Synode, daß eine kanonische Bischofswahl nicht annulliert werden könne, konsekrierte den Archimandriten am 26. November 1981 zum Bischof und ließ ihn am 6. Dezember seine erste pontifikale Messe in seiner Jerusalemer Kathedrale halten.

Alle diese Schwierigkeiten reichen nicht hin, die einzigartige Bedeutung der Heiligen Stadt als Ziel gläubiger Wallfahrt und Ort ökumenischer Begegnung zu beeinträchtigen. Dies kam deutlich zur Geltung, als Papst Paul VI. gegen Ende des II. Vatikanischen Konzils seine Pilgerreise ins Heilige Land ankündigte. Als die Wallfahrt im Januar 1964 ausgeführt wurde, weckten die Berichte der Massenmedien weltweit vielschichtige religiöse Empfindungen. Die Begegnung des Papstes mit dem Primas der orthodoxen Kirchen, Patriarch Athenagoras I., am Epiphanientag auf dem Ölberg rückte die Notwendigkeit einer Neuformulierung des Verhältnisses von Ostkirche und Westkirche ins Bewußtsein der Weltöffentlichkeit. Damals wurde denn auch auf Anregung protestantischer Konzilsbeobachter das Ökumenische Institut für theologische Forschung in Tantur bei Jerusalem gestiftet.

So gewiß das Treffen von Papst und Patriarch als inspirierendes Ereignis für die Intensivierung des Dialogs zwischen Ostkirche und römischer Kirche zu werten ist, so hat es doch das beziehungslose Nebeneinander der lokalen Kirchen nicht beenden können. Gewiß, beim österlichen und weihnachtlichen Besuchsaustausch ist die Atmosphäre herzlicher. Daß eine orthodoxe Delegation 1965 die Sabasreliquien empfangen und nach Mar Saba überführen durfte, hat dazu ebenso mitgeholfen wie das Faktum, daß es endlich gelang, alle rechtlich beteiligten Kirchen zur Zustimmung zur vorgesehenen Restauration der Grabeskirche zu bewegen. Doch die Bemühung, ein gemeinsames orthodox-katholisches Religionslehrbuch für die Schulen in Jordanien und Galiläa herzustellen, scheiterte. 1975 wurde für die in Jordanien beheimateten katholischen Christen der für die Ostkirche gültige Ostertermin übernommen. Doch daß Weihnachten nun nach dem westlichen Kalender zu feiern sei, wurde nicht akzeptiert.

Den von protestantischen Kreisen ausgehenden ökumenischen Initiativen blieben alle Erfolge versagt. Ihrem Versuch von 1956, mit Gründung des United Christian Council in Israel (UCCI) ein Organ des Zusammenschlusses aller Kirchen in Israel zu stiften, mißlang es, die alten Kirchen zu gewinnen. Von katholischer Seite kamen nur Beobachter. Bei der 10. Jahreskonferenz 1966 drückte der Chairman Dr. Tester (Edinburgh Medical Missionary Society – Nazareth) aus, daß man einen so schönen Namen trage und doch von den 55000 Christen in Israel nur 2000 in UCCI mitarbeiten.

Mit anderen Randgruppen gründete Douglas Young eine »Christian Embassy«, welche die christlichen Interessen gegenüber der israelischen Regierung vertreten sollte. Doch Christian Embassy konnte keinen Einfluß gewinnen. Das orthodoxe Patriarchat machte den Metropoliten Basilios von Cäsarea für die Verhandlungen mit der Regierung zuständig.

Oft trafen kirchliche Gemeinschaften Entscheidungen, deren Folgen für die Ökumene nicht hinreichend bedacht waren. Als den arabischen Lutheranern in Bischof Haddad ein eigener Bischof gegeben wurde, zog sich das orthodoxe Patriarchat von der Teilnahme an den »Gebetswochen für die Einheit« zurück.

Als fruchtbarster Ansatz stellte sich im Laufe der Jahre die 1960 von Bruno Husar angeregte und von Father Anthony belebte Ecumenical Fraternity heraus, die alle Monate kompetente Vertreter der meisten in Jerusalem ansässigen Kirchen zu gemeinsamen Studien zusammenführt. Jeweils eine der vertretenen Gemeinschaften stellt sich den anderen mit ihrer Geschichte und dem Profil ihrer jetzigen Wirksamkeit dar.

Trotz der Spannung, die zwischen Juden, Arabern und den von verschiedenen Ethnien bestimmten Christengruppen herrscht, fehlt es nicht an tapferen Versuchen, die Gegner, und sei es in der nachwachsenden Generation, zu versöhnen. Der Kibbuz Nes Avim (Zeichen der Völker), von Christen aus Holland betrieben, sucht Muslime und Juden zu guter Nachbarschaft zu führen. Neve Schalom bei Latrun sucht Juden, Christen und Muslime zusammenzubringen und wirkt durch gemeinsame jüdisch-arabische Schulen.

Auf die Initiative von Professor Werblowsky von der Hebrew University entstand Anfang der fünfziger Jahre die Interfaith Association, die den bisherigen Zustand, in welchem die Religionsgemeinschaften voneinander abgeschlossen lebten, überwinden will. In ganz Israel bildeten sich Gruppen, die sich freilich mehr gesellschaftspolitisch als theologisch interessiert zeigten. Im Rainbow-Club treffen sich regelmäßig sieben Christen und sieben Juden, um Kontakte zu schaffen. Dr. Michael Krupp, der 1959 in einem Kibbuz zu arbeiten begann und in den Jahren 1964–66 rabbinische Theologie in Jerusalem studierte, engagierte sich im jüdisch-christlichen Gespräch.

Das israelische »Ministerium der Religionen« führt im Grunde das im Osmanischen Reich gültige Millet-System weiter. Zwölf Religionsgemeinschaften gelten als anerkannt. Ihnen ist ihr eigenes Eherecht und Erbrecht zugestanden. Ein staatliches Mischehenrecht fehlt, da Juden ihre Ehefragen durch ein Rabbinatsgericht entscheiden lassen müssen. Die lutherische Kirche rechnet nicht unter die in Israel anerkannten Gemeinschaften, besitzt aber eine jordanische Anerkennung, die für die Westbank noch Rechtskraft besitzt.

Was die Welle christlicher Institutionsgründungen in der zweiten Hälfte des 19. Jhs. schuf – Bauten in nachgeahmter Kreuzritterarchitektur – steht noch in seiner Monumentalität. Aber das monastische Personal ist gealtert. Viele Bauten sind ihrem Zweck entfremdet. Der imposante Komplex Ratisbonne in Jerusalem-West ist vermietet. Die »russische Mission« dient dem Staat als Gerichtsgebäude. Die Schneller-Schule im Norden der Heiligen Stadt wurde zu einem zoologischen Garten. Eine italienisch-katholische Stiftung wurde Sitz des Erziehungsministeriums. Vor allem aber: die Basis bodenständiger Gemeinden, die den Institutionen Leben gaben, ist einer ständigen Erosion ausgesetzt. Vor den kriegerischen Auseinandersetzungen von 1948 diente das armenische St. Nikolaus-Kloster in Jaffa einer armenischen Gemeinde von 5000 Seelen. Ein großes Schulwerk war damit verbunden. Diese Gemeinde schrumpfte auf 300 Seelen. Sie wird nur noch von einem aus dem St. Jakobus-Kloster anreisenden Priestermönch versorgt. Die orthodoxe Gemeinde, die in der St. Georgskirche von Lydda beheimatet war, zählte 2000 Glieder. Sie ist fast ausgelöscht. En Karem im Südosten Jerusalems, als Schauplatz des Besuchs Mariens bei Elisabeth geehrt, war ein christliches Araberdorf. Heute wohnt dort keine einzige arabische christliche Familie mehr. Die der anglikanischen Kirche angeschlossenen arabischen Gemeinden haben infolge der Kriege die Hälfte ihres Bestandes eingebüßt, danach durch Abwanderung ein weiteres Viertel. Die melkitische Gemeinde in Haifa hatte vor

1948 die Zahl von 15000 Seelen erreicht. Sie ist aufgelöst. Die bunte Vielfalt der Gemeinden in der Heiligen Stadt zusammengerechnet erreicht nur noch knappe 10000 Gemeindeglieder. Die in den kirchlichen Schulen herangebildeten arabischen Eliten wandern ab, da sie in Israel keine ihrem Ausbildungsstand entsprechenden Berufe finden.

Die Pilgerströme zum Osterfest aus den Kirchen benachbarter Länder sind abgeblockt. Früher kamen 6000 Pilger aus Ägypten, jetzt kein einziger mehr. Die isoliert lebenden Christen in Syrien und Jordanien, für die die Pilgerfahrt nach Jerusalem ein ermutigendes Kontakterlebnis war, erhalten keine Einreiseerlaubnis. Man müßte fürchten: Das Heilige Land erleidet schleichenden Verlust seiner Heiligkeit, wenn man nicht ahnte, daß es hier Menschen gibt, die ein Leben führen, in dem innere Heiligkeit gewonnen wird.

Der Welle imposanter Institutionsgründungen folgte unauffällig ein Einströmen kommunitärer Kreise aus den westlichen Ländern. Ihre Zahl mag unbedeutend erscheinen. Doch die eigene Spiritualität der Gründung des Charles de Foucauld, der Darmstädter Marienschwestern, der Jesusbruderschaft aus Gnadenthal und der Gruppen La Theophanie und L'Agneau Immolé wurde eine bestimmende Realität.

Mit historischem Recht im Heiligen Land verwurzelt, müssen die Petites Soeurs de Jesus du Père de Foucauld erscheinen. 1897, als die Klarissinnen noch in ihrer ursprünglichen Niederlassung an der Durchgangsstraße Nazareths lebten, richtete sich Charles de Foucauld in seinem kleinen Schuppen innerhalb des Gartens ein und hauste hier drei Jahre. De Foucauld, einer alten Adelsfamilie entstammend, hatte schon in jungen Jahren aufgehört, seine religiösen Pflichten zu erfüllen. Das Verlangen, sich einer großen Sache hinzugeben, veranlaßte ihn, sich der Erforschung des damals noch für Europäer verschlossenen Marokko zu widmen. In Verkleidung eines marokkanischen Juden streifte er 18 Monate lang durch die unbekannten Gebiete. Damals schrieb er an seine Schwester einen Satz, der als Leitmotiv für sein Leben dienen könnte: »Wenn man einmal ausgezogen ist, etwas zu tun, darf man nicht zurückkehren, ohne es getan zu haben.« – Im Glauben der mohammedanischen Völker hatte de Foucauld etwas von der Größe Gottes erkannt. Die Begegnung mit einem heiligmäßigen Priester, Pater Huvelin, erweckte in ihm den Glauben. In Nachahmung Jesu erfaßte ihn das Verlangen nach Demut und nach völliger Gleichheit mit den Armen, zu denen – nach de Foucaulds Meinung – »Jesus in Nazareth« gehörte. Jesus in Nazareth – von ihm wissen wir historisch wenig. Aber de Foucauld fixierte sich auf diese etwas apokryphe Vorstellung.

Im Trappistenkloster im nördlichen Syrien hielt es de Foucauld nicht länger als 7 Jahre. Ein scheinbar zufälliges Ereignis löste eine Berufung zu einem anderen Wege aus. Bei der Totenwache in einer arabischen Arbeiterfamilie traf er Formen der Armut, die ihn erschütterten. »Ich bin nicht zufrieden. Ich seufze nach Nazareth« hieß es jetzt bei ihm. Seine Ordensoberen gaben ihn frei.

In Bettlerkleidung langte de Foucauld in Nazareth an. Als Knecht für alles lebte er drei Jahre lang im Klarissinnenkloster in einer Bretterhütte von zwei Metern im Quadrat, die er sich im Klostergarten errichten durfte. Viele Stunden brachte er unbeweglich kniend vor dem Sakrament zu. Beim Schein der heiligen Lampe schrieb er seine Dialoge mit den Heiligen, jeweils an deren Gedächtnistag, nieder. »Heiliger Hubertus«, hieß es da, »du sahst zwischen dem Geweih eines Hirsches das Kreuz des Heilandes. Gib, daß ich Jesu Kreuz immer mit geistlichen Augen sehe.« Oder: »Heilige Mutter Theresa, du weißt, wie verödet der Garten meiner Seele ist … Aber du gibst mir schon einen Wink …« Als er 1899 zum zweiten Mal ansetzte, eine Regel für die »Kleinen Brüder« aufzuschreiben, deren Gemeinschaft er sehnlich erwartet, konzentrierte er das Leben der kommenden »Fraternitäten« auf die Anbetung des Sakraments.

40 Jahre alt, entschloß sich de Foucauld zu einer missionarischen Arbeit unter muslimischen Stämmen in Marokko, dem Land, das er in seiner Forscherneugier in seiner Jugend durchdrungen hatte. Dort wurde de Foucauld am 1. Dezember 1916 vor seiner Behausung kniend von Eingeborenen durch Kopfschuß getötet.

De Foucauld selbst hat seine »Kleinen Schwestern« und »Kleinen Brüder«, die er erwartete, nie gesehen. Er bewirkte seine Gründungen durch die äußerste Transparenz seiner Liebe. Er schrieb einmal: »Jesus will, daß ich an der Gründung dieser doppelten Familie arbeite durch mein Gebet, durch mein Opfer, durch mein Sterben, durch meine Heiligung, kurz, durch meine Liebe zu Ihm.« Im März 1936 erkannte Rom die posthum gegründeten Petits Frères und Petites Soeurs de Jesus des Charles de Foucauld an.

Nur wenige Schritte von der einstigen Bretterhütte des Charles de Foucauld entfernt besitzen seit 1951 die Petites Soeurs – 10 Schwestern, meist Französinnen – einen stillen Garten mit einer Kapelle, empfangsbereit für alle Menschen, denen ihr Anbetungsgeist wohltut. Jeden nehmen sie in ihr Stundengebet und in ihre Messe hinein, die, um den Armen von Nazareth nahe zu sein, nach ostkirchlicher melkitischer Liturgie in Arabisch gehalten wird.

Die Klarissinnen aber haben sich auf dem Gegenhügel von Nazareth ihre neue Niederlassung im flachgedeckten Bungalowstil gebaut, schön in der Höhenlage. Dort haben sie ein liebevolles Foucauld-Museum eingerichtet: Seinen Strick zeigen sie hier, sein Kreuz, das Bild, das er von dieser Höhe von der Stadt Nazareth gezeichnet hat, ein Marienbild von seiner Hand, seine Mönchskappe.

Die Marienschwestern aus Darmstadt zogen 1961 in Westjerusalem ein, um KZ-geschädigten Juden – unangesehen ihrer religiösen Orientierung – zu dienen. 1962 richteten sie auf dem Ölberg ein offenes Haus der Begegnung mit Pilgern ein – gemietet, da in jordanischer Zeit Grundstückserwerb den Ausländern nicht erlaubt war (Beit Gaudea Dei). 1975 boten die Trappisten von Latrun der evangelischen Jesusbruderschaft aus Gnadenthal im Taunus die zerfallenen Pferdeställe der Kreuzritterburg von Toron an, die zu ihrem Grundstück gehörten. Die jungen Deutschen sicherten den baulichen Bestand und schufen ein Paradies von Blumen um ihre Stätte, von der aus sie Beziehungen von Mensch zu Mensch – zu jungen christlichen Arabern und zu christlich orientierten Judenfamilien spannen. Eine katholische charismatische Gruppe aus Frankreich, zur Kommunität La Theophanie zusammengeschlossen und vom zuständigen Bischof von Carcassonne durch Zuweisung eines Klosters gefördert, ließ sich 1975 von der Kustodie, die an ihren 18 Klöstern Genüge hatte, das Kloster »St. Johannes in der Wüste« als Wohnsitz geben. Vier Kilometer von En Karem entfernt hängen die Klosterbauten an der Felswand und schließen die Höhle in sich ein, in der der junge Täufer sich auf sein Apostolat rüstete. Hier führen Vater Jakob und Vater Daniel die französische Brüderschar in die ostkirchliche Spiritualität ein. Die Schwestern von Grandchamps leben auf den oberen Terrassen. In Konzentration auf Anbetung lebt die Communauté de l'Agneau Immolé in Räumen, die die äthiopischen Mönche von Däbrä Gennet zur Verfügung stellten. In einem politischen Klima, das deutlich macht, daß »der Friede von dieser Erde genommen ist«, leben diese Christen den Frieden, den Christus gibt.

Hinweise zur Literatur über die Kirchengeschichte des Heiligen Landes

Wem zu Forschungszwecken Quellenbelege und detailliertere Angaben erwünscht sind, kann das Handexemplar des Autors, das mit entsprechenden Anmerkungen versehen ist, in der Universitätsbibliothek Heidelberg unter der Katalognummer 82 Q 27 einsehen.

Hinweise zu Archivmaterialien, Quelleneditionen und Darstellungen zur Gesamterstreckung der Kirchengeschichte des Heiligen Landes

Archive of The Jerusalem and the East Mission Box I, Files I u. II in: Middle East Center Oxford

Archiv der British and Foreign Bible Society London

Archiv des Generalsuperiorats der Lazaristen Paris

Aus dem Archiv des griechisch-orthodoxen Patriarchats Jerusalem: A. Papadopoulos-Kerameus, Analecta Hierosolymitikes Stachylogias e Sylloge Anekdoton, Bd. I–V, 1891–1898, Neudruck Brüssel 1963

Archiv der American University of Beirut, Annual reports, Board of Managers 1866–1902: Letters from D.S. Dodge to Daniel Bliss 1864–1883, Box 1.2

R. Hiestand, Papsturkunden für Templer und Johanniter, Archivberichte und Texte, Göttingen 1972

Recueil des Historiens des Croisades (RHC), Paris 1841–1906

Sources Chrétiennes, Paris

Nr. 12, Hrsg. M.J. Rouët de Journel, Jean Moschus, Le pré spirituel, 1946

Nr. 21, Hrsg. H. Pétré, Ethérie, Journal de voyage, 1971

Nr. 90, Hrsg. D. Gorce, Vie de Sainte Mélanie, 1962

Nr. 92, Hrsg. L. Regnault et J. de Préville, Dorothée de Gaza, 1963

Nr. 162, Hrsg. A. Piédagnel, Cyrille de Jérusalem, Catéchèses mystagogiques, 1966

Nr. 148, Hrsg. H. Crouzel, Grégoire le Thaumaturge, Remerciment à Origène, 1969

Nr. 187, Hrsg. M. Aubineau, Hesychios de Jérusalem, Homélies Pascales, Paris 1972

Nr. 189, Hrsg. M. Harl, La Chaîne paléstinienne sur le psaume 118, Bd. I, 1972

Nr. 190, Bd. II, 1972

Bibliothek der Kirchenväter, Kempten/ München

(1912) Des Palladius Leben der Heiligen Väter (Historia Lausiaca). Gerontius, Leben der Heiligen Melania, Hrsg. St. Krottenthaler

(1913) Des Eusebius Pamphili Bischofs von Caesarea ausgewählte Schriften,
  Hrsg. A. Bigelmair
(1913) Euseb, Über die Märtyrer in Palästina, Hrsg. A. Bigelmair
(1922) Des hl. Cyrillus Katechesen, Hrsg. O. Bardenhewer

Patrologia Orientalis, Paris
Bd. 8 (1912), Hrsg. F. Nau, Johannes von Beit Rufina, Plerophoriai
Bd. 31 (1966), Hrsg. D. J. Chitty, Barsanuphius and John, Questions and
  Answers, Greek text with english translation
Bd. 35 (1969)
Bd. 36, 2 (1971), 143–388, Hrsg. A. Renoux, Le codex Arménien Jérusalem
  121

J.P. Migne, Patrologiae Cursus Completus, Paris, passim, insbesondere:

P.G. 10, Sp. 203–206, Brief des Bischofs Alexander, des Nachfolgers des
  Narciss
P.G. 10, Sp. 1557, Pamphilos, Apologia pro Origene
P.G. 10, Sp. 1049, Gregor Thaumatourgos, Oratio Panegyrica in Origenem
P.G. 93, Sp. 781–1560, Hesychios
P.G. 86, Sp. 3219–3312, Patriarch Zacharias u. Modestus
P.G. 92, Sp. 1680–1732, Georg von Pisidien, Bios des in Persien gemarterten
  Anastasios
P.G. 114, Sp. 773–812, dasselbe in metaphrastischer Bearbeitung
P.G. 43, Sp. 379–392, Epiphanius, Epistola ad Ioannem Hierosolymitanum

Corpus Christianorum Series Latina

XX, Tyranni Rufini Praefationes in libros Origenis peri archon, Hrsg. M.
  Simonetti, Turnhout 1961, 243–248, 29–123 Apologia (gegen Hieronymus)
LXXIX S. Hieronymi Presbyteri Opera III, Contra Rufinum, Hrsg P. Lardet,
  1982

Gesamtdarstellungen

Avi-Yonah, M., Geschichte des Heiligen Landes, Frankfurt 1969
Colbi, S., Christianity in the Holy Land, Tel Aviv 1969
Chrysostomos Papadopoulos, Istoria tes Ekklesias Hierosolymon, Athen
  1970

*Zu Kapitel I: Die Urgemeinde, ihre Mission in Palästina, die palästinensischen
Märtyrer der pharisäischen und römischen Verfolgung*

Abel, F.M., Histoire de la Paléstine depuis la conquête d'Alexandre jusqu'
  à l'invasion arabe II, Paris 1952

259

Ders., La sépulture de Jacques le Mineur, in: Revue Biblique 16 (1919) 480–499

Bagatti, B., L'Eglise de la circoncision, Jerusalem 1965

Ders., L'Eglise de la gentilité en Palestine, Jerusalem 1968

Ders., New discoveries at the tomb of virgin Mary in Gethsemane, Jerusalem 1975

Conzelmann, H., Geschichte des Urchristentums, Grundrisse zum NT 5, Göttingen ⁴1978

Eusebius von Caesarea, Kirchengeschichte, Hrsg. H. Kraft, München 1967

Ders., Die Märtyrer Palästinas, Hrsg. A. Bigelmair, Bibl. d. Kirchenväter, Kempten und München 1913

Fedalto, G., Liste vescovili del patriarcato di Jerusalemme, in: Orientalia Christiana Periodica, Rom 49 (1983) 5–41

Fritsch, C.Th. Hrsg., The joint expedition to Caesarea maritima I, Studies in the history of Caesarea maritima, Cambridge/Mass. 1975

Frolov, A., Saint Jacques le Mineur, premier évêque de Jérusalem, Paris 1962

Goppelt, L., Die apostolische und nachapostolische Zeit. Die Kirche in ihrer Geschichte I, Göttingen 1966

Hahn, F., Die Bedeutung des Apostelkonvents für die Einheit der Christenheit einst und jetzt, in: P. Neuner u. F. Wolfinger, Hrsg., Auf Wegen der Versöhnung, Frankfurt 1982

Harnack, A., Geschichte der altchristlichen Literatur I, Leipzig 1893

Hengel, M., Zwischen Jesus und Paulus. Die »Hellenisten«, die »Sieben« und Stephanus, in: Zs. f. Theologie und Kirche 72 (1975), 152–200

Kraft, H., Die Entstehung des Christentums, Darmstadt 1981

Pernant, P., La Galilée dans le message des Evangiles et l'origine de l'Eglise en Galilée, in: Proche Orient Chrétien 30 (1980), 75–131

Pixner, Bargil, Sion III, »Nea Sion«. Topographische und geschichtliche Untersuchung des Sitzes der Urkirche und seiner Bewohner, in: Das Heilige Land 111 (1979), 3–13

Ders., Das Essenerquartier in Jerusalem und dessen Einfluß auf die Urkirche, in: Das Heilige Land 113 (1980) Heft 2/3, 3–14

Ders., Jakobus, der Herrenbruder, in: J. Plöger u. J. Schreiner, Heilige im Hl. Land, Würzburg 1982, 146–158

Schneemelcher, W., Das Urchristentum, Urban-Taschenbücher 336, Stuttgart 1981

Vögtle, A. u. Lohse, E., Geschichte des Urchristentums, in: Ökumenische Kirchengeschichte I, Hrsg. R. Kottge u. B. Möller, Mainz/München 1970, 3–69

Vincent, H., u. Abel, F. M., Jerusalem, Paris 1914–1926

Zu Kapitel II: Unter byzantinischer Herrschaft

Avi Yonah, M., u. Stern E., Encyclopedia of Archeological Excavations in the Holy Land, Jerusalem 1978

Crowfort, I., Early Churches in Palestine, College Parc 1971

Frolow, A., La rélique de la vraie croix, Recherche sur le développement d'un culte, Paris 1961

Garitte, G., La sépulture de Modeste de Jérusalem, in: Le Muséon 73 (1960), 127–133

Honigman, E., Juvenal of Jerusalem, Dumbarton Oaks Papers 5, 1950

Loffreda, Stanislav, The sanctuaries of Tabgha, Jerusalem 1978

Marci Diakoni Vita S. Porphyrii episcopi Gazensis, Migne PG 65, Paris 1864, 1211–1262

Murphy-O'Conner OP, J., The Holy Land, An archeological guide from earliest times to 1700, Oxford 1980.

Ovadiah, Asher, Corpus of the Byzantine churches in the Holy Land, Theophaneia 22, Bonn 1970

Rosenthal-Heginbottom, R., Die Kirchen von Sobota und die Dreiapsidenkirchen des Nahen Ostens, Göttinger Orientforschungen, Wiesbaden 1982.

Saller, S., The memorial of Moses on Mount Nebo, Jerusalem 1941

Storme, A., Le mont des Oliviers, Jerusalem 1971

Straubinger, J., Die Kreuzauffindungslegende, Untersuchungen über ihre altchristlichen Fassungen, Paderborn 1912

Thümmel, H.G., Zur Deutung der Mosaikkarte von Madeba, in: Zs. d. Deutschen Palästina-Vereins (1973), 66–79

Das Pilgerwesen betreffend:

Bludau, A., Die Pilgerreise der Aetheria, Studien zur Geschichte und Kultur des Altertums 15, Paderborn 1927

Davies, J.G., The peregrinatio Aetheriae and the Ascension, in: Vigiliae Christianae 7 (1954), 93–100

Devos, P., Egérie à Bethlehem, in: Analecta Bollandiana 86 (1968) 87–108

Donner, H., Pilgerfahrt ins Heilige Land. Die ältesten Berichte christlicher Palästinapilger (4.–7. Jh.), Stuttgart 1979

Geyer, P., Itinera Hierosolymitana saeculi IV.–VIII., New York u. London, Reprint 1961

Kötting, B., Peregrinatio religiosa. Wallfahrten in der Antike und das Pilgerwesen in der alten Kirche, Münster 1950

Vertska, K., Die Pilgerreise der Aetheria, Wien 1958

Wilkinson, J., Jerusalem Pilgrims before the Crusades, Worminster 1977

Die Blüte des palästinensischen Mönchtums betreffend:

Autin, P. Hrsg., Hieronymus' vies des Saints Paul de Thebes, Malc, Hilarion, Ligugé 1977

Bremond, J., Les pères du désert, Paris 1927

Brooks, E.W., Vita Isaie Monachi, Auctore Zacharia Scholastico, in: CSCO Scriptores Syri, series tertia tomus XXV, Leipzig 1907

Chitty, D.J., The desert a city. An introduction to the study of Egyptian and Palestinian Monasticism under the christian empire, Oxford 1966

Ders., Hrsg., Barsanuphius and John, Questions and Answers, Greek text with english translation, Patrologia Orientalis 31, Paris 1966

Compagnoni, P., Il deserto di Giuda, Jerusalem 1975

Devos, P., La »servante de Dieu« Poemenia, in: Analecta Bollandiana 87 (1969), 189–212

Draguet, R., Les pères du désert, Paris 1949

Egender, Nikolaus, Palästinensisches Mönchtum, Ms., Jerusalem 1981

Festugière, A.J., Les moines d'Orient, Paris 1962/63, 3, 1u. 2

Gerontius, Das Leben der hl. Melania, Bibl. d. Kirchenväter, Kempten u. München 1912

Guillaumont, A., L'Asceticon copte de l'abbé Isaie, Kairo 1956

Lang, D.M., Peter the Iberian, in: Journal of ecclesiastical History, 2 (1951), 158–168

Leclercq, H., Laures Palestiniennes, Dictionnaire d'Archéologie Chrétienne et de Liturgie 8, 2, 1962–1988

Ders., Lives and legendes of the Georgian Saints, New York 1976

Marin, M.A., Hrsg., Les vies des pères des déserts d'Orient, Paris 1886

Meimaris, Y., The Hermitage of St. John the Chozebite Deir Wady el-Qilt, in: Liber Annuus 28 (1978), 171

Meinardus, O., Notes on the Laurae and Monasteries of the wilderness of Judaea, Studii biblici Franciscani, Liber annuus XV (1965), 220–250 u. XVI (1966), 328–356

Palladius, Leben der heiligen Väter (Historia Lausiaca) Bibl. d. Kirchenväter Kempten/München (1912)

Papaloizos, Th.C., Sanctae Melaniae Junioris vita, Diss. Cath. Univ. of America 1978

Petitmengin, P., Les vies latines de Sainte Pelagie, in: Recherches Augustiniennes 12 (1977), 279–305

Plöger, J. u. Schreiner, J., Heilige im Heiligen Land, Würzburg 1982

Raabe, R., Petrus der Iberer, Leipzig 1895

Rampolla del Tindaro, Kardinal, Santa Melania Giuniore, Rom 1905

Regnault, L. u. de Broc, H., Abbé Isaie, Spiritualité orientale 7, Bellefontaine ²1976

Ders. u. J. de Préville, I., Hrsg., Dorothée de Gaza, Œuvres spirituelles, Sources chrétiennes 92 Paris (1963)

Rouët de Journel, M.J., Hrsg. Jean Moschus, Le pré spirituel, Sources chrétiennes 12 Paris (1946)

Rufin, Historia ecclesiastica, Hrsg. Th. Mommsen, Die griechischen christl. Schriftsteller, Berlin 1903/9

Sargent, A.M., The penitent prostitute, Diss. Michigan 1977

Schönborn, Ch., Sophrone de Jérusalem, Théologie Historique 20, Paris 1972

Stein, E., Cyrille des Scythopolis. A propos de la nouvelle édition de ses oeuvres, in: Analecta Bollandiana 62 (1944), 169–186

Strobel, A., Die Charitonhöhle in der Wüste Juda, in: Zs. d. Deutschen Palästina-Vereins 83 (1967), 46–63

Schwartz, E., Kyrillos von Skythopolis, Texte und Untersuchungen zur Geschichte der altchristlichen Literatur 49, Leipzig 1939

Vailhé, S., Les Saints Kozibites, in: Echos d'Orient 1 (1898), 228–233

Ders., Répertoire alphabéthique des monastères de Palestine, in: Revue de l'Orient Chrétien 4 (1899), 512–542 u. 5 (1900), 19–48 u. 272–292

Die origenistischen Streitigkeiten und das Ringen um das Chalcedonense betreffend:

Beck, H.G., Geschichte der orthodoxen Kirche im byzantinischen Reich, Die Kirche in ihrer Geschichte I, Göttingen 1980

Brooks, E.W., Letters of Severus, London 1903

Diekamp, F., Die origenistischen Streitigkeiten im 6. Jh., Münster 1899

Guillaumont, A., Les Kephalia Gnostica d'Evagre le Pontique et l'histoire de l'origénisme, Paris 1962

Holl, K., Die Zeitfolge des ersten origenistischen Streites, in: Aufsätze II 310–350

Möller, Ch., Un représentant de la christologie neochalcedonienne au debut du VI. s. en Orient, Nephalius, Revue d'Histoire Ecclesiastique 40 (1944), 73–140

Perrone, L., La chiesa di Palestina e le Controversie cristologiche, Brescia 1980

Rufus, Johannes (von Beit Rufina), Plerophoriai, Patrologia Orientalis 8 (1912)

Schwartz, E., Johannes Rufus, ein monophysitischer Schriftsteller, Sitzungsberichte der Heidelberger Akad. d. Wiss. Philos.-histor. Klasse 1912

Watt, I.W., Philoxenus and the old Syriac Version of Evagrius' centuries, in: Oriens Christianus 64 (1980), 65–81

Zacharias Rhetor, Historia ecclesiastica, Hrsg. E.W. Brooks, Corpus Scriptorum Christianorum Orientalium (CSCO), 83 u. 84 (1919/1921), 87 u. 88 (1924)

Die Liturgie und theologische Lehre betreffend:

Aubineau, M., Les homélies festales d'Hesychius de Jérusalem I (1978) II (1980), in: Analecta Bollandiana, Subsidia hagiographica 59

Ders., Hrsg., Hesychius de Jérusalem, Homélies Pascales, Sources Chrétiennes 187, Paris 1972

Benz, E., Thurn, H., Floros, C., Das Buch der Heiligen Gesänge der Ostkirche, Hamburg 1962

Casel, Odo, Art und Sinn der ältesten christlichen Osterfeier, in: Jb. f. Liturgiewissenschaft 14 (1934), 1–78

Devos, E., Le panégyrique de Saint Etienne par Hesychios de Jérusalem, in: Analecta Bollandiana (1958), 151–172

Devréesse, R., Les anciens commentateurs grecs des Psaumes, in: Studi e Testi, Vatikan 1970

Engberding, H., Die Synaxis auf dem Ölberg am 30. Dez. im Festkalender von Jerusalem, in: Le Muséon 80 (1967), 27–36

Felmy, K.Ch., Heilsgeschichte und eschatologische Fülle im orthodoxen Gottesdienst, in: Jb. für Liturgik und Hymnologie 24 (1980)

Fountoulis, J., Theia Litourgia Jakobou tou adelphou, Keimena litourgikes 5, Thessaloniki 1977

Frolow, A., La rélique de la vraie croix, Recherches sur le développement d'un culte, Paris 1961

Garitte, G., Le calendrier palestino-géorgien du Sinaiticus 34 (X. siècle), Brüssel 1958

Häuser, Ph. Hrsg., Des hl. Cyrillus Bischofs von Jerusalem Katechesen, Bibl. d. Kirchenväter, Kempten u. München 1912

Harl, M., La chaîne paléstinienne sur le psaume 118, I, Paris 1972

Jüssen, K., Die dogmatischen Anschauungen des Hesychios von Jerusalem, I u. II, Münster 1931/32

Ders., Die Mariologie des Hesychios, in: Festschrift für Michael Schmaus, München 1957, 651–667

Karo, G., u. Lietzmann, H., Katalog der Katenen, Ms., Berlin 1902

Kretschmar, G., Die frühe Geschichte der Jerusalemer Liturgie, in: Jb. für Liturgik und Hymnologie 2 (1956), 22–46

Martin, C.H., Mélanges d'Homilétique byzantine, I, Hesychius et Chrysippe de Jérusalem, in: Revue d'Histoire Ecclesiastique 35 (1939), 54–60

Petrides, S., Le monastère des Spoudaioi à Jérusalem et les Spoudaioi de Constantinople, in: Echos d'Orient 4 (1900/01), 225–231

Ders., La cérémonie du lavement des pieds à Jérusalem, in: Echos d'Orient 14 (1911), 89–99

Ders., Le Propre grec de Jérusalem, in: Echos d'Orient 14 (1911), 272–277

Renoux, A., u. Aubineau, M., Une homélie perdue d'Hesychius de Jérusalem sur Saint Jean Baptiste, retrouvée en version arménienne, in: Analecta Bollandiana 99 (1981), 45–63

Renoux, A., L'Epiphanie à Jérusalem au IV. et V. siècle d'après le lectionnaire Arménien, in: Revue des Etudes Arméniennes 2 (1965), 343–359

Ders., Le codex Arménien Jérusalem 121, Patrologia Orientalis 35 (1969), 1–215 u. 36 (1971), 140–388

Richard, M., Léonce de Jérusalem et Léonce de Byzance, in: Mélanges de science religieuse, Lille 1944, 35–88

Sauget, J.M., Bibliographie des liturgies orientales, Rom 1962

Tarby, A., La prière eucharistique de l'Eglise de Jérusalem, Théologie historique 17, Paris 1972

Tarchnischvili, M., Le grand lectionnaire de l'Eglise de Jérusalem (V–VIII s.) Corpus Scriptorum Christianorum Orientalium 189 u. 204, Löwen 1959

Usener, H., Legenden der Pelagia, Bonn 1879

Vailhé, S., Les écrivains de Mar Saba, in: Echos d'Orient 2 (1898/99), 1–11

Zerfass, R., Die Schriftlesung im Kathedralofficium Jerusalem, Münster 1968

Zu Kapitel III: Unter der Herrschaft der Omajaden, Abbasiden und Fatimiden

Colbi, S., Christianity in the Holy Land, Tel Aviv 1969

Dick, J., Samonas de Gaza ou Sulaiman al-Gazzi, in: Proche Orient Chrétien (1980), 175–178

Edelby, Neophyt u. Samir, Khalil, Patrimoine arabe chrétien, 1981

Hage, W., Die syrisch-jakobitische Kirche in frühislamischer Zeit nach orientalischen Quellen, Wiesbaden 1966

Huxley, G., The sixty martyrs of Jerusalem, in: Greek, roman and byzantine Studies, Durham 18 (1977), 369–374

Janin, R., Histoire de la rivalité et du protectorat des Eglises Chrétiennes en Orient

Nasrallah, I., Suleiman al-Gazzi, évêque Melchite de Gaza (XI s.), in: Oriens Christianus 62 (1978), 144–157

Nau, Fr., Les Arabes chrétiens de Mésopotamie et de Syrie du VII au VIII siècle, Paris 1933

Pargoire, I., Les LX soldats martyrs de Gaza, in: Echos d'Orient 8 (1905), 40–43

Zu Kapitel IV : Die Kirche im Königreich Jerusalem der Kreuzfahrer

Benvisti, Meron, The Crusaders in the Holy Land, Jerusalem 1970

Cannuyer, C., La date de rédaction de l'Historia Orientalis de Jacques de Vitry, évêque d'Acre, in: RHE 78 (1983) 65–72

Hagenmeyer, H., Peter der Eremite, Leipzig 1879

Hamilton, B., The Latin Church in the Crusader States. The secular church, London 1980

Lehmann, J., Die Kreuzfahrer, Abenteurer Gottes, München 1976

Mayer, H.E., Geschichte der Kreuzzüge, Urban-Taschenbücher 86 (Bibliographie), Stuttgart ⁵1980

Ders., Bistümer, Klöster und Stifte im Königreich Jerusalem, Stuttgart 1977

Ders., Das Itinerarium peregrinorum. Eine zeitgenössische englische Chronik zum dritten Kreuzzug, Schriften der Monumenta Germaniae Historica 18, Stuttgart 1962

Ders., Literaturbericht zu den Kreuzzügen 1958–1967, in: Historische Zeitschrift (1969) Sonderheft 3, 641–731

Otto, E., Jerusalem – Die Geschichte der Heiligen Stadt, Urban-Taschenbücher 308, Stuttgart 1980

Prawer, Joshua, The latin Kingdom of Jerusalem, European Colonialism in the Middle Ages, London 1972

Perlbach, M., Die Statuten des Deutschen Ordens nach den ältesten Handschriften, Halle 1890

Pernoud, R., Hrsg., Die Kreuzzüge in Augenzeugenberichten, dtv München 1961

Prutz, H., Die Autonomie des Templerordens, Sitzungsberichte der bayr. Akademie d. Wiss., phil.-philol. u. hist. Klasse, 1905

Recueil des Historiens des Croisades (RHC), Paris 1841–1906

Runciman, St., Geschichte der Kreuzzüge, München 1957

Smet, J., u. Dobham, U., Die Karmeliten, Freiburg/Basel/Wien 1980

Wilhelm von Tyrus, Historia rerum in partibus transmarinis gestarum, RHC Historiens Occidentaux 1, Paris 1844

Lateinische Positionen betreffend:

Acta Ordinis Fratrum Minorum XIC (1970)

Acta Sanctae Congregationis de Propaganda Fide, Hrsg. L. Lemmens, Quaracchi 1921

Baldi, D., Enchiridion Locorum Sanctorum Documenta S. Evangelii Respicientia, Jerusalem ²1982

Bonnardot, F., u. Longnon, A., Hrsg., Le saint Voyage de Hjerusalem du Seigneur d'Anglure (1395), Paris 1878

Couderc, C., Hrsg., Le journal de voyage à Jérusalem de Louis de Rochechouart, in: Revue de l'Orient Latin I, Paris 1893

Cramer, V., Ein Jahrhundert deutscher katholischer Palästinamission 1855 bis 1955, Köln ²1980

Ders., Der Ritterorden vom Hl. Grabe, Köln 1952

Golubovich, Girolamo, Biblioteca Bio-Bibliografica (BBB) della Terra Santa e dell Oriente franciscano, Quaracchi 1906–1939

Heers., J., u. de Groer, G., Itinéraire d'Anselme Adorno, Paris 1978

Hotzelt, W., Die Chorherrn vom Heiligen Grabe, in: Das Heilige Land. Zs. des Deutschen Vereins vom Hl. Lande 24/27 (1940), 126 ff.

Jorga, N., Notes et extraits pour servir à l'histoire des croisades au XV s., Paris 1899

Kleinhans, A., Historia Studii linguae arabicae et collegii Missionum Ordinis Fratrum Minorum in conventu ad S. Petrum in Monte Aureo Romae erecti, Quaracchi 1930

Leclercq, H., Art. Etienne, Dictionnaire d'Archéologie chrétienne et de Liturgie V, 624–671

Mancini, I., Présence vivante et active des Franciscains en Terre Sainte de 1333 à nos jours, in: La Terre Sainte, Jerusalem 1962, 68–73

Plöger, J., u. Schreiner, J., Heilige im Heiligen Land, Würzburg 1982

da Poggibonsi, N., Libro d'Oltramare, vgl. Festschrift für B. Bagatti, Studia Hierosolymitana II, Jerusalem 1975

Röhricht, R., Deutsche Pilgerreisen nach dem Heiligen Lande, Gotha 1889

de Sandoli, S., Cento Fioretti de Terra Santa, Jerusalem 1975

Sayegh, Selim, Le status quo des Lieux Saints, Nature juridique et portée internationale, Corona Lateranensis 21, Rom 1971

Suriano, F., Treatise on the Holy Land, übersetzt von Th. Bellorini OFM, Jerusalem 1949

Welten, P., Reisen nach der Ritterschaft, Jerusalempilger in der 2. Hälfte des 15. Jhs., in: Zs. d. Deutschen Palästina-Vereins 93 (1977), 283–293

Orthodoxe Positionen betreffend:

Colbi, S., Christianity in the Holy Land, Tel Aviv 1969

Collin, B., Les lieux saints, Paris 1948

Ders., Recueil de Documents concernant Jérusalem et les lieux saints, Jerusalem 1982

Getatchew Haile, The different collections of Naegs Hymns in Ethiopic Literature, Erlangen 1983

Hana Vartabed, Geschichte der Heiligen Stadt (armenisch), Konst. 1740

Hintlian, K., History of the Armenians in the Holy Land, Jerusalem 1976

Janin, R., Les Géorgiens à Jérusalem, in: Echos d'Orient 16 (1913), 32–38 u. 211–219

Jugie, M., L'église de Chalcopratia et le Culte de la Ceinture de la Sainte Vierge à Constantinople, in: Echos d'Orient 16 (1913), 308–312

Kawerau, P., Die jakobitische Kirche im Zeitalter der syrischen Renaissance, Berlin ²1960

Koriah Yacoub, The Syrian orthodox Church in the Holy Land, Jerusalem 1976

Lang, D.M., The Georgians, Bristol 1966

Nabe – von Schönberg, I., Die westsyrische Kirche im Mittelalter 800–1150, Diss. Heidelberg 1977

Papadopoulos, Chrysostomos, Istoria tes ekklesias Hierosolymon, Athen ²1970

Pedersen, Sister Kirsten, The History of the Ethiopian Community in the Holy Land from the time of Emperor Tewodros II. till 1974, Studia Oecumenica Hierosolymitana II, Jerusalem 1983

Pixner, B., Hintlian, G., von der Heyden, A., The glory of Bethlehem, Jerusalem 1980

Rops, Daniel, Les évangiles de la vierge, Paris 1948

Sanjian, Avedis, The Armenian Communities in Syria under Ottoman dominion, Harvard Middle Eastern Studies 10, Cambridge Mass. 1965

Schwally, F., Idioticon des christlich-palästinensischen Aramäisch, Giessen 1893

Zander, W., Israel and the Holy Places of Christendom, London 1971

Evangelische oder jüdische Positionen betreffend:

Palmer, H. P., Joseph Wolff, His romantic life and travels, London 1935

Rauwolfer Leonharti aigentliche Beschreibung der Raiß, so er in die Morgenländer nicht ohne geringe Mühe und grosse Gefahr selbs volbracht, 1583

Schechter, S., Studies in Judaism, London 1896, Philadelphia ²1908

Scholem, G., Die jüdische Mystik in ihren Hauptströmungen, Frankfurt 1967

Tibawi, A.L., British Interests in Palestine 1800–1901, Oxford 1961

Wolff, J., Travels and Adventures of Rev. J. Wolff, London 1861

Zu Kapitel VI: Die Wandlungen seit der Mitte des 19. Jhs.

Adler, F., Die evangelische Erlöserkirche in Jerusalem, in: Centralblatt der Bauverwaltung Berlin vom 6. 8. 1898

Albright, W.F., Archäologie in Palästina, Einsiedeln 1962

Benz, E., Bischofsamt und apostolische Sukzession im deutschen Protestantismus, Stuttgart 1953

267

Gobat, S., Evangelischer Bischof in Jerusalem. Sein Leben und sein Wirken, Basel 1884

Hertzberg, H.W., Jerusalem, Geschichte einer Gemeinde, Kassel 1965

Lepsius, J., Das Leben Jesu, Potsdam 1917

Mehnert, G., Der englisch-deutsche Zionsfriedhof in Jerusalem und die deutsche evangelische Gemeinde Jerusalem. Ein Beitrag zur ökumenischen Kirchengeschichte Jerusalems, Leiden 1971

Robinson, E., u. Smith, E., Palästina und die südlich angrenzenden Länder. Tagebuch einer Reise im Jahre 1838 in Bezug auf die biblische Geographie unternommen, Halle 1841

Schmidt-Clausen, K., Vorweggenommene Einheit. Die Gründung des Bistums Jerusalem im Jahre 1841. Arbeiten zur Geschichte und Theologie des Luthertums XV, Berlin u. Hamburg, 1965

Schneller, L., Allerlei Pfarrherren, 1925

Strauss, F.A., Sinai und Golgotha, Reise in das Morgenland, Berlin 1847

Stock, E., History of the Church Missionary Society, 4 Bde. London 1899

Tobler, Titus, Denkblätter aus Jerusalem, St. Gallen und Konstanz 1853

Valentiner, F.P., Topographie des Stammes Benjamin, in: Zs. d. Deutschen Morgenländischen Gesellschaft XII (1858), 161–170

Zobel, H.J., Geschichte des Deutschen Evangelischen Instituts für Altertumswissenschaft des Hl. Landes von den Anfängen bis zum Zweiten Weltkrieg, in: Zs. des Deutschen Palästina-Vereins, Wiesbaden 97 (1981), 1–11

Lateinische Positionen betreffend:

Benoit, P., L'exegèse et l'Ecole biblique de Jérusalem, in: Ekklesia, Lectures chrétiennes, April 1965

Charon, Cyrille, Le concile Melkite de Jérusalem en 1849, in: Echos d'Orient 10 (1907), 21–31

Dhunes, E., Les congrégations françaises en Palestine, in: Echos d'Orient 8 (1905), 90–99 u. 166–174

Duvignau, P., Une vie au service de l'Eglise. S.B. Mgr. Joseph Valerga, Patriarch Latin de Jérusalem 1813–1872, Jerusalem 1972

Gore, K., L'idee du progrès dans la pensée de Renan, Paris 1970

von Keppler, P.W., Wanderfahrten und Wallfahrten im Orient, Freiburg ²1895

Lagrange, M.J., Saint Etienne et son sanctuaire à Jérusalem, Paris 1894

Ders., M. Loisy et le modernisme, Paris 1932

Ders., Au service de la Bible, Souvenirs personnels, Paris 1967

Manna, Salvatore, Chiesa latina et chiese orientale all' epocha del Patriarcha Giuseppe Valerga, Neapel 1972

Medawar, Mgr., Zum Schutz der Rechte der Ostkirche, in: Die Stimme der Ostkirche, Freiburg 1962, 144–166

Médebielle, P., Le diocèse Patriarcal Latin de Jérusalem, Jerusalem 1963

Peyre, H., Ernest Renan, Paris 1969

Pommier, J., Un témoignage sur Ernest Renan, Paris 1971

Smet, J., u. Dobhan, U., Die Karmeliten, Freiburg 1981

Soetens, C., Le congrès eucharistique international de Jérusalem (1893) dans le cadre de la politique orientale du Pape Léon XIII, Löwen 1977

Stolz, Benedikt OSB, Gottes Pionier im Heiligen Land, Joseph Valerga, Patriarch von Jerusalem, Stein am Rhein, 1975

Ders., Flammen der Göttlichen Liebe, Mirjam von Abellin, Gröbenzell

Ders., Cherub auf dem Gotteshügel, Stein am Rhein 1972

Vailhé, S., Les monastères et les églises de St. Etienne à Jérusalem, in: Echos d'Orient 8 (1905), 78–85

Positionen chalcedonensischer und nonchalcedonensischer Orthodoxie betreffend:

Bartas, G., Entre Grecs et Arabes à Jérusalem, in: Echos d'Orient 12 (1909), 109–119

Betts, R.B., Christians in the Arab East, Athen [2]1978

Düsing, J., Jerusalem und die Christen Rußlands, in: Das Heilige Land 105 (1973), Heft 2, 17–31

Graham, St., With the Russian Pilgrims to Jerusalem, London 1916

Heyer, F., Die Beziehungen der russischen Orthodoxie zu den »häretischen« Kirchen des Vorderen Orients, in: Jahrbücher für Geschichte Osteuropas 1956, 387–397

Hopwood, Derek, The russian presence in Syria and Palestine 1843–1914, Oxford 1969

Ivanov, A., Russkaja Pravoslavnaja Cerkov i Pravoslavnyj vostok, Žurnal Moskovskoi Patriarchii (1956) Heft 6, 55–62 u. Heft 7, 58–63

Smolitsch, I., Zur Geschichte der Beziehungen zwischen der Russischen Kirche und dem orthodoxen Osten. Die Russische Kirchliche Mission in Jerusalem (1847–1914), in: Ostkirchliche Studien 5 (1956) 33–51 u. 89–136

Strothmann, R., Die Koptische Kirche in der Neuzeit, Tübingen 1932

Zu Kapitel VII: Die Kirchen unter britischer Mandatsherrschaft und in ihrer Einordnung in den Staat Israel

Anderson, Rufus, History of the Missions of the American Board of Commissioners for foreign Missions to the Oriental Churches, 2 Bde. Boston 1872

Antonius, G., The Arab Awakening, Beirut 1938, Reprint 1969

Baldi, P., La question des Lieux Saints I, Rom 1919

Bein, A., Theodor Herzl, Reprint Wien 1974

Berger, M., The arab world today, New York 1962

Betts, R.P., Christians in the Arab East, Athen 1975

Carmel, A., Die Siedlungen der württembergischen Templer in Palästina 1868–1918, Stuttgart 1973

Cramer, V., Ein Jahrhundert deutscher katholischer Palästinamission, Köln 1956, [2]1980

Eichmann, F., Die Reformen des Osmanischen Reiches, Berlin 1858

Erzberger, M., Erlebnisse im Weltkrieg, Stuttgart/Berlin 1920

Gorra, Ph., Sainte Anne de Jérusalem, Seminaire Grec Melkite 1882–1932, Harissa 1932

Haim, Sylvia, The Arab Awakening. A source for the Historian, in: Die Welt des Islams NS II 1953, 237–250

Hattis, S., Jabotinsky's parity plan for Palestine, in: Middle Eastern Studies XIII (1977), 90–96

Hedin, Sven, Jerusalem, Leipzig 1918

Hertzberg, Jerusalem. Geschichte einer Gemeinde, Kassel 1965

Hitti, Ph., Lebanon in History, London 1957

Ders., History of the Arabs, London 1951

Ders., Nineteenth Century, in: Cahiers d'histoire mondiale, Paris II 1954–65

Hourani, A., Arabic Thought in the Liberal Age 1798–1939, Oxford 1970

Jaeger, D.M.A., Hrsg., Christianity in the Holy Land, Studia Oecumenica Hierosolymitana I, Jerusalem 1981

Ingrams, D., Palestine Papers 1917–1922, Seeds of conflict, London 1972

King, M.Ch., The Palestinians and the Churches I, 1948–56, Genf 1981

Köck, H.F., Der Vatikan und Palästina. Ein Beitrag zur Völkerrechts- und Kirchengeschichte der neuesten Zeit, Wien/München 1973

Krupp, M., Zionismus und Staat Israel, Gütersloh 1983

Laurentin, R., Renaissance des Eglises locales, Israel, Paris 1973

Löffler, P., Arabische Christen im Nahostkonflikt, Frankfurt 1977

Lutsky, V., Modern History of the Arab Countries, Moskau 1969

Médebielle, P., L'église catholique aux Lieux Saints, Jerusalem 1963

Ders., Le diocèse Patriarcal Latin de Jérusalem, Jerusalem 1963

Mehnert, G., Jerusalem als religiöses Phänomen in neuerer Zeit, in: Glaube, Geist, Geschichte, Festschrift für E. Benz, Leiden 1967, 160–176

Osterbye, Per, The Church in Israel, in: Studia Missionaria Upsalensia XIII, Gleerup 1970

Palmer, C., Die Gemeinschaften und Sekten Württembergs, Tübingen 1877

Penrose, St., That they may have life. The story of the American University of Beirut 1866–1941, Beirut 1941, Reprint 1970

Rodinson, M., Marxisme et monde musulman, Paris 1972

Ders., Israel and the Arabs, Aylesbury 1970

Rodhe, P., Krig och kriser e Mellanöstern, 1970

Röhrig, H., Die arabische Welt, 1955

Rohrer, C., Die Tempelgesellschaft oder ein neuzeitlicher Versuch zur Verwirklichung der Verkündigung Jesu von Nazareth, Stuttgart 1920

Schoeps, H.J. (Hans Julius), Hrsg., Zionismus, 34 Aufsätze, (Nymphenburger Texte 16) München 1973

Spafford-Vester, B., Jerusalem, my home, in: National Geographic 126 (1964), 826–847

Tibawi, A.L., British Interests in Palestine 1800–1901, Oxford 1961

Ders., American Interests in Syria 1800–1901, Oxford 1966

Ders., The American Missionaries in Beirut and Butrus al-Bustani, in: St. Anthony's Papers 16, Carbondar III 1965, 137–182

Valentin, H., Kampen om Palestina, Stockholm 1940

Wasserstein, B., The British in Palestine. The Mandatory Government and the Arab-Jewish conflict 1917–1929, London 1978

Zander, Israel and the Holy Places of christendom, New York / Washington 1971

Zeile, N., The Emergence of Arab Nationalism, [2]1966

Veröffentlichungen des Instituts »Kirche und Judentum«

Nr. 1: Jerusalem – Symbol und Wirklichkeit, Materialien zu einer Stadt, Berlin 1976

Nr. 4: Judenfeindschaft im 19. Jh., Ursachen, Formen und Folgen, Berlin 1977

Nr. 5: Zionismus, Befreiungsbewegung des jüdischen Volkes, Berlin 1977

Zeittafel

Von Pfingsten bis zur Christenverfolgung 30–311

30	Pfingstgeschehen. Konstituierung eines Dreierkreises von Aposteln zur Leitung der Urgemeinde und eines Siebenerkreises für die »Hellenisten«. Steinigung des Stephanus. Beginn einer Mission der Hellenisten in Samaria
ca. 35–37	Erster Besuch des in Damaskus bekehrten Paulus in Jerusalem
36	Pontius Pilatus nach Rom beordert. Legat Vitelius begünstigt die pharisäische Partei und bewirkt damit Thora-getreue Orientierung der Urgemeinde
ca. 41	Petrus bei Centurio Kornelius in Cäsarea. Beginn einer Heidenmission der »Hebraisten«
zwischen 42 und 44	Enthauptung des Apostels Jakobus, des Zebedaiden; Haft des Petrus
10. April 44	Tod des Herodes Agrippa
48	ein Apostelkonzil in Jerusalem beschließt über Auflagen für bekehrte Heiden
ca. 55–56	Reise des Paulus nach Jerusalem: Überbringen einer Kollekte
56–58	zweijährige Gefangenschaft des Paulus in Cäsarea
59–60	Wechsel im Amt des römischen Statthalters in Cäsarea von Procurator Felix zu Festus. Paulus nach Rom abgeschoben
zwischen 62 und 66	Ermordung des Herrenbruders Jakobus, des ersten »monarchischen« Bischofs von Jerusalem
66	Flucht der Gemeinde vor Einschließung Jerusalems durch römische Legionen nach Pella
70	Zerstörung Jerusalems im jüdischen Krieg (66–73)
nach 73	in Urgemeinde droht Schisma wegen Führungsanspruchs des Theboutis, doch statt seiner wird der Vetter des Herren, Symeon, zum Bischof erhoben (ca. 73–106)
ca. 90	ins Achtzehnbittengebet der Synagoge wird eine Fluchformel gegen die »Nazarener« eingeführt und damit das Judenchristentum von der Synagoge ausgeschlossen
93–96	Verfolgungswelle
ca. 106	Martyrium des Bischofs Symeon
ca. 110–120	im nomistischen Judenchristentum entsteht das Buch Elchasai
132–135	Bar-Kochba-Aufstand
ca. 130–140	im nomistischen Judenchristentum entsteht das Nazoräer-Evangelium und Ebionäer-Evangelium
135	in »Aelia Capitolina« wird die heidenchristliche Gemeinde majoritär, die judenchristliche konstituiert sich neu
ca. 140	Justin aus Nablus, später Apologet, wird in palästinischer Küstenstadt bekehrt
185	Thronbesteigung des Bischofs Narziss (185–211)
196	Konzil in Cäsarea fixiert Ostertermin. Judenchristliche Opposition
211	Origenes als Flüchtling in Cäsarea
230	Zweiter Aufenthalt des Origenes in Cäsarea. Schulgründung
235	Origenes verfaßt Exhortatio ad martyrium
ca. 240–260	Judenchristen legen Mariengrab im Tale Josaphat an
249	Origenes bei Verfolgung des Decius gefoltert
300	Martyrium des hl. Georg in Diospolis (Lydda)
Frühjahr 303	Edikt Diocletians zur Kirchenzerstörung und Schriftverbrennung
7. Juni 303	Enthauptung des Prokopios
Ende 303	Edikt ergänzt: Kirchenvorsteher sind zum Opfer zu zwingen
Frühjahr 304	Opferverpflichtung für alle Einwohner

305	Verfolgung unter Maximinus Daja
20. November 306	Martyrien anläßlich des Geburtstagsfestspiels des Maximinus
308	Christen in Transporten zur Bergwerksarbeit
13. November 309	»Jungfrauengemeinschaften« von Folterungen und Hinrichtungen betroffen
309	Pamphilos, Schulhaupt der Theolog. Schule in einer Gruppe von 12 Bekennern hingerichtet
311	Kaiser Galerius (305–311) beendet die Verfolgung

Von der Konstantinischen Wende bis zum Persereinfall 312–614

314	Thronbesteigung des Bischofs Makarios (314–333)
326	Entdeckung der Kreuzreliquie durch Helena
330	Hilarion von Gaza und Chariton in En Farah nehmen Schüler an: Beginn des palästinischen Mönchswesens
333	Thronbesteigung des Bischofs Maximos (333–347)
333	Pilger von Bordeaux erster abendländischer Wallfahrer, der vom Hl. Land berichtet
13. September 335	Weihe der Grabeskirche
347	Thronbesteigung des Kyrill von Jerusalem (347–386)
348	Katechesen des Kyrill für Taufbewerber
7. Mai 351	Kreuzerscheinung am Himmel
357	Metropolit Akakios von Cäsarea setzt Kyrill ab
359	Synode von Seleucia: Akakios als Arianer verurteilt
361	Julian Apostata (361–363) erneuert Heidentum, erlaubt Juden Tempelbau. Rückkehr Kyrills
367	Dritte Verbannung Kyrills durch Kaiser Valens
371	Gebeine des Hilarion nach Maiuma überführt
372	Ankunft der Melania der Älteren
378	Kyrill unter Kaiser Gratian zurück
380	Rufin als Origenist im Kloster der Melania auf dem Ölberg
382	der Origenist Evagrios Pontikos bei Melania
383	Ankunft der Melania der Jüngeren
386	Thronbesteigung des Bischofs Johannes II. (386–417)
386	Ankunft des Hieronymus mit Paula und Eustochium
nach 386	Bischof Johannes errichtet auf Sion eine die judenchristliche Gebetsstätte überragende heidenchristliche Kirche
394	Epiphanios von Zypern und Atarbios zu antiorigenistischer Aktion in Palästina
395	Begegnung zwischen dem Georgier Bakur und Rufin auf dem Ölberg
399	Patriarch Theophilos von Alexandria bezieht Stellung gegen den Origenismus
405	Ankunft des Euthymios im Hl. Land. Das Mönchswesen blüht
415	Aufdeckung der Gräber des Stephanus, Gamaliel und Nikodemus in Kafr Gamala
417	Armenisches Lektionar von Jerusalem, eine Übersetzungsleistung des Jerusalemer armenischen Scriptoriums
419	Tod des Hieronymus
420	Jakobusmemoria als Keimzelle des St. Jakobusklosters errichtet
420	Kloster Khoziba von syrischen Mönchen gegründet
um 430	Ankunft Petrus' des Iberers
431	Führende Rolle des Jerusalemer Bischofs Juvenal (422–458) auf dem III. Ökumenischen Konzil von Ephesus
435	Ankunft des Abba Isaiah aus Ägypten
444	Kaiserin Eudokia übernimmt die Herrschaft im Hl. Land (444–460)
450	das Kreuz bei der Eleona-Kirche auf dem Ölberg fällt einem Brand zum Opfer
um 450	die Kirche über dem Mariengrab im Tale Josaphat errichtet

273

Vom Persereinfall bis zur Gründung der Kreuzfahrerstaaten 614–1098

691	Bau des Felsendoms
720	Johannes Damascenus wird Mönch in Mar Saba
724	Pilgerfahrt des Willibald (741 als erster Bischof von Eichstädt geweiht)
750	Ende der Omajaden-Herrschaft (661–750), Beginn der Abbasiden-Herrschaft von Bagdad (750–1285)
770	Thronbesteigung des Patriarchen Elias II. (770–797), Hymnendichter der Schule von Mar Saba
797	Harun al-Raschid, Kalif in Bagdad (786–809), erkennt Karl den Großen als Schützer der hl. Orte an
807	der Streit um das filioque beginnt zwischen griechischen und lateinischen Mönchen in Jerusalem
809	Papst Leo III. (795–816), an den die lateinischen Mönche und Aachens Gesandte appellieren, billigt die Lehre des filioque, mißbilligt aber die Einfügung ins Symbol
836	Jerusalemer Mönche, die dem ikonoklastischen Kaiser Theophilos (829–842) entgegentreten, werden nach Apamea verbannt
966	Patriarch Johannes VII. (964–966) wird ermordet und die Grabeskirche profaniert – Auswirkung der antiarabischen Erfolge der byzantinischen Kaiser Nikephoros II. Phokas (963–969) und Johannes I. Tsimiskes (969–976)
969	Beginn der Fatimidenherrschaft von Ägypten aus
28. September 1008	Zerstörung der Grabeskirche durch Sultan al-Hakim (996–1021)
Mitte 11. Jh.	Suleiman al-Gazzi, Bischof von Gaza, erster christlicher arabisch-spra-chiger Dichter
1070	Amalfitaner gründen Pilgerhospiz in Jerusalem, später Ausgangsort des Johanniterordens
1070	Seldschuken erobern Jerusalem, gefährden die Pilgerfahrt
1084	Symeon II., Patriarch von Jerusalem, weicht nach Zypern aus
April 1097	Lehnseid der Ritter des Ersten Kreuzzuges gegenüber Kaiser Alexios I. Komnenos (1081–1118) bei Aufenthalt in Konstantinopel

Das Königreich Jerusalem der Kreuzfahrer 1099–1291

24. Mai 1099	Erster Kreuzzug erreicht Akkon
17. Juni 1099	Das Kreuzheer erblickt vom Nebi Samuil die Hl. Stadt
6. Juli 1099	Adhemar – Vision des Peter Desiderius ermutigt das Kreuzheer
15. Juli 1099	Eroberung Jerusalems durch das Kreuzheer
22. Juli 1099	Gottfried von Bouillon zum Advocatus Sancti Sepulcri erhoben (1099–1100)
1099	Arnulf von Rohes zum ersten lateinischen Patriarchen Jerusalems erhoben
1100	Dagobert, Bischof von Pisa, landet in Latakia, wird anstelle Arnulfs Patriarch von Jerusalem
25. Dezember 1100	Graf Balduin von Edessa wird von Patriarch Dagobert zum König von Jerusalem gekrönt (1100–1116)
1101	Eroberung Cäsareas und Wiedererrichtung des Erzbischofstuhls
1101	Dagobert als Patriarch abgesetzt, Priester Evremar von Theruannes Patriarch der Hl. Stadt
1106	Ankunft des russischen Abtes Daniil als Pilger
1110	Bethlehem lateinischer Bischofssitz
1112	Arnulf von Rohes Patriarch (1112–1118)
1113	Bulle Papst Paschalis' II. zugunsten des Johanniterordens
7. Juli 1124	Eroberung von Tyrus
1126	Mariengrab im Tale Josaphat wird Grabgelege der Königinnen
1128	auf dem Konzil von Troyes wird unter Mithilfe Bernhards von Clairvaux die Ordensregel für Tempelherren erlassen
1128	der Erzbischofsstuhl von Tyrus wird erstmalig durch den Engländer Wilhelm besetzt – in Abhängigkeit vom Patriarchat Jerusalem
1128	Thronbesteigung des Patriarchen Stephan (1128–1130)

1129	Überführung des historischen Bischofssitzes von Skythopolis nach Nazareth
1129	Heirat der ältesten Tochter Balduins II., Melisende, mit Fulk von Anjou (Melisende †1161)
14. September 1131	Krönung König Fulks (1131–1143)
1136	Beginn des Burgenbaus durch Fulk: Ibelin, Blanche Garde, Gibelin
1137	König Fulk übergibt Gibelin den Johannitern
1139	Bulle Papst Innocenz' II. (1130–1143) zugunsten der Tempelherren
1140	Errichtung der Burg Belvoir über dem Jordangraben
1142	Konzil im Dormition unter Legat Alberich von Ostia, vom armenischen Katholikos Grigor Pahlavuni besucht
1142	Errichtung der Burg Kerak in Moab
1142	Übergabe des Felsendoms an die Tempelherren
1143	Königin Melisende regiert für ihren 13jährigen Sohn Balduin III. (1143–1152)
23. Dezember 1144	Eroberung Edessas durch Zengi
24. April 1148	2. Kreuzzug beschließt Angriff auf Damaskus
28. Juli 1148	erfolgloser Abzug von Damaskus
1152	Krönung Balduins III. (1152–1162)
1152	Gaza den Tempelherren übergeben
19. August 1153	Eroberung Askalons als letzter Hafenstadt. Errichtung eines Bischofssitzes
1158	Heirat Balduins III. mit der 13jährigen Nichte des byzantinischen Kaisers Manuel I. Komnenos (1143–1180), Theodora; Allianz mit Byzanz.
Februar 1162	Krönung Amalrichs, des Bruders Balduins III. (1162–1174)
1163	wieder griechisch-orthodoxe Klerikergemeinschaft an der Grabeskirche
1168	Hebron Bischofssitz als Suffraganat Jerusalems
1173	ein griechisch-orthodoxer Erzbischof wirkt wieder in Gaza
15. Juli 1174	Amalrichs 13jähriger Sohn wird als Balduin IV. gekrönt. Regent Raimund III. von Tripoli
Oktober 1176	Sultan Saladin in Palästina. Waffenstillstandsvertrag, 1180 erneuert
1177	Regierungsübernahme durch den aussätzigen Balduin IV. (1177–1185)
1181	Rainald von Chatillon löst durch Überfall auf muslimische Pilgerkarawane Strafexpedition Saladins aus
1186	Patriarch Heraclius krönt den 2. Gatten Sybilles, Guido von Lusignan zum König
1187	Infolge erneuten Überfalls Rainalds Ende des Waffenstillstands
14. Juli 1187	Saladin vernichtet das Kreuzheer bei Hattin
2. Oktober 1187	Übergabe Jerusalems an Saladin
28. August 1189	Guido von Lusignan, von Saladin gegen Schwur aus Gefangenschaft entlassen, belagert Akkon
7. Juni 1191	Richard Löwenherz landet mit Teilen des 3. Kreuzzuges in Akkon
1191	Papst Clemens III. (1187–1191) bestätigt den Deutschen Ritterorden
28. April 1192	Ermordung des Konrad von Montferrat, Gatten der Isabella (Schwester der Sybille), und darum Kronrivalen des Guido von Lusignan
2. September 1192	Friedensschluß zwischen Richard Löwenherz und Saladin unter Preisgabe Jerusalems
1192	der byzantinische Kaiser Isaak II. Angelos (1185–1195) beantragt bei Saladin vergeblich die volle Verfügung über die heiligen Stätten
9. Oktober 1192	Richard Löwenherz verläßt Palästina
Jan. 1198	Heirat König Amalrichs von Zypern mit der verwitweten Isabella und seine Krönung als Amalrich II. von Jerusalem (1198–1205)
1204	Albert, Bischof von Vercelli, zum lateinischen Patriarchen gewählt (1204–1214)
3. Oktober 1210	Infolge Heirat mit Isabellas Tochter Maria von Montferrat wird der 60jährige Johann von Brienne König von Jerusalem
vor 1214	Patriarch Albert gibt den Karmeliten ihre Ordensregeln
Juli 1215	der Franziskaner Aegidius besucht die Grabeskirche
1219	Franz von Assisi im Heerlager des 5. Kreuzzuges vor Damiette und im Hl. Land
7. September 1228	Kaiser Friedrich II. (1212–1250) landet in Akkon

18. Februar 1229	Rückgabe Jerusalems kraft Vertrags zwischen Friedrich II. und Sultan el-Kamil
17.–18. März 1229	Einzug Friedrichs II. in Jerusalem. Der Kaiser krönt sich selbst zum König
1237	Der koptische Patriarch Kirillos III. ibn-Laqlaq (1235–1243) setzt koptischen Bischof in Jerusalem ein
1240	Verstärkung der Templerburg Safed
11. Juli 1244	Choresmier besetzten Jerusalem. 6000 Christen verlassen die Hl. Stadt
Mai 1250	Der französische König Ludwig IX., der Heilige (1214–1270, 1297 kanonisiert), übernimmt für 4 Jahre die Herrschaft über das Rumpfreich Jerusalem
1252	Vertrag Ludwigs IX. mit den Mameluken
Mai 1253	Entsendung des Franziskaners Wilhelm von Rubruk durch Ludwig IX. zu den Mongolen zu Bündnisverhandlungen
5. März 1265	Sultan Baibars erobert Cäsarea, anschließend Haifa
Juli 1265	Die Burgen Safed und Toron werden von Baibars zerstört
12. September 1271	Die Deutschritterfestung Montfort fällt
30. März 1282	Die Sizilianische Vesper beendet die Hoffnung auf eine von Neapel gesteuerte Anjou-Mittelmeerherrschaft einschließlich Akkon und Tyrus
1286	Heinrich II. von Zypern zum König von Jerusalem gekrönt
28. Mai 1291	Fall Akkons. Das Rumpfgebiet geräumt. Patriarch Nikolaus von Hanape geht mit Fluchtboot unter

Unter mamelukischer Herrschaft 1291–1516

1307	Katholisierende armenische Synode von Sis, von den Armeniern Jerusalems abgelehnt
1308	Die georgischen Mönche erlangen Besitz des Golgathafelsens
1311	Das Abtsamt des armenischen Jakobusklosters wird in Patriarchenrang erhoben
1315	Dem griechischen Patriarchen Athanasios III. (1313–1334) wird die Bestätigung durch den byzantinischen Kaiser versagt. Bis 1330 von Usurpator verdrängt.
1333	Gründung der Custodia Terrae Sanctae des Franziskanerordens
1334	Der griechische Patriarch Lazaros (1334–1368), zwecks Bestätigung zu Kaiser Andronikos (1328–1341) gereist, wird wegen politischer Parteinahme festgenommen und bis 1347 verbannt. Später in ägyptischen Gefängnissen
21. November 1342	Bestätigung der Custodia durch Papst Clemens VI. (1342–1352)
1345	Der Armenier Gregor aus Ägypten zum armenischen Patriarchen erhoben
1364	Tötung des Franziskaners Wilhelm von Castellamare in Gaza
1368	Die georgischen Mönche vermehren ihre Besitzrechte
1375	Papst Gregor XI. (1370–1378) gewährt den Franziskanern das Recht, Apostaten zum Islam mit der Kirche zu versöhnen
14. November 1391	Der kroatische Franziskaner Nikolaus Tavelić hingerichtet
1429	Übernahme des Davidsgrabes durch eine jüdische Gemeinschaft
1429	Pilgerfahrt des Herzogs von Bayern mit venezianischem Schiff
1437	Steuerbefreiung der armenischen Mönche durch Sultan al-Zaher
1441	Der Jerusalemer Patriarch Joakim (1431–1450) votiert auf dem Florentiner Unionskonzil gegen eine Union mit Rom
10. Mai 1447	Rom erteilt auch Genua das Recht, Pilgerschiffe auszurüsten
nach 1453	Patriarch Athanasios IV. (1452–1460) flüchtet vor mamelukischem Druck zum osmanischen Eroberer von Konstantinopel Mehmet Fethi und läßt sich Besitzrechte bestätigen
1480	Beginn des Brauchs, Pilger zum »Ritter des Heiligen Grabes« zu schlagen
1483	Pilger von Breydenbach besucht die Custodia und berichtet darüber
1489	Die Kreuzfahrerburg Bethlehem, die im Besitz lokaler Christen, wird durch Muslime aus Hebron zerstört

277

nach 1492	Einwanderung spanischer Juden. Kabbalastudium in Safed
1493	Francesco Suriano OFM wird Kustode (1512 ein zweites Mal)
1510	Die georgischen Mönche machen sich durch Verhinderung der lateinischen Messe auf dem Golgathafelsen die Franziskaner zum Feind
1510	Die Ritter von Rhodos bringen den Mameluken eine Niederlage bei. Darum die Franziskaner der Custodia zwei Jahre im Gefängnis

Von der Einverleibung Palästinas ins Osmanische Reich bis zum Ende der Herrschaft des ägyptischen Khedivensohns Ibrahim Paschas 1516–1839

Dezember 1516	Sultan Selim I. verleibt das Heilige Land dem Osmanischen Reich ein
1523	Ignaz von Loyola, Gründer des Jesuitenordens, in Jerusalem
1523	Stiftung des zypriotischen Griechen Phlatros an die Grabeskirche
1526	die östlichen Patriarchen zur Synode in Jerusalem
1537	Abt Germanos von Mar Saba wird Patriarch (1537–1579) und hellenisiert das Patriarchat
1540	Die Kopten errichten ein Kapellchen am Aediculum
1547	Martyrium des Juniper von Sizilien OFM
1551	Die Franziskaner der Custodia werden von türkischen Behörden von Sion vertrieben
1557	Martyrium des Johannes von Mantua OFM
1562	die nestorianische Gemeinde von Jerusalem tritt infolge franziskanischer Mission zur katholischen Kirche über
1575	die portugiesische Pilgerin Maria, die unter muslimischen Frauen und Kindern missioniert, wird verbrannt
1583	der deutsche Lutheraner Rauwolf auf Pilgerfahrt in Jerusalem
1587	der syrische Bischof des Linsenklosters wird gepfählt. Die syrischen Christen aus Jerusalem verwiesen
1597	Martyrium des Kosmas von St. Damian OFM
1604	kraft »Kapitulationen« gesteht die Hohe Pforte Frankreich das Recht zur Protektion der Christen zu
1613	Grigor Baronder zum armenischen Patriarchen erhoben (1613–1645); entwickelt mönchisches Leben
1617	armenisch-lateinischer Streit um Rechte an den heiligen Stätten
1619	Pest in Jerusalem
1628	die Congregatio de Propaganda Fide erkennt der Custodia das Recht zur Pfarrseelsorge bei angeschlossenen Kreisen zu
1629	franziskanische Gründung in Akkon
29. Juni 1630	Übertritt des äthiopischen Prinzen Athanasios in Nazareth zur katholischen Kirche
1630–1637	sechsmaliger Besitzwechsel der Hl. Stätten
1633	Weihe des Moldauer Prinzen Petrus Mogila zum Metropoliten von Kiev durch den Jerusalemer Patriarchen Theophanes III.
1643	der georgische König Leo Dadian ermöglicht mit Spenden die Restauration des Kreuzklosters
25. März 1645	Inthronisation des Abtes Paisios des moldauischen Klosters Galata in Jassy als Jerusalemer Patriarch (1645–1660)
1645	das Generalkapitel der Franziskaner in Toledo erläßt Schulordnung für die Franziskanerschulen in Jerusalem, Bethlehem und Nazareth
1655/56	Übernahme äthiopischen Besitzes durch das griechische Patriarchat
1658	die armenischen Mönche verlieren vorübergehend das St. Jakobus-Kloster
1660	Weihe des Jerusalemer Patriarchen Nektarios (1660–1669), der der Confessio Orthodoxa des Petrus Mogila zur Geltung in der Gesamtorthodoxie verhilft
1664	der rumänische ehemalige Jerusalempilger, der hl. Mihalache, übereignet die Georgskirche in Galatz und weiteres klösterliches Gut in Jerusalemer Besitz
1669	Thronbesteigung des Jerusalemer Patriarchen Dositheos II. (1669–1707)

1670	Mironweihe durch Patriarch Dositheos II. in Bukarest
1670	Papst Clemens X. (1670–1676) gestattet den Franziskanern mit Bulle Cum sicut dilectus Arztpraxis
1672	Patriarch Dositheos II. läßt ein Konzil zusammentreten, das die vom Ökumenischen Patriarchen Kyrillos Lukaris aufgenommenen Protestantismen zurückweist und die Confessio fidei orthodoxa des Dositheos annimmt
1673	Jerusalemfahrt des rumänischen Fürsten Ghica zum Rückkauf orthodoxer Privilegien
1679	Erwerb der Ruinen der Visitationskirche in En Karem durch die Franziskaner
1681	griechische Druckerei im rumänischen Kloster Cetatuia zur Publikation auch Jerusalemer Buchtexte gegründet, auch arabisch-sprachiger Liturgien für das Hl. Land
1682	Jerusalemwallfahrt der Mutter des rumänischen Fürsten Serban Cantacuzino
1686	Fürst Serban Cantacuzino von Muntenien hilft dem Patriarchen Dositheos II. zu Reparaturen an der Grabeskirche und verschafft den dazu nötigen Firman
1699	Patriarch Dositheos II. versieht die von Antim Ivireanul in der Druckerei von Snagov herausgebrachte griechische Ausgabe der Confessio des Mogila mit Vorrede
1700–1707	Korrespondenz des Patriarchen Dositheos II. mit Zar Peter d. Großen über dessen gewaltsame Änderung der russischen Kirchenstruktur
1707	Thronbesteigung des Patriarchen Chrysanthos (1707–1731)
29. Juli 1707	Patriarch Chrysanthos weiht die vom muntenischen Fürsten Constantin Brâncoveanu erbaute Kirche des hl. Georg des Neuen, die dem hl. Grab zum Besitz übergeben wird
1715	Grigor der Kettenträger zum armenischen Patriarchen erhoben (1715 bis 1749), erbettelt Hilfsgelder zum Schmuck der St. Jakobus-Kirche
1735	der Beduinenscheich Dahr al-Omar gewinnt die Macht in Palästina (1735–1745) und wählt Tiberias zur Residenz
1740	Neufassung der Kapitulationen zwischen Ludwig XV. und Sultan Mahmud ausgehandelt
1741	30 arabisch-orthodoxe Familien in Nazareth treten zur katholischen Kirche über und werden von den türkischen Behörden verfolgt
1749	Thronbesteigung des armenischen Patriarchen Hagop Nalian (1749 bis 1751), literarisch wirksam
1757	De-facto-Begünstigung der Orthodoxie durch die Hohe Pforte, Datum späterer lateinischer Gravamina
1765	Patriarch Parthenios (1737–1766) erläßt Statut für die Grabesbruderschaft
1775	Achmed al-Schazzar regiert in Palästina (1775–1804), verlegt die Residenz nach Akkon
1777	die ersten Chassidim treffen aus Rußland in Palästina ein
1798	die Armee Napoleons gelangt bis Gaza, scheitert alsdann vor Akkon – Anlaß zu türkischen Pressionen gegen die Christen des Hl. Landes
1808	Brand der Grabeskirche
1811	auf Vorschlag der Botschafter der Westmächte führen die Lateiner die Restauration der Grabeskirche aus
1821	in Rückwirkung des griechischen Aufstandes Pressionen gegen die Christen des Hl. Landes
1822	der Missionar der Londoner Judenmission Joseph Wolff wirkt in Jaffa und Jerusalem
1828	als Missionare des American Board of Commissioners for foreign missions erscheinen Rev. Jonas King und Pliny Fisk im Hl. Land
1831	Ibrahim Pascha, Sohn des Khediven Mohammed Ali, besetzt Palästina mit einer ägyptischen Armee (1831–1839)
1832	erneutes Aufblühen des Pilgerwesens (seit 1834 auch aus Rußland)
1834	der Pilgerbericht des Hieromonachen Anikita steigert in Rußland das Interesse an Pilgerfahrten

1837	England etabliert als erste europäische Macht einen Konsul in Jerusalem (William Young)
1837	die äthiopischen Mönche sterben infolge Pest aus
1838	Eduard Robinson und Eli Smith identifizieren durch topographische Forschung biblische Orte
1839	russisches Konsulat Beirut eingerichtet

Von der Gründung des anglikanisch-preußischen Bistums bis zum Ende der türkischen Herrschaft 1841–1917

21. Januar 1842	als erster anglikan.-preuß. Bischof trifft Alexander (1842–1846) ein
20. Oktober 1843	Porfirij Uspenskij eröffnet die Russische Geistliche Mission
2. April 1845	Thronbesteigung des orth. Patriarchen Kyrillos II. (1845–1872)
1846	König Friedrich Wilhelm IV beruft Samuel Gobat zum Bischof in Jerusalem (1846–1879)
1846	St. Chrischona–Basel gründet Bruderhaus in Jerusalem
1847	Streit der Konfessionen um den in der Geburtshöhle entfernten Silberstern der Lateiner
23. Juli 1847	Errichtung des lateinischen Patriarchats durch die Bulle Nulla celebrior und Einweisung des Patriarchen Valerga
14. August 1848	die Schwestern von St. Joseph de l'Apparition eröffnen erste lateinische Schule
10. September 1848	Gründung einer evangelischen Schule in Nablus
1849	der melkitische Patriarch Maximos III. Mazloum führt Konzil in Jerusalem durch
1849	Christ Church bei Jaffator als erste evang. Kirche geweiht
4. Mai 1851	Fliedner eröffnet deutsches Diakonissenhospital
9. September 1851	Rom grenzt mit Dekret Licet die Zuständigkeiten des lateinischen Patriarchats und der Custodia gegeneinander ab
8. Februar 1852	Hohe Pforte legt im »Status quo« die Rechte der einzelnen Kirchen an den Heiligtümern fest
1852	Gründung der deutschen lutherischen Gemeinde Jerusalems durch P. Valentiner
1853	F. A. Strauss gründet in Berlin Jerusalem-Verein
1853	Archimandrit Sofonij erstattet an den Allerheiligsten Sinod Gutachten über die Syrische Kirche
1853	Patriarch Valerga gründet erste Missionsstation in Beit Jala
1853	Karmeliten vollenden Klosterneubau im Karmel
1855	Armenisch-Katholisches Vikariat Jerusalem
1855	Deutscher Verein vom Heiligen Land in Köln gegründet
1855	Theol. Schule des orthodoxen Patriarchats im Kreuzkloster gegründet
13. Oktober 1855	Stellungnahme Valergas gegen die Ordnung Benedikts XIV., die Konvertiten aus den Ostkirchen an unierte Kirchen zu verweisen. Auftakt zur Latinisierung
1. Januar 1857	Einführung des Gregorianischen Kalenders in der melkitischen Kirche
1857	Bischof Kiril Naumov Leiter der Russischen Mission
1858	Weihe der kathol. Kirche von Beit Jala. Errichtung des dortigen Weltpriesterseminars
1860	Grundstein der ersten russischen Kirche
31. Januar 1861	der koptische Patriarch Kirillos IV., von der Russischen Mission aussöhnungswillig gemacht, erleidet rätselhaften Tod
1862	Orthodoxe Kirche auf Tabor
1863	Verarmung des Jerusalemer Patriarchats durch Nationalisierung der dem Patriarchat gewidmeten rumänischen Klöster durch Cuza
1863	Theologiedozent Belloni gründet für sein Schulwerk die »Brüder der Hl. Familie«, die 1890 mit den Salesianern verschmolzen
1865	Gründung des Palestine Exploration Fond unter Vorsitz des Erzbischofs von Canterbury

1866	Artikelserie Uspenskijs über nonchalcedonensische Kirchen Jerusalems in Kiew
1868	Pius IX. approbiert den »Ritterorden vom Heiligen Grabe«
1869	Antonin Kapustin übernimmt die Russische Geistliche Mission
1870	American Palestine ExplorationSociety gegründet
1872	Karmelitinnenkloster bei der Vaterunserhöhle auf dem Ölberg errichtet
1872	Russische Dreifaltigkeitskathedrale geweiht
7. November 1872	Sturz des Patriarchen Kyrillos II. wegen dissentierender Stellung zur Bulgarenfrage
1874	Schwester Marie de Jésus Crucifié errichtet Karmelitinnenkloster Bethlehem
13. März 1875	Hohe Pforte spricht in Statut den orthodoxen Arabern Rechte innerhalb des Patriarchats zu
1876	Schulbrüder lassen sich nieder
1878	Kloster Khoziba im Wadi Qelt wieder erbaut
1880	Gründung des einheimischen Schwesternordens zum Rosenkranz
März 1882	Beginn des russischen Schulwerks für orthodoxe Araberkinder
1882	Französische Weiße Väter eröffnen melkitisches Seminar in St. Anna
1882	Russische Kaiserliche Palästinagesellschaft gegründet
1886	Französische Pilgerunterkunft Notre Dame de France von Assumptionisten gegründet
1886	Auflösung des preußisch-anglikanischen Vertrags. Erzbischof von Canterbury setzt Bischof Blyth als neuen anglikan. Hierarchen ein
1886	Deutsche Borromäerinnen übernehmen Hospiz
1888	Deutscher Verein vom Hl. Land führt Pilgergruppen
1889	Evang. Jerusalem-Stiftung Rechtsträger deutscher Institutionen
1889	Konflikt zwischen Bischof Blyth und CMS-Missionaren über den Fall Odeh
1890	Trappistenkloster Latrun gegründet
1890	Zeitschrift Echos d'Orient gegründet
1890	Deutscher Lazarist Wilh. Schmidt übernimmt Leitung des Hospizes
1891	Thronbesteigung des Patriarchen Gerasimos, Gründers philanthropischer und pädagogischer Institutionen (1891–1896)
1891	Lagrange OP beginnt Herausgabe der Revue Biblique
März 1893	russische Pilgergruppe kommt auf Galiläafahrt um
1893	Lutherische Weihnachtskirche Behtlehem geweiht
1894–1897	Ausgrabungen von Bliss und Dickie
1897	Thronbesteigung des Patriarchen Damianos (1897–1931)
1898	Anglikanische Collegiatkirche geweiht
1898	Besuch Kaiser Wilhelms II. im Hl. Land. Weihe der Erlöserkirche
1898	Initiator des Zionismus Herzl im Hl. Land. Audienz bei Kaiser Wilhelm
19. Juni 1900	Deutsches Evang. Institut für Altertumswissenschaft des Hl. Landes gegründet
1901	Lagrange OP inspiriert Schwester Josephine Rumèbe zur Errichtung des Klosters »Maria als Bundeslade« in Kirjat Jearim
1903	die mit Rom unierten Chaldäer errichten ein Patriachales Vikariat in Jerusalem
1903	das russische Athoskloster Panteleimon erneuert die Lavra von En Pharah
1903	Baubeginn der Augusta-Victoria-Stiftung auf dem Ölberg
1905	Großfürst Sergej, Vorsitzender der Kaiserlichen Palästina-Gesellschaft, erliegt einem Attentat in Moskau. Seine Gattin Elisaveta Feodorovna wird Nachfolgerin
1906	Professor Teodor Buranda aus Jassy gründet einen Ausschuß für eine rumänische Kirche im Hl. Land
1906	der Abt von Maria-Laach weiht das Dormition-Kloster der deutschen Benediktiner
1908	die jungtürkische Revolution steigert den arabischen Nationalismus und führt auch in Palästina zu arabischen Forderungen an das griechische Patriarchat
1908	das Paulus-Hospiz des Deutschen Vereins vom Hl. Land vor dem Damaskus-Tor errichtet

1910	das Karmelitinnenkloster in Nazareth vollendet
1913	der rumänische Mönch Johannes aus dem Kloster Neamts beginnt sein Asketenleben in Sankt Anna im Wadi Qelt
1914	die Zahl der russischen Pilger steigert sich auf 15000
1914	Beginn des ersten Weltkrieges. Internierung der italienischen Salesianer im Orfanotrofio von Bethlehem durch türkische Behörden. Ausweisung der französischen Schwestern

Britische Besetzung des Hl. Landes und britisches Mandat 1917–1948

1917	Balfour Declaration gegenüber Jüdischem Weltbund, den Juden ein national home zu schaffen
8./9. Dezember 1917	Allenby schlägt westlich Jerusalem die türkischen Verbände und besetzt Jerusalem
1917/18	Johannes Lepsius verfaßt Leben-Jesu-Roman
1917–Juli 1920	britische Militärregierung in Palästina
1918	MacInnes als anglikanischer Bischof in Jerusalem (1918–1932)
März 1918	Chaim Weizman als Vorsitzender der zionistischen Kommission in Jerusalem
4. Juni 1918	Treffen Weizmans mit König Feisal
1918	dem lateinischen Patriarchen Camassei wird die Rückkehr nach Jerusalem gestattet
1919	der englische Kardinal Bourne prüft die Situation in Palästina
März 1919	Papst Benedikt XV. (1914–1922) erteilt dem Balfour-Plan eine Absage
1920	der Leichnam der Elisaveta Feodorovna wird nach Jerusalem überführt
1920	anläßlich Nebi-Musa-Fest erfolgt arabischer Angriff auf jüdisches Viertel in Jerusalem
Mai 1921	arabischer Angriff auf das jüdische Immigrationshostel. Sir Herbert Samuel, Leiter der Mandatsregierung, stoppt die jüdische Einwanderung
1921	auf dem zionistischen Kongreß in Karlsbad trägt Martin Buber den andersartigen jüdischen Nationalismus vor
1921	Prof. Albrecht Alt übernimmt das Deutsche Evangelische Institut in Jerusalem
12. März 1923	das Patriarchat Jerusalem erkennt die anglikanischen Weihen als gültig an
1927	Pilgerreise des rumänischen Patriarchen Miron. Projekt eines rumänischen Kirchbaus und Hospizes
1929	arabisches Massaker unter nicht-zionistischen Juden bei Hebron
1932	Bischof Graham-Brown als anglikanischer Bischof in Jerusalem
1935	der rumänische Bischof Lucian Triteanu legt den Grundstein der rumänischen Kirche bei Jericho
1938	die melkitische Kirche wird von der Publikation des Talvacchia über die orientalischen Riten herausgefordert
3. September 1939	Kriegserklärung Englands an Deutschland. Alle Inhaber deutscher Pässe verhaftet in ein Barackenlager in Akkon eingewiesen. Deutsches Eigentum beschlagnahmt
1939	die rumänische St. Georgskirche in Jerusalem geweiht
1946	der neugewählte russische Patriarch Aleksij Simanskij besucht Jerusalem
Dezember 1947	arabische Partisanen besetzen die Tegard-Festung bei Latrun und sperren die Straße Jaffa-Jerusalem
1948	jüdisch-arabischer Krieg

14. Mai 1948	Proklamation des jüdischen Staates
1948	das Moskauer Patriarchat übernimmt die in Israel gelegenen russischen Institutionen der russischen geistlichen Mission
28. Mai 1948	Erklärung des Osservatore Romano, das neue Staatsgebilde Israel sei nicht Fortsetzung des Davididischen Reiches
1955	Gründung des Opus Sancti Jacobi für Juden katholischen Bekenntnisses
1956	Zusammenschluß meist evangelisch orientierter Kirchen zum United Christian Council in Israel (UCCI)
1957	Baubeginn der katholischen Rotunde in Nazareth
14. Juli 1963	Erklärung der Kirchen in Israel, keine Konversionen mit materiellem Anreiz betreiben zu wollen
November 1963	im Zweiten Vatikanischen Konzil wird im Rahmen des Ökumenismus-Schemas eine Judenerklärung erarbeitet, die die Frage der Landnahme ausblendet
1964	Treffen Papst Pauls VI. mit Patriarch Athenagoras I. in Jerusalem
1967	6-Tage-Krieg. Als Folge davon verliert die lutherische Schule von Beit Jala einen Großteil ihrer Schüler. Das melkitische Seminar St. Anna wird geschlossen
1968	Ein neues Clarissinnenkloster oberhalb Nazareths wird bezogen
1972	der russische Patriarch Pimen besucht nach seiner Weihe Jerusalem
13. Oktober 1973	Erklärung der lokalen Kirchen in Israel zum Yom-Kippur-Krieg
1974	UCCI-Konferenz in Haifa muß sich arabisch-kirchliche Gravamina anhören
1974	der melkitische Bischof Capucci wird wegen Waffenschmuggel in Haft genommen (1978 nach Rom entlassen)
1975	der Jesusbruderschaft aus Gnadenthal wird vom Kloster Latrun die Kreuzritterstallung zum Ausbau kommunitären Lebens überlassen. Der französischen katholischen Kommunität Theophanie wird von den Franziskanern das Kloster St. Johannes in der Wüste überlassen
17. September 1976	die Ecumenical Fraternity erhebt Einspruch gegen die Konfiskation arabischen Bodenbesitzes
Oktober 1977	Aktion gegen die juden-christliche Gruppe in Rosh Pinnah
5. Dezember 1977	Antimissionsgesetz im Knesset beschlossen
28. August 1979	die russische Äbtissin des Ölbergklosters Tamara stirbt
1979	der deutsche Lazarist Hugo Kerls, 40 Jahre im Hl. Land, feiert goldenes Priesterjubiläum
1980	die arabische lutherische Kirche erhält in Bischof Haddad ein hierarchisches Oberhaupt
1. November 1981	Elisaveta Feodorovna wird von der Exilkirche kanonisiert
26. November 1981	Als Nachfolger Capuccis im melkitischen Vikariat wird Lufti Laham geweiht
1982	Archimandrit Nikolaj, bisher Leiter der geistlichen Mission in Jerusalem, wird zum Bischof von Potschajev erhoben

Ortsnamen

Kohlhammer

Gestalten der Kirchengeschichte

Martin Greschat (Hrsg.)

Alte Kirche I/II

Je ca. 320 Seiten mit je ca. 20 Abbildungen
Leinen einzeln je ca. DM 89,–,
Subskription je ca. DM 79,–
Gestalten der Kirchengeschichte
Bd. 1: ISBN 3-17-008354-6
Bd. 2: ISBN 3-17-008355-4

Für die Kirchengeschichte hat die Epoche der
Alten Kirche besonderen Stellenwert. Die hier
dargestellten 35 Gestalten geben Zeugnis von
einer fernen und für uns heute dennoch nah und
greifbar erscheinenden Welt, faszinierend durch
ihr »Milieu« aus Bildung und Askese, beeindruckend aber auch durch ihr hohes Maß an
Übereinstimmung von christlichem Denken und
Handeln.

Bitte fordern Sie unseren Sonderprospekt
»Gestalten der Kirchengeschichte« an.

Verlag W. Kohlhammer
Stuttgart · Berlin · Köln · Mainz